Studien 28
zur Frankfurter Geschichte

Im Auftrag des Frankfurter Vereins für Geschichte und Landeskunde
in Verbindung mit der Frankfurter Historischen Kommission
herausgegeben von Wolfgang Klötzer und Dieter Rebentisch

Ideologie und Organisation des politischen Antisemitismus in Frankfurt am Main 1880—1914

Von Inge Schlotzhauer

1989 Verlag Waldemar Kramer Frankfurt am Main

Gedruckt mit Unterstützung der Stadt Frankfurt am Main (Kulturdezernat)

CIP-Titelaufnahme der Deutschen Bibliothek

Schlotzhauer, Inge:
Ideologie und Organisation des politischen Antisemitismus in Frankfurt am Main: 1880—1914 / von Inge Schlotzhauer. — Frankfurt am Main: Kramer, 1989
(Studien zur Frankfurter Geschichte; 28)
Zugl.: Frankfurt (Main), Univ., Diss., 1987/88
ISBN 3-7829-0381-1
NE: GT

Anschrift der Autorin: Dr. Inge Schlotzhauer,
Schwalbacher Straße 4, 6232 Bad Soden 2

Schriftleitung: Privatdozent Dr. Dieter Rebentisch,
Frankfurter Verein für Geschichte und Landeskunde e.V.,
Karmelitergasse 5, 6000 Frankfurt am Main 1

Das Umschlagbild zeigt den Innenraum des antisemitischen Restaurants und Hotels „Kölner Hof" mit der diskriminierenden Hinweistafel „Jüdischer Besuch verbeten". Postkarte des „Kölner Hofs" aus dem Jahr 1908.

D. 30

Auslieferung für den Buchhandel:
Verlag Waldemar Kramer, Frankfurt am Main
ISBN 3-7829-0381-1

Druck von W. Kramer & Co. Druckerei-GmbH in Frankfurt am Main

Inhalt

Vorwort

Die Anfänge der antisemitischen Parteien im Deutschen Reich vor 1914 waren verglichen mit dem, was in der deutschen Geschichte eine Generation später geschehen sollte, relativ harmlos. Ihre Bedeutung gewinnen sie erst in der Rückschau. An ihnen läßt sich die Entwicklung einer Politik aufzeigen, die mit der Forderung nach Aufhebung der Emanzipation begann und schließlich vor Mord nicht zurückschrecken sollte.

Nach Meinung vieler Zeitgenossen war in Frankfurt am Main das Zusammenleben von jüdischen und nichtjüdischen Einwohnern in der zweiten Hälfte des 19. Jahrhunderts weitgehend konfliktfrei. Anders als in den ländlichen Gebieten Nordhessens hatten es hier antisemitische Organisationen besonders schwer, sich fest und dauerhaft zu etablieren. Dennoch gab es in Frankfurt seit den 80er Jahren des 19. Jahrhunderts antijüdische politische Vereine. Deren Entwicklung und Agitation zu untersuchen und zu fragen, auf welche Gruppen sie mit welchem Erfolg wirkten und auf welche innerstädtischen Konflikte sie sich dabei bezogen, ist das Thema der vorliegenden Studie. So wenig spektakulär diese kleinen Organisationen erscheinen mögen — sie halfen mit, den Boden vorzubereiten, auf dem die radikaleren völkischen Parteien der Weimarer Republik auch in Frankfurt gedeihen konnten.

Bei der vorliegenden Arbeit handelt es sich um die leicht gekürzte und überarbeitete Fassung meiner Dissertation, die im Wintersemester 1987/88 von der Philosophischen Promotionskommission der Johann Wolfgang Goethe-Universität Frankfurt am Main angenommen worden ist. Für den Druck wurde das Manuskript im Herbst 1988 abgeschlossen, so daß die Literatur bis zum Erscheinungsjahr 1987, zum Teil auch noch bis 1988 berücksichtigt werden konnte.

Vielen, die mich bei der Abfassung der Arbeit in mannigfaltiger Weise unterstützt haben, gebührt mein Dank. Zu danken habe ich vor allem Herrn Professor Dr. Peter Wende. Sein anhaltendes Interesse am Fortgang der Arbeit und seine kritischen Hinweise waren stets sehr hilfreich. Herr Professor Dr. Lothar Gall hat sich der Arbeit nicht nur bereitwillig als Koreferent angenommen, sondern darüber hinaus eine Reihe von wertvollen Anregungen gegeben und wichtige Ergänzungsvorschläge gemacht. Herrn Archivdirektor a.D. Dr. Dietrich Andernacht schulde ich Dank für seine unermüdliche Hilfe bei der Quellensuche. Mein Dank gilt ferner den Mitarbeitern der in Anspruch genommenen Bibliotheken und Archive, die mich bei der oft schwierigen Materialsuche unterstützt haben. Die Verleihung des Johann Philipp von Bethmann-Studienpreises 1985 war eine große Ermutigung für den weiteren Fortgang der Untersuchung. Dem Frankfurter Verein für Geschichte und Landeskunde danke ich für die Aufnahme der Arbeit in seine Schriftenreihe.

Bad Soden, im Juli 1989 — Inge Schlotzhauer

Einleitung

„Der Antisemitismus hat in den größeren Städten Hessens, mit Ausnahme von Marburg, kein erhebliches Echo gefunden. Nie wird einer antisemitischen Organisation in Frankfurt Erwähnung getan."[1] Der Feststellung RÜDIGER MACKS aus den 60er Jahren in seiner Arbeit über den hessischen Antisemitenführer OTTO BÖCKEL steht das Urteil WILLI BUCHS in seiner Erinnerungsschrift „50 Jahre antisemitische Bewegung" aus dem Jahre 1937 entgegen. Neben Berlin, Dresden, Hamburg, Breslau, Kassel und Leipzig zählte er Frankfurt am Main als einen Ort auf, in dem die antisemitische Bewegung vor 1914 besonders „stark" gewesen sei.[2]

Diese beiden konträren Beurteilungen markieren die Pole, zwischen denen sich nur einige Hinweise auf antisemitische Strömungen in Frankfurt am Main in Abhandlungen zur Geschichte der Frankfurter Juden finden lassen.[3] Eine eigenständige Untersuchung über die antisemitische Bewegung in Frankfurt am Main vor 1914 existiert nicht.

Daß die Einschätzung RÜDIGER MACKS vorschnell ist und es antisemitische Tendenzen im wilhelminischen Frankfurt gab, zeigen schon die Bemerkungen in der Sekundärliteratur zur Geschichte der Frankfurter Juden. Es werden die Wahl eines antisemitischen Stadtverordneten im Jahre 1904, ein seit 1895 bestehendes „judenfreies" Hotel sowie die Auseinandersetzung um die Errichtung des HEINE-Denkmals 1912/13 erwähnt. Dabei beschränken sich die Autoren allerdings auf die Schilderung dieser Zustände und Ereignisse als ungewöhnliche Einzelfälle, ohne zu bemerken, daß hinter ihnen eine seit den 90er Jahren existierende antisemitische Organisation stand, nämlich der sogenannte „Deutsche Verein". Dieser wurde 1891 gegründet und war von 1894 an als eine lokale Vereinigung der reichsweit bestehenden Deutschsozialen Reformpartei aktiv. Aber auch er war nicht die erste antisemitische Vereinsgründung in Frankfurt. Schon in den 80er Jahren gab es für kurze Zeit einen antisemitischen „Reformverein".

Diese wenigen Hinweise mögen genügen, um eine Erforschung der antisemitischen Bestrebungen in Frankfurt vor 1914 nicht schon vorab als ergebnislos erscheinen zu lassen. Allerdings scheint Frankfurt nicht, wie WILLI BUCH meinte, ein Schwerpunkt der antisemitischen Bewegung im deutschen Kaiserreich gewesen zu sein. Diese Beurteilung erweist sich als ebenso unzutreffend wie die RÜDIGER MACKS. Im Unterschied zur Weimarer Republik, als Frankfurt neben Kassel zu einem „Sammelpunkt

[1] R. MACK, Otto Böckel, S. 398.

[2] W. BUCH, 50 Jahre, S. 25.

[3] P. ARNSBERG, Geschichte, Bd. 1, S. 783-796; W. WIPPERMANN, Leben, Bd. 1, S. 37; „Früher wohnten wir . . .", S. 21.

völkisch-nationalistischer Gruppen" in Hessen wurde,[4] hatten die antisemitischen Organisationen vor 1914 nur lokale Bedeutung. Der Deutsche Verein, um den es im folgenden vornehmlich geht, war klein und seine Propagandatätigkeit reichte kaum über Frankfurt hinaus. Mit den großen liberalen und sozialdemokratischen Parteiorganisationen der Stadt konnte er sich nicht vergleichen. Im Rahmen seiner Möglichkeiten war er aber politisch aktiv und wandte sich an die Öffentlichkeit. Zumindest zeitweise ließ er sich als eigenständiger Faktor im Parteienspektrum der Stadt wahrnehmen.

Die vorliegende Arbeit beschäftigt sich mit dem organisierten und politische Mitsprache fordernden Antisemitismus. Private und mehr oder weniger öffentlich geäußerte antijüdische Stimmen ebenso wie jede Form des sogenannten gesellschaftlichen Antisemitismus bleiben dagegen unberücksichtigt. Ausschließlich politische Organisationen und am Rande auch wirtschaftliche Interessenverbände, deren Programme antijüdische Forderungen enthielten und deren Mitglieder sich selbst als Antisemiten bezeichneten, sind Gegenstand dieser Untersuchung.

Antisemitische Parteien entstanden erstmals Ende der 70er/Anfang der 80er Jahre in Berlin, von wo aus sie sich über das Reich ausbreiteten. Im Zusammenhang mit diesen Neugründungen wurde 1879 vermutlich von dem Publizisten Wilhelm Marr als „politisches Schlagwort" der Begriff „antisemitisch" geprägt. Kennzeichen dieser neuen Gruppierungen war die programmatische Forderung nach Zurücknahme oder wenigstens Begrenzung der in der Regel kaum mehr als zehn Jahre zurückliegenden Emanzipation der jüdischen Einwohner. Schon bald wurde der Begriff nicht nur auf politische Parteien angewandt, sondern er setzte sich als Bezeichnung für alle antijüdischen Bestrebungen durch.[5]

Da das Thema auf solche Organisationen beschränkt wird, die sich selbst als antisemitisch im ursprünglichen Sinne verstanden, genügt es, zum Zwecke der vorläufigen Abgrenzung des Forschungsgebietes, an dieses Selbstverständnis der Gruppen anzuknüpfen. Daß die Zielsetzungen des politischen Antisemitismus tatsächlich nicht nur antijüdisch waren, sondern auch andere Reformforderungen enthielten, wird am Untersuchungsmaterial selbst zu zeigen sein.

Die vorliegende Untersuchung beabsichtigt nicht nur, eine noch fehlende Ergänzung zur Stadtgeschichtsschreibung zu liefern, sondern sie versteht sich als eine Fallstudie zur Geschichte des politischen Antisemitismus vor 1914. Sofern die Betrachtung über Frankfurt hinausgeht und versucht, die Bewegung in einen größeren zeitlichen und räumlichen Zusammenhang einzuordnen, konnte auf einige grundlegende Forschungen zur antisemitischen Bewegung im Kaiserreich zurückgegriffen werden.

Während aber zu Ideologie und Entstehung des Antisemitismus vor 1914 zahlreiche Untersuchungen erschienen sind, die dieses Phänomen als „Inkubationszeit"[6]

[4] E. Schön, Entstehung, Kap.I.2., S. 21-26.

[5] R. Rürup/Th. Nipperdey, Antisemitismus, S. 101ff.; A. Bein, Judenfrage, Bd. 2, S. 163-168.

[6] D. Blasius, „Judenfrage", S. 28.

oder „Vorgeschichte“[7] der nationalsozialistischen Vernichtungspolitik zuordnen, gibt es nur einige wenige explizit organisationsgeschichtliche Darstellungen. Andererseits gehen die meisten historischen Arbeiten zum Antisemitismus vor 1914 unter ihrer jeweiligen Fragestellung auch auf die Entwicklung der antisemitischen Parteien ein.[8]

Als parteigeschichtliche Untersuchungen verstehen sich die 1927 veröffentlichte Arbeit von Kurt Wawrzinek, der sich aber nur mit der Frühgeschichte der Bewegung bis 1900 beschäftigte,[9] und die Dissertation von Martin Broszat „Die antisemitische Bewegung im wilhelminischen Deutschland“ aus dem Jahre 1953. Aus den 70er Jahren stammt die Arbeit von Richard S. Levy, der sich mit den politischen Forderungen der antisemitischen Parteien unter dem Aspekt ihres Scheiterns auseinandersetzte.[10]

Die insgesamt geringe Anzahl organisationsgeschichtlicher Arbeiten mag ihren Grund darin haben, daß die antisemitischen Parteien mit Ausbruch des ersten Weltkrieges von der politischen Bühne verschwanden und ihre Nachfolger in den 20er Jahren — wie Richard Levy untersucht hat — sich nur negativ auf diese bezogen. Eine direkte Kontinuität des organisierten Antisemitismus der wilhelminischen Zeit zum Nationalsozialismus des Dritten Reichs gab es nicht. Die Geschichtsmächtigkeit der Bewegung vor 1914 lag vielmehr in ihrem Scheitern, das es den Antisemiten der 20er Jahre von vornherein angeraten erscheinen ließ, einen anderen, radikaleren Weg als ihre Vorgänger zu suchen.[11] Der Untersuchungszeitraum der vorliegenden Studie beschränkt sich deshalb auf die Zeit vom Aufkommen der antisemitischen Parteien bis zum Ausbruch des 1. Weltkrieges.

Vergleichbare lokalgeschichtliche Untersuchungen zur antisemitischen Bewegung existieren nur wenige. Außer der Arbeit von Kurt-Gerhard Riquarts über Schleswig-Holstein und Hamburg[12] erschienen neuerdings einige Aufsätze zur antisemitischen Bewegung in Darmstadt,[13] in Köln und dem rheinischen Raum[14] sowie in Hildesheim.[15] Zu Otto Böckel und dem mittel- und nordhessischen Antisemitismus lie-

[7] P. Massing, Vorgeschichte.

[8] Zu den verschiedenen Positionen der Antisemitismusforschung s. R. Rürup, Entwicklung, bes. S. 120ff.

[9] K. Wawrzinek, Die Entstehung der deutschen Antisemitenparteien 1873—1900. Berlin 1927.

[10] R. Levy, The Downfall of the anti-Semitic Political Parties in Imperial Germany. New Haven and London 1975.

[11] Dies gilt nicht für die antisemitische Theorie. Hier wurde das wesentliche vor 1914 geleistet, vgl. A. Bein, Moderner Antisemitismus, S. 360.

[12] K.-G. Riquarts, Der Antisemitismus als politische Partei in Schleswig-Holstein und Hamburg 1871-1914. Diss. Kiel 1975.

[13] W. Wassermann/E. G. Franz, „Kauft nicht bei Juden“. Der politische Antisemitismus des späten 19. Jahrhunderts in Darmstadt, in: Juden als Darmstädter Bürger, 1984.

[14] B. Suchy, Antisemitismus in den Jahren vor dem ersten Weltkrieg, in: Köln und das rheinische Judentum, 1984.

[15] A. J. Knott, Die antisemitische Bewegung in Hildesheim bei den Wahlen zum Reichstag 1891 und 1893, in: Alt-Hildesheim 1980.

gen einige Untersuchungen vor,[16] die aber für Frankfurt nur am Rande bedeutsam sind. Die Böckelbewegung lag zeitlich vor der Ausbildung des Frankfurter Deutschen Vereins, außerdem kann sie als ländliche Agitation kaum mit dem sich an ein städtisches Publikum wendenden Antisemitismus des Frankfurter Deutschen Vereins gleichgesetzt werden.

Diese Hinweise mögen verdeutlichen, warum eine lokalgeschichtliche Analyse der antisemitischen Bewegung nicht nur die Lokalgeschichtsschreibung ergänzt, sondern auch für ihre Geschichte im Reich bedeutsam ist. Unterscheidet sich schon der politische Antisemitismus der ländlichen Gebiete Nordhessens in seiner Verlaufsform und seinem Programm von demjenigen Frankfurts, so gilt dies noch viel mehr für die Bewegung im Reich insgesamt. Die antisemitische Bewegung des Kaiserreichs konnte nicht überall gleichmäßig und gleichzeitig Fuß fassen, sie war z.B. in Hessen und Sachsen besonders stark, während sie in Bayern praktisch keine Rolle spielte. Aus diesem Grund sind regionale Untersuchungen, die die örtlichen Bedingungen berücksichtigen, unter denen der Antisemitismus wachsen konnte, eine notwendige Ergänzung der auf das ganze Reich bezogenen Forschungsliteratur. Nur sie vermögen es, generalisierende Aussagen am konkreten Fall zu überprüfen und — bei aller Gemeinsamkeit — die unterschiedlichen Erscheinungsformen der antisemitischen Bewegung vor 1914 aufzuzeigen.

Daß lokalgeschichtliche Studien bislang kaum über Ansätze hinausgekommen sind, liegt zum Teil sicher an der nicht unproblematischen Quellenlage. Es gibt nur wenige aussagekräftige ungedruckte Quellen. Und bei den gedruckten Quellen handelt es sich meist um antisemitische Parteiblätter, die die Ereignisse einseitig wiedergeben.

Für die Geschichte der antisemitischen Bewegung in Frankfurt am Main konnte auf ungedruckte Quellen im Stadtarchiv Frankfurt zurückgegriffen werden. Die städtischen Unterlagen belegen keine Vereinsinterna, sondern können nur für Aktivitäten des Vereins oder einzelner Mitglieder herangezogen werden, die für die damalige Stadtverwaltung bedeutsam genug waren, um darüber Akten anzulegen (z.B. Auseinandersetzung um das Heine-Denkmal 1912/13, der Rechtsstreit mit dem Besitzer des „Kölner Hofs", Wahlen zur Stadtverordnetenversammlung). Das Hauptstaatsarchiv Wiesbaden verwahrt in seinem Bestand des Preußischen Polizeipräsidiums Frankfurt/M. die Akten der Politischen Polizei, die mit der Überwachung der Vereine in Frankfurt beauftragt war. Sie berichten über öffentliche Versammlungen des Deut-

[16] E. Knauss, Der politische Antisemitismus im Kaiserreich (1871—1900) unter besonderer Berücksichtigung des mittelhessischen Raumes, in: Mitteilungen des oberhessischen Geschichtsvereins 1969; ders., Der politische Antisemitismus vom ausgehenden 19. Jahrhundert bis zum Ende des Kaiserreichs unter besonderer Berücksichtigung des nord- und mittelhessischen Raumes, in: Juden in Kassel 1808—1933. Kassel 1986; R. Mack, Otto Böckel und die antisemitische Bauernbewegung in Hessen 1887—1894, in: Wetterauer Geschichtsblätter 1967; wiederabgedruckt in: Neunhundert Jahre Geschichte der Juden in Hessen. 1983; sowie neuerdings D. Peal, Anti-Semitism and Rural Transformation in Kurhessen. The Rise and Fall of the Böckel Movement, Columbia University diss. New York 1985.

schen Vereins bzw. über den Besuch von Versammlungen anderer politischer Parteien durch Mitglieder des Deutschen Vereins. Für die Anfänge der antisemitischen Bewegung in Frankfurt am Main seit den 80er Jahren war der Nachlaß Otto Böckels im Staatsarchiv Marburg von Interesse.

Dankenswerterweise hat mir das Zentrale Staatsarchiv Merseburg Kopien der Petition des Frankfurter Vereins an das Preußische Herrenhaus von 1895 zugeschickt. Außerdem konnte ich noch Kopien einer Mitgliederliste der Deutschsozialen Reformpartei aus den Jahren 1899 und 1900 aus dem Zentralen Staatsarchiv Potsdam einsehen.

Für die innerparteiliche Entwicklung sind die gedruckten Quellen weit ergiebiger als die ungedruckten, wobei an erster Stelle die antisemitischen Zeitungen zu nennen sind. Besonders wichtig sind die Periodika, in denen der Deutsche Verein seine Parteinachrichten publizierte, nämlich die zuerst in Offenbach, später in Friedberg erscheinende „Deutsche Volkswacht" (1894—1907) und die beiden vom Deutschen Verein selbst herausgegebenen Zeitungen, die „Frankfurter Post" (1896—1904) und die Zeitung „Deutsche Worte" (1899/1900). Daneben müssen auch antisemitische Zeitungen berücksichtigt werden, die im gesamten Reich bzw. nur in Hessen verbreitet waren, denn sie informierten ihre Leser zuweilen auch über die Parteientwicklung in Frankfurt. Als Beispiel seien hier „Der Reichsgeldmonopol" (1882—mind. 1895), „Der Reichsherold" (1887—1894) und vor allem das Parteiorgan der Deutschsozialen Partei, die „Deutsch-Sozialen Blätter" (1885—1914), angeführt.

Als Quellen kommen ferner die von 1891 an vom Verein zur Abwehr des Antisemitismus herausgegebenen „Mitteilungen" in Betracht, in denen über die verschiedenen örtlichen Vorkommnisse berichtet wurde. Lokale Zeitungen wie die „Kleine Presse" oder die „Frankfurter Zeitung" kommentierten besonders die Aktivitäten des Vereins, mit denen er sich an die Frankfurter Öffentlichkeit wandte.

Zur Darstellung der Ergebnisse dieser Untersuchung wurde eine Gliederung gewählt, die im wesentlichen dem chronologischen Ablauf der Ereignisse folgt, aber auch in systematischen Kapiteln einzelne Gesichtspunkte vertiefend behandelt. Zeitlich übergreifend werden bestimmte Aspekte der Organisationsstruktur des Deutschen Vereins behandelt, da sie sich während des gesamten Untersuchungszeitraums nicht verändern, wie vereinsinterner Aufbau, soziale Zusammensetzung der Anhängerschaft und Programm.

Auf Hervorhebungen in den Zitaten wurde verzichtet, denn die antisemitischen Verfasser arbeiteten mit verwirrend vielen Unterstreichungen, Fettgedrucktem oder anderen optischen Kennzeichnungen. Auch wurden die Texte häufig sehr nachlässig geschrieben bzw. gedruckt, so daß sie voller Fehler sind. Offensichtliche Rechtschreibe- und Zeichensetzungsfehler werden deshalb in aller Regel stillschweigend korrigiert.

Der Gebrauch der Pauschalbegriffe „die Juden" oder „das Judentum" übernimmt die Sprache der Judengegner und wird der sozialen Realität des deutschen Judentums nicht gerecht. Die jüdische Bevölkerung des Kaiserreichs war keine einheitliche soziale Gruppe. Sie besaß kein geschlossenes Gruppenbewußtsein, wie es diese generalisierenden Begriffe unterstellen. Selbst die Definition „Jude" hatte je nach Standpunkt verschiedene Inhalte. Diese Differenzierungen zu berücksichtigen, würde den Rahmen der Arbeit sprengen. Da die tatsächliche Lage und das Bewußtsein der jüdischen Minderheit für die Entwicklung der antisemitischen Bewegung sekundär waren, habe ich nur aus Gründen der Verständlichkeit an diesen Pauschalbezeichnungen festgehalten.[17]

[17] Zu diesen Überlegungen vgl. R. Leuschen-Seppel, Sozialdemokratie, S. 13, und E. Zechlin, Deutsche Politik, S. 19ff.

1. Die Entwicklung der Stadt Frankfurt von 1866 bis 1914

In den rund fünzig Jahren von 1866 bis 1914 veränderten sich Erscheinungsbild und Charakter der Stadt Frankfurt grundlegend. Dieser Wandel der wirtschaftlichen und sozialen Strukturen war umfassend genug, um auch schon zeitgenössischen Beobachtern aufzufallen.[1] Als Frankfurt 1866 den Status einer Freien Stadt verlor und als Kreisstadt im Regierungsbezirk Wiesbaden dem preußischen Staatsverband einverleibt wurde, besaß sie noch das Gepräge einer wohlsituierten, altertümlich engen Patrizierstadt mit einer veralteten Wirtschaftsstruktur.[2] Von dem bald danach einsetzenden, seit den 90er Jahren in allen Bereichen zu bemerkenden Übergang zu einer modernen Großstadt war noch nichts zu spüren. Am Vorabend des 1. Weltkrieges sollte sich die Stadt dank ihrer zentralen Lage im Deutschen Reich zu einem bedeutenden Verkehrsknotenpunkt entwickeln und sich als Handelsstadt erneut etablieren.

Die ungeheure Ausdehnung des Stadtgebietes sowie die beträchtliche Zunahme der Bevölkerung sind die augenfälligsten Merkmale dieses raschen Entwicklungsprozesses. Während Frankfurt im Jahre 1867 circa 78.000 Einwohner zählte,[3] wuchs die Bevölkerung bis 1910 auf 415.000 an.[4] In weniger als fünfzig Jahren hatte sich die Gesamtbevölkerung Frankfurts mehr als verfünffacht.[5] Dieser Zuwachs läßt sich nicht allein auf den Geburtenüberschuß und die Einwanderung vom Lande zurückführen, sondern auch auf die von Seiten der Stadt systematisch betriebenen Eingemeindungen der sich in ihrem Einzugsbereich befindenden Ortschaften.[6] 1877 wurden Bornheim, 1895 Bockenheim, 1900 Niederrad, Oberrad und Seckbach, 1910 schließlich die nördlichen Vororte, von Rödelheim im Westen bis Berkersheim im Osten eingemeindet. Damit gehörte Frankfurt zu den preußischen Städten mit der größten Fläche und Einwohnerzahl.

Die Frankfurter Wirtschaftsstruktur war bis zu Anfang des 19. Jahrhunderts geprägt durch den Warenhandel. An dessen Stelle trat in der 1. Hälfte des 19. Jahrhunderts der Geld- und Anleihenhandel, so daß Frankfurt neben Wien zu einer der wichtigsten Börsenstädte wurde.[7] In dieser Rolle wurde sie jedoch seit Mitte des 19. Jahr-

[1] O. Kanngiesser, Frankfurts Gegenwart, S. 1.

[2] W.-A. Kropat, Frankfurt, S. 226; zur Verfassungsentwicklung 1848—1866 vgl. H. Böhme, Frankfurt, S. 226-236.

[3] Graphisch-statistischer Atlas, nicht paginiert.

[4] H. Silbergleit, Bevölkerungs- und Berufsverhältnisse, S. 24

[5] Im gleichen Zeitraum wuchs dagegen die Bevölkerung des Deutschen Reiches nur um 60%, s. W. Klötzer, Wilhelminisches Frankfurt, S. 174.

[6] Von der Bevölkerungszunahme um 337.000 Personen in dem Zeitraum 1867—1910 entfallen 92.000 auf die Eingemeindungen, s. E. Klar, Entwicklung, S. 56.

[7] O. Kanngiesser, Frankfurts Gegenwart, S. 5.

hunderts von der Berliner Börse abgelöst.[8] Nur für den süddeutschen Raum behielt Frankfurt seine Funktion als Börsen- und Bankenstadt.[9] Für die Frankfurter Wirtschaftsstruktur bedeutsamer war in der 2. Hälfte des 19. Jahrhunderts erneut wieder der seit langem angestammte, jetzt aber modernisierte und in größerem Stil betriebene Warenhandel. Nicht nur als Handelsstadt konnte sich Frankfurt etablieren, daneben gab es auch eine Reihe von Industriegründungen. Zwar wurde Frankfurt zu keiner Industriestadt wie das benachbarte Offenbach oder Höchst, aber an der Peripherie entstanden einige neue Fabriken, vornehmlich Metall- und Chemiebetriebe.[10] Im Gegensatz etwa zum Ruhrgebiet herrschte in Frankfurt eine „vielseitige wirtschaftliche Infrastruktur", die die Frankfurter Wirtschaft weniger krisenanfällig machte.[11] Neben den modernen Fabrikationsanlagen, Banken und Handelshäusern gab es noch eine Vielzahl von Handwerks- und kleineren Gewerbebetrieben, die nach den überkommenen Fertigungsweisen ihre Produkte herstellten und feilboten.[12] Dominierend allerdings waren diese traditionellen Berufsgruppen nicht mehr, wenn sie auch nominell einen erheblichen Prozentsatz bildeten. Dies verdeutlicht schon das sich im Laufe der 50 Jahre wandelnde äußere Erscheinungsbild der Stadt.

Frankfurt war zu einer modernen Metropole geworden, die sich ein elegantes weltstädtisches Äußeres zugelegt hatte.[13] Neben Projekten, die vornehmlich für die Wirtschaftskraft der Stadt bedeutsam waren, wie z.B. dem Hauptbahnhof (1888), der Festhalle (1907) und dem Osthafen (1909/12), entstanden reine Luxusbauten, etwa das Opernhaus (1880), mit einem Aufwand, wie ihn sich nur die damals reichste Stadt des Deutschen Reiches leisten konnte.[14] Besonders unter Oberbürgermeister Franz Adickes (1891—1912) wurde die städtebauliche Entwicklung im großen Stil und für eine ferne Zukunft geplant und durchgeführt.[15] Im Altstadtbereich sollten Straßendurchbrüche für den schnell zunehmenden Verkehr Platz schaffen und zugleich die enge Bauweise in diesem Bezirk auflockern.[16] Bauordnungen verhinderten in den Vorstädten die Errichtung unzureichender Mietshäuser für die wachsende Einwohnerzahl und sicherten eine einheitliche Bebauung mit ausreichenden Grünflächen.

Aber diese durch die kommunale Verwaltung gelenkte Wohnungsbaupolitik, mit der die Entstehung von Slums vermieden werden konnte, sagt nichts über die Sozialstruktur der Stadt aus. Neben einer kleinen reichen Oberschicht gab es einen hohen

8 H. Böhme, Frankfurt, S. 236; W.-A. Kropat, Frankfurt, S. 112.
9 F. Lerner, Wirtschafts- und Sozialgeschichte, S. 207.
10 W. Klötzer, Wilhelminisches Frankfurt, S. 173f.
11 Ebd., S. 174; F. Lerner, Wirtschafts- und Sozialgeschichte, S. 184f.
12 Über ihre Anzahl und ihre soziale Lage in Frankfurt gibt es bislang keine Untersuchung. Alles, was über den gewerblichen Mittelstand ausgesagt werden kann, muß indirekt und aus sekundären Quellen geschlossen werden.
13 W. Klötzer, Wilhelminisches Frankfurt, S. 170-173 und S. 177-179.
14 W. Klötzer, Franz Adickes, S. 256; W. Schivelbusch, Wilhelminische Oper, besonders S. 141ff.
15 zu Adickes Wirken in Frankfurt s. die kurze Zusammenfassung von W. Klötzer, Franz Adickes. Zu Adickes Baupolitik, der als der „große Städtebauer" bezeichnet wird, vgl. ausführlich W. Bangert, Baupolitik, S. 38-73.
16 O. Schilling, Innere Stadtentwicklung, S. 104-125.

Prozentsatz von Armen bzw. wenig Begüterten. Dieser erhebliche gesellschaftliche Unterschied zeigte sich z.B. in den Einkommensteuerzahlen von 1908, wonach 93,4% der Steuern von 17,2% der Bevölkerung aufgebracht wurden, worunter sich allein über 380 einfache bzw. mehrfache Millionäre befanden. Auch eine Statistik über die Höhe der Einkommen aus dem Jahre 1913 bestätigt dieses Bild: nur 13% der Bevölkerung gehörten der bürgerlichen Schicht an, die vom einfachen selbständigen Handwerker bis zum Millionär reichte, während die restlichen 87% als „minderbemittelt" galten.[17]

Dieses Sozialprofil der Stadt zeigte sich auch an der Wahl der Vertreter Frankfurts für Reichs- und Landtag. Abhängig von dem geltenden Wahlrecht bildeten sich jeweils andere politische Mehrheiten heraus. Bei den Reichstagswahlen, die keine Beschränkungen nach Besitz oder Einkommen kannten, ging infolge des Übergewichts des vierten Standes seit 1884 (abgesehen von der Wahl 1907) jeweils der sozialdemokratische Kandidat als Sieger hervor. Dagegen vertraten im preußischen Landtag, für dessen Wahlgang das preußische Dreiklassenwahlrecht galt, mehrheitlich Nationalliberale die Stadt. In der Frankfurter Stadtverordnetenversammlung stellten dagegen die Demokraten und Fortschrittler die stärkste Fraktion, obgleich das kommunale Wahlrecht, das an den Nachweis von Hausbesitz und an den Zensus gebunden war, rückständigen Charakter hatte.[18]

Das enorme Wachstum der Stadtbevölkerung im Zeitraum von 1866 bis 1914 ist bei den jüdischen Einwohnern in entsprechender Weise nicht zu beobachten, so daß ihr prozentualer Anteil im Laufe der 50 Jahre von über 10 Prozent auf etwas über 6 Prozent fiel. Dieser Rückgang hing mit den Eingemeindungen der Vorstädte zusammen, in denen es nur einen sehr geringen jüdischen Bevölkerungsanteil gab.[19] Obwohl die Zahl der in Frankfurt ansässigen Juden von 10.000 im Jahre 1871 auf 26.000 im Jahre 1911 anstieg, verringerte sich ihr Anteil an der Gesamtbevölkerung um beinahe die Hälfte. Im einzelnen läßt sich eine konstante Zunahme verbunden mit einem ebenso stetigen Rückgang der Prozentzahlen feststellen.[20] (Siehe Tabelle auf Seite 18)

Dabei muß auch die Konzentration der jüdischen Bevölkerung in bestimmten Stadtteilen, besonders im Ostend und Westend, berücksichtigt werden. Im Ostend, dem Gebiet um die historische Judengasse, stellten im Jahre 1900 die Juden rund ein Viertel der Bevölkerung. Und im Westend, dem Wohnviertel der wohlhabenden Einwohner Frankfurts, waren über 15% der Einwohner Juden, während ihr Anteil in den Vorstädten sehr gering war. Er lag z.B. in Bornheim oder Sachsenhausen unter einem Prozent.[21]

17 W. Klötzer, Wilhelminisches Frankfurt, S. 176.

18 Ebd., S. 163-165.

19 Zeitschrift für Demographie und Statistik, 2. Jg. 1906, H.3, S. 47.

20 Zahlen bis einschließlich 1900 s. Graphisch-statistischer Atlas von Frankfurt am Main, 1903. In der Literatur finden sich teils abweichende Daten, die aber — wenn nicht anders angegeben — nicht erwähnt werden, sofern sie nicht das Gesamtbild verändern. Vgl. auch P. Arnsberg, Geschichte, Bd. 2, S. 481.

21 St. Lowenstein, Jewish Residential Concentration, S. 484f.

	Einwohnerzahlen	Juden	Prozentzahlen
1867	78.277	7.620[22]	9,73%
1871	91.040	10.009	10,99%[23]
1875	103.136	11.887	11,52%
1880	136.831	13.856	10,13%
1885	154.441	15.537	10,06%
1890	179.985	17.426	9,68%
1895	229.279	19.488	8,5 %
1900	288.989	21.974	7,6 %[24]
1905	334.978	23.476	7 %[25]
1910	414.576	26.228	6,33%[26]

Obwohl der Anzahl nach mehr Juden in der Reichshauptstadt Berlin lebten, war ihr prozentualer Anteil in Frankfurt der höchste unter den deutschen Städten,[27] trotz der insgesamt fallenden Quote von über 10% auf 6%. Allenfalls in einigen kleineren Ortschaften war der Prozentsatz der Juden höher als in Frankfurt.[28] Dagegen machte ihr Anteil an der deutschen Gesamtbevölkerung im Zeitraum von 1871 bis 1914 mit leicht fallender Tendenz nur 1% aus.[29]

Diese quantitative Aufschlüsselung des jüdischen Einwohneranteils an der Frankfurter Gesamtbevölkerung verdeutlicht zwar, daß sie eine nicht zu vernachlässigende Minderheit stellten, sagt jedoch nichts über ihre tatsächliche soziale Lage aus und ob sich diese von der übrigen Bevölkerung unterschied.

22 Dagegen W. Hanauer, Statistik, S. 137. Er gibt 8.238 Juden an, was, geht man von derselben Gesamtzahl aus, 10,52% jüdischer Anteil bedeutet.

23 Fälschlich rechnet M. Richarz, Jüdisches Leben, S. 21, den Prozentsatz der jüdischen Bevölkerung mit 7,1% bei richtiger Angabe der Gesamtzahl aus. Möglicherweise ist dies J. Lestschinsky, Wirtschaftliche Schicksal, S. 65, entnommen, der für 1871 7,06% Juden in Frankfurt angibt, ohne daß klar ist, woher Lestschinsky diese Zahl hat oder wie er sie errechnet hat.

24 Falsche Prozentzahl von 8,18% bei richtiger Grundzahl in: Zeitschrift für Demographie und Statistik, 1. Jg. 1905, H.4, S. 12.

25 Statistisches Handbuch, 1. Ausg. 1907, S. 38.

26 E. Kahn, Bevölkerungsbewegung, S. 33; vgl. auch Statistisches Handbuch, 2. Ausg. 1928, S. 70; H. Silbergleit, Bevölkerungs- und Berufsverhältnisse, S. 24.

27 Der Anzahl nach lag Frankfurt hinter Berlin an zweiter Stelle im Deutschen Reich, s. P. Arnsberg, Geschichte, Bd. 1, S. 721.

28 Als Beispiel kann das hessische Dorf Rhina angeführt werden, in dem bis 1933 Juden die Mehrheit der Bevölkerung bildeten, s. P. O. Chotjewitz/R. Chotjewitz-Häfner, Die mit Tränen säen, S. 2.

29 E. Bennathan, Demographische und wirtschaftliche Struktur, S. 94.

Ausgehend von einem Vergleich der Anteile der verschiedenen Konfessionen am städtischen Steueraufkommen lassen sich verallgemeinerbare Aussagen über das Vermögen und damit über die soziale Lage der Angehörigen verschiedener Konfessionen machen. Eine derartige Gegenüberstellung von Konfessionszugehörigkeit und Vermögenslage hat das Statistische Amt der Stadt Frankfurt für das Jahr 1900 erstellt.[30] Danach waren 60,9% der Frankfurter Bevölkerung evangelischer, 30,6% katholischer Konfession und 7,6% Israeliten. Dieser Prozentsatz verschiebt sich allerdings erheblich, wenn man den Steuerertrag auf die Steuerpflichtigen der drei Konfessionen umlegt:

Konfession	Censiten	Steuerertrag
evangelisch	24.867	3.019.505 Mark
katholisch	10.033	596.306 Mark
Israeliten	5.946	2.540.812 Mark

Während ein protestantischer Steuerzahler durchschnittlich 121,— Mark an Steuern zahlte und ein katholischer nur 59,40 Mark, führte der israelitische Censit durchschnittlich 427,50 Mark jährlich an Steuern ab.

Diese hohen Abgaben der jüdischen Steuerpflichtigen resultieren aus der von den christlichen Steuerzahlern abweichenden prozentualen Verteilung auf die verschiedenen Steuergruppen, da ein relativ großer Prozentsatz der jüdischen Steuerzahler den höheren Steuerklassen zugerechnet werden muß. Während 68,1% aller und 46% der jüdischen Steuerzahler über ein Einkommen zwischen 900 und 3000 Mark verfügten, gehörten in die mittlere Einkommensgruppe von 3000 bis 6000 Mark 15,3% der Gesamtsteuerzahler und 20,7% der jüdischen. Dagegen waren in den höheren Steuerklassen 16,6% aller und 32,4% der jüdischen Steuerzahler.[31]

Schon diese Zahlen zeigen, daß sich die jüdische Minderheit in ihrer Sozialstruktur von dem protestantischen oder gar dem katholischen Bevölkerungsteil unterschied. Wir haben es in Frankfurt mehrheitlich mit einer wohlhabenden, wirtschaftlich erfolgreichen jüdischen Einwohnerschaft zu tun. Jedoch geben solche Statistiken immer ein überzeichnetes Bild der sozialen Wirklichkeit wieder. Selbstverständlich gab es auch unter den Juden Arme, die bei zahlreichen karitativen jüdischen Stiftungen Unterstützung fanden,[32] neben den sehr reichen, deren Steueraufkommen weit über dem durchschnittlichen Satz lag. Insgesamt aber muß die Frankfurter jüdische Bevölkerung zu Ende des 19. Jahrhunderts einer mittelständischen, eher wohlhaben-

[30] Graphisch-statistischer Atlas, nicht paginiert.

[31] Zeitschrift für Demographie und Statistik der Juden, 1. Jg. 1905, H.4, S. 12.

[32] W. Wippermann, Leben in Frankfurt, Bd. 1, S. 35f.; P. Arnsberg, Geschichte, Bd. 1, S. 763-776 und Bd. 2, S. 59-110.

den bürgerlichen Schicht zugerechnet werden. Sie setzte sich nicht, wie etwa in Berlin,[33] zu einem großen Teil aus Neueinwanderern aus ländlichen Gebieten, vor allem aus dem Osten, zusammen, die in kleinbürgerlichen bis ärmlichen Verhältnissen lebten. Vielmehr bestand sie aus schon seit Generationen in Deutschland Ansässigen.

Daß dies Konsequenzen für das Selbstverständnis der Frankfurter jüdischen Bevölkerung hatte, liegt nahe. Die Frankfurter Juden fühlten sich durchweg als Deutsche. Als deutsche Staatsbürger leisteten sie ihren Beitrag zum Gedeihen ihrer Stadt und ihres Landes, mit dessen Kultur sie längst verschmolzen waren.

[33] S. ADLER-RUDEL, Ostjuden, S. 164f.; P. GAY, Freud, S. 191f.; A. BARKAI, Sozialgeschichtliche Aspekte, S. 239. Auch in Hamburg war die jüdische Bevölkerung weniger wohlhabend als in Frankfurt, s. H. KROHN, Juden in Hamburg, S. 81.

2. Das Bild Frankfurts in der antisemitischen Literatur

Der Wandel Frankfurts von einer behäbigen traditionalen Stadt zu einer modernen Handels- und Verkehrsstadt wurde auch von den Antisemiten wahrgenommen, die diesen Prozeß jedoch ausschließlich negativ beurteilten. Diese gruppenspezifische Sichtweise der Realität kann als der subjektive Hintergrund der Ereignisgeschichte angesehen werden. Im Gegensatz zu der sogenannten „objektiven Struktur", bei der gesellschaftliche, ökonomische oder soziale Gegebenheiten in bezug auf ihre Bedeutung für die zu untersuchenden Ereignisse analysiert werden,[1] wird hier unter dem „subjektiven Hintergrund" die Vorstellung, die sich die Agierenden von ihrer Zeit und ihrer Umwelt machten, verstanden. Im vorliegenden Fall ist dies das Bild, das die Antisemiten von Frankfurt und seiner Entwicklung entwarfen. Dabei handelt es sich nicht um eine Reflexion über die Hintergründe der Veränderung, sondern um eine bereits durch das Vorverständnis selektierte Wahrnehmung der Umwelt, die dementsprechend einseitig und verzerrt interpretiert wird.[2] Diese „antisemitische Wahrnehmung gesellschaftlicher Realität"[3] soll im folgenden nachgezeichnet werden, denn sie zeigt das soziale Umfeld, in dem sich die Antisemiten zu bewegen vermeinten und wonach sie ihre Propaganda ausrichteten.

Als Quellen hierfür kommen Broschüren oder Artikel in antisemitischen Zeitungen und Jahrbüchern über die Geschichte bzw. die aktuelle Situation Frankfurts in Frage. Dabei handelt es sich sowohl um Artikel in lokalen antisemitischen Zeitungen wie der „Frankfurter Post" als auch um solche in regionalen und reichsweiten antisemitischen Periodika („Reichsherold", „Reichsgeldmonopol", „Deutsch-Soziale Blätter"). Die Autoren bleiben in aller Regel anonym, da die antisemitischen Zeitungen ihre Veröffentlichungen nicht namentlich kennzeichneten. Anders verhält es sich mit den Broschüren, deren Verfasser meist einen biographischen Bezug zu Frankfurt hatten. Entweder lebten sie in Frankfurt (Emil Richter alias Germanicus), waren hier geboren (Otto Böckel) oder sie entstammten, wie Hermann von Scharff-Scharffenstein, einer bekannten Frankfurter Familie. Nur einer dieser Autoren war in den 90er Jahren in der Frankfurter antisemitischen Bewegung selbst aktiv (Dr. Ernst Stöcker), während andere schon vor dem Aufkommen der Bewegung verstorben waren. Aber auch auf sie wurde in späteren antisemitischen Publikationen zustimmend verwiesen.[4]

1 Zu dieser Definition von Struktur s. R. Koselleck, Vergangene Zukunft, S. 146.
2 H. A. Strauss/N. Kampe, Antisemitismus, S. 18-23.
3 Ebd., S. 18.
4 Z.B. auf die Schriften des 1889 verstorbenen Emil Richter s. etwa Deutsche Volkswacht, 2. Jg., Nr. 7, 25.1.1896; Frankfurter Post, 3. Jg., Nr. 11 (=10), 1.10.1898.

Das stereotype Bild, das alle diese Schriften entwarfen, stellte Frankfurt als eine Stadt dar, die von den jüdischen Einwohnern beherrscht wird. Die Autoren gaben ihr deshalb den Namen „Neu-Jerusalem am fränkischen Jordan".[5] Diese Sichtweise unterteilte die Entwicklung der Stadt in eine glanzvolle deutsche Vergangenheit und eine noch fortdauernde Zeit der Unterdrückung der christlichen Deutschen durch die Juden. So sahen die Antisemiten des Kaiserreichs zwar nicht nur Frankfurt, sondern auch andere Städte — ja das gesamte Deutsche Reich —, jedoch unterscheiden sich diese Beschreibungen, soweit sie lokale Gegebenheiten berücksichtigten, jeweils graduell.

2.1. Idealisierte Darstellung der Geschichte der Stadt bis 1866

Antisemitische Broschüren und Zeitungsartikel, die die historische Entwicklung Frankfurts aus ihrer Sicht schilderten, beabsichtigten damit, einen Kontrast zu ihrer Beschreibung des zeitgenössischen Frankfurts zu geben. Deshalb vermischen sich in den Schilderungen die Darstellung der Geschichte Frankfurts mit Aussagen über die Gegenwart, die an der idealisierten Vergangenheit gemessen wird. Da der angebliche Niedergang der Stadt dem wachsenden Einfluß der jüdischen Bürger auf Verwaltung und öffentliches Leben zugeschrieben wurde, erschien die Geschichte Frankfurts als ein Auseinandersetzungsprozeß zwischen den christlichen und den um Einfluß und Mitsprache ringenden jüdischen Einwohnern. So meinte der Frankfurter Antisemit Ernst Stöcker, daß alle stattgefundenen Veränderungen innerhalb der städtischen Struktur nur mittels einer Analyse des „Werdegang(es) der Frankfurter Judenschaft von ihrem Ursprung bis in die neueste Zeit hinein" erklärt werden könnten.[6]

Bevor aber auf diese einseitige Interpretation der Ursachen für die gesellschaftlichen Veränderungen eingegangen werden kann, soll zuerst das Bild nachgezeichnet werden, das sich die Antisemiten von dem vergangenen Frankfurt machten. Dabei ist zu fragen, mit welchen positiv besetzten Attributen sie die Geschichte der Stadt beschrieben. Daran läßt sich zugleich ermessen, welche sozial- und wirtschaftspolitischen Ideen sich in der antisemitischen Ideologie manifestierten.

In zahlreichen Quellen wurde immer wieder die frühere materielle Sicherheit der Frankfurter Bürger beschworen. Dabei habe es sich aber nicht um den Reichtum einzelner Familien gehandelt, sondern um eine breite wohlhabende Schicht. Stellvertretend für diese Argumentation soll im folgenden der Artikel „Das alte Frankfurt a.M. sonst — jetzt Judenfurt am fränkischen Jordan und seine Verwaltung" in der vom Frankfurter antisemitischen Deutschen Verein herausgegebenen Zeitung „Frankfurter Post" zitiert werden.[7] Die einleitenden Sätze des Rückblicks auf das alte Frank-

[5] So etwa Postkarte des „Kölner Hofes", um 1900, in der Fotosammlung des StAs Ffm. Als „Neu-Jerusalem" z.B. im Reichsgeldmonopol, Nr. 18, 28.10.1882; Nr. 40, 31.3.1883; Deutsch-Soziale Blätter, 7. Jg. 1892, Nr. 203, S. 317; Frankfurter Post, 3. Jg., Nr. 8 (=7), 1.7.1898.

[6] E. Stöcker, Geschichte, S. 3.

[7] Frankfurter Post, Nr. 6, 1.10.1896.

furt erinnern an einen Nekrolog: „*Das alte Frankfurt, eine schöne heitere Stadt mit durchschnittlich wohlhabenden Bürgern, ist längst nicht mehr. Die Häuser dieser Stadt waren zwar nicht so prächtig wie heute, standen nicht an so breiten Straßen, standen auch manchmal etwas schief zu der Baulinie, aber — die Bürger standen kerzengerade. Jeder Bürger hatte zur Zeit am Sonntag seine Gans im Topf. Das war mehr, als der gute König Heinrich IV. seinen Bauern wünschte.*"

Die Frankfurter Bürger hätten über einen gewissen Wohlstand verfügt, der aber keine übertriebenen, luxuriösen Ausgaben erlaubte. Da jeder Bürger finanziell in etwa gleichgestellt gewesen sei, konnten auch keine scharfen sozialen Gegensätze die innerstädtische Harmonie trüben. Sogar Bürgermeister und Senatoren mußten sich mit einem vergleichsweise bescheidenen Einkommen zufrieden geben. Die Stadtverwaltung habe zwar früher weniger ausgegeben, sei aber Armen und in Not Geratenen gegenüber großzügiger gewesen. Was den städtischen Etat betraf, sei man sparsam gewesen und habe es verstanden, die Finanzen der Stadt in Ordnung zu halten und keine Schulden zu machen. Der Schreiber des Artikels in der „Frankfurter Post" sah nicht nur die damalige Finanzlage der Stadt als gesichert an, auch die steuerlichen Forderungen, die die Freie Stadt an ihre Untertanen stellte, seien weniger drückend gewesen als zu seiner eigenen Zeit, d.h. Mitte der 90er Jahre des 19. Jahrhunderts: „Steuern kannte man nicht, wenigstens drückten sie Niemanden schwer."[8] Seine Erinnerung an den früheren Wohlstand der Stadt und ihrer Bürger schloß der Autor mit dem wehmütigen Ausruf: „Es war eine köstliche Zeit!"

Nicht zufällig beschreibt dieser Artikel ausschließlich die Situation der Frankfurter Bürger und nicht die der Einwohner allgemein. Denn bis 1864 durften nur die Bürger am politischen Leben der Stadt teilnehmen und sich in Zünften organisieren. Sie allein genossen Nahrungsschutz und konnten im Bedarfsfall auf Unterstützung rechnen. Dies alles galt aber nicht für Beisassen, Permissionisten, Landbevölkerung und Juden. Privilegiert waren bis 1864 in der Freien Stadt ausschließlich die, die im Besitz des Bürgerrechts waren.[9]

Diese traditionale Ständeordnung scheint letztlich das gesellschaftliche Ideal des Autors des Artikels der „Frankfurter Post" gewesen zu sein. Besonders die frühere Wohlhabenheit der Stadt und ihrer Einwohner wurde betont. Sie wurde im wesentlichen auf eine am Althergebrachten orientierte Haltung der Frankfurter Bürger zurückgeführt, die sich nicht von kurzlebigen Zeitströmungen mitreißen ließen, sondern ihren — vom Autor nicht näher erläuterten — Prinzipien treu blieben, wie der Hinweis auf die „kerzengerade" stehenden Bürger verdeutlichen sollte.

Auch der erste antisemitische Reichstagsabgeordnete, der aus Frankfurt stammende Marburger Bibliothekar und Volksliedforscher Otto Böckel, veröffentlichte

[8] Ebd. In der Tat war der relativ niedrige Satz der direkten Steuern, die die Frankfurter Einwohner zu zahlen hatten, nach der Einverleibung in den preußischen Staat stark angehoben worden, vgl. dazu W. A. Kropat, Frankfurt, S. 63ff.

[9] R. Koch, Grundlagen, S. 348f.

1885 unter dem Pseudonym CAPISTRANO[10] einen Artikel über „Das Judenthum in Frankfurt a.M." im „Reichsgeldmonopol". Er beschwor das vergangene Frankfurt in ähnlichen Worten wir der unbekannte Autor der „Frankfurter Post" als „die schöne, alte, freie Reichsstadt", wo von dem Dome „die deutsche Reichslaterne behaglich in die Welt schaute".[11] Gerade diese Behaglichkeit der Freien Stadt, die sie vor 1866 ihrer „veralteten Wirtschafts- und Gesellschaftsstruktur verhaftet" sein und den Anschluß an den „politischen und ökonomischen Fortschrittsdrang" der Zeit versäumen ließ,[12] wurde von den Antisemiten als positiv bewertet, um dagegen die neue, betriebsamere Zeit negativ abzuheben.

Wie schon in dem Zitat der „kerzengerade" stehenden Bürger anklang, wurde diese „köstliche Zeit", in der es den Frankfurtern gut ging, von den Autoren nicht als eine natürliche Konsequenz einer anderen Zeitepoche angesehen, sondern als eine solche, die bereits früher immer wieder verteidigt und in ihrem Fortbestand gesichert werden mußte. Nicht nur während der freistädtischen Zeit, auch in den Jahrhunderten davor sei das bürgerliche Wohlergehen nur durch die Abwehr fremden, d.i. jüdischen, Machtanspruchs zu sichern gewesen. In diesem Sinne erscheint die Geschichte der Stadt Frankfurt aus antisemitischer Sicht immer wieder als von jüdischem Einfluß bedroht. Der historische Ablauf wurde dementsprechend nach Perioden der Auseinandersetzung zwischen Bürgern und jüdischen Einwohnern unterteilt. So erinnerte der Frankfurter Autor der „Geschichte der Judenschaft von Frankfurt am Main", Dr. ERNST STÖCKER,[13] an die beiden Frankfurter „Judenschlachten" des Mittelalters, die 1241 und 1349 bis auf wenige Überlebende die jüdische Gemeinde auslöschten. Ihren Anlaß hätten diese Pogrome ausschließlich in dem Verhalten der Juden selbst gehabt: neben dem jüdischen Wuchergeschäft seien der „Übermut und Trotz" der Juden sowie ihre geschlechtlichen Vergehen gegen christliche Mädchen und Frauen die eigentliche Ursache der Erhebung christlicher Bürger gewesen.[14] Vor allem aber wurde auf den Fettmilchaufstand von 1612—1616 als eine Abwehrreaktion gegen die Juden hingewiesen. Als sich 1612 der Lebkuchenbäcker VINCENZ FETTMILCH mit einigen Verbündeten gegen den oligarchischen Rat erhob, plünderten sie die Judengasse und vertrieben ihre Einwohner aus der Stadt. Erst nach der Niederschlagung des Aufstandes und der Hinrichtung FETTMILCHS und seiner Genossen im Jahre 1616 wurden die Juden unter kaiserlichem Schutz wieder aufgenommen.[15]

Insbesondere die Austreibung der Juden aus der Stadt während des Fettmilchaufstandes fand den Beifall der Antisemiten und ließ sie dieses Ereignis der Stadtge-

[10] Der Franziskanermönch JOHANNES VON CAPISTRANO (1386-1456) war wegen seiner antijüdischen Agitation und seiner Unterstützung von Judenverfolgungen und -vertreibungen (so in Breslau 1453) berüchtigt, s. Jüdisches Lexikon, Bd. 1, Sp. 1268ff.

[11] Reichsgeldmonopol, Nr. 141, 7.3.1885.

[12] W. A. KROPAT, Frankfurt, S. 233.

[13] Zu E. STÖCKER, der Mitglied des antisemitischen Deutschen Vereins war, s. Anhang II.

[14] E. STÖCKER, Geschichte, S. 4.

[15] Zum Fettmilchaufstand s. I. KRACAUER, Geschichte, Bd. 1, Kap. IX, S. 358-398, s. auch H. KARASEK, Fedtmilch-Aufstand, und M. MEYN, Reichsstadt Frankfurt, bes. S. 35-58.

schichte als herausragende Tat der christlichen Bürger feiern, in der diese ihren damals noch vorhandenen Durchsetzungswillen gegenüber jüdischem „Übermut" unter Beweis gestellt hätten. *„Dieselbe Stadt, welche früher durch strenge Gesetze die Juden in Schranken hielt, dieselben Bürger, welche oftmals mit gewaffneter Hand das übermüthige Judenvolk zwangen, den Gesetzen des Landes Gehorsam zu leisten: ich erinnere an den wackeren Bürger- und Handwerker Vincenz Fettmilch, der im Jahre 1614 die Juden zum Verlassen Frankfurts zwang, allerdings selbst später — ein Vorzeichen künftigen Unheils — jüdischer Tücke zum Opfer fiel; was ist aus ihnen geworden!"*[16]

Die weitere Geschichte der Stadt bot in bezug auf das Verhältnis von Christen und Juden nach antisemitischer Auffassung kein herausragendes Vorkommnis mehr. Das 17. und 18. Jahrhundert wurden deshalb weitgehend summarisch behandelt, wenn auch noch durchaus positiv, da weiterhin eine scharfe konfessionelle Trennung bestand.

Gleichzeitig aber wurde die Entwicklung seit dem Fettmilchaufstand wegen des angeblich zunehmenden Einflusses der Juden kritisch beurteilt, denn die gewaltsame Erhebung Frankfurter Bürger gegen Rat und Juden und ihre spätere Niederschlagung hätten leider auch dazu geführt, die Stellung der „triumphirend" in die Stadt zurückkehrenden Juden zu festigen. Hatten sie davor direkt dem Rat der Stadt unterstanden, gewährten ihnen von 1616 an Kaiser und Reich Schutz. An sie konnten die jüdischen Einwohner sich von nun an in rechtlichen Zweifelsfällen wenden. Vor allem während des 30jährigen Krieges seien sie „durch Ausnutzung der allgemeinen Not und durch Geldschwindel" wieder reich geworden.[17] Mit diesem Geld sei es den Juden dann gelungen, die Frankfurter Behörden durch Bestechung dahin zu bringen, antijüdische Regungen zu unterdrücken. So habe man etwa die Herausgabe der Schrift von Johann Andreas Eisenmenger „Entdecktes Judenthum" zu Anfang des 18. Jahrhunderts ausschließlich auf Grund jüdischer Intervention verboten.[18]

Aber während die Gesinnung des Rats sich vor dem Geld der Juden gebeugt habe und er zeitweise ihr Helfer gewesen sei, sei die der Frankfurter Bürger im 17. und 18. Jahrhundert den Juden gegenüber ablehnend geblieben. Immer wieder habe man den Juden deutlich zu verstehen gegeben, daß sie nicht den christlichen Einwohnern gleichgestellt seien. Wie der Frankfurter Antisemit Ernst Stöcker meinte, zeuge dies zwar insgesamt von einer löblichen Einstellung, jedoch sei man mit tätlichen Angriffen gegen die jüdischen Einwohner oft zu weit gegangen. Begrüßenswert sei jedoch die strikte soziale Trennung von Christen und Juden gewesen, wie die im folgenden zitierte Stelle ausführt: *„Die deutsche Bevölkerung stand den Juden nach wie vor mißtrauisch gegenüber und sie that recht daran. Weniger zu billigen ist es, daß man den Juden*

[16] Art. „Das Frankfurter Judenthum" in: Reichsherold, 3. Jg., Nr. 205, 17.5.1889.

[17] Art. „Geschichte der Judenschaft von Frankfurt a. M." in: Frankfurter Post, Nr. 11, 1.3.1897.

[18] Ebd. Bei diesem umfangreichen Werk des Heidelberger Orientalisten handelt es sich um ein judenfeindliches Kompendium von teils falsch, teils überzogen übersetzten Stellen aus Talmud und anderen jüdischen Religionsbüchern, das auch noch von den Antisemiten des Kaiserreichs als Autorität zitiert wurde, s. H. Greive, Geschichte, S. 29 und 52.

diese Abneigung noch recht häufig in thätlicher Weise zu verstehen gab. Auf der Straße wurden sie oft geprügelt und verhöhnt. Man pflegte sie allgemein mit „Du" anzureden . . . Bis in unser Jahrhundert hinein nahm jeder Frankfurter Gassenjunge das Recht für sich in Anspruch, einen ihm begegnenden Juden durch den Zuruf 'Judd mach Mores' zum Abnehmen seines Hutes zu zwingen. Auch der alte Amschel Rothschild mußte sich wiederholt diesem Brauche fügen."[19]

Solange der Lebensbereich der jüdischen Einwohner auf ihre enge Gasse beschränkt blieb, konnte diese Trennung von Christen und Juden, die für das materielle und sittliche Wohlergehen der ersten unbedingt notwendig sei, aufrechterhalten werden. Als jedoch bei der Beschießung durch die Franzosen 1796 die Judengasse niederbrannte, zogen ihre Bewohner in die christlichen Wohngebiete, wo sie von da an bleiben konnten, denn das Ghetto wurde nicht wieder aufgebaut. Damit habe, so der Tenor der antisemitischen Schriften, das endgültige, siegreiche Eindringen der Juden in alle Gesellschaftsschichten angefangen, die sie mittels ihres Geldes auch sogleich zu beherrschen versucht hätten.[20] Und als es ihnen gelang, während der napoleonischen Besetzung das Bürgerrecht zu erkaufen, schien eine „goldene" Zeit für sie anzubrechen. Aber der schon früher zutage getretene Bürgersinn sei noch nicht gebrochen gewesen, wie die „gelegentlich sehr judenfeindliche Stimmung"[21] nach dem Ende der Freiheitskriege gezeigt habe. Mit diesem Hinweis sollte auf die von Frankfurter Bürgern geforderte, weitgehend erfolgreiche Zurücknahme der Judenemanzipation nach 1815 sowie auf die 1819 gegen die Juden gerichteten sogenannten Hepp-Hepp-Krawalle in Frankfurt erinnert werden.[22] Trotzdem sei der wachsende Einfluß der Juden nicht mehr aufzuhalten gewesen: *„Die Judengasse hatte ihre Thore geöffnet. Wie ein Heuschreckenschwarm ergossen sich die schwarzen Fremdlinge über die ahnungslose, durch freiheitliche Schlagworte bethörte Bürgerschaft.*"[23]

Der Grund des zunehmenden Einflusses der Juden liege demnach nicht allein bei ihnen. Schon immer hätten sie versucht, Macht über die Christen zu gewinnen. Dies habe ihnen aber so lange nicht gelingen können, wie die Bürger ihre angestammte Position tatkräftig behauptet hätten. Aber das durch die Jahrhunderte präsente Mißtrauen der Bürger gegen die jüdischen Einwohner sei durch „freiheitliche Schlagworte" seit Anfang des 19. Jahrhunderts gelähmt worden. Unter diesen „Schlagworten" sind die Ideen der Aufklärung mit ihrem neuen Bild des Menschen zu verstehen, der frei von Standes- und Konfessionsschranken ist. Erst die damit aufkommende Toleranz der christlichen Bürger — im Sinne der Antisemiten ein falsches Entgegenkommen — habe es den jüdischen Einwohnern ermöglicht, Teilhabe am wirtschaftlichen, politischen und gesellschaftlichen Leben zu erlangen und es in ihrem Sinne zu beherr-

[19] E. Stöcker, Geschichte, S. 28.

[20] Art. „Geschichte der Judenschaft von Frankfurt a. M." in: Frankfurter Post, Nr. 11, 1.3.1897.

[21] Ebd.; ausschließlich zu dieser Zeit s. den Art. „Die freie Stadt Frankfurt a. M. und die Judenemanzipation", 1892 geschrieben, Orig.: StaA Marburg, Bestand 340, Nachlaß Böckel, Paket 9, S. 609-613.

[22] Zu den antijüdischen Stimmen innerhalb der Frankfurter Bürgerschaft insbesondere in den Jahren 1816/17 s. meinen Aufsatz, Bürgerliche Gleichstellung.

[23] E. Stöcker, Geschichte, S. 36.

schen: „*Langsam und stetig rücken die schwarzen Unholde vor und je näher sie ihrem Ziel kommen, desto mehr schreien sie über Druck und über die verletzten Rechte der Menschheit in dem armen jüdischen Geschlechte. So gelingt es ihnen in unserem Jahrhundert, das Bildungs- und Aufklärungsideal in ihren Dienst zu zwingen, das deutsche Volk mit freiheitlichen Redensarten zu betäuben und so in der Stille die jüdische Fremdherrschaft aufzupflanzen, gegen die alle bisherigen Fremdherrschaften in Deutschland ein Kinderspiel waren.*“[24]

Schon lange vor der endgültigen Emanzipation im Jahre 1864 sei es den Frankfurter Juden gelungen, in Politik und Wissenschaft der Stadt eine führende Rolle zu spielen. Zur Illustration dieser These hatte Hermann von Scharff-Scharffenstein bereits Anfang der 70er Jahre seine Schrift „Die Juden in Frankfurt“ veröffentlicht. Da er einige antijüdische Broschüren publizierte, soll im folgenden kurz auf seine Person eingegangen werden.

Hermann von Scharff-Scharffenstein entstammte der angesehenen Frankfurter Familie Scharff. 1816 wurde er als Sohn des Kaufmanns Alexander Scharff in Remscheid geboren. Da beide Elternteile Frankfurter Bürger waren, besaß auch er das Frankfurter Bürgerrecht.[25] Als Offizier stand er in bayrischen Diensten unter König Maximilian II., der ihn 1851 in den Adelsstand erhob[26] und ihn zum Königlich Bayrischen Kavallerie-Leutnant à la suite erhob.

Auf dem Titelblatt seiner Schrift „Das geheime Treiben und der Einfluß und die Macht des Judenthums in Frankreich“ zählte Hermann von Scharff-Scharffenstein seine Tätigkeiten und Ehrungen auf. Abgesehen von seiner militärischen Laufbahn war er zeitweise als Reichsarchiv-Praktikant angestellt. Seit den vierziger Jahren waren neben seinen antijüdischen Schriften eine Reihe von Dramen und Gedichten aus seiner Feder erschienen, wofür ihm die Goldene Huldigungsmedaille Friedrich Wilhelms IV. von Preußen sowie die Medaille für Kunst und Wissenschaft des Herzogs Adolf von Nassau verliehen worden waren.[27] In seinen Veröffentlichungen bezeichnete er sich ebenso wie in seinen autobiographischen „Denkwürdigkeiten“ als Royalist.[28] 1875 starb er in Landshut.[29]

Die von ihm herausgegebene Broschürenfolge „Das entlarvte Judenthum der Neuzeit“ widmete sich gleich in ihrem ersten, 1871 erschienenen Band der Geschichte der Frankfurter Juden. Der Autor stellte den Einfluß der Juden auf das gesamte öffentliche Leben der Stadt während des Zeitraumes von 1848 bis 1866 dar. Mit dem Jahr 1848 setzte er deshalb ein, weil er bereits die Märzrevolution für ein „Judenwerk“ ansah, in deren Folge „Juden und Judengenossen“ die Geschicke Frankfurts bestimmt hätten.[30]

24 Ebd., S. 45.
25 StA Ffm., Senatssuppl. 561, Nr. 6, Eingabe an den Senat vom 2.3.1852 von H. v. Scharff-Scharffenstein.
26 Frankfurter Blätter für Familiengeschichte, Bd. 3, 1910, S. 136.
27 H. v. Scharff-Scharffenstein, Geheime Treiben, Titelblatt.
28 Gesamtverzeichnis des deutschsprachigen Schrifttums, Bd. 124, S. 69f.
29 Frankfurter Blätter für Familiengeschichte, Bd. 3, 1910, S. 136.
30 H. v. Scharff-Scharffenstein, Juden, S. 8f.

Bereits 1852 hatte er in seiner Schrift „Ein Blick in das gefährliche Treiben der Judensippschaft“ einen Überblick über den Einfluß der Juden in verschiedenen europäischen Ländern und Städten gegeben und dabei ganz besonders auf Frankfurt als ein abschreckendes und warnendes Beispiel hingewiesen. Hier sehe man, „was die Juden wollen und können und daß die sogenannte 'Emancipation' dieses Volkes damit enden will(!), alle übrigen zu Paria's herabzuwürdigen.“[31]

Keinen Unterschied in seiner negativen Bewertung machte von Scharff-Scharffenstein zwischen Glaubensjuden und getauften Juden. Allein die Abstammung war für ihn entscheidend, nicht die Konfessionszugehörigkeit. Dies gilt im Prinzip auch für die anderen antisemitischen Autoren, jedoch spricht es von Scharff-Scharffenstein am deutlichsten aus, denn bei vielen seiner Beispiele handelt es sich um getaufte Juden.

Von Scharff-Scharffenstein glaubte den Senat und die Gesetzgebende Versammlung der Freien Stadt seit 1848 von getauften Juden und von Glaubensjuden gelenkt, außerdem seien die wohlhabenderen Kreise in Frankfurt durch Heirat alle mit Juden verwandt.[32] Von daher nehme es nicht Wunder, wie leicht die Juden ihre Interessen in der Stadt durchsetzen könnten. Auch in sämtlichen Vereinen, vor allem in den liberal-demokratischen, seien Juden an herausragender Stelle tätig.[33]

Eine Konsequenz dieser „Umtriebe“, die die Stadt in dauernden Aufruhr versetzten, sei der allenthalben festzustellende Niedergang des Christentums, der sogar zu Übertritten zum Judentum geführt habe.[34] Zusammenfassend, und dem Leser die dann naheliegende Schlußfolgerung überlassend, führte der Autor hierzu aus: *„Ob dies Alles nicht Judaisiren heißt und ob wir nicht wirklich in noch schlimmerer Lage sind, als Spanien vor der Zeit des Cardinal Ximenes, das müssen die Leser nach Einsicht erwägen.*[35] *Es genügt uns, zu wissen, daß es in Frankfurt am Main Juden, geheime Juden und Judensprossen gibt, welche in engster Verbindung unter einander Alles aufgeboten haben, um diese Stadt immer mehr zu entsittlichen und zu entchristlichen und ihren 'Molochthron' dort aufzupflanzen.“*[36]

Ebenso wie Ernst Stöcker in seiner „Geschichte der Judenschaft zu Frankfurt a.M.“ sah auch von Scharff-Scharffenstein die Frankfurter Presse schon vor 1866 als weitgehend von Juden beherrscht an. Wählte Stöcker vornehmlich die „Frankfurter Zeitung“ Leopold Sonnemanns als Beispiel,[37] so bezog sich von Scharff-

31 H. v. Scharff-Scharffenstein, Ein Blick, S. 23.
32 H. v. Scharff-Scharffenstein, Juden, S. 12-18.
33 Ebd., S. 26f.
34 Ebd., S. 27-35.
35 Offenbar spielt der Autor auf die Austreibung der Juden aus Spanien 1492 an. Kardinal Ximenes war seit 1492 Beichtvater Königin Isabellas, von 1507 an Großinquisitor und Kardinal unter König Ferdinand, s. Encyclopaedia Judaica (1971), Bd. 16, Sp. 687f.
36 H. v. Scharff-Scharffenstein, Juden, S. 35.
37 E. Stöcker, Geschichte, S. 43.

SCHARFFENSTEIN auch auf das „Frankfurter Journal" und die von FRIEDRICH STOLTZE herausgegebene „Frankfurter Latern".[38]

Außer der Politik, dem gesellschaftlichen Leben und der Presse liege auch die Frankfurter Wirtschaft maßgeblich in jüdischen Händen. VON SCHARFF-SCHARFFENSTEIN schildert dies abschließend und weniger ausführlich als die Darstellung des übrigen seiner Meinung nach unheilvollen Einflusses der Juden. Allerdings stellte er den jüdischen Einfluß auf wirtschaftlichem Gebiet nicht deshalb kürzer dar, weil er ihn als gering einschätzte, sondern weil er dies als bekannt vorauszusetzen glaubte: „Daß die Juden auf Kosten der Christen in Frankfurt am Main und der Umgegend reich und überreich geworden sind, ist eine Thatsache. Wie sie es aber geworden sind, das ist uns aus tausendfachen Beispielen bekannt geworden."[39]

Seine Ausführungen zusammenfassend warf HERMANN VON SCHARFF-SCHARFFENSTEIN den Frankfurter Juden die 1871 noch nicht verschmerzte Einnahme der Stadt durch Preußen vor. Die übermächtige Stellung der Frankfurter Juden und ihr rücksichtsloses Vorgehen seien es gewesen, die letztlich das Ende der freistädtischen Zeit herbeigeführt hätten. Die Annexion Frankfurts durch Preußen im Jahre 1866 sei laut VON SCHARFF-SCHARFFENSTEIN eine ausschließlich gegen die Frankfurter Juden gerichtete Strafaktion gewesen: „*Welchen angenehmen Eindruck das charmante Treiben der Juden in Frankfurt am Main seit dem Jahre 1848 auf die monarchischen Regierungen Deutschlands gemacht haben mag, kann man sich denken . . . Preußen allein konnte es als Großmacht mit seinen wohlgeordneten Finanzen wagen, dem Judenthum einmal recht zu Leibe zu gehen. Diese Absicht lag ihm sehr nahe und als im Jahre 1866 der Krieg zwischen Norddeutschland und Süddeutschland zu entbrennen drohte, dachte das preußische Kabinett nur allzubald daran, daß sie bei dieser Gelegenheit dem Geschrei und dem eklen Getriebe der Juden in Frankfurt a.M. wohl ein Ende machen könnten. Als nun das vorwitzige Judenthum, welches eine Masse österreichischer Papiere besaß, bei dem Näherrücken kriegerischer Aussichten sich sowohl in allen öffentlichen Blättern, wie in den sogenannten Volksversammlungen gegen Preußen aussprach, da richtete diese Großmacht ihr kriegerisches Vorgehen zuerst gegen die sogenannte freie Stadt.*"[40] Anders gewendet könnte daraus der Schluß gezogen werden, Frankfurt wäre nicht von Preußen besetzt worden und die freistädtische Zeit könnte noch fortdauern, wenn es die christlichen Bürger verstanden hätten, die Juden in ihre Schranken zu weisen.

Ähnlich wie VON SCHARFF-SCHARFFENSTEIN 1871 bewertete noch 30 Jahre später der Frankfurter Antisemit JOHANN HEINRICH HETTLER die Situation der Stadt im Jahre 1866. Auch seiner Meinung nach sei die Annexion Frankfurts ausschließlich von den Juden, insbesondere von LEOPOLD SONNEMANN und der „Frankfurter Zeitung", verschuldet worden, die auf ein Zusammengehen mit Österreich gehofft hätten.[41]

38 H. v. SCHARFF-SCHARFFENSTEIN, Juden, S. 41f.
39 Ebd., S. 47.
40 Ebd., S. 61.
41 Art. „Frankfurts Vergangenheit und Zukunft" in: Römerkater, Beil. zu Nr. 73 der Römerkatze, 25.3.1906.

2.2. Frankfurt nach 1866 — die „Börsen- und Judenstadt"

Wie im vorangegangenen Kapitel über die Geschichte der Stadt Frankfurt bis 1866 aus antisemitischer Sicht deutlich wurde, bestand bei den Autoren Einhelligkeit darüber, daß der Einfluß der Juden auf die Geschicke der Stadt schon seit Anfang des 19. Jahrhunderts im Wachsen begriffen sei. Nach ihrer Meinung ließen die Ideen der Aufklärung und Humanität die bisherige „natürliche" Ablehnung der Juden unter den christlichen Einwohnern zurückgehen, so daß die Juden ihre Emanzipation 1864 schließlich erreichen konnten. Und als sich 1866 die rechtliche Stellung der Stadt von der einer Freien Stadt zu einer preußischen Provinzstadt drastisch veränderte, seien die Juden daran nicht schuldlos gewesen. Trotzdem habe sich deren Lage nach 1866 nicht verschlechtert, sondern im Gegenteil erheblich verbessert. Was sich schon seit Beginn des 19. Jahrhunderts angedeutet habe, nämlich daß die jüdischen Einwohner die Herrschaft über die nichtjüdischen anstrebten, habe sich nach der Emanzipation und der preußischen Besetzung ungehindert entfalten können. Dementsprechend sind alle antisemitischen Darstellungen des Einflusses der Juden nach 1866 statische Beschreibungen und keine chronologisch fortlaufenden Erzählungen wie die Darstellungen der Geschichte der Stadt und ihrer Juden vor 1866. Es wurden nur mehr Zustände konstatiert, die sich in einem Text der 80er Jahre des 19. Jahrhunderts nicht anders ausnehmen als in einer Quelle zu Beginn des 20. Jahrhunderts. Entsprechend dem individuellen Standort des Verfassers liegt die Betonung dabei entweder auf dem Einfluß der Juden in der Wirtschaft, der Presse, der Politik oder, allgemeiner, auf das öffentliche Leben der Stadt. Jedoch stellte die überwiegende Mehrheit der antisemitischen Autoren bei ihrer Darstellung von Frankfurt seit 1866 den wirtschaftlichen Einfluß der Juden in den Vordergrund.

Ausschließlich diesem Thema widmete sich der in Frankfurt lebende Publizist Emil Richter, der unter dem Pseudonym Germanicus eine Reihe von Broschüren in den 80er Jahren veröffentlichte. Seine bekannteste Schrift „Die Frankfurter Juden und die Aufsaugung des Volkswohlstandes. Eine Anklage wider die Agiotage und wider den Wucher" erschien 1880. Schon der Titel zeigt, daß er sich ausschließlich mit der Beteiligung der Frankfurter Juden am Wirtschaftsleben beschäftigte, insbesondere mit deren — wie er meinte — betrügerischen Spekulationen.

Bevor auf den Inhalt der Broschüre eingegangen wird, soll zuerst der Autor selbst vorgestellt werden; denn obwohl er bereits in den 80er Jahren starb, wurde er in späteren Jahren vom antisemitischen Deutschen Verein in Frankfurt als Vorbild angesehen und seine Schriften als Beleg zitiert. Auch außerhalb Frankfurts hatten seine Ansichten auf antisemitische Kreise Einfluß und prägten deren Vorstellungen über Frankfurt mit. So sieht etwa der Verfasser der Abwehrschrift „Die Antisemitenagitation und die deutsche Studentenschaft" aus dem Jahre 1881 eine Notwendigkeit, sich mit den von Germanicus erhobenen Vorwürfen auseinanderzusetzen, da seine Schrift „Die Frankfurter Juden" von Leipziger Kommilitonen, die zum Antisemitismus neigten, zitiert würde.[42] RICHTERS Biographie ist aber auch wegen einiger typischer Züge, die sich auch in den Lebensläufen anderer, bekannterer Antisemiten aufweisen lassen, von Interesse.[43]

Der 1840 in Frankfurt geborene[44] AMANDUS EMIL RICHTER gab seit Anfang der 70er Jahre eine Wirtschaftszeitung, den „Ekonomist", in Frankfurt heraus, die infolge der sogenannten Gründerkrise von 1873 einging und RICHTER finanziell in Bedrängnis brachte.[45] „Persönliche Erfahrungen", die er damals gemacht haben will, sollen ihn „auf die Judenfrage geführt" haben.[46] Die folgenden Jahre lebte er ärmlich und zurückgezogen in Frankfurt. Erst als 1878 der Publizist und spätere Reichstagsabgeordnete Dr. FRANZ PERROT nach Frankfurt kam, um die Herausgabe der konservativen „Deutschen Reichspost" zu übernehmen,[47] gelang es RICHTER mit PERROTS Hilfe als Korrespondent für den Wirtschaftsteil einiger überregionaler Zeitungen ein geringes Einkommen zu finden.[48] Auch persönlich und in seiner Gesinnung scheint er sich eng an Dr. PERROT angeschlossen zu haben.

Der 1835 in Trier geborene FRANZ PERROT hatte seit den 60er Jahren einige gegen den Liberalismus gerichtete wirtschaftspolitische Schriften veröffentlicht. Besonders bekannt geworden war er durch seine im Sommer 1875 in der konservativen „Kreuzzeitung" erschienenen sogenannten „Ära-Artikel", worin er behauptete, daß die unter der Ära BLEICHRÖDER, DELBRÜCK und CAMPHAUSEN betriebene Finanz- und Wirtschaftspolitik ausschließlich den jüdischen Bankiers zugute komme. PERROT selbst lebte nur kurze Zeit von 1878 an in Frankfurt.[49] 1880 bis 1884 war er als konservativer Abgeordneter des Wahlkreises Kassel Reichstagsmitglied.[50] Im Jahre 1891 starb er in Wiesbaden.[51]

EMIL RICHTER begann 1880 unter dem Pseudonym GERMANICUS einige Broschüren herauszugeben, die alle das angeblich allein von Juden betriebene wucherische und spekulative Wirtschaftsgebaren und dessen unheilvollen Einfluß auf den allgemeinen Wohlstand zum Thema haben. Bis zu seinem Tod am 9. März 1889[52] waren sechs seiner „volkswirtschaftlichen" Schriften erschienen, daneben hatte er noch einige Artikel in der „Kreuzzeitung", dem „Reichsboten" sowie dem „Reichsherold" publiziert.[53]

42 L. QUIDDE, Antisemitenagitation, S. 8.
43 Etwa OTTO GLAGAU, vgl. P. MASSING, Vorgeschichte, S. 9.
44 Sigilla Veri, Bd. 2, S. 686; Reichsherold, 3. Jg., Nr. 190, 26.3.1889.
45 Zuvor hatte er in den 60er Jahren die Zeitung „Der Arbeitgeber" in Frankfurt herausgegeben, s. Sigilla Veri, Bd. 2, S. 686; Reichsherold, 3. Jg., Nr. 238, 10.9.1889.
46 Reichsherold, 3. Jg., Nr. 238, 10.9.1889.
47 Kulturkämpfer, 1. Jg., Heft 6, S. 237.
48 Reichsherold, 3. Jg., Nr. 238, 10.9.1889.
49 Zu PERROT s. Sigilla Veri, Bd. 4, S. 1133.
50 M. SCHWARZ, MdR, S. 421.
51 Ebd. Siehe dagegen Sigilla Veri, Bd. 4, S. 1133, wonach er bereits 1885 gestorben sei.
52 Reichsherold, 3. Jg., Nr. 190, 26.3.1889; anderes Todesdatum (8.3.1889) dagegen im Reichsherold, 3. Jg., Nr. 217, 28.6.1889.
53 Reichsherold, 3. Jg., Nr. 205, 17.5.1889; seine Artikel im Reichsherold s. ebenda, 3. Jg., Nr. 168, 8.1.1889 und Nr. 182, 26.2.1889.

Die Titel seiner Arbeiten sind aussagekräftig genug, um einen ersten Eindruck ihres Inhalts zu vermitteln: Außer der bereits erwähnten Schrift von 1880 „Die Frankfurter Juden und die Aufsaugung des Volkswohlstandes“ veröffentlichte er ebenfalls noch 1880 als ersten Anhang zu den „Frankfurter Juden“ die Broschüre „Neuer Börsenschwindel“. 1881 folgte dann „Der neueste Raub am deutschen Nationalwohlstand“ und „Die Rothschildgruppe und der 'monumentale' Conversionsschwindel von 1881. Eine zweite Anklage wider die Agiotage“. Zwei Jahre später, 1883, erschien „Der zweite Pariser Krach“ und 1888 als letzte selbständige Schrift „Die Bank- und Bankiersdiebstähle und die Auflösung von Eigentum und Besitz in Scheinbesitz“. Auch zwei Artikel, die kurz vor seinem Tod 1889 im „Reichsherold“ publiziert wurden, gehören in diese Reihe der antijüdischen Veröffentlichungen, nämlich „Rothschilds Kupferring“[54] und „Rothschilds Petroleum-Monopol“,[55] in denen er dem Rothschildschen Bankhaus Ausnutzung seiner Monopolstellung vorwirft, was für die Verknappung dieser Produkte und deren hohen Preis verantwortlich sei.

Diese Übersicht über seine Veröffentlichungen verdeutlicht schon die Richtung seiner antijüdischen Argumentation. Im Mittelpunkt stand die Rolle der Juden im Wirtschaftsleben, wobei er sich beinahe ausschließlich auf Frankfurter Vorkommnisse bezog, die er in seiner Weise interpretierte. Da sich alle seine Schriften in ihrer Aussage nicht unterscheiden, genügt es, den Inhalt seines wirkungsvollsten Werkes „Die Frankfurter Juden und die Aufsaugung des Volkswohlstandes“ wiederzugeben, um sich ein Bild davon zu machen, wie die Antisemiten sich den Einfluß der Juden auf die Frankfurter Wirtschaft nach 1866 vorstellten.

Emil Richter stellte sich mit dieser Broschüre dezidiert in die Nachfolge Otto Glagaus,[56] der 1880 in seiner Zeitschrift „Der Kulturkämpfer“ einen Artikel über „Frankfurt — die Börsen- und Judenstadt“ veröffentlicht hatte[57] und dessen Material Emil Richter verarbeitete und ergänzte. Anhand dieses historischen Überblicks versucht er einleitend nachzuweisen, daß die jüdischen Einwohner schon seit dem Mittelalter beabsichtigt hätten, die christliche Bevölkerung systematisch zu verarmen, weshalb alle Aufstände gegen die Juden rein wirtschaftlicher und nicht etwa religiöser Natur gewesen seien, wie bislang vielfach angenommen wurde. Diese „Aufsaugung des allgemeinen Wohlstandes“ zu ihren Gunsten sei auch nach der Emanzipation das Bestreben der Juden.[58] Vornehmlich Frankfurt spiele mit seinen zahlreichen jüdischen Bankhäusern dabei eine erhebliche, weit über die Stadt hinausragende Rolle. Kapitelweise zählt Richter alias Germanicus jeweils eine dieser Banken auf und führt im einzelnen aus, auf welche Weise sich — seiner Meinung nach — diese während der

[54] Reichsherold, 3. Jg., Nr.168, 8.1.1889.
[55] Ebd., Nr. 182, 26.2.1889.
[56] Germanicus, Frankfurter Juden, S. 4.
[57] in: Kulturkämpfer, 1. Jg., Heft 6, S. 226-240.
[58] Germanicus, Frankfurter Juden, S. 7-11, zitierte Stellen S. 11.

Gründerzeit auf Kosten der christlichen Käufer von Anleihen und Aktien bereichert hätten.[59]

Mit einer Fülle von Material, Zahlen und Aufzählungen versucht er seine These zu stützen, daß an den in Frankfurt getätigten schwindelhaften Geschäften der Gründerzeit, die im Wirtschaftskrach 1873 aufflogen, beinahe ausschließlich Juden als Inhaber dieser Geschäfte beteiligt gewesen seien.[60] Während aber die mehrheitlich jüdischen Gründer sich bereichert hätten, seien die Ersparnisse der kleineren christlichen Investoren, die die Aktien und Lose der Gründer gekauft hatten, verloren, wodurch viele Existenzen ruiniert worden seien. Zugunsten einiger weniger, die immer reicher würden, nehme der Nationalwohlstand rapide ab, was zu einer allgemeinen Verarmung führe.

Gegen diesen seiner Meinung nach übermächtigen und schädlichen Einfluß der Juden auf die Finanzkraft des deutschen Volkes rief EMIL RICHTER am Schluß seiner Broschüre „Der neueste Raub am Deutschen Nationalwohlstand" zum Widerstand auf: „*Wir stehen hier nicht vor einem gewöhnlichen Diebstahl. Wir stehen hier vor einem Raub an unserm Nationalwohlstand ... vor einem Faustschlag auf unser intellectuelles und moralisches Ansehen. Was der einzelne Aktionär der Deutschen Handelsgesellschaft durch den Streich verliert, ist Nichts gegen Das, was er den Räubern gegenüber zu wahren hat ... Er muß fühlen, daß ein solcher Streich nur durch einen Gegenstreich abzulenken ist, durch einen Gegenstreich, der die Träger desselben und Diejenigen, welche sie zu decken suchen, vernichten.*"[61] Was er unter diesem „Gegenstreich" verstand, führte RICHTER allerdings nicht aus.

Das Frankfurt der 2. Hälfte des 19. Jahrhunderts stellt sich nach Lektüre dieser Schrift als ein ausschließlich unter jüdischem Einfluß stehendes Bankenzentrum dar, das in die Wirtschaftskraft des gesamten deutschen Volkes eingreife. EMIL RICHTER war auf antisemitischer Seite derjenige, der am konsequentesten diesen Aspekt des seiner Meinung nach „verjudeten" Frankfurts betonte. Aber auch andere hoben besonders die Rolle der jüdischen Bürger im Frankfurter Wirtschaftsleben hervor, wofür zwei weitere Beispiele angeführt werden sollen.

Der „Kulturkämpfer", eine in Berlin von OTTO GLAGAU herausgegebene Halbmonatsschrift, in der auch der bereits erwähnte Artikel „Frankfurt — die Börsen- und Judenstadt" erschienen war, veröffentlichte im Sommer 1880 einen weiteren Artikel über Frankfurt unter der Überschrift „Aus dem Frankfurter 'Ghetto'".[62] Ähnlich wie bei EMIL RICHTER wurde darin die These verfochten, daß durch die Börsen- und Wuchergeschäfte der Frankfurter Juden die christlichen Einwohner zunehmend verarmten, während die jüdischen immer reicher würden. Dies führe dazu, daß insbeson-

59 Ebd., S. 14-43. Ausschließlich einem einzigen Unternehmen, dem der Deutschen Handelsgesellschaft, die ihren Sitz in Frankfurt hatte und internationale Warengeschäfte betrieb, widmete sich RICHTER in seiner Broschüre „Der neueste Raub am Deutschen Nationalwohlstand".

60 GERMANICUS, Frankfurter Juden, Anhang: Die Frankfurter Emissionen der Schwindeljahre, S. 73-95.

61 GERMANICUS, Neueste Raub, S. 42.

62 Kulturkämpfer, 1. Jg., Heft 11, S. 462-468.

dere der Immobilien- und Grundbesitz immer mehr von Juden aufgekauft würde und das Ghetto, der ehemals nur aus einer Straße bestehende Lebensbereich der Frankfurter Juden, mittlerweile auf die ganze Stadt ausgedehnt sei. Frankfurt selbst könne jetzt als „Ghetto" bezeichnet werden. Die übermächtige Stellung, die die Frankfurter Juden einnähmen, sei ausschließlich auf ihre Finanzkraft zurückzuführen.

Auch der in Frankfurt geborene, erste antisemitische Reichstagsabgeordnete OTTO BÖCKEL sieht in der Teilnahme der Juden am Wirtschaftsleben die Hauptursache für den Niedergang des Wohlstandes der christlichen Deutschen. Mit statistischem Material versuchte er, den Nachweis einer fortschreitenden Kapitalansammlung in jüdischen Händen zuungunsten der christlichen Einwohner zu erbringen. In seiner Schrift „Jüdische und christliche Millionäre in Frankfurt a.M." geht er der Frage nach, wo „unser Geld geblieben" sei: „Diese Frage hat bis heute noch Niemand beantwortet, nur dass das deutsche Geld rar geworden, dass der Pauperismus um sich griff und der wohlhabende Mittelstand zusammenschmolz, das fühlte man alltäglich."[63]

Besonders am Beispiel Frankfurts könne man diese seiner Ansicht nach überall zu konstatierende Entwicklung aufzeigen. Nach der Einkommensteuerliste von 1882 gäbe es in Frankfurt insgesamt 101 Millionäre, von denen etwa die Hälfte, nämlich 53, Juden seien, dagegen die übrigen 48 christlicher Konfession.[64] Dies sei nicht nur quantitativ bei einem Prozentsatz von rund 10% jüdischer Bevölkerung eine erhebliche Anzahl, sondern müsse auch qualitativ gewertet werden. Denn anders als bei den christlichen Millionären beruhe der jüdische Reichtum ausschließlich auf Wucher und nicht auf produktiver Arbeit. „Solche Zahlen reden laut, um so lauter, wenn man bedenkt, dass kein Jude arbeitet, dass all jene Millionen durch den schnödesten Schacher und Wucher erworben wurden. Angesichts dieser evidenten Thatsache, dass kein

[63] Der Text war ursprünglich eine Rede, die BÖCKEL auf einer antisemitischen Versammlung in Kassel Pfingsten 1886 hielt. Anschließend wurde diese Rede als Flugblatt verteilt. Zitiert nach StaA Marburg, Bestand 340, Nachlaß Böckel, Paket 7, S. 136-143, angeführte Stelle s. S. 136.

[64] Ebd., S. 137f. Ohne im einzelnen die Aussagen der antisemitischen Autoren auf ihren Wahrheitsgehalt überprüfen zu wollen, muß exemplarisch dieser BÖCKELschen Zahlenangabe nachgegangen werden, da sie Anlaß für eine fehlerhafte Interpretation in der neueren Literatur zur Geschichte der Frankfurter Juden war. WOLFGANG WIPPERMANN, Leben, Bd. 1, S. 34, zitiert diese Zahlen BÖCKELS und erklärt sie unter Hinweis auf PAUL ARNSBERG, Geschichte, Bd. 2, S. 506, für falsch. Danach wohnten selbst 30 Jahre später, 1910, in Frankfurt nur 26 Millionäre jüdischer Herkunft. Diese Zusammenstellung bei ARNSBERG ist aber nur ein Auszug aus einem 1913 von RUDOLF MARTIN herausgegebenen „Jahrbuch des Vermögens und Einkommens der Millionäre in Hessen und Nassau". ARNSBERG hat aus diesem Werk 26 jüdische Millionäre aus der Gruppe der mehr als vierfachen Millionäre herausgenommen. Millionäre mit weniger als vier Millionen hat er überhaupt nicht berücksichtigt. Nach diesem Jahrbuch gab es in Frankfurt 1913 jedoch über 550 Millionäre, von denen mindestens ein Drittel Juden waren. Es gab demnach in Frankfurt über 150 jüdische Millionäre und nicht, wie WIPPERMANN angibt, 26. Bei diesem Prozentsatz werden zwar nicht die Zahlen BÖCKELS von über 50% erreicht, es ist aber doch bemerkenswert, daß im Verhältnis zu ihrem Bevölkerungsanteil die Frankfurter Juden überproportional viele Millionäre stellten. Die Wohlhabenheit vieler Frankfurter Juden entsprach der Realität. Die antisemitische Verzerrung bestand weniger in der Gegenüberstellung der Zahlen als vielmehr in ihrer unterschiedlichen Bewertung des christlichen und jüdischen Reichtums als produktiver bzw. unproduktiver.

Jude wirklich produktiv ist, gewinnen jene Millionen in Judenhand erst die richtige Beleuchtung."[65] Die beherrschende wirtschaftliche Stellung der Frankfurter Juden habe laut OTTO BÖCKEL Auswirkungen auf das gesamte öffentliche Leben der Stadt: „Diese Millionen sind eine Lawine, unter deren Rollen Handel und Wandel, Volkswohl und Zufriedenheit, Sitte und Glaube unseres deutschen Volkes unrettbar zu Grunde gehen muss."[66]

Zwar lag der Schwerpunkt der antisemitischen Vorwürfe auf dem wirtschaftlichen Einfluß der Juden, daneben wurden aber auch andere Bereiche des städtischen Lebens als „verjudet" angesehen.

So sei etwa die Presse in Frankfurt beinahe ausschließlich in jüdischem Besitz. Die öffentliche Meinung würde von Juden beherrscht. Vor allem richteten sich die antisemitischen Angriffe gegen LEOPOLD SONNEMANN, der nicht nur als demokratischer Politiker und Frankfurter Reichstagsabgeordneter, sondern auch als Herausgeber der „Frankfurter Zeitung" über Frankfurt hinaus bekannt war.[67] Da die „Frankfurter Zeitung" besonders wegen ihres Wirtschaftsteils berühmt war,[68] griffen die Antisemiten SONNEMANN dementsprechend sowohl wegen seiner Parteizugehörigkeit als auch wegen seiner wirtschaftspolitischen Stellungnahmen an. Man warf ihm Beeinflussung des Finanzwesens vor,[69] die er als Herausgeber der „Frankfurter Zeitung" aber auch als Politiker betreibe. Außerdem habe sich nach Meinung EMIL RICHTERS seine Zeitung besonders in der Gründerzeit bei der Ankündigung dubioser Geschäfte hervorgetan.[70] Dies alles geschehe ausschließlich zum Vorteile der jüdischen Interessen, wie er auch an seiner Zeitung nur „Juden, Judensprossen oder Judengenossen" beschäftige.[71] Die „Frankfurter Zeitung" galt den Antisemiten als eine jüdische Zeitung, die sie mit dem Synonym „Israelitischer Moniteur" belegten.[72]

SONNEMANNS Position als Vertreter Frankfurts im Reichstag und als Herausgeber der wichtigsten überregionalen in Frankfurt erscheinenden Zeitung führte zu einer Einschätzung seiner Person als einer der prominentesten jüdischen Persönlichkeiten nicht nur Frankfurts, sondern ganz Süddeutschlands. „Ohne Frage ist Löb Sonnemann der einflußreichste Mann in Frankfurt und eine der einflußreichsten Personen in Süddeutschland. Was Rothschild in materieller, ist Sonnemann in intellectueller Hinsicht; beide repräsentiren so recht die Bedeutung und Macht der heutigen Judenschaft."[73]

65 O. BÖCKEL, Christliche und jüdische Millionäre in Frankfurt a. M., Orig.: StaA Marburg, Bestand 340, Nachlaß Böckel, Paket 7, S. 139.
66 Ebd.
67 K. GERTEIS, Leopold Sonnemann, bes. S. 5, S. 54-64 und S. 89-94.
68 E. KAHN, Frankfurter Zeitung, S. 234.
69 Etwa GERMANICUS, Frankfurter Juden, S. 48-57.
70 GERMANICUS, Neueste Raub, S. 26f., S. 48-54, S. 92f.
71 Kulturkämpfer, 1. Jg., Heft 6, S. 236; s. auch Reichsgeldmonopol, Nr. 55, 14.7.1883.
72 Reichsgeldmonopol, Nr. 55, 14.7.1883.
73 Kulturkämpfer, 1. Jg., Heft 6, S. 235.

Nicht nur im Pressewesen, wofür als Beispiel die „Frankfurter Zeitung" angeführt wurde,[74] sei der Einfluß der Juden in Frankfurt bestimmend, sondern überhaupt im gesamten politischen und öffentlichen Leben. Es würde hier zu weit führen, alle Vorwürfe, die die Antisemiten gegen die Frankfurter Juden erhoben, ausführlich zu behandeln. Je nach Interesse des Autors konnte das Schwergewicht der Argumentation jeweils etwas anders liegen.

So hob etwa OTTO BÖCKEL in seinem Artikel über „Das Judenthum in Frankfurt a.M." hervor, daß sich die Juden in Presse und Literatur wechselseitig lobten, was dazu führe, daß kein Nichtjude als Literat seine Anerkennung finden könne. Neuere Werke jüdischer Schriftsteller würden auffällig häufig in den Frankfurter Zeitungen besprochen, während die deutschen Dichter dem Leser verschwiegen würden oder negative Kritiken erhielten. Diese Bevorzugung von jüdischen Autoren sei der „Gipfelpunkt des Widerlichen". Denn gerade zur Dichtkunst eigneten sie sich überhaupt nicht: „*Zum Schacher und Wucher mag das Judenthum vielleicht besonders auserwählt sein, auf Geist hat es jedoch entschieden kein Monopol, es giebt unter den Juden die größten Kälber, die nur irgend zu finden sind, ja die Hauptsache beim Genie, Gemüth und Charakter, fehlt den Juden völlig. Um so ekelhafter ist es, gerade hier dem jüdischen Cliquenwesen überall zu begegnen.*"[75]

Auch das Theater sei in Frankfurt ausschließlich in jüdischen Händen, wie der Artikel „Judenthum und Kunst in Frankfurt a.M." im „Reichsherold" 1889 suggerieren möchte. Dies führe dazu, daß man in Frankfurt eigentlich keine Kunst mehr geboten bekomme. Besonders betroffen war der Autor von der Tatsache, daß in den Dramen und Opern deutscher Dichter und Komponisten jüdische Schauspieler und Sänger auftraten. So seien etwa die WAGNERschen Opern bereits völlig „verjudet": „Daß aber die Heldengestalten unserer deutschen Meister von Asiaten zu Zerrbildern heruntergemauschelt werden, dieses geht gegen unser Gefühl, und es zeugt von gutem Geschmack, wenn man sich hier aller sogenannten Kunstgenüsse enthält."[76]

Doch nicht nur in bezug auf Wirtschaft, Presse und Kultur hielten die Antisemiten Frankfurt für „verjudet", auch in den politischen Vereinen — außer bei den Konservativen und dem Zentrum — seien es Juden, die den Ton angäben. Da sie im Verhältnis zu ihrem Anteil an der Gesamteinwohnerzahl Frankfurts überproportional in der Stadtverordnetenversammlung saßen, seien sie es, die letztlich die Politik der Stadt bestimmten.[77]

Ebenso dominierten sie auch unter Richtern, Rechtsanwälten und Ärzten. „Keine Stadt Deutschlands hat so viele jüdische Richter und Ärzte, als Frankfurt. Die Heil-

[74] Über die anderen Zeitungen der Stadt urteilte GERMANICUS kurz und abfällig: „Selbstverständlich herrscht auch bei den anderen Blättern der Stadt der jüdische Einfluß vor.", s. GERMANICUS, Frankfurter Juden, S. 56.

[75] Reichsgeldmonopol, Nr. 141, 7.3.1885.

[76] Reichsherold, 3. Jg., Nr. 230, 13.8.1889.

[77] Artikel von CAPISTRANO (=BÖCKEL) „Das Judenthum in Frankfurt a. M.", in: Reichsgeldmonopol, Nr. 141, 7.3.1885; vgl. auch den Artikel „Demokratie und Judenthum in Frankfurt a. M.", in: Deutsche Volkswacht, Nr. 4, 13.10.1894.

kunde und die Rechtspflege liegen in den Händen der Juden. Christ ist meist der Handwerker und Unbemittelte."[78] In den antisemitischen Broschüren und Zeitungsartikeln warf man, wie das Zitat verdeutlicht, den Juden nicht nur ihre Konzentrierung in bestimmten Berufszweigen vor, sondern auch, daß dies die finanziell einträglichsten seien. Während in den Berufen, die viel Arbeit bei relativ geringem Lohn verlangten, ausschließlich christliche Einwohner beschäftigt seien, würden die jüdischen sich in Sparten betätigen, wo Gewinn bei geringer Arbeit, d.h. hier körperlicher Arbeit, erzielt werden könne.

Wie sehr das Frankfurt der zweiten Hälfte des 19. Jahrhunderts von den Antisemiten als „verjudet" angesehen wurde, belegen die zahlreichen Verballhornungen seines Ortsnamens.[79] So wurde es als „Neu-Jerusalem"[80] bzw. vollständiger als „Neu-Jerusalem am fränkischen Jordan"[81] oder als „Main-Jerusalem"[82] bezeichnet. Der „Reichsgeldmonopol" charakterisierte die Stadt sogar als „Hauptstadt der Provinz Deutschland im internationalen Schacherreiche Israel", einen Titel, den man nach Meinung der Zeitung „der ehemaligen freien Reichsstadt Frankfurt a.M. billig zugestehen müsse."[83]

Eigentlich wurde jede Entwicklung, die nicht im Sinne der Antisemiten war, auf jüdischen Einfluß zurückgeführt, oder aber, falls eine jüdische Beteiligung daran nicht nachzuweisen war, diese als von „Judengenossen" initiiert angesehen, d.h. von Personen, die bereits die jüdischen Interessen als ihre eigenen verinnerlicht hätten. Wobei es sich letztlich nicht ausmachen läßt, was die Antisemiten unter den spezifisch jüdischen Interessen im Unterschied zu den deutschen verstanden. „Jude", „jüdisch" oder „verjudet" wurde als Synonym für alles benutzt, was durch den Strukturwandel der Gesellschaft von der traditionalen Ständeordnung zur modernen Konkurrenzgesellschaft verändert hätte. Insbesondere die Wirtschaftsauffassung der Liberalen, ihre Kritik an Zollschranken und Zunftzwang und ihre Befürwortung einer freien Konkurrenz, wurde als undeutsch und damit als jüdisch definiert. Gleiches galt aber auch für kulturelle Veränderungen, denen die Antisemiten verständnislos und ablehnend

78 „Ein Notschrei aus Frankfurt a. M.", in: Deutsch-Soziale Blätter, 8. Jg. 1893, Nr. 264, S. 338. Der Anteil der Juden in den juristischen Berufen war in Berlin und Breslau erheblich höher, s. P. Pulzer, Religious and Judical Appointments, S. 192.

79 Bis in höchste gesellschaftliche und politische Kreise des Reichs galt Frankfurt als „Judenstadt". Der Journalist und Mitarbeiter Otto von Bismarcks, Moritz Busch, bezeichnete 1881 in einem Gespräch mit Bismarck zwei Städte des Deutschen Reichs als „Judenstädte", nämlich Breslau und Frankfurt, vgl. M. Busch, Tagebuchblätter, Bd. 3, S. 12f. Beides sind Städte mit einem überdurchschnittlich hohen Anteil jüdischer Bevölkerung.

80 So z.B. Reichsgeldmonopol, Nr. 18, 28.10.1882; Nr. 40, 31.3.1883; Nr. 86, 16.2.1884; Deutsch-Soziale Blätter, 7. Jg. 1892, Nr. 203, S. 317; 8. Jg. 1893, Nr. 264, S. 338; 9. Jg. 1894, Nr. 302, S. 175; Frankfurter Post, 3. Jg., Nr. 8 (=7), 1.7.1898. Noch in den 20er Jahren wurde Frankfurt so von antisemitischer Seite bezeichnet, s. Sigilla Veri, Bd. 2, S. 414.

81 Siehe etwa Postkarten des „Kölner Hofes", die diese Aufschrift tragen, in der Fotosammlung des StAs Ffm.

82 Reichsgeldmonopol, Nr. 20, 11.11.1882; Nr. 33, 10.2.1883.

83 Reichsgeldmonopol, Nr. 55, 14.7.1883.

gegenüberstanden. So ließ sich eigentlich alles, was man als negativ empfand, unter diesem Begriff „jüdisch“ fassen. Aus diesem Blickwinkel konnte der in der 2. Hälfte des 19. Jahrhunderts einsetzende Wandel Frankfurts zu einer modernen Handelsmetropole von den antisemitischen Autoren nur als eine letztlich von Juden beeinflußte Veränderung interpretiert werden. Das „neue“ Frankfurt kam ihrer Meinung nach vornehmlich den jüdischen Einwohnern zugute, während es den wirtschaftlichen, politischen und kulturellen Interessen der christlichen Einwohner zuwiderlaufe.

2.3. Die antisemitische Bewegung in Frankfurt — Zukunftsprognosen und Zukunftshoffnungen

Eine derartige Charakterisierung Frankfurts als einer Stadt, in der die jüdischen Einwohner über die christlichen herrschten, hatte Konsequenzen für das agitatorische und taktische Vorgehen der Antisemiten. Auf der einen Seite hielten sie es für besonders wichtig, in Frankfurt eine antisemitische Organisation aufzubauen, auf der anderen Seite waren sie sich aber darüber im klaren, daß dies besonders schwierig sein mußte. Getreu ihrer Vorannahme gingen sie davon aus, daß ihre Propaganda durch von Juden initiierte restriktive Verwaltungsmaßnahmen erheblich behindert werden würde. Auch befürchteten sie, bei einer christlichen Bürgerschaft, die bislang den jüdischen Einfluß ungehindert habe wachsen lassen, nur schwer Anhänger finden zu können. Während sie aber ersteres, d.h. den jüdischen Widerstand, als eine verständliche und zu erwartende Abwehrmaßnahme hinnahmen, war eine Ablehnung von christlicher Seite für sie völlig unbegreiflich. Denn sie verstanden sich als Verteidiger der christlich-deutschen Interessen gegen den angeblich übermächtigen jüdischen Einfluß.

Stießen die Antisemiten auf Kritik von nichtjüdischer Seite, so sahen sie ihre Kritiker als ahnungslos und unaufgeklärt über die wahren Zustände an. Im schlimmsten Fall galten sie als „Judengenossen“, als auf jüdischer Seite Stehende. Um potentielle Anhänger nicht abzuschrecken, wurde aus taktischen Gründen dazu aufgerufen, Gegner nicht prinzipiell als böswillig im Sinne der Antisemiten einzustufen: „Halten wir doch nicht sofort jeden Nicht-Antisemiten für unehrlich, sondern vielmehr zunächst für schlecht unterrichtet.“[84] Dies traf nach Ansicht der Antisemiten ganz besonders für die Frankfurter christlichen Bürger zu, die sich widerstandslos den Juden „beugten“. In dieser Situation schätzten die Antisemiten ihre Chancen, in Frankfurt Anhänger gewinnen zu können, als gering ein. Zuerst müßten sich die Frankfurter Christen über ihre — nach Meinung der Antisemiten — entwürdigende Lage klar werden.

Bereits 1871 hatte Hermann von Scharff-Scharffenstein im Schlußwort seiner Broschüre über die Frankfurter Juden den Frankfurter Bürgern die Schuld an der übermächtigen Stellung der Juden gegeben: „*Aber die Freistädter hatten es sich allein zuzuschreiben; denn seit sie die Juden aus der Gasse herausgelassen, hatten sie dieselben — statt*

[84] Deutsch-Soziale Blätter, 6. Jg., Nr. 141, 26.4.1891, S. 203.

sie mit christlichem Sinn und deutscher Kraft niederzuhalten — gehätschelt und emporgehoben, überall sich einnisten und eindringen lassen, und so ihre schöne Vaterstadt zu einem ekligen Wanzen- und Judenneste gemacht. Dieselbe wird denn auch nicht wieder zu neuem Leben erwachen, bis einst die Juden etwa gänzlich ausgeschieden werden. Dazu besitzen aber die Frankfurter eben keine Energie und Kraft mehr, denn sie sind total in Judenhänden und tanzen nach der Judenpfeife.“[85]

Auch 1889 wurde mit Bezug auf diese Ausführungen behauptet, die Frankfurter Bürger seien unfähig, sich gegen die Juden zu wehren.[86] Alle Autoren beklagten diese ablehnende Haltung der Frankfurter christlichen Bürger gegenüber judenfeindlichen Bestrebungen. Noch zeige der christliche Frankfurter keine Einsicht; was für die Antisemiten um so erstaunlicher war, da für sie Frankfurt als eine besonders „verjudete“ Stadt des Deutschen Reichs galt.

Otto Böckel alias Capistrano beschwor angesichts dieser Indifferenz der Christen am Schluß seiner Ausführungen über „Das Judenthum in Frankfurt a.M.“ die Notwendigkeit einer Wiederkehr Fettmilchs, der Anfang des 17. Jahrhunderts die Juden aus der Stadt vertrieben hatte: „O Christenheit! Wohin bist du gekommen? Beschere dir Gott einen Fettmilch, der wieder einmal energisch zum Kreuzzuge gegen die Juden predigt. Sonst wehe dir, wehe, wehe!“[87]

Der in Kassel erscheinende „Reichsgeldmonopol“, der von dem dortigen, seit Mitte der 80er Jahre existierenden antisemitischen Reformverein herausgegeben wurde, betonte in diesem Zusammenhang die unterschiedlichen Einstellungen gegenüber den Bestrebungen des Antisemitismus der christlichen Bürger Kassels und Frankfurts. In Kassel könne sich deshalb auch schon lange kein Jude mehr das erlauben, was er in Frankfurt noch könne.[88] Dringender als in Kassel sei es in Frankfurt geboten, eine antisemitische Bewegung aufzubauen: „Was würden sie (die Juden, I.S.) erst sagen, wenn die Kasseler Antisemiten eines Tages die Juden-Metropole Frankfurt eroberten, um unsere christlichen Glaubensgenossen zu emanzipieren? Das ist wirklich notwendig!“[89]

Die Ablehnung des Antisemitismus wurde aber nicht allein auf die Uneinsichtigkeit der Frankfurter Bürger zurückgeführt, sondern auch auf ihre angeblich nicht unberechtigte Furcht vor Rache, mit der die Juden ihre Gegner verfolgen würden. Aus diesem Grund würden viele davor zurückscheuen, sich offen zum Antisemitismus zu bekennen, obwohl sie im Stillen auch über die Judenherrschaft schimpfen würden: „Der allen Deutschen innewohnende Antisemitismus ist natürlich auch hier vorhanden, indessen regt sich derselbe zumeist erst beim siebten Glas Bier und dann wird noch die Hand vorm Mund gehalten, damit es Niemand Unberufenes hört.“[90]

85 H. v. Scharff-Scharffenstein, Juden S. 62.
86 Reichsherold, 3. Jg., Nr. 230, 13.8.1889.
87 Capistrano: Das Judenthum in Frankfurt a. M., in: Reichsgeldmonopol, Nr. 141, 7.3.1885.
88 Reichsgeldmonopol, Nr. 154, 1.6.1885.
89 Ebd., Nr. 55, 14.7.1883.
90 Reichsherold, 2. Jg., Nr. 118, 17.7.1888.

Diese den jüdischen Mitbürgern von den Antisemiten unterstellte Absicht, ihren Gegnern Schaden zuzufügen, führte zu merkwürdigen Annahmen darüber, in welcher Weise sich diese an Antisemiten rächen würden: „*Wir liegen hier vollständig in jüdischen Banden. Alles schimpft im geheimen über dieses Volk, keiner wagt es jedoch, ein Wort laut werden zu lassen, sei es aus Furcht, sich zu schädigen, oder aus lächerlicher Ängstlichkeit, unchristlich zu scheinen oder von den Juden als 'Antisemit' gebrandmarkt zu werden. Im letzteren Falle würde der Name des Betreffenden auf einer hinter einem Vorhang verborgenen Tafel in der Synagoge notiert und es würde kein jüdisches Geld mehr in seine Kasse fließen!*“[91] Aus Furcht würde deshalb höchstens nach reichlichem Alkoholgenuß der Unwille über die jüdische Herrschaft ausgesprochen werden, aber weiter ginge dies bei den Frankfurter Bürgern nur selten. Nur wenige hätten den Mut, sich öffentlich als Antisemiten zu bekennen. Denn dies verlange in Frankfurt schon einen gewissen persönlichen Einsatz, da die wirtschaftliche Existenz auf dem Spiel stehe, wenn sich die Juden mit ihrer ungeheuren Kapitalkraft gegen sie verbündeten.

Aber, so wurde in den antisemitischen Artikeln und Broschüren behauptet, würden die Christen ähnlich wie die Juden Solidarität untereinander zeigen, so wäre eine Rache der Juden nicht länger zu befürchten. Gerade daran mangele es jedoch. Die Frankfurter christlichen Bürger sollten alle internen Kontroversen beilegen und sich gegen die Juden solidarisieren.

In düsteren Farben wurde die zu erwartende Entwicklung der Stadt geschildert, wenn es nicht gelänge, den jüdischen Einfluß zurückzudrängen und die Stellung der christlichen Einwohner zu festigen. Nur die antisemitische Bewegung mit ihrer Forderung nach Aufhebung der Judenemanzipation könne dies erreichen. Aber, und dies ist der durchgängige Tenor aller antisemitischen Schriften, es sei höchste Zeit, sich dieser politischen Richtung anzuschließen. Verpasse man diesen Zeitpunkt und warte zu lange, dann würden schließlich die Christen den Juden im Zoo als Kuriosität gezeigt, denn es würden dann kaum noch Christen in Frankfurt leben.[92]

Beklemmend angesichts der tatsächlichen Ereignisse im 20. Jahrhundert wirkt die dem antisemitischen Bauernkalender „Kehraus“ von 1889 entnommene Zukunftsvision von Frankfurt im Jahre 1988. Das Bild von einem Frankfurt, in dem ausschließlich Juden leben, sollte Mahnung sein und zum Handeln aufrufen: „*Wir können bestätigen, daß gestern in der Haupt- und Metropolitan-Synagoge St. Katharina unter dem erhebenden Gesange der Gemeinde Herr Matthias Rumpelmayer, der letzte Frkfrter (!) Christ, beschnitten worden ist. Dieser Schnitt bildet zugleich einen wichtigen Abschnitt in der Kulturgeschichte Frnkfrts (!), und es drängt uns, hier ein ernstes Wort zur Zeit auszusprechen. Wir sind nun ganz unter uns, faktisch sind wir es schon seit 20 Jahren. Damals fand bekanntlich unter der glorreichen Regierung des Bürgermeisters Laib Jainkof I. die große Auswanderung von 20.000 Christen nach Jerusalem statt, wo sich allein von allen bewohnten Teilen der Erde keine Juden mehr befinden.*“[93]

91 Deutsch-Soziale Blätter, 7. Jg., Nr. 196, 15.5.1892, S. 236.

92 Flugschrift von OTTO BÖCKEL: Die Juden in Frankfurt a. M. vor 100 Jahren (1886), Orig.: StaA Marburg, Bestand 340, Nachlaß Böckel, Paket 7, S. 168-170, bes. S. 170.

93 Zitiert nach Sigilla Veri, Bd. 2, S. 427.

3. Erste Ansätze zur Bildung antisemitischer Vereine in Frankfurt am Main

3.1. Die „Berliner Bewegung" und die Antisemitenpetition 1880/81

Die erste Welle der organisierten antisemitischen Bewegung im Deutschen Reich nahm ihren Anfang in Berlin Ende der 70er Jahre und breitete sich von dort über das Reich aus. Zeitlich verzögert findet diese „Berliner Bewegung"[1] ihren Niederschlag auch in Frankfurt am Main. Da der Anstoß für die regionalen Ereignisse die Geschehnisse in Berlin waren, muß ein kurzer Blick auf die Entwicklung in der Reichshauptstadt geworfen werden, bevor antijüdische Aktionen in Frankfurt dargestellt werden können.

Zwar waren seit der Aufklärung neben den emanzipationsfreundlichen Stimmen auch die judenfeindlichen nie verstummt,[2] jedoch nahmen letztere seit dem Gründungskrach von 1873 zu. In Broschüren, Zeitungen und Zeitschriften wurden die erst seit wenigen Jahren — in Frankfurt seit 1864, in Preußen seit 1869 — rechtlich gleichgestellten jüdischen Bürger als ein das deutsche Volk bedrohender Fremdkörper angegriffen. Stellvertretend sei hier an die Artikelserie „Der Börsen- und Gründungsschwindel in Berlin" von OTTO GLAGAU in der vielgelesenen „Gartenlaube" 1874/75 erinnert. Außer im Zusammenhang mit der Wirtschaftskrise von 1873, die den bis dahin ungebrochenen Fortschrittsglauben erschütterte, kam es auch infolge des Kulturkampfes zu heftigen Ausfällen gegen die Juden. Schon der dem Zentrum nahestehende OTTO GLAGAU bekämpfte nicht nur die Beteiligung der Juden am sogenannten Gründungsschwindel, sondern warf ihnen ebenfalls ihre Teilnahme am Kulturkampf gegen die katholische Kirche vor.[3] Dieser Vorwurf wurde in der „Germania", dem Organ der Zentrumspartei, in zahlreichen Artikeln während des Jahres 1875 immer wieder vorgebracht.[4] Aber auch die konservative „Kreuzzeitung" beteiligte sich an dieser Kampfansage an die jüdischen Mitbürger. Sie befürchtete einen unheilvollen Einfluß der Juden auf die Politik des Reichskanzlers. Vor allem die liberale Wirtschaftspolitik, die dank des Bündnisses zwischen BISMARCK und den Nationalliberalen durchgesetzt werden konnte, war Ziel des konservativen Angriffs. Daß unter den pro-

[1] Die 1879—1885 vornehmlich in Berlin virulente politische Bewegung wurde schon von den Zeitgenossen mit diesem Terminus belegt, s. etwa den Titel des 1889 erschienenen Buches von M. SCHÖN, Die Geschichte der Berliner Bewegung.

[2] Für die 1. Hälfte des 19. Jahrhunderts s. das grundlegende Werk von E. STERLING, Judenhaß; bis zur Reichsgründung auch H. GREIVE, Geschichte, S. 42-46 und A. BEIN, Judenfrage, Kap. V: Emanzipation und Judenfrage (1789—1880), Bd. 1, S. 195-216, und Bd. 2, S. 133-162.

[3] H. GREIVE, Geschichte, S. 56.

[4] E. HEINEN, Antisemitische Strömungen, S. 263-270.

minenten Abgeordneten der Nationalliberalen zwei Juden waren — EDUARD LASKER und LUDWIG BAMBERGER —, ließ eine argumentative Verbindung von Antiliberalismus und Judenfeindschaft plausibel erscheinen.[5]

Vor diesem Hintergrund der Präsenz antijüdischer Stimmen müssen die ersten Versuche der späten siebziger Jahre gesehen werden, aus dem Antisemitismus politisch Kapital zu schlagen.

Abb. 1 Hofprediger Adolf Stoecker (1835—1909)

Den Beginn der antisemitischen Bewegung markiert die Rede des Berliner Hofpredigers ADOLF STOECKER „Unsere Forderungen an das moderne Judenthum", mit der er am 19. September 1879 in Berlin als Reichstagskandidat der Konservativen für den Wahlkreis Minden-Ravensberg den Wahlkampf eröffnete.[6] Dem 1835 geborenen und seit 1874 als Hofprediger in Berlin tätigen ADOLF STOECKER[7] ging es in seinem

5 W. KAMPMANN, Deutsche und Juden, S. 238f.

6 W. JOCHMANN, Stoecker, S. 147.

7 Zur Person des Hofpredigers s. die ausführliche Biographie seines Mitarbeiters und Freundes DIETRICH VON OERTZEN, Adolf Stoecker. Siehe auch W. KAMPMANN, Adolf Stoecker, S. 65ff., und diess., Deutsche und Juden, insbes. S. 240-244; P. MASSING, Vorgeschichte, S. 23f.; H. ENGELMANN, Kirche, der vor allem Stoeckers Entwicklung bis Ende der 70er Jahre untersucht. Vgl. auch die in einigen Angaben trotz ihrer nationalsozialistischen Tendenz immer noch wichtige Biographie des Leiters des Reichsinstituts für die Geschichte des neuen Deutschlands WALTER FRANK, Hofprediger.

politischen Wirken darum, den christlichen Glauben allgemein zu festigen, um die in jenen Jahren besonders virulente soziale Frage zu lösen. Mit seiner 1878 gegründeten, der konservativen Partei nahestehenden Christlichsozialen Arbeiterpartei wollte er den Arbeitern eine Alternative zur kirchenfeindlichen Sozialdemokratie bieten und sie für „Thron und Altar" wiedergewinnen, ohne damit aber Erfolg zu haben.[8] Erst STOECKERS berühmte „Judenrede", worin er die jüdischen Bürger aufforderte, „ein klein wenig bescheidener", „ein klein wenig toleranter" zu sein und „etwas mehr Gleichheit" zu üben,[9] brachte ihm ein ungeheures Echo, wenn auch weniger bei Arbeitern als bei Angehörigen des kleinen Mittelstandes, bei Gewerbetreibenden, Handwerkern und niederen Beamten und Angestellten.[10] Dieser Wandel der Anhängerschaft führte auch zu einer Veränderung des Parteinamens: Seit 1881 nannte sich die Partei nur noch Christlichsoziale Partei und verzichtete auf das Wort „Arbeiter" in ihrem Namen.[11]

Der „geradezu beispiellose Erfolg"[12] des Hofpredigers mit seiner antisemitischen Rede löste eine Kontroverse über Stellung und Bedeutung der Juden im Deutschen Reich aus, die ihren Niederschlag zunächst in einer Reihe von Pro- und Kontraschriften fand.[13] Die weithin bekannte und immer wieder zitierte Äußerung des Berliner Historikers HEINRICH VON TREITSCHKE „Die Juden sind unser Unglück" im Novemberheft der Preußischen Jahrbücher fiel im Verlauf dieser publizistischen Kontroverse. TREITSCHKES Stellungnahme schürte die Auseinandersetzung auch in akademischen Kreisen an.[14] So bedeutsam dies für die spätere Empfänglichkeit und das Engagement studentischer Gruppen für den Antisemitismus war, war es doch nur ein kleiner Schritt auf dem Weg zur Ausbildung antisemitischer Organisationen.

Während der Antisemitismus für STOECKER wenn auch ein integraler, so doch nur ein Teil seines christlich-sozialen Programms war,[15] das den getauften ebenso wie

[8] S. KAEHLER, Stöckers Versuch, S. 233-250.

[9] Rede abgedruckt in: A STOECKER, Christlich-Sozial, Reden und Aufsätze, S. 143-154; s. die Analyse der Rede bei H. ENGELMANN, Kirche, S. 83-87.

[10] Vgl. z.B. für viele H. GREIVE, Geschichte, S. 59f.; P. MASSING, Vorgeschichte, S. 29 und S. 83; K. BUCHHEIM, Geschichte, S. 253ff.

[11] P. MASSING, Vorgeschichte, S. 29; K. BUCHHEIM, Geschichte, S. 255.

[12] H. v. GERLACH, Vom deutschen Antisemitismus, S. 146.

[13] K. WAWRZINEK, Entstehung, S. 30.

[14] W. BOEHLICH (Hrsg.), Der Berliner Antisemitismusstreit.

[15] Der Stellenwert des Antisemitismus in STOECKERS Programm ist in der Forschung umstritten. Während noch M. BROSZAT, Antisemitische Bewegung, S. 35, STOECKERS Antisemitismus als „nur eine Begleiterscheinung seines christlich-nationalen und sozialen Programms" wertet, wird dies neuerdings von W. JOCHMANN und G. BRAKELMANN als ein Fixpunkt seines Denkens interpretiert, s. G. BRAKELMANN, A. Stoecker, S. 106. W. JOCHMANN, Stoecker, S. 148, formuliert zusammenfassend: „Es besteht kein Zweifel, daß der Antisemitismus seit 1879 im Zentrum der politischen Arbeit des Hofpredigers stand, wie er selbst zugab." Allerdings — und dies ist für die weitere Entwicklung der antisemitischen Bewegung im Kaiserreich wichtig — konnte er als protestantischer Pfarrer niemals vorbehaltlos einer Theorie zustimmen, die auch getaufte Juden angriff. Der ideologischen Verschärfung des Antisemitismus bis hin zum Rassismus konnte er nicht mehr als Vorbild dienen. Unbestritten bleibt aber seine Bedeutung für die Popularisierung des politischen Antisemitismus, s. auch W. KAMPMANN, Deutsche und Juden, S. 241f.; H. ENGELMANN, Kirche, S. 120-125.

den orthodox-religiösen Juden ausnahm und sich ausschließlich gegen assimilierte Juden wandte, genügte dies schon bald einigen Anhängern nicht mehr, für die der Antisemitismus zum Kern ihrer Weltanschauung geworden war, und ließ sie eigene, radikalere Wege einschlagen. Noch im gleichen Jahr formierten sich die ersten rein judenfeindlichen Organisationen. Der Publizist WILHELM MARR, der auch in seiner gleichfalls 1879 erschienenen Schrift „Der Sieg des Judenthums über das Germanenthum. Vom nicht confessionellen Standpunkt aus betrachtet" zum Kampf gegen das seiner Meinung nach übermächtige Judentum aufrief,[16] gründete in Berlin die sogenannte Antisemitenliga.[17] Und in Dresden forderte ALEXANDER PINKERT zum Beitritt zu seiner antisemitischen Deutschen Reformpartei auf.[18]

Nicht durch Parteigründungen, sondern durch eine Unterschriftenaktion versuchten einige andere Antisemiten die „Judenfrage" einer breiteren Öffentlichkeit bewußt zu machen. Zu diesem Zweck setzten sie im August 1880 im gesamten Reich eine an den Reichskanzler BISMARCK gerichtete Petition in Umlauf, mit der sie eine gesetzliche Beschränkung jeglichen vermeintlich jüdischen Einflusses forderten.[19]

Diese verschiedenartigen antijüdischen Bestrebungen, die innerhalb eines Jahres nach der STOECKERschen „Judenrede" unternommen wurden, verdeutlichen die Virulenz der antisemitischen Ideen zu diesem Zeitpunkt. Die Gründer der neuen Parteien wie auch die Verfasser der Petition hofften, mit ihrer antijüdischen Propaganda öffentliche Zustimmung zu erlangen. Ob sie damit auf Resonanz stießen und welche soziale Gruppe angesprochen wurde, soll an der Auswirkung, die die „Berliner Bewegung" in Frankfurt am Main hatte, untersucht werden. Jedoch sind die Quellen über die ersten Ansätze einer antijüdischen Bewegung in Frankfurt am Main dürftig, was nicht zuletzt daran liegen mag, daß sich diese Bestrebungen in Frankfurt sehr schnell als erfolglos herausstellten. Während die Frankfurter Lokalzeitungen über antisemitische Versammlungen in Berlin ausführlich berichteten,[20] finden sich über Vorgänge in Frankfurt nur sehr kurze Notizen im Lokalteil, wobei im Vergleich mit Berlin die örtlichen Geschehnisse nicht als spektakulär erschienen und es vorläufig auch nicht waren.

Erstmals informierte Ende Mai 1880 das „Frankfurter Journal" in einer kurzen Notiz seine Leser, daß „Schmähschriften gegen die Juden, die den Titel 'Deutsche Reform' tragen", von Unbekannten in zahlreiche Briefkästen eingeworfen worden seien.[21] Der Titel der Schrift weist darauf hin, daß sie von dem in Dresden lebenden

16 W. MARR, Sieg, bes. S. 8, 22, 38f.

17 M. BROSZAT, Antisemitische Bewegung, S. 53; W. JOCHMANN, Struktur (1976), S. 414; K. WAWRZINEK, Entstehung, S. 33.

18 M. BROSZAT, Antisemitische Bewegung, S. 64; K. WAWRZINEK, Entstehung, S. 46f.

19 M. BROSZAT, Antisemitische Bewegung, S. 54ff.

20 So z.B. Frankfurter Journal, Nr. 4, 5.1.1881, Abendbl. und weitere Artikel in der Zeit vom 12.1.—17.1.1881, in denen die Zeitung die Vorgänge in Berliner Studentenkreisen aufmerksam beobachtet, sowie Frankfurter Beobachter, Nr. 6, 8.1.1881; Frankfurter Journal, Nr. 99, 10.4.1881, 1. Morgenbl.; Frankfurter Beobachter, Nr. 195, 21.8.1881.

21 Frankfurter Journal, Nr. 142, 22.5.1880, 2. Morgenbl.

Publizisten ALEXANDER PINKERT stammte, dessen Publikationsorgan die „Deutsche Reform“ war.[22] Doch sollte dieser Versuch, antisemitisches Gedankengut in Frankfurt zu verbreiten, vorläufig nicht wiederholt werden. Erst Ende des Jahres traten diese antijüdischen Bestrebungen so massiv auf, daß sie Beachtung in der Tagespublizistik, und zwar vornehmlich in den beiden liberal-fortschrittlichen Zeitungen, dem „Frankfurter Journal“ und dem „Frankfurter Beobachter“, fanden. Am 12. Dezember 1880 meldete das „Frankfurter Journal“, „Dienstmänner“ verteilten an der Bockenheimer Gasse mit Bildern verzierte „antisemitische Flugblätter“, die der Zeitung „Die Wahrheit“ entstammten.[23] Und einen Tag vor Weihnachten notierte das „Frankfurter Journal“, daß Exemplare der Antisemitenpetition durch die Stadtpost zur Unterschriftensammlung verschickt worden seien.[24]

Da die Verteilung der Antisemitenpetition in Frankfurt im Unterschied zu der vorangegangenen, eher zaghaften antijüdischen Agitation mit stärkerem Engagement durchgeführt wurde, soll im folgenden kurz auf die Forderungen der Antisemitenpetition eingegangen werden. Sie sollen hier auch deshalb vorgestellt werden, weil sie das Basisprogramm aller späteren antisemitischen Parteigründungen blieben.

Seit August 1880 zirkulierte im Reich in tausendfacher Ausfertigung eine an den Reichskanzler BISMARCK gerichtete Petition, die der Gymnasiallehrer BERNHARD FÖRSTER, ein Schwager NIETZSCHES, und der ehemalige Premierleutnant MAX LIEBERMANN VON SONNENBERG verfaßt hatten. Darin wurde BISMARCK aufgefordert, die Einwanderung ausländischer Juden zu beschränken, Juden von allen obrigkeitlichen Ämtern auszuschließen — insbes. vom Justizdienst —, jüdische Lehrer prinzipiell nicht an Volksschulen und an anderen Schulen nur in Ausnahmefällen unterrichten zu lassen und eine amtliche Bevölkerungsstatistik über die jüdische Bevölkerung — wie vor der Emanzipation — zu führen.[25]

Diese vier Punkte können als Grundforderungen der antisemitischen Bewegung vor dem 1. Weltkrieg gelten. Ohne die in der Verfassung garantierte Rechtsgleichheit aller Konfessionen anzutasten, sollte sie auf dem Verwaltungsweg für die jüdischen Bürger de facto unterhöhlt werden. Auf einem der Petition beigehefteten Zettel wurde dieses wohl einigen noch als zu moderat erscheinende Begehren als das für den Augenblick einzig politisch durchsetzbare charakterisiert, ohne aber weitergehenden Forderungen prinzipiell ihre Berechtigung abzusprechen: „Was wir erbitten, kann die Reichsregierung lediglich auf dem Wege der Verwaltung ohne jede Zuziehung der gesetzgebenden Faktoren gewähren. Alle etwa weitergehenden, noch so berechtigt erscheinenden Wünsche müssen vor der Hand wenigstens schweigen.“[26] Als die

[22] K. WAWRZINEK, Entstehung, S. 48.
[23] Frankfurter Journal, Nr. 346, 12.12.1880, 2. Morgenbl. „Die Wahrheit“ war ein antisemitisches Witzblatt, das nur kurze Zeit in Berlin erschien, s. M. SCHÖN, Geschichte, S. 67.
[24] Frankfurter Journal, Nr. 357, 23.12.1880, 2. Morgenbl.
[25] M. BROSZAT, Antisemitische Bewegung, S. 55; P. MASSING, Vorgeschichte, S. 43.
[26] StA Ffm., Akten des Magistrats R 151.

Antisemitenpetition im April 1881 Bismarck überreicht wurde, trug sie die Unterschrift von insgesamt 225.000 Personen.[27]

Auch in Frankfurt war — wie die oben erwähnte Notiz des „Frankfurter Journals" zeigt — von Dezember 1880 an zum Unterschreiben aufgerufen worden. Üblicherweise wurde die Petition mit der Bitte um Unterschriftensammlung an Bürgermeister, Landräte, Ärzte und Richter adressiert.[28] Die Versender wandten sich in erster Linie an Amtsträger oder an solche Personen, die aufgrund ihres gesellschaftlichen Ansehens über Autorität verfügten und damit der Petition mehr Gewicht verleihen konnten. So wurde auch an den Frankfurter Magistrat ein Exemplar geschickt, das dieser kommentarlos zu den Akten legen ließ.[29]

Die Initiatoren wandten sich aber nicht nur an die Stadtverwaltung, sie versuchten auch durch Straßenpropaganda zum Unterzeichnen aufzurufen. Im Februar und März 1881 häuften sich die Meldungen über antisemitische Flugblätter[30] sowie an Zeitungskiosken und bei „Colporteuren" für 10 Pfennig zu erstehende Blätter,[31] die die Bevölkerung der „deutschen und nicht jüdischen Reichsstadt Frankfurt am Main"[32] zum Unterschreiben aufforderten. Wer die Verteiler waren, muß offen bleiben. Es dürfte sich aber wohl nur um einzelne Personen gehandelt haben, die die Unterlagen aus Berlin bezogen hatten. Daß bereits eine organisierte Gruppe dahinterstand, ist kaum anzunehmen. Unklar ist auch, wie viele Frankfurter diesem Aufruf folgten. Zu vermuten ist, daß einige Unterschriften aus Frankfurt unter den 225.000 waren. Jedoch werden es wohl im Verhältnis zur Bevölkerungszahl sehr wenige gewesen sein. Auch die Aufschlüsselung nach geographischer Verteilung der Unterzeichner, die Hans Christian Gerlach vorgenommen hat, läßt ein solches Ergebnis vermuten. Danach kamen die meisten Unterschriften aus Schlesien, Brandenburg, Berlin und Westfalen, kaum jedoch aus den südlichen Reichsgebieten.[33]

Bedeutsam für die Frage nach dem Beginn einer antisemitischen Bewegung in Frankfurt ist, daß im Umkreis der Unterschriftensammlung versucht wurde, Gesinnungsgenossen in antijüdischen Organisationen zu vereinen. In den letzten Tagen des Jahres 1880, kurz nachdem die Antisemitenpetition in Frankfurt verteilt worden war, sollte erstmals eine „antisemitische Besprechung" stattfinden. Nicht ohne Genugtuung bemerkte der „Frankfurter Beobachter", daß trotz „der vielfach ausgesandten Einladungsschreiben" die Beteiligung so gering war, daß „die Besprechung im Sande

[27] M. Broszat, Antisemitische Bewegung, S. 60f.
[28] W. Kampmann, Deutsche und Juden, S. 254.
[29] StA Ffm., Akten des Magistrats R 151: Auf diesem Exemplar hat ein unbekannter Mitarbeiter der damaligen Stadtverwaltung vermerkt: „Allen Juden den Eiersack auszuschneiden, wird als Radikalmittel empfohlen." Siehe auch P. Arnsberg, Geschichte, Bd. 1, S. 792.
[30] Frankfurter Journal, Nr. 47, 17.2.1881, 2. Morgenbl.; Frankfurter Beobachter, Nr. 47, 25.2.1881; Nr. 54, 5.3.1881; Nr. 57, 9.3.1881; Nr. 68, 22.3.1881; Nr. 72, 26.3.1881.
[31] Frankfurter Beobachter, Nr. 57, 9.3.1881.
[32] Ebd., Nr. 47, 25.2.1881.
[33] H. C. Gerlach, Agitation, S. 34.

verlief".[34] Aber schon wenige Tage später wurde von erneuten Bemühungen, einen antisemitischen Verein zu gründen, berichtet. Am 4. Januar schrieb das „Frankfurter Journal": „Die Anti-Semiten-Bewegung soll nun auch hier in Fluß kommen. Die hiesige 'Volkszeitung' nimmt, wie es heißt, Anmeldungen von Beförderern der Bewegung in ihrer Expedition entgegen. Eine Versammlung der Antisemiten-Liga soll demnächst stattfinden."[35] Und der „Frankfurter Beobachter" notierte, daß „hier eine Anmeldungsstelle zu einer Antisemitversammlung (!) errichtet (worden sei), zu welcher nur 'christlich-germanisches' Blut zugelassen wird".[36]

Aus diesen beiden knappen Notizen lassen sich keine weitergehenden Schlußfolgerungen über das politische Spektrum und die Initiatoren der beabsichtigten Gründung ziehen. Ob tatsächlich eine Zweiggründung der 1879 von WILHELM MARR in Berlin gegründeten Antisemitenliga geplant war oder ob das „Frankfurter Journal" diese Bezeichnung nur deshalb wählte, weil es als Synonym für bislang noch kaum bekannte antisemitische Vereine nahe lag,[37] kann letztlich nicht entschieden werden.

Außer der Bezeichnung „Antisemiten-Liga" bedarf noch der Hinweis des „Frankfurter Journals" auf das Anmeldungslokal in den Räumen der „Volkszeitung" einer näheren Betrachtung, denn die „Frankfurter Volkszeitung" war eine katholische Zeitung.[38] Dies ist deshalb bemerkenswert, weil eine antijüdische Propaganda unter Katholiken im Deutschen Reich vornehmlich während des Kulturkampfes bis zum politischen Kurswechsel BISMARCKS Ende der 70er Jahre verbreitet war[39] und noch bis Ende des Jahres 1880 in einzelnen katholischen Periodika, wie der „Kölnischen Volkszeitung", immer wieder aufflackerte.[40] Allerdings handelte es sich bei der katholischen Judenfeindschaft der 70er Jahre um Angriffe in Broschüren und Zeitungsartikeln, nicht aber um eine organisierte politische Bewegung. Da andere Belege, die eine Affinität der Frankfurter katholischen Bevölkerung zum Antisemitismus Anfang der 80er Jahre nahelegen könnten, fehlen, läßt sich aus der knappen Zeitungsmeldung keine Schlußfolgerung ziehen.

Abgesehen von dieser Ankündigung eines Anmeldungslokales zu Anfang des Jahres 1881 wurden weitere Versuche zu einer antisemitischen Parteigründung in Frankfurt vorläufig nicht unternommen.

[34] Frankfurter Beobachter, Nr. 364, 31.12.1880, 2. Morgenbl.
[35] Frankfurter Journal, Nr. 3, 4.1.1881, Abendbl.
[36] Frankfurter Beobachter, Nr. 3, 5.1.1881.
[37] R. RÜRUP/TH. NIPPERDEY, Antisemitismus, S. 102.
[38] H. HEIL, Entwicklung, S. 22. Der entsprechende Jahrgang der Zeitung ließ sich leider nicht mehr auffinden.
[39] Zum katholischen Antisemitismus neuerdings H. GREIVE, Geschichte, S. 50-57. Überbetont werden die antisemitischen Tendenzen innerhalb der katholischen Kirche in der 1942 abgeschlossenen Doktorarbeit von F. SCHMIDT-CLAUSING, Judengegnerische Strömungen.
[40] E. HEINEN, Antisemitische Strömungen, S. 294f.

3.2. *Die Versammlung mit dem Berliner Hofprediger Adolf Stoecker im Januar 1881*

Wesentlich mehr Resonanz als der Aufruf und die Antisemitenpetition fand die Ankündigung, der Hofprediger ADOLF STOECKER werde am 6. Januar 1881 auf Einladung des evangelischen Vereins für Innere Mission in Frankfurt über die soziale Frage sprechen.[41] Lange vor diesem Abend waren sämtliche Karten verkauft, und die für 1 Mark schon reichlich teuren Eintrittskarten[42] wurden angeblich bereits „an der Börse mit 20 Mark gehandelt".[43] Es waren nicht nur Gesinnungsgenossen STOECKERS, die sich um die Karten rissen, sondern vor allem Neugierige, die „allerlei Pikantes und Hetzerisches" erwarteten.[44] Daß auch eine Reihe jüdischer Mitbürger sich diese 'Unterhaltung' nicht entgehen lassen wollte, wird nicht nur an dem abwertend gemeinten Hinweis des Handels mit den Karten an der Frankfurter Börse deutlich, sondern der „Frankfurter Beobachter" teilte seinen Lesern auch explizit mit, die Redaktion habe erfahren, daß „ein hiesiger vermögender 'Semite' allein 30 Karten für seine Rechnung gelöst und selbe an seine Bekannten vertheilt habe."[45]

Was aber konnte das Frankfurter Publikum von dem Hofprediger STOECKER nach allem, was bislang über ihn publik geworden war, erwarten, um derart neugierig zu sein? Seit seiner ersten spektakulären antijüdischen Rede „Unsere Forderungen an das moderne Judenthum" im September 1879 hatte der mittlerweile für die Konservative Partei in den Reichstag gewählte Hofprediger sich noch einige Male in gut besuchten Versammlungen zur Judenfrage geäußert.[46] In besonders unrühmlicher Weise war STOECKER während der Reichstagsdebatte um die Antisemitenpetition im November 1880 hervorgetreten: Nachdem er auf eine Zwischenfrage zuerst geleugnet hatte, die Petition mit unterschrieben zu haben, mußte er dies, als ihm seine eigene Unterschrift vorgehalten wurde, zugeben, worauf er sich umständlich und nicht überzeugend für seine erste Antwort zu rechtfertigen suchte.[47] All dies machte seinen Namen in Verbindung mit antisemitischen Bestrebungen weithin bekannt. Auch hatte er seit 1879 in vielen Städten des Deutschen Reichs Vorträge gehalten.[48] Daß aber nicht alle diese Reden die 'Judenfrage' thematisierten, zeigt das Frankfurter Beispiel.

Wie die Frankfurter Lokalzeitungen mit nicht geringer Freude über die enttäuschten Erwartungen des Publikums bemerkten, erwähnte der Redner bei seinem Vortrag

[41] Ankündigung im Frankfurter Journal, Nr. 4, 5.1.1881, Abendbl. und Frankfurter Beobachter, Nr. 3, 5.1.1881.

[42] Üblich waren auch noch in späteren Jahren 10 oder 20 Pfennig, s. Frankfurter Zeitung, Nr. 160, 12.6.1898, 3. Morgenbl. (Versammlung mit MAX LIEBERMANN VON SONNENBERG).

[43] Frankfurter Journal, Nr. 6, 7.1.1881, 2. Morgenbl.

[44] Frankfurter Zeitung, Nr. 7, 7.1.1881, Abendbl.

[45] Frankfurter Beobachter, Nr. 6, 8.1.1881.

[46] W. FRANK, Hofprediger, S. 126.

[47] W. KAMPMANN, Deutsche und Juden, S. 255-258, vgl. auch die wenig plausible Begründung für sein Verhalten bei D. v. OERTZEN, Adolf Stoecker, Bd. 1, S. 222-229.

[48] D. v. OERTZEN, Adolf Stoecker, Bd. 1, S. 234; H. ENGELMANN, Kirche, S. 129.

die Juden überhaupt nicht.[49] Er behandelte sein Thema „Die soziale Frage", wie der erst nachträglich mitgeteilte vollständige Titel lautete, ausschließlich „im Lichte der biblischen Wahrheit".[50] Das aber war es wohl nicht, was die 480 Zuhörer von dem Hofprediger hatten hören wollen.[51] Und der Berichterstatter des „Frankfurter Beobachters" stellte fest, daß die Anwesenden von dem, „was der vorsichtig gewordene Agitator sprach", nichts wissen wollten und vergeblich „andere Kost" verlangten.[52] Ob die erst wenige Tage zuvor gegen Stoecker ausgesprochene „allerhöchste Mißbilligung" Kaiser Wilhelms I. wegen Stoeckers Bleichröder-Äußerung im Juni 1880[53] der Grund für diese Zurückhaltung war oder ob der Hofprediger in Frankfurt nicht zu diesem Thema sprechen wollte oder durfte, muß offen bleiben.

Daß aber nicht alle nur aus bloßer Neugier gekommen waren, sondern manche sich als Anhänger Stoeckers verstanden, wurde erst nach dem Vortrag klar. Seine Anhänger, unter denen sich viele Studenten befunden haben sollen, versammelten sich in einem nahegelegenen Restaurant.[54] Die auffallende Beteiligung vieler Studenten entsprach der überall zu beobachtenden Wirkung vornehmlich Heinrich von Treitschkes, aber auch Adolf Stoeckers auf die akademische Jugend.[55]

Obwohl die Anwesenheit Stoeckers keine unmittelbaren Konsequenzen für die Entwicklung der Bewegung in Frankfurt hatte, war es aus mehreren Gründen erforderlich, näher auf dieses Ereignis einzugehen: Es handelte sich um das erste — wenn auch die gehegten Erwartungen enttäuschende — Auftreten eines offenen Antisemitismus in Frankfurt, und es läßt sich gerade daran besonders deutlich zeigen, von welcher noch weitgehend harmlosen Art das Interesse der Zuhörer an antisemitischen Reden war. Die schiere Sensationslust ließ viele eine derartige Veranstaltung besuchen, ohne daß ihre Gesinnung mit dem Inhalt der Rede übereinstimmen mußte. In den 90er Jahren, als der Reiz der Neuheit der antisemitischen Veranstaltungen verflogen war, sollte sich dies allerdings ändern.

49 Frankfurter Journal, Nr. 7, 7.1.1881, Abendbl.; Frankfurter Beobachter, Nr. 6, 8.1.1881; Frankfurter Zeitung, Nr. 7, 7.1.1881, Abendbl.

50 Frankfurter Beobachter, Nr. 6, 8.1.1881.

51 Verglichen mit anderen gut besuchten Versammlungen Stoeckers waren 480 Zuhörer nicht viel. So besuchten seine in Berlin gehaltenen Reden im Januar und Februar 1881 bis zu 3000 Zuhörer, s. W. Frank, Hofprediger, S. 126.

52 Frankfurter Beobachter, Nr. 6, 8.1.1881.

53 Stoecker hatte während einer Diskussion über eine seiner Reden im Juni 1880 geäußert, daß es nicht rechtens sei, nur von den Geistlichen soziale Hilfe zu verlangen, man sollte dies auch von den Juden tun, denn Herr von Bleichröder habe „mehr Geld als alle evangelischen Geistlichen zusammen". Daraufhin beschwerte sich Bleichröder bei Kaiser Wilhelm I. Siehe zur Bleichröder-Affäre: W. Frank, Hofprediger, S. 85-100; D. v. Oertzen, Adolf Stoecker, Bd. 1, S. 217-220; Fr. Stern, Gold und Eisen, S. 622-627, S. 635f.

54 Frankfurter Journal, Nr. 7, 7.1.1881, Abendbl.; Frankfurter Beobachter, Nr. 6, 8.1.1881. Dabei handelte es sich wahrscheinlich um aus den umliegenden Universitätsstädten Marburg, Gießen oder Darmstadt extra zu dieser Versammlung nach Frankfurt gekommene Studenten.

55 Die antisemitische Orientierung der Studentenschaft hatte schon mit ihrem Engagement für die Unterzeichnung der Antisemitenpetition begonnen. An vielen Universitäten bildeten sich Ausschüsse zur Organisation der Unterschriftenaktion. Daraus entstanden schon zu Anfang des Jahres 1881 die ersten sogenannten „Vereine deutscher Studenten", die die Aufnahme von Juden verweigerten, s. W. Jochmann, Struktur, S. 415, R. Rürup/Th. Nipperdey, Antisemitismus, S. 109; N. Kampe, Studenten, S. 23-42.

Erst ein Jahr nach der STOECKER-Veranstaltung kam es in Frankfurt zur Gründung eines antisemitischen Vereins. Mitte Oktober 1882 trafen sich „christlich gesinnte Männer" im Hinterzimmer einer Gastwirtschaft zu einer vertraulichen Besprechung, um einen Antisemitenverein in Frankfurt zu gründen.[56] Bereits einen Tag später, am 17. Oktober, trat dieser Verein anläßlich einer Wahlversammlung öffentlich auf.[57] An diesem Tag fand in Sachsenhausen eine demokratisch-fortschrittliche Wählerversammlung statt, in der sich der Landtagskandidat Dr. STERN vorstellte.

In der auf seine Rede folgenden Debatte meldete sich ein Herr STEINHÄUSER, Vorstand des antisemitischen Vereins,[58] zu Wort und entwickelte seine Ansicht zur 'Judenfrage', von der er behauptete, sie sei von Dr. STERN, der im übrigen Jude sei, nicht genügend berücksichtigt worden. Laut dem „Reichsgeldmonopol" führte er in seinem Diskussionsbeitrag aus, daß die Lösung der sozialen Frage, die auch von den Liberalen als dringend empfunden wurde, nur dann gelingen könne, wenn man sie als Teil der 'Judenfrage' begreife.[59] Denn die Juden beuteten mit Hilfe des Großkapitals die Arbeiter und die kleinen Gewerbetreibenden aus. Gerade dieser Umstand, "daß die Juden sich trotz Emancipation nicht an den Arbeiten des Volkes betheiligt hätten", sei die Hauptursache für die Entstehung der antisemitischen Bewegung. Er forderte weiterhin, jüdische Lehrer nicht länger an christlichen Schulen unterrichten zu lassen, da dies „dem nationalen Bewußtsein" widerspreche — eine Forderung, die bereits in der Antisemitenpetition von 1880 erhoben worden war. Solange Dr. STERN diese Auffassungen nicht vertrete, sei es ihm, STEINHÄUSER, unmöglich, für diesen Kandidaten zu stimmen.

Die Beurteilung der Resonanz, auf die derartige Ausführungen bei den Zuhörern der demokratisch-fortschrittlichen Versammlung stießen, hängt von den jeweils zugrundegelegten Zeitungsartikeln ab. Was laut der jüdisch-orthodoxen Zeitung „Der Israelit" und dem „Frankfurter Beobachter" ein vollständiger Mißerfolg war, aus dem die Antisemiten nur lernen könnten, daß Frankfurt kein Feld für ihre Propaganda sei,[60] stellte sich dem antisemitischen „Reichsgeldmonopol" ganz anders dar: insbesondere STEINHÄUSERS Schlußfolgerung, er könne nicht für Dr. STERN stimmen, sei von der Versammlung mit Bravorufen aufgenommen worden. Auch das Verschweigen dieses Vorkommnisses in den als „Judenblätter" apostrophierten Frankfurter Lokal-

[56] Frankfurter Beobachter, Nr. 245, 18.10.1882.

[57] Der Israelit, 23. Jg. 1882, Nr. 43, S. 1069 und Nr. 44, S. 1093; Reichsgeldmonopol, Nr. 18, 28.10.1882; Frankfurter Beobachter, Nr. 246, 19.10.1882.

[58] So bezeichnet im Reichsgeldmonopol, Nr. 18, 28.10.1882.

[59] Die Gleichsetzung von sozialer Frage und Judenfrage geht auf OTTO GLAGAU zurück. Dieser hatte 1878 in seiner Broschüre „Der Bankerott des Nationalliberalismus" zusammenfassend festgestellt: „Die soziale Frage ist wesentlich Gründer- und Judenfrage", s. P. MASSING, Vorgeschichte, S. 10.

[60] Der Israelit, 23. Jg. 1882, Nr. 43, S. 1069; Frankfurter Beobachter, Nr. 246, 19.10.1882.

zeitungen zeige, wie unliebsam dieses Ereignis den Gegner der Antisemiten, die prinzipiell die Existenz einer 'Judenfrage' negierten, gewesen sei.[61]

Dieselbe Nummer der seit Sommer 1882 in Kassel erscheinenden und von LUDWIG WERNER redigierten Zeitung „Reichsgeldmonopol" feierte die Gründung des Antisemitenvereins in Frankfurt mit enthusiastischen Worten: „*So gelangte auch die freudige Nachricht zu uns, daß in den Mauern Neu-Jerusalems (Frankfurt) eine Anzahl echt deutscher Männer zu einem Antisemitenverein zusammengetreten sind; der fragl. Verein soll unter einer sehr zahlreichen Betheiligung constituirt worden sein ... Wir aber als Vollblut-Antisemiten begrüßen es mit aufrichtiger Freude, daß sich in Frankfurt ein Verein gebildet, welcher es sich gleich uns zur Aufgabe gestellt hat, die 'Vampyre' der menschlichen Gesellschaft zu bekämpfen, und sind wir der Überzeugung, daß der neue Verein sich der ihm zufallenden ernsten Aufgabe bewußt ist, und daß er Hand in Hand mit den anderen Vereinen antisemitischer Tendenz nach Kräften dazu beitragen wird, daß die Judenfrage auf eine der Deutschen würdige Weise auch gelöst wird ... Möge der antisemitische Verein in Frankfurt sich gedeihentlich entwickeln, zum Segen der zum semitischen Tummelplatz gewordenen und folglich so arg bedrängten alten Reichsstadt, der man jetzt füglich den Namen 'Neu-Jerusalem' geben könnte. Wir bringen den Frankfurter Kampfgenossen, dem jungen Antisemitenverein an dieser Stelle ein donnerndes Hoch!*"[62]

Dieser im Herbst 1882 gebildete Verein nannte sich Deutscher Reformverein,[63] ebenso wie einige andere Zweigvereine der 1879 in Dresden von ALEXANDER PINKERT gegründeten Deutschen Reformpartei.[64] Nicht von Berlin, wo die Anfänge der antisemitischen Bewegung lagen, sondern von Dresden aus breitete sie sich nach Frankfurt aus. Dies gilt nicht nur für Frankfurt, sondern läßt sich auch für die Entstehung antisemitischer Vereine in anderen Städten feststellen.[65] Während die Berliner antisemitische Bewegung kaum über die Grenzen der Stadt hinaus Organisationen zu gründen versuchte,[66] beabsichtigte der Dresdner Publizist ALEXANDER PINKERT, eine das ganze Reich umfassende Parteiorganisation aufzubauen.[67] Daß die Reformpartei auch außerhalb Dresdens agitierte, war bereits an der Verteilung von Flugblättern aus ihrer Parteizeitung, der „Deutschen Reform", in der Frankfurter Innenstadt im Mai 1880 deutlich geworden.

Ortsgruppen der Deutschen Reformpartei gab es zu Beginn der 80er Jahre nur in einigen wenigen, meist größeren Städten des Deutschen Reichs: außer in Frankfurt

61 Reichsgeldmonopol, Nr. 18, 28.10.1882, vgl. aber dagegen die Notiz im Frankfurter Beobachter, Nr. 246, 19.10.1882.

62 Reichsgeldmonopol, Nr. 18, 28.10.1882.

63 Reichsgeldmonopol, Nr. 20, 11.11.1882; Nr. 33, 10.12.1882; Nr. 36, 3.3.1883; s. auch AdB 1884, S. 1001.

64 Um Ostern 1879 rief A. PINKERT zum Beitritt zu seiner Reformpartei auf, s. Abdruck des Aufrufs „Ein Appell an die Deutsche Nation" in: E. WALDEGG (= A. PINKERT), Judenfrage, S. 40-43; s. auch M. BROSZAT, Antisemitische Bewegung, S. 64; P. MASSING, Vorgeschichte, S. 83 und K. WAWRZINEK, Entstehung, S. 46ff.

65 K. WAWRZINEK, Entstehung, S. 56f.

66 P. PULZER, Entstehung, S. 84.

67 K. WAWRZINEK, Entstehung, S. 56.

und Dresden etwa in Breslau, Chemnitz, Berlin, Dortmund sowie — im näheren Umkreis Frankfurts — in Kassel.[68]

Dabei handelte es sich aber nicht um eine feste Parteiorganisation, sondern um eine auf die gleichen politischen Ansichten und Zielsetzungen gegründete Zusammengehörigkeit, was sich in dem von den lokalen Vereinen gewählten Namen „Reformverein" kundtat.[69] Obwohl keine zentrale Organisation existierte, gab es doch ein der Bewegung zugrundeliegendes Programm, das auf dem Dresdner Parteitag vom 18./19. September 1881 verabschiedet worden war.[70] Auf diesem Parteitag war bereits ein Anhänger aus Frankfurt anwesend, ohne daß es zu diesem Zeitpunkt eine antisemitische Organisation in Frankfurt gab.[71] Dem dort angenommenen Programm fühlte sich auch der erst später gegründete Frankfurter Verein verpflichtet.[72]

Wie im Schlußpassus des Programms formuliert, war das angestrebte Ziel der Reformpartei „zum Heile und Segen des gesamten deutschen Volkes ... die Überwucherung des jüdischen Elements über das deutsch-christliche im gesamten öffentlichen und Verkehrsleben" zu beseitigen.[73] Obwohl die Intention deutlich gegen die Juden gerichtet war, vermied es das Programm, in seinen einzelnen Forderungen unverhohlen antijüdische Formulierungen zu gebrauchen. Statt dessen betonte es positive, an den Gesetzgeber adressierte Reformbestrebungen.[74] Vor allem durch Gesetzesänderungen auf wirtschaftlichem Gebiet erhoffte man sich die Mißstände, die durch die liberale Gesetzgebung geschaffen worden seien, zu beseitigen. So forderten die 20 Punkte des Programms die Einführung einer progressiven Einkommens- und Erbschaftssteuer, eine höhere Besteuerung des mobilen als des immobilen Kapitals, die Errichtung einer nationalen Reichsbank, eine „nach christlich-germanischen Grundsätzen geregelte Rechtspflege", verschärfte Wuchergesetze und ähnliches mehr.

[68] Siehe die Parteinachrichten im Reichsgeldmonopol, Nr. 19, 4.11.1882 bis Nr. 26, 23.12.1882. Die Anzahl der Reformvereine nahm im Laufe weniger Jahre deutlich zu. Im September 1884 gab es 25 Vereine, ein Jahr später schon 52, s. K. Wawrzinek, Entstehung, S. 56. Besonders viele Vereine existierten in Hessen und Westfalen, s. M. Broszat, Antisemitische Bewegung, S. 67; W. Kampmann, Deutsche und Juden, S. 284. Zur Gründung des Kasseler Reformvereins P. Massing, Vorgeschichte, S. 83. Er datiert fälschlich die Gründung dieses Vereins auf 1886. Er scheint ihn mit dem 1886 von Otto Böckel in Marburg gegründeten Reformverein zu verwechseln; denn der Kasseler existierte nachweislich bereits 1882, dessen Publikationsorgan das seit diesem Jahr erscheinende „Reichsgeldmonopol" war, s. M. Broszat, Antisemitische Bewegung, S. 67.

[69] K. Wawrzinek, Entstehung, S. 57; P. Massing, Vorgeschichte, S. 83.

[70] M. Broszat, Antisemitische Bewegung, S. 65; abgedruckt in F. Specht/P. Schwabe, Reichstagswahlen, S. 403-406; K.-G. Riquarts, Antisemitismus, Anh. 4, S. 322-325.

[71] K. Wawrzinek, Entstehung, S. 56, Anm. 42, kritisiert zu Recht, daß der Vertreter aus Frankfurt in der Aufzählung der Anwesenden in der „Deutschen Wacht" als Vereinsdelegierter gezählt wurde, obwohl zu dieser Zeit noch kein Reformverein in Frankfurt bestand. Dies geschah wohl, um eine größere Verbreitung der Partei vorzutäuschen.

[72] Reichsgeldmonopol, Nr. 33, 10.2.1883 mit einer falschen Datierung der Verabschiedung des Programms auf September 1882. Offenbar handelt es sich dabei um eine Verwechslung des Parteitages mit dem 1. internationalen antisemitischen Kongreß vom 11./12.9.1882.

[73] F. Specht/P. Schwabe, Reichstagswahlen, S. 406.

[74] K. Wawrzinek, Entstehung, S. 48.

Diese Zurückhaltung bei der Formulierung explizit judenfeindlicher Ziele in den einzelnen Programmpunkten lag darin begründet, daß man sich mit einem derartigen Programm eine größere Breitenwirkung erhoffte. Wie schon der Name „Reformpartei" andeutet, hob man aus taktischen Gründen unter Hintanstellung der rein negativen antijüdischen Ausschließungspolitik die positiven wirtschaftlichen Forderungen hervor. Damit wollte man Anhänger unter antiliberal eingestellten mittelständischen Schichten gewinnen.[75] Andererseits war aber Anhängern und Gegnern klar, gegen wen dieses Programm vornehmlich gerichtet war, was sich auch in der Agitation der einzelnen Reformvereine niederschlug, in der weit stärker als im Programm die 'Judenfrage' im Vordergrund stand.[76]

Auch die Mitglieder des Frankfurter Vereins sahen in der Bekämpfung des vermeintlichen jüdischen Einflusses ihre vordringliche Aufgabe. In einem Flugblatt in „echt deutscher, kerniger Sprache" stellte der hiesige Reformverein seine Ziele auf der Grundlage des Dresdner Programms vor:

„Die Wiedererweckung und Förderung des deutschen christlichen Geistes, sowie die Besserung der volkswirthschaftlichen und gesellschaftlichen Verhältnisse unter dem Wahlspruch: 'Mit Gott für den Kaiser und Reich' — wird eine der Hauptaufgaben des Vereins sein.

Richtig erkennend, daß eine Bewegung nur dann nachhaltig und einschneidend wirkt, wenn sie von einer Presse unterstützt ist, wird der Verein für die baldige Gründung einer 'Reform-Presse' bestrebt sein! — Der Verein wird der Überwucherung des jüdischen Elementes über das christlich-germanische im gesammten öffentlichen und Verkehrsleben entgegentreten; ferner wird er thatkräftig den Kampf gegen den Schwindel im Geschäftsleben, gegen die Bedrückung der wirthschaftlich Schwächern und gegen jede Art der Ausbeutung der ehrlichen deutschen Arbeit aufnehmen. Der Verein wird die Lösung der socialen Frage im Allgemeinen, die der Judenfrage im Besonderen, im Auge haben."[77]

Außer dem Wunsch nach einer Parteipresse enthält dieser Aufruf keine konkreten politischen Absichten, sondern charakterisiert den allgemeinen politischen Standort des Vereins. Die Gründung eines Parteiblattes erschien deshalb so dringend geboten, weil alle übrigen Frankfurter Zeitungen als „verjudet" angesehen wurden, andererseits aber gerade die Beeinflussung der öffentlichen Meinung durch die Presse besonders hoch eingeschätzt wurde. Eine grundlegende Änderung der Haltung des deutschen Volkes gegenüber der 'Judenfrage', von deren „Wichtigkeit" bislang — wie einige Antisemiten selbstkritisch erkannten — nur wenige überzeugt waren, konnte nur durch eine antijüdische Presse erfolgen, die das Volk 'aufklären' und ihm seine „wahre Lage" zeigen sollte.[78]

[75] M. Broszat, Antisemitische Bewegung, S. 64f.

[76] K. Wawrzinek, Entstehung, S. 48.

[77] Reichsgeldmonopol, Nr. 33, 10.2.1883. Von „Überwucherung . . . Verkehrsleben" wörtliches Zitat aus dem Programm der Partei von 1881, s. F. Specht/P. Schwabe, Reichstagswahlen, S. 405.

[78] Vgl. etwa den Aufruf zur Gründung antijüdischer Publikationsorgane des 1. internationalen antijüdischen Kongresses in Dresden vom 11./12.9.1882; s. Manifest an die Regierungen, S. 15.

Auf wen wirkte eine derartige Bewegung, die die Ursache aller gesellschaftlichen und wirtschaftlichen Mißstände ausschließlich dem Einfluß ihrer jüdischen Mitbürger zuschrieb? Wer engagierte sich in dem Frankfurter antisemitischen Verein? Welchen sozialen Gruppen entstammten die Vereinsmitglieder? Und schließlich: Trifft zu, was der „Frankfurter Beobachter" anläßlich der Wählerversammlung in Sachsenhausen im Oktober 1882 feststellte, daß nämlich die Mitglieder des Vereins keine Frankfurter seien, sondern „importirte norddeutsche Waare"?[79]

Zwar erwähnt das „Reichsgeldmonopol" bei seinem Bericht über die Gründung des Frankfurter Reformvereins, daß dieser unter zahlreicher Beteiligung ins Leben gerufen worden sei,[80] doch ist diese ungenaue Angabe sicherlich übertrieben. Denn allein die kurze Lebensdauer des Vereins von weniger als einem Jahr spricht gegen eine solche Annahme. Leider lassen sich nur einige der Gründer sowie der Vorstand des Vereins ermitteln. Der „Frankfurter Beobachter" zählte als Einlader zur Gründungsversammlung im Oktober 1882 die Herren BRECHERT, FINK, MANGIN und STEINHÄUSER auf.[81] Anhand der Frankfurter Adreßbücher der entsprechenden Jahre und — soweit vorhanden — der Einwohnermeldekarten im Stadtarchiv Frankfurt a.M. lassen sich Beruf und teils auch Geburtsort und -jahr von drei der Gründer angeben. Danach handelt es sich bei den Gründern um den Kaufmann CARL BRECHERT,[82] den Eisenbahnsekretär HERMANN STEINHÄUSER[83] und den Obertelegraphenassistenten a.D. GEORG MANGIN.[84]

Unter der Rubrik „Vereine" führt das Frankfurter Adreßbuch von 1884 den Vorstand des Deutschen Reformvereins auf.[85] Der Vorsitzende war der ehemals als Kaufmann tätige Privatier JOHANN HEINRICH DÖLL,[86] als Schriftführer ließ sich der Eisenbahnbetriebssekretär JULIUS FRICKE[87] eintragen und als Kassierer fungierte der Schuhmacher WILHELM LEINBERGER.[88] Abgesehen von HERMANN STEINHÄUSER, von dem es keine Einwohnermeldekarte mehr gibt, können für die übrigen fünf weitere biographische Angaben gemacht werden. Vier von ihnen sind protestantischer Konfession, nur einer — GEORG MANGIN — ist katholisch. Im Alter unterscheiden sich die Mitglieder erheblich: der 1818 geborene GEORG MANGIN ist der Älteste, während der Schuhmacher WILHELM LEINBERGER gerade erst 30 Jahre alt geworden ist.

79 Frankfurter Beobachter, Nr. 246, 19.10.1882.
80 Reichsgeldmonopol, Nr. 18, 28.10.1882.
81 Frankfurter Beobachter, Nr. 245, 18.10.1882.
82 AdB 1882, S. 60; StA Ffm. Einwohnermeldekarte.
83 Frankfurter Beobachter, Nr. 246, 19.10.1882; AdB 1882, S. 494. Interessant ist, daß STEINHÄUSER etwa gleichzeitig, aber nur für kurze Zeit Mitglied des Conservativen Vereins für Frankfurt am Main und Umgegend war. Siehe HStaA Wiesbaden, Abt. 407, Nr. 159, Bd. 1, Bl. 54: im Mitgliederverzeichnis des Conservativen Vereins für Frankfurt am Main und Umgegend vom Mai 1883 war er aufgezählt, wurde aber später ausgestrichen.
84 AdB 1882, S. 320; StA Ffm. Einwohnermeldekarte.
85 AdB 1884, S. 1001.
86 Ebd., S. 93; StA Ffm. Einwohnermeldekarte.
87 AdB 1884, S. 136; StA Ffm. Einwohnermeldekarte.
88 AdB 1884, S. 300; StA Ffm. Einwohnermeldekarte.

Überraschend dagegen ist die Tatsache, daß alle nicht in Frankfurt geboren und erst Ende der 60er Jahre bzw. in den 70er Jahren nach Frankfurt gekommen sind. Von daher ist die zitierte Bemerkung von der „importirten Waare“ durchaus gerechtfertigt.[89] Schon seit Generationen in Frankfurt Ansässige scheinen nicht, zumindest nicht an exponierter Stelle, in dem Antisemitenverein der 80er Jahre aktiv gewesen zu sein. Allerdings kamen die Frankfurter Antisemiten nicht alle aus Norddeutschland, wie es nicht nur der „Frankfurter Beobachter“, sondern auch der in einer Briefkastennotiz beschworene unheilvolle norddeutsche Einfluß suggerieren mochten.[90] Die fünf mit ihrer Herkunft bekannten Antisemiten der 80er Jahre sind in Moskau, Saarlouis, Lanzenhain/Kr. Lauterbach, Brake an der Weser sowie Flünsbach in Baden geboren.

Sofern es überhaupt zulässig ist, bei nur fünf bzw. sechs namentlich bekannten Mitgliedern zu generalisieren, kann in bezug auf die Trägergruppe festgehalten werden, daß die Mehrheit protestantischer Konfession war und alle nicht sehr lange — längstens seit 15 Jahren — in Frankfurt wohnhaft waren. Sieht man sich die ausgeübten Berufe und damit das soziale Umfeld der Mitglieder an, so fällt auf, daß es sich um kleinere Beamte, Kaufleute und Handwerker handelt. Eine Verfügung der Frankfurter Postdirektion vom März 1883, die Postbeamten die Mitgliedschaft und insbesondere die Wahl in den Vorstand des Reformvereins verbot,[91] legt die Vermutung nahe, daß unter den Mitgliedern des Vereins noch weitere Postbeamte gewesen sind.

Schwierigkeiten hatte der Frankfurter Verein von seinem ersten Tag an, was von antisemitischer Seite mit dem Hinweis auf das „verjudete Frankfurt“ erklärt wurde. So wurde ihm im November 1882, nachdem die politischen Tendenzen des Vereins allgemein bekannt waren, sein bisheriges Vereinslokal gekündigt.[92] Auch bei dem Versuch, einen Aufruf in die Frankfurter Lokalblätter setzen zu lassen, erhielt der Verein ausschließlich Absagen.[93] Ganz besonders verärgert, aber in seinem Weltbild bestätigt, reagierte das Kasseler „Reichsgeldmonopol“ auf die Nachricht, daß selbst die eigenen Glaubensgenossen in Frankfurt den antisemitischen Verein behindern würden: Der christliche Vorstand der Feierabendsäle und des Lehrlingshauses hatte erklärt, daß seine Räume nicht länger einer Gesellschaft mit antijüdischen Bestrebungen zur Verfügung gestellt würden. Diese Erklärung aber sei, wie beruhigend eingewandt wurde, von Juden und deren Geld motiviert, was wieder einmal die „Widerstandsunfähigkeit“ und „Lammesgeduld“ der Christen beweise.[94]

Als zu all diesen Widrigkeiten im März 1883 noch hinzukam, daß den Postbeamten die Mitgliedschaft im Reformverein untersagt wurde, scheint dies neben der doch

89 Frankfurter Beobachter, Nr. 246, 19.10.1882.

90 Ebd. Vielleicht spricht sich hierin auch die noch in den 80er Jahren unter Frankfurter Bürgerfamilien weit verbreitete antipreußische Haltung aus.

91 Reichsgeldmonopol, Nr. 40, 31.3.1883. In dieser Verfügung sollen die betroffenen Beamten namentlich aufgeführt sein. Leider ist sie nicht mehr existent.

92 Reichsgeldmonopol, Nr. 20, 11.11.1882.

93 Ebd., Nr. 29, 13.1.1883.

94 Ebd., Nr. 36, 3.3.1883.

wohl sehr geringen Mitgliederzahl das Ende des Vereins besiegelt zu haben. Jedenfalls trat er danach nicht wieder an die Öffentlichkeit. Aus der Tatsache der Aufzählung des Deutschen Reformvereins im Frankfurter Adreßbuch von 1884 kann nicht geschlossen werden, daß es ihn zu diesem Zeitpunkt noch gegeben hat. Die Aufnahme in das Adreßbuch hing von dem Redaktionsschluß des entsprechenden Jahrganges ab, der noch im Jahr 1883 lag. 1885 wurde der Verein nicht mehr erwähnt.

Daß der antisemitische Reformverein in Frankfurt seit Sommer 1883 nicht mehr bestand, läßt sich auch den Artikeln über die Stadt Frankfurt am Main im „Reichsgeldmonopol" entnehmen.[95] Seit dieser Zeit wurde wiederholt beklagt, in Frankfurt gäbe es keinen organisierten Antisemitismus, weshalb es sich empfehlen würde, daß „die Kasseler Antisemiten eines Tages die Juden-Metropole Frankfurt eroberten".[96]

Überblickt man die kurze Spanne der Existenz des Frankfurter Reformvereins von Oktober 1882 bis Frühjahr 1883, so muß dieser erste Versuch einer antisemitischen Parteigründung in Frankfurt als vollständig gescheitert eingeschätzt werden. Weder scheint er genügend Mitglieder gehabt zu haben, um über die Anfangsschwierigkeiten hinwegkommen zu können, noch gelang es ihm, sich eine entsprechende Öffentlichkeit zu verschaffen. Auch seine Aktivitäten, soweit sie sich in der lokalen oder antisemitischen Presse niederschlugen, waren nur sehr gering. Außer der bereits erwähnten Flugblattverteilung und dem Auftritt in der Wahlversammlung im Oktober 1882 wurden im Februar 1883 Flugblätter in Briefkästen geworfen, in denen zum Beitritt in den Reformverein aufgefordert wurde.[97] Selbst in der antisemitischen Presse war schon bald vergessen, daß es auch in Frankfurt einen Reformverein gegeben hatte. Insofern könnte man den Frankfurter Deutschen Reformverein als bedeutungslos ansehen, dessen Erwähnung im Rahmen einer Darstellung der antisemitischen Bewegung in Frankfurt nur der Vollständigkeit halber erfolgte, wenn er nicht deutlich machen würde, daß es schon in den 80er Jahren in Frankfurt ein Potential gab, das für antisemitische Tendenzen empfänglich war. Dieses war allerdings während der ersten Welle des Antisemitismus in den 80er Jahren noch nicht stark genug ausgeprägt, um die Bewegung am Leben zu erhalten.

Vergleicht man die kurze Geschichte des Frankfurter Reformvereins mit den Reformvereinen in anderen Städten, so lassen sich nur schwer generalisierende Aussagen machen. Teils verlief die Entwicklung ähnlich wie in Frankfurt, teils aber auch wesentlich erfolgreicher im Sinne des politischen Antisemitismus. Die Deutsche Reformpartei in Dresden, von der die Bewegung ausging, schlug schon bald einen gemäßigteren Kurs ein und hörte, als sie 1885 unter konservative Führung kam, als eigenständige Partei zu existieren auf.[98] Die einzelnen Reformvereine in den Städten entwickelten sich danach sehr unterschiedlich weiter. Besonders in Hessen und West-

[95] Ebd., Nr. 55, 14.7.1883; Nr. 81, 12.1.1884.
[96] Ebd., Nr. 55, 14.7.1883.
[97] Frankfurter Beobachter, Nr. 34, 10.2.1883.
[98] M. BROSZAT, Antisemitische Bewegung, S. 66.

falen wurde die radikalere antisemitische Linie fortgesetzt.[99] Diese Vereine, wie etwa der in Kassel oder der erst 1886 gegründete Marburger Verein,[100] waren in ihren Aktivitäten derart erfolgreich, daß bei der Reichstagswahl 1887 der Gründer des Marburger Reformvereins, der Bibliothekar und Volksliedforscher OTTO BÖCKEL, im Wahlkreis Marburg gewählt wurde und als erster Antisemit in den Reichstag einziehen konnte.[101]

Wenn auch der organisierte Antisemitismus in Frankfurt mit dem Jahr 1883 vorläufig zum Erliegen kam, so kann daraus nicht geschlossen werden, daß sich die Gesinnung der Mitglieder gewandelt hätte. Als Beispiel mag die Zuschrift des ehemaligen Vorstandsmitgliedes DÖLL an das „Reichsgeldmonopol" zu Beginn des Jahres 1886 angeführt werden: Er bat um Zusendung weiterer Zeitungsexemplare, für deren Verbreitung in Frankfurt er sorgen wolle.[102] Auch sonst wurden in den antisemitischen Parteiblättern ab und zu Zuschriften aus Frankfurt beantwortet,[103] aber mehr als ein vereinzeltes Interesse läßt sich nicht feststellen.

Zu einer erneuten Vereinsgründung reichte es nicht aus. Zuweilen wurden ähnlich wie zu Beginn der 80er Jahre nachts Flugblätter in Briefkästen verteilt oder in der Stadt aufgeklebt. Dabei handelte es sich etwa, wie die „Frankfurter Zeitung" notierte,[104] um Aufrufe, in denen die Arbeiter aufgefordert wurden, bei der nächsten Wahl ihre Stimmen nicht den unter jüdischem Einfluß stehenden Sozialdemokraten zu geben. Diese Flugblätter stammten aus dem Verlag von THEODOR FRITSCH, einem Leipziger Müller.[105] THEODOR FRITSCH, der den Leipziger Reformverein leitete, propagierte anstelle der Gründung einer eigenständigen antisemitischen Partei die Verbreitung antisemitischer Gedanken in allen Parteien. Auf seinen Einfluß geht die 1886 erfolgte Gründung der Deutschen Antisemitischen Vereinigung zurück, in der jeder Mitglied werden konnte, der für die Aufhebung der Gleichberechtigung der Juden war, ein Fremdenrecht für Juden forderte und für eine wirtschaftliche Reformpolitik eintrat.[106]

FRITSCHS politisches Ziel war eine auf lange Sicht angelegte 'Aufklärung' der Deutschen über die Juden. Damit hoffte er, den Antisemitismus tiefer im Volksbewußtsein verankern zu können als durch die bloße Parteiarbeit, wie es die meisten anderen Anti-

[99] K. WAWRZINEK, Entstehung, S. 57.
[100] Dagegen datiert M. BROSZAT, Antisemitische Bewegung, S. 69, die Gründung fälschlich auf 1887; vgl. aber StaA Marburg, Bestand 340, Nachlaß Böckel, Paket 3: Protokollbuch des Deutschen Reformvereins Marburg, das mit November 1886 beginnt.
[101] W. KAMPMANN, Deutsche und Juden, S. 284f.; E. KNAUSS, Politische Antisemitismus im Kaiserreich, S. 52ff.
[102] Reichsgeldmonopol, Nr. 186, 16.1.1886.
[103] Reichsgeldmonopol, Nr. 142, 14.3.1885; Nr. 143, 28.3.1885; Nr. 146, 11.4.1885; Nr. 154, 6.6.1885 oder im Reichsherold, 2. Jg., Nr. 122, 31.7.1888; Nr. 142, 9.10.1888.
[104] Frankfurter Zeitung, Nr. 60, 1.3.1887, Abendbl.
[105] B. SUCHY, Antisemitismus, S. 258; M. ZIMMERMANN, Two Generations, S. 90.
[106] M. BROSZAT, Antisemitische Bewegung, S. 67f.; s. auch W. KAMPMANN, Deutsche und Juden, S. 284. Sie datiert die Gründung der D.A.V. fälschlich auf 1885.

semiten der Kaiserzeit anstrebten. Dem gleichen Ziel diente auch sein Verlag, in dem zahllose Broschüren und Flugblätter gedruckt wurden und weite Verbreitung fanden.[107]

Aber abgesehen von diesen sporadischen Versuchen, antisemitische Gedanken in Frankfurt publik zu machen, ruhte die Bewegung in Frankfurt bis zu Beginn der 90er Jahre. Dies wurde als Manko in den antisemitischen Zeitungen beklagt und mit der Hoffnung verbunden, daß dieser Zustand sich bald ändern möge. So beschrieb 1888 ein unbekannter Gesinnungsfreund aus Frankfurt im „Reichsherold" seine Schwierigkeiten, in Frankfurt Unterschriften für eine Grußadresse an den österreichischen Antisemiten GEORG VON SCHÖNERER zu sammeln. In Frankfurt würden nur wenige sich trauen, sich öffentlich zum Antisemitismus zu bekennen; denn in Frankfurt seien die meisten in irgendeiner Weise von Juden abhängig oder bildeten es sich wenigstens ein. Da es auch keine antisemitische Bewegung in Frankfurt gebe, könnten die Juden in Frankfurt ihre Herrschaft unbestritten ausüben.[108]

Auch ein Jahr später hatte sich die Situation nicht zugunsten der Antisemiten verändert. Nicht mal Ansätze zu einer antijüdischen Bewegung seien in Frankfurt wahrzunehmen, wie in einem mit H.O. gekennzeichneten Artikel über den Frankfurter EMIL RICHTER, der unter dem Pseudonym GERMANICUS eine Reihe von antijüdischen Broschüren seit den 70er Jahren veröffentlicht hatte, vermerkt wurde. „Wenn in anderen Gegenden Deutschlands sich eine kräftige Bewegung gegen das anmaßende Treiben der Juden geltend macht, hier in Frankfurt, wo es wahrlich am nothwendigsten wäre, ist keine Regung zu spüren."[109] Dies sollte sich aber schon bald zu ändern beginnen, woran nicht zuletzt der Schreiber des Artikels maßgeblich beteiligt war.

[107] B. SUCHY, Antisemitismus, S. 267; M. ZIMMERMANN, Two Generations, S. 97-99.
[108] Reichsherold, 2. Jg., Nr. 118, 17.7.1888.
[109] Ebd., 3. Jg., Nr. 205, 17.5.1889.

4. Die Formierung des politischen Antisemitismus im Deutschen Verein 1891—1893

Nachdem die erste Welle antisemitischer Vereinsgründungen in den 80er Jahren abgeklungen war, kam es Anfang der 90er Jahre zu einem erneuten Aufschwung der Bewegung. Im gesamten Deutschen Reich formierten sich neue lokale Organisationen und die antisemitischen Parteien begannen, sich wieder verstärkt an die Öffentlichkeit zu wenden. Die Gründe für diesen erneuten Bedeutungsgewinn des Antisemitismus sind komplex und lassen sich nicht wie in den 80er Jahren auf wenige Antriebsmomente, vor allem auf die Depression von 1873, zurückführen. Neben ökonomischen Krisen, wie eine noch andauernde Tiefkonjunkturphase mit Preisstürzen für agrarische Produkte,[1] waren auch gesellschaftliche Veränderungen wichtig, die sich nun als „soziale(n) Folgen der industriellen Revolution" bemerkbar machten.[2] Angst vor dem Aufkommen der Sozialdemokratie[3] spielte ebenso eine Rolle wie die außenpolitische Lage des Deutschen Reichs.[4] All dies führte zu einer wachsenden Unsicherheit vornehmlich mittelständischer Schichten und ließ sie empfänglich für antisemitische Ideologien werden.

4.1. Die Gründung des Deutschen Vereins 1891

Für Freitagabend, den 28. August 1891, luden zwei Herren, der Handlungsgehilfe Otto Werner und der Architekt Otto Hirschel, zu einer vertraulichen Versammlung in ein Restaurant der Innenstadt ein,[5] um einen Antisemitenverein für Frankfurt zu gründen. Einlaß war nur gegen Vorlage der zuvor von den beiden Initiatoren verschickten Karten gestattet. Nach Mitteilung der „Kleinen Presse" nahmen etwa 40 Herren, unter denen sich Innungsmeister, Lehrer und Staatsbeamte befanden, an der Versammlung teil.[6]

[1] H. Greive, Geschichte, S. 70.
[2] H.-G. Zmarzlik, Antisemitismus, S. 256.
[3] Die Bedeutung der erstarkenden Sozialdemokratie für den Aufschwung der antisemitischen Bewegung betont besonders W. Jochmann, Struktur (1976), S. 436.
[4] K. Felden, Übernahme, S. 43. Nach Bismarcks Sturz 1890 schlug die deutsche Außenpolitik eine neue Richtung ein: die „europäische Sicherungspolitik" Bismarcks wurde abgelöst vom „Übergang zum Imperialismus". Damit trat das Deutsche Reich im Vergleich zu England und Frankreich verspätet in die imperialistische Politik mit dem Ziel ein, sich vor allem in Konkurrenz zu England als Weltmacht zu etablieren, s. E. Born, Reichsgründung, S. 185-202. Die antisemitischen Parteien profitierten von diesem Kurswechsel, denn sie hatten schon frühzeitig einen rigiden Nationalismus verfochten und auf eine offensive Außenpolitik gedrängt, s. W. Jochmann, Struktur (1976), S. 436.
[5] Bei richtigem Datum falsche Tagesangabe in: Deutsch-Soziale Blätter, 6. Jg., Nr. 161, 13.9.1891, S. 440.
[6] KP, Nr. 202, 29.8.1891.

Allerdings traute man sich nicht, den Restaurantbesitzer in den Zweck der Versammlung einzuweihen, sondern gab an, man beabsichtige eine „gemüthliche Zusammenkunft“ abzuhalten.[7] Auch die Polizei, die von Gesetzes wegen die Versammlung als eine politische hätte überwachen müssen, war nicht informiert worden.[8]

Der Kreis der potentiellen Gesinnungsgenossen war von Otto Werner und Otto Hirschel gut ausgewählt worden, denn es gelang an diesem Abend, einen antisemitischen Verein für Frankfurt zu gründen. Mehr als 30 Herren sollen dem Verein bereits an seinem Gründungsabend beigetreten sein.

Dieser neue Verein nannte sich Deutscher Verein. Von seiner Gründung 1891 bis zur Auflösung 1914 führte er diesen Namen.[9] Zwar wurde der Frankfurter antisemitische Verein in Westphals „Illustrierten Führer durch die antisemitische Literatur“ 1893 als „Deutscher (antisem.) Reform-Verein“ bezeichnet, womit seine Parteizugehörigkeit zur Deutschen Reformpartei ausgedrückt wurde,[10] aber ansonsten hieß er durchweg Deutscher Verein. Auch seine im Laufe der Jahre wechselnde parteipolitische Ausrichtung innerhalb der antisemitischen Bewegung brachte keine Veränderung seines Namens mit sich.

Die Bezeichnung „Deutscher Verein“ für eine antisemitische Organisation war nicht ungewöhnlich. Eine Reihe anderer Ortsgruppen der Bewegung hatte sich ebenfalls diesen Namen zugelegt.[11] In dem Wort „deutsch“ sollte die patriotische, deutsch-nationale Gesinnung der Antisemiten zum Ausdruck kommen, die von ihnen positiv im Unterschied zur jüdischen definiert wurde. Oder wie es Hermann Rehm 1912 ausdrückte: „Daß die Parteien sich deutsch nennen, ist leicht verständlich; deutsch steht . . . im Gegensatz zu jüdisch.“[12]

Die Gründung des Frankfurter Deutschen Vereins im August 1891 hatte für einen der Initiatoren, für den Handlungsgehilfen Otto Werner, noch ein Nachspiel. Das christliche Manufakturwaren- und Ausstattungsgeschäft G.E. Lehr, bei dem Otto Werner arbeitete, entließ seinen Angestellten wegen dessen politischer Betätigung fristlos.[13] Wie das überregionale Parteiblatt der Deutschsozialen Partei beklagte, sei dies wieder einmal ein Beweis für den übermächtigen jüdischen Einfluß in Frankfurt, dem sich die christlichen Geschäftsinhaber ohne Widerstand beugten.

Otto Werner war kein Frankfurter, sondern nur für kurze Zeit beruflich hier tätig, denn als er in den „Deutsch-Sozialen Blättern“ wegen einer neuen Stelle inserierte, gab er als Adresse eine Heidelberger Anschrift an. In dieser Anzeige charakteri-

7 KP, Nr. 208, 5.9.1891.

8 KP, Nr. 202, 29.8.1891.

9 Der antisemitische Verein hieß von Anfang an Deutscher Verein, s. Deutsch-Soziale Blätter, 6. Jg., Nr. 161, 13.9.1891, S. 440; StaA Marburg, Bestand 340, Nachlaß Böckel, Paket 9/1, 2, S. 502-506.

10 P. Westphal, Illustrierter Führer, S. 93.

11 Im Jahre 1893 gab es Deutsche Vereine etwa in Berlin, Bruchsal, Göttingen, Hamburg, Leipzig, Mönchengladbach und Osnabrück, ebd., S. 93.

12 H. Rehm, Deutschlands politische Parteien, S. 60.

13 Deutsch-Soziale Blätter, 6. Jg., Nr. 161, 13.9.1891, S. 440; s. auch KP, Nr. 202, 29.8.1891; Nr. 203, 30.8.1891.

Abb. 2 Otto Böckel (1859—1923)
im Jahre 1893

sierte er sich selbst als ein Opfer seiner politischen Ansichten: „Wegen meiner antisemitischen Gesinnung aus meiner bisherigen Stellung in Frankfurt a.M. entlassen ... suche ich in einem Mode- oder Manufakturwaren-Geschäft, event. in einem Spezial-Geschäft für Teppich-Möbelstoffe sofort Stellung als Verkäufer."[14]

Bedeutsamer als Otto Werner, der damit aus der Frankfurter antisemitischen Bewegung verschwand, ist für die weitere Entwicklung des Frankfurter antisemitischen Vereins der zweite Initiator der Gründungsversammlung, Otto Hirschel.

Otto Hirschel wurde am 2. Juli 1862 in Frankfurt am Main als erster Sohn des Ingenieurs Philipp Hirschel geboren.[15] Er absolvierte eine Ausbildung als Architekt, übte allerdings diesen Beruf nicht lange aus. Nachdem er Ende der 80er Jahre den Marburger Antisemiten Otto Böckel kennengelernt hatte, war er in dessen Bewegung als Schriftführer, Agitator und Herausgeber antisemitischer Zeitungen tätig. Politisch aktiv zu werden, begann Hirschel Mitte der 80er Jahre. Ebenso wie Hermann Steinhäuser, Mitbegründer des Deutschen Reformvereins 1882,[16] war auch Otto Hirschel zuerst Mitglied im Conservativen Verein für Frankfurt am Main und Umgegend.[17] Jedoch verließen beide den Conservativen Verein sehr schnell. Sie

[14] Deutsch-Soziale Blätter, 6. Jg., Nr. 161, 13.9.1891, S. 444.
[15] StA Ffm., Einwohnermeldekarte.
[16] Siehe Kap. 3.3.
[17] Mitgliederliste von 1886, HStaA Wiesbaden, Abt. 407, Nr. 159, Bd. 1, Bl. 112v.

sind jeweils nur ein Jahr lang in der Mitgliederliste aufgeführt, um dann zu den Antisemiten überzuwechseln.

Das entscheidende Erlebnis für HIRSCHEL, das ihn zur antisemitischen Bewegung führte, war laut seinem späteren Biographen und Mitarbeiter EUGEN SCHMAHL seine Fahrt zu OTTO BÖCKEL im Oktober 1888.[18] Schon mit ihr sympathisierend fuhr er nach Marburg zu dem ersten antisemitischen Reichstagsabgeordneten, um sich einen Begriff von der dortigen Bewegung zu machen.

Über seine Eindrücke bei dem um drei Jahre älteren, ebenfalls aus Frankfurt stammenden OTTO BÖCKEL berichtete der damals Sechsundzwanzigjährige in enthusiastischen Worten: *„Die Stimmung im Wahlkreis ist ganz ausgezeichnet, die Leute sind allenthalben im besten Sinne des Wortes aufgeklärt und es ist eine Freude, zu sehen, mit welcher Begeisterung diese wettergebräunten Landleute für die heilige Sache ins Zeug gehen. Auf Dr. Böckel blicken sie wie auf ihren Erlöser, überall wird er mit Hochrufen empfangen. Seine Energie und sein Verdienst um unsere Sache sind auch ganz außerordentlich. Dabei ist die Bewegung durch und durch patriotisch ... Wenn man gewohnt ist, hier in dem mit semitischen Dünsten geschwängerten Frankfurt zu leben, so atmet man freier auf, wenn man einmal unter diesen kerndeutschen Hessen weilt, die eingesehen haben, wo ihr Feind zu finden ist.“*[19]

Seit diesem Besuch in Marburg war HIRSCHEL in der antisemitischen Bewegung aktiv. EUGEN SCHMAHL behauptet, daß er noch im selben Jahr, 1888, den Deutschen Verein in Frankfurt am Main gegründet haben soll.[20] Für diese Annahme gibt es aber keinen Beleg. Die Gründung erfolgte sicherlich erst im August 1891. Jedoch sah sich HIRSCHEL seit diesem Zeitpunkt als Sachwalter antisemitischer Interessen in Frankfurt an. So kümmerte er sich etwa um einen Grabstein für den 1889 verstorbenen EMIL RICHTER alias GERMANICUS.[21] Auch HIRSCHELS zahlreiche Beiträge und Anfragen in BÖCKELS „Reichsherold“ beziehen sich meist auf Frankfurt.[22]

Außerhalb Frankfurts war OTTO HIRSCHEL spätestens seit 1889 ein eifriger Mitarbeiter BÖCKELS. Er schrieb unter dem Kürzel „H.O.“ zahlreiche Notizen und Artikel im „Reichsherold“[23] und begleitete BÖCKEL auf seinen Agitationsreisen.[24] Noch enger wurde die Zusammenarbeit, als HIRSCHEL 1890 zum Schriftführer des Mitteldeutschen Bauernvereins ernannt wurde.[25] Dieser von BÖCKEL gegründete Bauernverein war eine berufsständische Organisation, die politisch eine gemeinsame Linie mit den Antisemiten vertrat, denn die Mitglieder des Mitteldeutschen Bauernvereins

18 E. SCHMAHL, Antisemitische Bauernbewegung, S. 49.
19 Zitiert nach E. SCHMAHL, Antisemitische Bauernbewegung, S. 49; vgl. auch E. KNAUSS, Politische Antisemitismus im Kaiserreich, S. 54.
20 E. SCHMAHL, Antisemitische Bauernbewegung, S. 96.
21 Reichsherold, 3. Jg., Nr. 217, 28.6.1889; Nr. 218, 2.7.1889; Nr. 219, 5.7.1889; Nr. 245, 4.10.1889.
22 Reichsherold, 3. Jg., Nr. 220, 9.7.1889; Nr. 230, 13.8.1889; 4. Jg., Nr. 275, 21.1.1890; Nr. 301, 29.4.1890.
23 Ebd., ab 3. Jg., Nr. 170, 15.1.1889.
24 E. SCHMAHL, Antisemitische Bauernbewegung, S. 69ff.; vgl. auch die Parteinachrichten im Reichsherold, ab 4. Jg. 1890ff.
25 E. SCHMAHL, Antisemitische Bauernbewegung, S. 96; Reichsherold, 4. Jg., Nr. 305, 13.5.1890.

waren kollektiv der Antisemitischen Volkspartei angeschlossen.[26] Durch all diese Tätigkeiten war OTTO HIRSCHEL mittlerweile für BÖCKEL so unentbehrlich geworden, daß bereits seine Übersiedlung nach Marburg im „Reichsherold" angekündigt wurde.[27] Dieser Wohnungswechsel kam aus unbekannten Gründen nicht zustande. Während HIRSCHEL weiterhin rege außerhalb Frankfurts für die antisemitische Bewegung und den Bauernverein tätig war, blieb er vorläufig noch in Frankfurt wohnen.

So aktiv er im Umland war und so schnell die Bewegung dort wuchs, in Frankfurt dauerte es noch bis August 1891, bis OTTO HIRSCHEL es wagen konnte, in Zusammenarbeit mit OTTO WERNER an eine antisemitische Vereinsgründung zu denken.

Zwar gab es in Frankfurt wie in führeren Jahren immer wieder Einzelne, die sich dem Antisemitismus verbunden fühlten, die Blätter der Bewegung abonnierten und zu überregionalen Versammlungen fuhren oder doch wenigstens Grußtelegramme schickten.[28] Aber zur Bildung einer eigenständigen lokalen Organisation kam es vor allem wohl wegen der geringen Anzahl von Anhängern nicht.

Denn auch nachdem der Deutsche Verein sich im August 1891 formiert hatte, dauerte es noch drei Jahre, bis er an die Öffentlichkeit trat. Diese zögerliche Aufnahme einer Parteiarbeit im eigentlichen Sinne scheint ein Indiz dafür zu sein, daß es auch nach der Konstituierung der antisemitischen Bewegung nur sehr langsam gelang, Mitglieder zu werben. Vermutlich war die Angabe, daß am Gründungsabend 30 Herren der Bewegung beigetreten seien, übertrieben, obwohl die Zahl verglichen mit anderen Ortsgruppen nicht sehr hoch war.[29]

Bevor der weiteren Entwicklung des Vereins nachgegangen wird, soll die Frage beantwortet werden, welcher der beiden 1891 bestehenden antisemitischen Parteien sich der Deutsche Verein zurechnete.

Nachdem 1886 die Deutsche Antisemitische Vereinigung mit dem Ziel gegründet worden war, alle antisemitischen Gruppierungen zu umfassen,[30] kam es 1889 auf dem Bochumer Parteitag zur Spaltung. Die Gruppe um OTTO BÖCKEL sagte sich von ihr los und rief zur Gründung einer Antisemitischen Volkspartei auf, die sich 1890 in Erfurt ihr Programm gab.[31] Die Mehrheit der auf dem Parteitag anwesenden Delegierten formierte sich zur Antisemitischen Deutschsozialen Partei, die sich bald nur noch Deutschsoziale Partei nannte.[32] In vielen Punkten waren sich die Programme beider Parteien ähnlich.[33] Gemeinsam war ihnen die Forderung nach Aufhebung

26 R. MACK, O. Böckel, S. 394.

27 Reichsherold, 4. Jg., Nr. 311, 6.6.1890.

28 Etwa auf dem Gartenfest der Bewegung in Marburg im Sommer 1890, auf dem Gesinnungsgenossen aus Frankfurt anwesend waren und ein Telegramm aus Frankfurt eintraf, ebd., Nr. 310, 3.6.1890.

29 Siehe Kap. 4.3.

30 F. SPECHT/P. SCHWABE, Reichstagswahlen, S. 403; K. WAWRZINEK, Entstehung, S. 62.

31 P. MASSING, Vorgeschichte, S. 87; M. BROSZAT, Antisemitische Bewegung, S. 70f.; F. SPECHT/P. SCHWABE, Reichstagswahlen, S. 403; K. WAWRZINEK, Entstehung, S. 82.

32 F. SPECHT/P. SCHWABE, Reichstagswahlen, S. 403; K. WAWRZINEK, Entstehung. S. 77.

33 Das Programm der Deutsch-Sozialen Partei ist abgedruckt in: Antisemitisches Jahrbuch 1898, S. 43-46; W. MOMMSEN, Deutsche Parteiprogramme, S. 73-78. Das Programm der Antisemitischen Volkspartei ist abgedruckt in: F. SPECHT/P. SCHWABE, Reichstagswahlen, S. 414-416.

der Emanzipation der Juden. Sie sollten statt dessen unter ein Fremdenrecht gestellt werden, um eine strikte Trennung zwischen Deutschen und Juden zu gewährleisten. Außer diesen antijüdischen Maßnahmen strebten beide Programme soziale und wirtschaftliche Reformen an. Z.B. wünschten sie die Aufhebung der Gewerbefreiheit, Schutz des Einzelhandels vor Kaufhäusern, Reform des Rechtswesens mit Einführung des germanischen an Stelle des römischen Rechts u.ä.m.

Die Unterschiede der beiden Parteien lagen in ihrer allgemeinen politischen Ausrichtung. Die Deutschsoziale Partei näherte sich mehr den Konservativen an als die Antisemitische Volkspartei. Die eher konservative Einstellung der Deutschsozialen Partei fand ihren Niederschlag in folgenden Grundsätzen des Parteiprogramms: man hoffte, die soziale Frage durch ein gegenseitiges freiwilliges Sichannähern von Arbeitgeber und -nehmer zu lösen; eine ständische Gliederung der Gesellschaft nach Berufsgruppen wurde angestrebt und die christliche Religion sollte frei von staatlicher Repression allgemeine Anerkennung als verbindende Ideologie finden.

Dagegen kam in dem Programm der Antisemitischen Volkspartei deren antikonservative Haltung zur Geltung. Die Partei forderte etwa eine stärkere Besteuerung der besitzenden Klassen, ein allgemeines, direktes und geheimes Wahlrecht, Diäten für Abgeordnete und Arbeiterschutzgesetze.

Zu welcher der beiden Organisationen sich der Deutsche Verein zählte, schien bei seiner Gründung 1891 noch nicht klar zu sein. Während nämlich OTTO HIRSCHEL, wie oben dargestellt, ein Anhänger BÖCKELS und seiner Antisemitischen Volkspartei war, neigte OTTO WERNER der Deutschsozialen Partei zu. Laut den „Deutsch-Sozialen Blättern" war er Mitglied dieser Partei.[34]

Vor diesem Hintergrund war die Frankfurter Gründung ein parteiübergreifender antisemitischer Verein, dem das Gemeinsame der Programme zugrundelag. Merkwürdig ist allerdings, daß im Gegensatz zu den „Deutsch-Sozialen-Blättern" der „Reichsherold" keine Meldung über die Frankfurter Gründung enthält. Dies ist um so auffälliger, da OTTO HIRSCHEL sonst eng mit BÖCKEL und seinem „Reichsherold" verbunden war. Dies bedeutet wahrscheinlich, daß die Frankfurter Gründung ursprünglich eher der Deutschsozialen Partei zuneigte.

Aber nach dem Ausscheiden OTTO WERNERS gruppierte sich der Verein um OTTO HIRSCHEL, der sich als Mitarbeiter OTTO BÖCKELS bereits einen Namen gemacht hatte. Damit war auch zugleich eine Anlehnung an BÖCKELS Antisemitische Volkspartei verbunden. Zwar war der Deutsche Verein im ersten Jahr seines Bestehens nur selten innerhalb der antisemitischen Bewegung tätig, aber das, was davon bekannt ist, belegt, daß sich der Deutsche Verein als eine lokale Organisation der Antisemitischen Volkspartei begriff. Seine Bezeichnung im „Illustrierten Führer durch die antisemitische Literatur" von P. WESTPHAL aus dem Jahre 1893 als „Deutscher (antisem.) Reform-Verein" weist auf die Zugehörigkeit zur BÖCKELschen Richtung hin.[35] Auch auf dem

[34] Deutsch-Soziale Blätter, 6. Jg., Nr. 161, 13.9.1891, S. 440.
[35] P. WESTPHAL, Illustrierter Führer, S. 93.

Parteitag der Antisemitischen Volkspartei in Dresden im Juni 1892 waren Delegierte aus Frankfurt anwesend.[36] Und als sich im August 1892 die Volkspartei in Wixhausen bei Darmstadt traf, nahm ebenfalls der Frankfurter Verein daran teil.[37]

Aktivitäten des Deutschen Vereins in Frankfurt selbst sind dagegen für die ersten beiden Jahre seiner Existenz nicht zu ermitteln. Es gelang dem Deutschen Verein vorerst nicht, eine Parteiorganisation aufzuziehen und Propaganda für seine Ziele zu machen.

4.2. Die Reichstagswahl 1893 in Frankfurt

Eine erste Aktion des Deutschen Vereins fand anläßlich der Reichstagswahl 1893 statt. An ihr wird aber zugleich deutlich, daß man trotz des formellen Bestehens des Deutschen Vereins noch kaum von einer antisemitischen Bewegung in Frankfurt sprechen kann.

Erstmals kandidierte in Frankfurt u.a. auch ein Antisemit. Max Liebermann von Sonnenberg, der Führer der Deutschsozialen, hatte sich — wenn auch nur als Zählkandidat — in Frankfurt aufstellen lassen.[38] Der 1848 geborene, ehemalige Premierleutnant war seit den achtziger Jahren in der antisemitischen Bewegung aktiv. Er hatte neben anderen die Antisemitenpetition von 1880 initiiert. Seit 1889 war er Vorsitzender der Deutschsozialen Partei und seit 1890 Reichstagsabgeordneter des hessischen Wahlkreises Fritzlar-Homberg-Ziegenhain.[39]

Auch wenn die Frankfurter Antisemiten im Deutschen Verein der Antisemitischen Volkspartei, die sich seit 1893 Deutsche Reformpartei nannte,[40] zuneigten, so bedeutete eine Kandidatur Liebermann von Sonnenbergs von der Deutschsozialen Partei nicht notwendigerweise, daß sich die politische Orientierung geändert hätte. Denn es gab für die Reichstagswahl 1893 — wie schon bei der vorangegangenen Wahl 1890 — Absprachen zwischen den beiden Parteien, aus taktischen Gründen gemeinsam vorzugehen.[41] Als Zählkandidat ohne Aussicht auf Erfolg kandidierte Liebermann von Sonnenberg auch in anderen Wahlbezirken.[42] Er wurde wohl deshalb aufgestellt, weil er einer der bekanntesten Antisemiten in jenen Jahren war und mit ihm als Integrationsfigur eine Zählung der antisemitischen Stimmen am ehesten möglich erschien.

36 MdVAA, 2. Jg. 1892, Nr. 26, S. 224.

37 StaA Marburg, Bestand 340, Nachlaß Böckel, Paket 9/1, 2, S. 502-506.

38 KP, Nr. 130, 6.6.1893.

39 K.-G. Riquarts, Antisemitismus, S. 434; Ferd. Werner, L. von Sonnenberg, S. 315f.

40 P. Massing, Vorgeschichte, S. 87; F. Specht/P. Schwabe, Reichstagswahlen, S. 403; Lexikon zur Geschichte der Parteien, S. 92.

41 K. Wawrzinek, Entstehung, S. 79f.

42 So etwa im sechsten schleswig-holsteinischen Wahlkreis und in Lübeck sowie in Hildesheim, s. K.-G. Riquarts, Antisemitismus, S. 98, S. 101; A. J. Knott, Antisemitische Bewegung, S. 66.

Abb. 3 Reichstagsabgeordneter
Max Liebermann von Sonnenberg
(1848—1911)

Das einzige, was die Frankfurter Antisemiten zum Wahlkampf beitrugen, war die Herausgabe eines Wahlaufrufes für LIEBERMANN VON SONNENBERG.[43] Ein von OTTO HIRSCHEL unterzeichneter Aufruf des „Wahlausschusses der antisemitischen Partei" forderte die „deutschen Wähler" auf, für LIEBERMANN VON SONNENBERG zu stimmen und damit ihren „lauten Protest gegen die überhand nehmende Verjudung unserer altehrwürdigen deutschen Kaiserstadt Frankfurt" zum Ausdruck zu bringen. Das Flugblatt wurde auch als Anzeige im „Frankfurter Generalanzeiger" veröffentlicht:

„Deutsche Wähler!
Die antisemitische Partei hat beschlossen, in den bevorstehenden Wahlkampf mit einem eigenen Kandidaten einzutreten.
Max Liebermann von Sonnenberg, Leipzig — Gohlis
als Vertreter Frankfurts in den Reichstag zu senden . . .

Herr Liebermann von Sonnenberg tritt ein für deutsches Recht im deutschen Staate, für christliche Obrigkeit im christlichen Staate.

Herr Liebermann von Sonnenberg bekämpft auf gesetzlichem Wege alle mit dem Judenthum zusammenhängenden und von ihm erzeugten schädlichen Einflüsse in Staat und Gesellschaft.

[43] MdVAA, 3. Jg. 1893, Nr. 52, S. 468; Deutsch-Soziale Blätter, 8. Jg. 1893, Nr. 264, S. 339; KP, Nr. 130, 6.6.1893 und Nr. 135, 11.6.1893.

Antisemiten aller Richtungen!
Laßt angesichts der wichtigen Entscheidung alle kleinlichen Trennungspunkte beiseite und vereinigt Eure Stimme auf
Herrn Liebermann von Sonnenberg
(Leipzig — Gohlis)
zu einem lauten Protest gegen die überhand nehmende Verjudung unserer altehrwürdigen deutschen Kaiserstadt Frankfurt . . .

Der Wahlausschuß der
Antisemitischen Partei
Otto Hirschel"[44]

Für die weitere Entwicklung war von Bedeutung, daß die Antisemiten nicht die einzigen waren, die sich in Frankfurt für LIEBERMANN VON SONNENBERG als Reichstagskandidaten aussprachen. Unterstützt wurden sie dabei von der zünftlerischen Handwerkerpartei, die ihre Forderungen nach einem Befähigungsnachweis im Handwerk und der Einführung von obligatorischen Innungen nur von dem antisemitischen Reichstagskandidaten und dem Kandidaten des Zentrums vertreten sahen.[45] Der Wahlausschuß der Handwerkerpartei forderte deshalb seine Mitglieder auf, ihre Stimme einem dieser beiden zu geben.[46] Diese Empfehlung des antisemitischen Kandidaten wurde aber nicht von allen Mitgliedern geteilt. In öffentlichen Protesten und Austritten aus der Handwerkerpartei fand diese Oppositon ihren Niederschlag. So distanzierte sich etwa der Vorstand der Fleischerinnung in einer Zeitungsannonce von diesem Wahlaufruf.[47] Und Mitglieder der Tapezierer- und Schornsteinfegerinnung erklärten in Anzeigen, daß sie nicht für LIEBERMANN VON SONNENBERG stimmen würden.[48]

Weitere öffentliche Ablehnung befürchtend, ließ der Deutsche Verein erneut eine Anzeige im „Frankfurter Generalanzeiger" veröffentlichen, mit der er nochmals zur Wahl LIEBERMANNS VON SONNENBERG aufrief: „Deutsche Wähler! Laßt Euch durch das Gerede der Gegner nicht irre machen, sondern wählt furchtlos den Candidaten der Antisemitischen Partei, Herrn Max Liebermann von Sonnenberg."[49] Diese Anzeige wurde drei Tage später ergänzt durch eine Bitte um finanzielle Unterstützung, „damit wir den ernsten Wahlkampf energisch zu Ende führen können".[50]

44 Frankfurter Generalanzeiger, Nr. 129, 4.6.1893, S. 20.
45 „Handwerkerpartei" nannte sich der politisch aktive Ausschuß der Handwerksinnungen, s. KP, Nr. 141, 18.6.1893, 3. Bl.
46 KP, Nr. 124, 30.5.1893; Nr. 135, 11.6.1893, 2. Bl.; Frankfurter Generalanzeiger, Nr. 135, 11.6.1893, S. 19; s. auch Deutsch-Soziale Blätter, Beil., 8. Jg., Nr. 32, 10.8.1893, S. 113.
47 KP, Nr. 138, 15.6.1893, 2. Bl. (Anzeige); Frankfurter Generalanzeiger, Nr. 138, 15.6.1893, S. 11.
48 KP, Nr. 138, 15.6.1893, 2. Bl.; Nr. 139, 16.6.1893; Frankfurter Generalanzeiger, Nr. 138, 15.6.1893, S. 8; Nr. 139, 16.6.1893, S. 10.
49 Frankfurter Generalanzeiger, Nr. 135, 11.6.1893, S. 5.
50 Ebd., Nr. 137, 14.6.1893, S. 12.

Abgesehen von dem Flugblatt und dem Wahlaufruf der Handwerkerpartei gab es keine weitere Wahlagitation für Liebermann von Sonnenberg. Liebermanns „Deutsch-Soziale Blätter" beklagten diese mangelnde Initiative der Frankfurter Antisemiten, wenn sie auch gleichzeitig die besonderen Schwierigkeiten in Frankfurt betonten. Daß Liebermann von Sonnenberg ohne nennenswerte Agitation 1448 Stimmen erzielte, wurde für die Zukunft als ein erfolgversprechendes Beginnen aufgefaßt: *„Die Aufstellung v. Liebermann's war der erste Versuch einer antisemitischen Kandidatur in Frankfurt. Den Frankfurter Antisemiten fehlt leider noch jede Organisation; auch wurde keine einzige Wahl-Versammlung abgehalten; man hätte auch wohl schwerlich einen Versammlungs-Raum in der von den Juden völlig beherrschten Stadt aufgetrieben, und Herr v. Liebermann ist — leider — den Frankfurtern noch unbekannt. Mancher Antisemit hielt sich auch für verpflichtet, statt für Liebermann für den nationalliberalen Kandidaten zu stimmen, der allein außer Liebermann für die Militär-Vorlage eintrat und Aussicht zu haben schien, gewählt zu werden. Wenn trotz dieser ungünstigen Umstände der antisemitische Kandidat 1448 Stimmen auf sich vereinigte, so ist dieser Erfolg recht bemerkenswert; für die Zukunft eröffnet er die besten Aussichten."*[51]

Bei dieser Reichstagswahl, bei der in der Stichwahl wie bereits 1890 der Sozialdemokrat Schmidt gewählt wurde, entfielen von den abgegebenen 30.863 Stimmen im ersten Wahlgang auf den Sozialdemokraten 13.482, auf den Nationalliberalen 7.274, auf den Kandidaten der Volkspartei, Leopold Sonnemann, 7.020 und auf den des Zentrums 1.617 Stimmen.[52] Mit den für Liebermann von Sonnenberg abgegebenen 1448 Stimmen kamen die Antisemiten, ohne eine eigentliche Wahlpropaganda betrieben zu haben, mithin auf 4,7%.[53]

Diese 1.448 Stimmen für den antisemitischen Kandidaten der Deutschsozialen Partei stellten zwar verglichen mit denen der übrigen Kandidaten das schlechteste Ergebnis dar, zeigten aber doch, daß in Frankfurt ein Potential vorhanden war, das bereit war, einen Antisemiten zu unterstützen. Wobei allerdings mit Paul Massing[54] einschränkend darauf hingewiesen werden muß, daß keine zweifelsfreie Schlußfolgerung von den Stimmen, die antisemitische Kandidaten erhielten, auf die Anzahl der antisemitisch Gesinnten möglich ist. Es bedeutete zunächst einmal nur, daß der Wähler damit allen übrigen Parteien eine deutliche Absage zu erteilen wünschte. Es konnte sich dabei — zum Teil wenigstens — um sogenannte Protestwähler handeln.

Für die Frage nach der antisemitischen Bewegung in Frankfurt am Main bleibt angesichts der Kritik der „Deutsch-Sozialen Blätter" an der nicht geleisteten Wahlhilfe für die Reichstagswahl 1893 festzuhalten, daß sich noch zwei Jahre nach der Gründung des Deutschen Vereins keine arbeitsfähige antisemitische Organisation in Frankfurt herausgebildet hatte. Die aus diesem Grund beinahe völlig fehlende antisemitische Wahlagitation steht in deutlichem Kontrast zu dem von den Antisemiten

51 Deutsch-Soziale Blätter, Beil., 8. Jg., Nr. 30, 21.7.1893, S. 106.
52 F. Specht/P. Schwabe, Reichstagswahlen, S. 157.
53 V. Eichler, Sozialistische Arbeiterbewegung, S. 287.
54 P. Massing, Vorgeschichte, S. 112.

in weiten Teilen des Reiches geführten intensiven Wahlkampf.[55] Nach diesem Einsatz erreichten es die beiden antisemitischen Parteien, daß 16 ihrer Kandidaten als Abgeordnete in den Reichstag 1893 einziehen konnten. Darunter befand sich auch der Frankfurter OTTO HIRSCHEL, der für die Reformpartei OTTO BÖCKELS im Odenwald-Wahlkreis Bensheim-Erbach gewählt worden war.[56] Vergleicht man diesen reichsweiten Erfolg der Antisemiten mit ihrer Situation in Frankfurt im Jahre 1893, so muß eine erhebliche Diskrepanz festgestellt werden. Dem Deutschen Verein war es bislang noch nicht gelungen, sich zu konsolidieren.

Dies ist umso bemerkenswerter, als das Jahr 1893 in der Sekundärliteratur allgemein als der Höhepunkt der parteipolitischen antisemitischen Bewegung vor 1914 gilt.[57] Diese Ansicht leitet sich im wesentlichen von dem geradezu spektakulären Wahlerfolg der Antisemiten in diesem Jahr ab. Wurden bei der vorangegangenen Reichstagswahl 1890 47.536 Stimmen für die antisemitischen Kandidaten abgegeben, stieg die Zahl der antisemitischen Stimmen 1893 sprunghaft auf 263.861 Stimmen an. Anstatt bislang fünf Mandate konnten die Antisemiten nun 16 erzielen.[58] Bereits HELLMUT VON GERLACH urteilte im Jahre 1904, daß „das Jahr 1893 der parlamentarische Zenit des deutschen Antisemitismus gewesen" sei.[59] Diese für das Reich im allgemeinen gültige Einschätzung sagt allerdings nichts über die lokale Entwicklung der antisemitischen Bewegung aus, wie das Beispiel Frankfurt zeigt. In Frankfurt erstarkte die Bewegung erst von 1894 an.

Um die Besonderheit des lokalen Beispiels im Vergleich mit anderen Städten einschätzen zu können, wird kurz die Situation der Bewegung in anderen Städten skizziert, bevor die Entwicklung des Deutschen Vereins von 1894 an dargestellt werden soll.

4.3. Die Gründung des Deutschen Vereins im Vergleich mit der antisemitischen Bewegung im Reich

Abgesehen von einer Dissertation über die antisemitische Bewegung in Hamburg und Schleswig-Holstein und einigen Aufsätzen über die Geschichte der Bewegung in Darmstadt, Hildesheim und am Niederrhein,[60] die in ihrem Aussagewert sehr unterschiedlich sind, fehlen wissenschaftliche Untersuchungen über regionale Entwicklungen der antisemitischen Bewegung völlig.

55 OTTO BÖCKEL etwa ruinierte sich mit der Finanzierung seines Wahlkampfes, s. K. DEMANDT, Leopold von Sacher-Masoch, S. 192.
56 F. SPECHT/P. SCHWABE, Reichstagswahlen, S. 493.
57 P. MASSING, Vorgeschichte, S. 118; H.-G. ZMARZLIK, Antisemitismus, S. 254; R. RÜRUP, Emanzipation und Antisemitismus (1985), S. 94.
58 D. FRICKE, Antisemitische Parteien, S. 77.
59 H. v. GERLACH, Vom deutschen Antisemitismus, S. 154f.
60 K.-G. RIQUARTS, Antisemitismus; B. SUCHY, Antisemitismus; A. J. KNOTT, Antisemitische Bewegung; G. WASSERMANN/E. G. FRANZ, „Kauft nicht bei Juden".

Einen zeitgenössischen Überblick über den Stand der antisemitischen Bewegung im Deutschen Reich bieten die Vereinstafeln und Parteinachrichten, die in antisemitischen Periodika und Schriften veröffentlicht wurden. Das früheste und vollständigste Verzeichnis, in dem bereits der Frankfurter Verein erwähnt wird, wurde von P. WESTPHAL in seinem „Illustrierten Führer durch die antisemitische Literatur“ zusammengestellt. Diese Liste stammt aller Wahrscheinlichkeit nach aus dem Jahre 1893.[61] Die darin abgedruckte Vereinstafel unterscheidet nicht zwischen den Vereinen, die sich zu LIEBERMANNS Deutschsozialer Partei zählten, und denen, die BÖCKEL und der Reformpartei zuneigten, wodurch eine relativ umfassende Aufzählung aller antisemitischen Vereine entstanden ist. Insgesamt werden antisemitische Organisationen in über 200 Orten angegeben, in manchen werden mehrere Vereine aufgezählt. An der Spitze der Bewegung stand, wie schon 10 Jahre zuvor, Berlin, wo allein zehn Ortsgruppen existierten. Auffällig viele Vereine — nämlich sechs — gab es in Leipzig, was vermutlich auf den Einfluß des rührigen THEODOR FRITSCH zurückgeführt werden kann. Jeweils drei Vereine hatten sich in Erfurt, Elberfeld, München und Stuttgart gebildet. Zwei verschiedene Organisationen gab es in zahlreichen Orten; die überwiegende Mehrheit der aufgezählten Orte verfügte aber wie Frankfurt nur über eine antisemitische Gruppe.

Sieht man sich die regionale Verteilung der angegebenen Orte an, so kann festgestellt werden, daß sich die Bewegung im katholischen Süddeutschland — abgesehen von München — kaum ausbreiten konnte.[62] Im Badischen und Württembergischen gab es einige wenige Ortsgruppen vornehmlich der Deutschsozialen Partei. Auch im Rheinland, in der Gegend um Berlin und in Westfalen konnte sich eine Reihe von lokalen Organisationen etablieren. Das Zentrum der Bewegung lag aber eindeutig in Sachsen, wo allein über 60 Vereine existierten, und im Gebiet des heutigen Hessens mit über 35 Gruppen, die sich überwiegend — wie aus dem Namen der Vereine hervorgeht[63] — der Reformpartei angeschlossen hatten. Obwohl die antisemitische Bewegung, wie allgemein belegt, in Sachsen besonders stark war,[64] mag dieser überproportionale Anteil zum Teil auch darauf zurückzuführen sein, daß der „Illustrierte Führer“ von WESTPHAL im sächsischen Nossen herausgegeben wurde und damit die Verbindung zur dortigen Bewegung besonders ausgeprägt war.

Für unsere Fragestellung ist von besonderem Interesse, ob und wie viele Ortsgruppen sich in anderen, von der Größe her vergleichbaren Städten gebildet hatten und wie die Lage der Bewegung im näheren Umland von Frankfurt war.

Abgesehen von Berlin und Leipzig, wo überproportional viele Gruppen bestanden, gab es in Hamburg und Hannover zwei antisemitische Gruppierungen, in Mün-

[61] P. WESTPHAL, Illustrierter Führer, S. 90-98.

[62] Nur Augsburg und Traunstein sind in der Liste aufgeführt, ebd., S. 91, S. 98.

[63] Meist bezeichneten sich diese Vereine als „Deutscher Reformverein“, während sich die der LIEBERMANNschen Richtung „Deutsch-Sozialer Verein“ nannten, s. K. WAWRZINEK, Entstehung, S. 79.

[64] Vgl. auch das Antisemitische Jahrbuch für 1898, S. 186-197, in dem 32 Ortsgruppen in Sachsen angeführt werden. Allerdings ist dieses nicht vollständig. Dies schien für jede Provinz davon abzuhängen, wie vollständig die Vereine dem Herausgeber gemeldet wurden.

chen und Stuttgart sogar drei, in Köln dagegen ebenso wie in Frankfurt nur eine. Dieser knappe Vergleich vermittelt den Eindruck, daß Frankfurt für den Aufbau antisemitischer Organisationen nicht besonders geeignet war, da nur eine einzige gegründet werden konnte und selbst diese — wie bereits gezeigt — mit erheblichen Anfangsschwierigkeiten zu kämpfen hatte. Andererseits muß bei diesem Vergleich auch berücksichtigt werden, daß eine Vereinstafel, in der nur die Namen der Vereine aufgeführt sind, nichts über die Situation des jeweiligen Vereins aussagt. Um darüber Aufschluß zu gewinnen, muß Material über einzelne Ortsgruppen herangezogen werden.

Der Kölner Deutsch-Soziale Verein wurde später als der Frankfurter Deutsche Verein, nämlich erst im Frühjahr 1892, gegründet, wie sich überhaupt die Antisemiten in Köln und am Niederrhein erst nach dem Xantener Mordfall im Sommer 1891 zu organisieren begannen.[65] Dieser an einem fünfjährigen Knaben begangene Mord wurde gleich nach Bekanntwerden von der antisemitischen Publizistik als Ritualmord angesehen und propagandistisch ausgeweitet.[66] Dagegen existierte in Hildesheim bereits seit 1890 eine Ortsgruppe der Deutschsozialen Partei. Nachdem sie sich aber 1891 aktiv am Wahlkampf für eine Reichstagsnachwahl beteiligt hatte, wurden ihre Aktivitäten im Laufe der Jahre immer geringer, bis sie 1898 praktisch völlig verschwand.[67] Wesentlich erfolgreicher und kontinuierlicher war die antisemitische Parteiarbeit in Hamburg. 1888 war in Hamburg ein Deutscher Verein gegründet worden, dessen Mitglieder seit 1890 im politisch aktiveren Antisemitischen Wahlverein tätig zu werden begannen.[68] Ende 1893 kam es zur Spaltung und es bildete sich neben dem Wahlverein ein Deutscher Reformverein, der aus dem früheren Deutschen Verein hervorging und im Unterschied zum Wahlverein der radikaleren Böckelschen Richtung anhing. Beide verfügten zu Anfang der 90er Jahre bereits über eigene Publikationsorgane, auch ihre Mitgliederzahlen waren relativ hoch. 1892 waren im Antisemitischen Wahlverein über 1000 Personen als Mitglieder eingeschrieben.[69]

Diese wenigen Hinweise auf die in den einzelnen Städten unterschiedlich verlaufende Entwicklung der antisemitischen Bewegung verdeutlichen, wie schwierig generalisierende Aussagen sind. Dennoch läßt sich bei einem Vergleich feststellen, daß nicht nur im Hinblick auf zehn antisemitische Vereine Berlins oder sechs in Leipzig, sondern auch im Verhältnis zur Situation der Bewegung in anderen Städten, wie etwa in Hamburg, die Lage des organisierten Antisemitismus in Frankfurt nicht günstig war. Zu Beginn der 90er Jahre waren die antisemitischen Parteibildungen in einigen, insbesondere norddeutschen Städten weit vorangeschritten. Dagegen fällt Frankfurt völlig ab; hier war die Bewegung noch nicht über die allerersten Anfänge hinaus gekommen.

65 Deutsch-Soziale Blätter, 7. Jg., Nr. 195, 8.5.1892, S. 221; B. Suchy, Antisemitismus, S. 268.
66 B. Suchy, Antisemitismus, S. 254ff.; J. H. Schoeps, Ritualmordbeschuldigung.
67 A. J. Knott, Antisemitische Bewegung, S. 61ff.
68 K.-G. Riquarts, Antisemitismus, S. 61f., S. 67ff.
69 Ebd., S. 75ff.

Rückständig im Sinne des Antisemitismus war die Frankfurter Situation auch dann, wenn man sie mit der Nordhessens vergleicht. Hier hatte sich die Bewegung schneller etablieren können. Schon bei der ersten Welle des politischen Antisemitismus in den 80er Jahren zeigte sich, daß dieses Gebiet — wie die Zahl der dortigen Reformvereine belegt — besonders anfällig für den Antisemitismus war. Viele dieser Gründungen haben den Niedergang der Bewegung Ende der 80er Jahre überstanden und erlebten während der zweiten Welle des Antisemitismus in den 90er Jahren einen neuen Aufschwung.

Im näheren Umkreis um Frankfurt gab es nach dem „Illustrierten Führer" relativ viele antisemitische Vereine meist BÖCKELscher Richtung, so etwa in Alsfeld, Darmstadt, Friedberg (Hessen), Groß-Gerau, Hochheim am Main, Lauterbach, Nidda, Offenbach, Weilburg an der Lahn und Wetzlar.[70] Besonders rege waren die beiden 1891 in Darmstadt gegründeten antisemitischen Organisationen, der Deutsche Reformverein und der Deutsche Volksverein,[71] von denen der erstere 1892 eine Reihe von Veranstaltungen abhielt.[72] Ende der 90er Jahre existierte in Darmstadt aber nur mehr der Deutsche Reformverein.[73]

Näheres ist noch über den Offenbacher Verein bekannt, der am 6. Mai 1892 bereits unter Beteiligung Frankfurter Parteimitglieder in der mehrheitlich sozialdemokratisch gesinnten Stadt gegründet wurde.[74] Auch der Mainzer Deutschsoziale Reformverein wurde, allerdings erst 1896, in Anwesenheit eines Frankfurter Antisemiten gegründet.[75]

Verglichen mit der Entstehung von Ortsgruppen in Städten des näheren Umkreises entspricht der Zeitpunkt der Frankfurter Vereinsgründung im August 1891 der dortigen Entwicklung. Aber dies sagt nichts über die Möglichkeiten der Konsolidierung der Bewegung in der einzigen modernen Großstadt in diesem Gebiet aus. Während sie besonders in den ländlichen Gegenden auf Zuspruch rechnen konnte und auch in Darmstadt bald nach der Gründung einer Organisation öffentliche Versammlungen abgehalten werden konnten, benötigten die Frankfurter Antisemiten dazu drei Jahre. Von einem Beginn der antisemitischen Bewegung in Frankfurt kann 1891 noch nicht gesprochen werden. Erst ab dem Jahre 1894 ist eine regelmäßige Parteiarbeit mit Mitgliederversammlungen und öffentlichen Kundgebungen feststellbar. Von da an allerdings war die antisemitische Bewegung in Frankfurt für einige Jahre im Rahmen ihrer finanziellen und personellen Möglichkeiten aktiv. Dies ist umso bemerkenswerter, als der politische Antisemitismus im Reich bereits Mitte der 90er Jahre seinen Höhepunkt überschritten hatte.[76]

70 P. WESTPHAL, Illustrierter Führer, S. 90-98.
71 H. WASSERMANN/E. G. FRANZ, „Kauft nicht bei Juden", S. 128.
72 Parteinachrichten im Reichsherold, 6. Jg. 1892.
73 Antisemitisches Jahrbuch 1898, S. 196f. 1899 erwähnt das Jahrbuch den Verein nicht mehr; vgl. auch H. WASSERMANN/E. G. FRANZ, „Kauft nicht bei Juden", S. 130.
74 Reichsherold, 6. Jg., Nr. 506, 13.5.1892.
75 Deutsch-Soziale Blätter, Beil., 11. Jg., Nr. 429, 5.11.1896, S. 182.
76 P. MASSING, Vorgeschichte, S. 118.

5. Die ersten öffentlichen Veranstaltungen des Deutschen Vereins 1894 und die Anfänge einer regelmäßigen Parteiarbeit

Nachdem noch 1893 in Frankfurt die Existenz einer antisemitischen Bewegung kaum wahrzunehmen war, änderte sich dies im darauffolgenden Jahr. Seit Spätsommer 1894 veranstaltete der Deutsche Verein öffentliche Versammlungen, in denen er sich vorstellte und um neue Mitglieder warb.

Daß der Deutsche Verein erst ab 1894 an die Öffentlichkeit trat, weist darauf hin, daß er erst zu diesem Zeitpunkt über ausreichend Mitglieder verfügte, um derartige Kundgebungen organisieren zu können. Denn antisemitische Veranstaltungen wurden im allgemeinen von zahlreichen Gegnern besucht, die in der Diskussion die antisemitische Ideologie einer heftigen Kritik unterzogen. Für eine erfolgreiche Versammlung, in der die Antisemiten selbst zu Wort kommen und sich positiv präsentieren konnten, mußten daher genügend mobilisierbare Parteifreunde zur Verfügung stehen. Insofern sind die im folgenden geschilderten Veranstaltungen des Deutschen Vereins im Herbst 1894 ein Indiz für seine wenigstens in Ansätzen bereits erfolgte Konsolidierung.

Ende Juli/Anfang August 1894 kam zum ersten Mal ein auswärtiger Redner zu einem Vortrag nach Frankfurt. Der Reichstagsabgeordnete der Deutschen Reformpartei Emil Gräfe aus Sachsen sprach in einer Versammlung des Deutschen Vereins.[1] Es handelte sich dabei um eine parteiinterne Veranstaltung, von der weder das Thema des Vortrags noch der Ablauf der Versammlung bekannt sind. Diese Veranstaltung, zu der ausschließlich Mitglieder Zutritt hatten, markiert den Beginn der Aktivitäten des Deutschen Vereins.

Bereits einen Monat später traute sich der Deutsche Verein an eine breitere, wenn auch kontrollierte Öffentlichkeit heran. Am 14. September 1894 veranstaltete er im Saal des Restaurants Scheffeleck seine erste größere Kundgebung, die man zuvor allerdings als Vereinsversammlung deklariert hatte und zu der Eintritt nur gegen Karten gestattet war.[2]

Redner des Abends waren der als Gründer des Deutschen Vereins bereits bekannte Otto Hirschel, außerdem Fritz Bindewald und Thomas Reuther. Bindewald und Reuther kamen nicht aus Frankfurt. Sie gehörten ebenso wie Otto Hirschel zu den engeren Mitarbeitern des hessischen Antisemitenführers Otto Böckel. Fritz oder Friedrich Bindewald stammte aus dem Dorf Frischborn bei Lauterbach und war 1893 für die Reformpartei im Kreis Alsfeld-Lauterbach in den Reichstag gewählt wor-

[1] Deutsche Volkswacht, Nr. 1, 3.10.1894.

[2] MdVAA, 4. Jg. 1894, Nr. 39, S. 309f.; KP, Nr. 217, 16.9.1894, 2. Bl.; Deutsche Volkswacht, Nr. 1, 3.10.1894.

den.[3] Als Kunstmaler[4] illustrierte er zahlreiche antisemitische Publikationen, insbesondere den „Reichsherold".[5] THOMAS REUTHER lebte in Heidelberg, von wo aus er im Südhessischen und Badischen für die Deutsche Reformpartei agitierte.[6]

Etwa 350 Personen waren erschienen, um die Ausführungen der Vortragenden zu hören. Unter den Zuhörern befanden sich außer den Mitgliedern des Deutschen Vereins als Gesinnungsgenossen auch Frankfurter Anhänger der von Hofprediger ADOLF STOECKER gegründeten Christlichsozialen Partei. Ferner waren eine Anzahl Neugierige und als politische Gegner Sozialdemokraten anwesend, denen es trotz der Einlaßkontrollen gelungen war, sich Zutritt zu verschaffen. Die Zuhörerschaft setzte sich in sozialer Hinsicht, wie die „Kleine Presse" feststellte, überwiegend aus kleinen Beamten zusammen, aber auch Lehrer hatten sich eingefunden, um den Vorträgen der drei Antisemiten zu folgen.[7]

Die Versammlung wurde von OTTO HIRSCHEL mit einem „Hoch auf das deutsche Vaterland" eröffnet. In seiner anschließenden Rede legte er zu Beginn „in kurzen Zügen die Entwicklung der antisemitischen Bewegung in Frankfurt dar und die Schwierigkeiten, mit denen wir zu kämpfen haben".[8] Welche besonderen Probleme es waren, mit denen sich die antisemitische Bewegung in Frankfurt auseinandersetzen mußte und die OTTO HIRSCHEL in seiner Rede aufzählte, gibt die „Deutsche Volkswacht" in ihrem Bericht nicht wieder. Es werden aber wohl die gleichen Vorwürfe erhoben worden sein, mit denen auch in Broschüren und Zeitungsartikeln das Bild des „verjudeten" Frankfurts beschworen wurde.[9] Im zweiten Teil des Vortrags kritisierte HIRSCHEL die gegnerischen Parteien, besonders heftig griff er dabei die Sozialdemokratie an. Dem anwesenden Redakteur der sozialdemokratischen „Volksstimme", GUSTAV HOCH, warf er eine fehlerhafte Berichterstattung über eine antisemitische Versammlung in Langenselbold vor. Als dieser sich daraufhin zu Wort meldete, kam es im Saal zu Tumulten und GUSTAV HOCH wurde mit anderen Sozialdemokraten von antisemitischen Parteifreunden tätlich angegriffen und aus dem Lokal geworfen.[10]

Nach HIRSCHEL sprach FRITZ BINDEWALD über den Niedergang des Mittelstandes und THOMAS REUTHER berichtete „über den Stand der deutschen Sache in Baden und über die verschiedenartige Behandlung der Deutschen und Juden im liberalen Musterstaate".[11] Am Schluß der Versammlung wurde an die Anwesenden „außer einem

[3] F. SPECHT/P. SCHWABE, Reichstagswahlen, S. 445; Antisemiten im Reichstag, S. 32f.; E. KNAUSS, Politische Antisemitismus im Kaiserreich, S. 58.

[4] Antisemiten im Reichstag, S. 33.

[5] E. KNAUSS, Politische Antisemitismus im Kaiserreich, S. 58 Anm. 32, bezeichnet ihn als „Zeichner des 'Reichsherolds'".

[6] Deutsche Volkswacht, Nr. 1, 3.10.1894; KP, Nr. 217, 16.9.1894, 2. Bl.; zu ihm vgl. auch M. RIFF, Government of Baden, S. 132f.

[7] KP, Nr. 217, 16.9.1894, 2. Bl.

[8] Deutsche Volkswacht, Nr. 1, 3.10.1894.

[9] Siehe Kap. 2.2. und 2.3.

[10] KP, Nr. 217, 16.9.1894, 2. Bl.

[11] Deutsche Volkswacht, Nr. 1, 3.10.1894.

'üblichen' Hetzblatt ein Verzeichniß der Lieferanten des Deutschen Vereins vertheilt".[12] Mit dieser Liste sollte zum Kauf in solchen Geschäften geworben werden, die den Bestrebungen der antisemitischen Bewegung nahestehen.

Dieser Veranstaltung des Deutschen Vereins im September 1894 folgte zwei Monate später eine wesentlich größere, in der MAX LIEBERMANN VON SONNENBERG sprach. Der Referent war seit Oktober einer der beiden Vorsitzenden der Deutschsozialen Reformpartei und seit 1890 antisemitischer Reichstagsabgeordneter des nordhessischen Wahlkreises Fritzlar-Homberg-Ziegenhain.[13] Die Frankfurter Öffentlichkeit kannte ihn bereits als Zählkandidaten für die Reichstagswahl 1893, bei der er in Frankfurt über 1400 Stimmen auf sich vereinigen konnte.

MAX LIEBERMANN VON SONNENBERG besuchte am 8. November 1894 Frankfurt als erste Station einer Agitationsreise, die ihn durch einige Städte Süddeutschlands führte.[14] Zu diesem Anlaß hatte der Deutsche Verein, der als Veranstalter auftrat, einen Saal im Restaurant „Scheffeleck" gemietet. Um einen störungsfreien Ablauf der Versammlung zu garantieren, sollte nur Gleichgesinnten Eintritt gewährt werden. Da aber andererseits eine öffentliche Kundgebung geplant war, versuchte man dies durch kontrollierten Verkauf der Eintrittskarten zu erreichen. Ein Zirkular an die Mitglieder des Deutschen Vereins, das die „Mitteilungen des Vereins zur Abwehr des Antisemitismus" veröffentlichte, illustriert diese Vorgehensweise:

„Frankfurt a. M., den 1. November 1894

S t r e n g   v e r t r a u l i c h!

Geehrter Herr Gesinnungsgenosse!

Donnerstag, den 8. November, abends 8 1/2 Uhr, wird unser Candidat bei der letzten Reichstagswahl, Herr Reichstagsabgeordneter

Liebermann von Sonnenberg,

im Scheffelsaal einen öffentlichen Vortrag halten. Durch die Einrichtung, welche wir getroffen haben, daß zu dieser Versammlung Juden der Eintritt nicht gestattet wird und daß wir uns durch Erheben eines Eintrittsgeldes von 50 Pfg. auch die Sozialdemokraten vom Halse halten, hoffen wir, uns für einen ruhigen, sachlichen Verlauf dieser Versammlung verbürgen zu können.

Anderseits ist durch den Charakter einer 'öffentlichen' Versammlung es jedem auch noch so von Juden und Judengenossen abhängigen Deutschen gestattet, die Versammlung zu besuchen, ohne Nachtheile befürchten zu müssen.

Unserseits müssen wir aber alles aufbieten, den Saal möglichst mit Gesinnungsgenossen und mit solchen Herren zu füllen, von denen wir eine Störung absolut nicht zu fürchten haben.

[12] MdVAA, 4. Jg. 1894, Nr. 39, S. 309f.

[13] F. SPECHT/P. SCHWABE, Reichstagswahlen, S. 515; M. SCHWARZ, MdR, S. 388.

[14] Deutsch-Soziale Blätter, Beil., 9. Jg., Nr. 96, 8.11.1894, S. 188.

Zu diesem Zweck senden wir Ihnen anbei zum Vorverkauf... Stück Eintrittskarten mit der Bitte, dieselben nur an durchaus vertrauenswerthe Personen abzusetzen.

Ihnen aber und den von Ihnen eingeladenen Herren müssen wir es zur unerläßlichen Pflicht machen, sich schon eine Stunde vor Beginn der Versammlung einzufinden. Wir werden, ehe wir die Kasse eröffnen, den Karteninhabern durch den besonderen Eingang von der Wirthschaft aus Einlaß gewähren . . .

Wir hoffen, daß wenn Jeder seine Pflicht thut, diese Versammlung wieder ein großer Schritt vorwärts für die Frankfurter Bewegung sein wird.

Mit treu deutschem Gruß
Der Vorstand des deutschen Vereins."[15]

Diese planmäßige Vorbereitung ihrer ersten großen Versammlung in Frankfurt gelang den Antisemiten nur zum Teil.[16] Zwar war der Saal schon lange vor Beginn mit etwa 500 bis 600 Zuhörern überfüllt,[17] wie es durch den internen Aufruf beabsichtigt worden war, aber es waren neben Anhängern auch Gegner der Bewegung anwesend. Immerhin bildeten die Befürworter die Mehrheit im Saal, worunter sich nicht nur Frankfurter befanden. Zum Teil sollen es Bauern gewesen sein, die aus dem ländlichen Umland extra nach Frankfurt gekommen waren, um Liebermann von Sonnenberg zu hören.[18] Zu den unerwünschten Gegnern zählten die Antisemiten vor allem Sozialdemokraten und Juden, die sie von ihren Versammlungen fernzuhalten wünschten.

Die Versammlung sollte „judenrein" sein, weshalb auf den Eintrittskarten gedruckt war: „Juden ist der Zutritt nicht gestattet". Dieses Verbot wurde auch auf den Plakaten vor dem Versammlungssaal angeschlagen.[19] Wer dennoch in den Saal gelangen wollte, wurde von Ordnern und Schutzmannschaften zurückgehalten. Dabei kam es zu Zusammenstößen mit der Polizei. Aus diesen Tumulten ersehe man — so die „Deutsche Volkswacht" — „wer in unseren Versammlungen die Störenfriede und Radaumacher sind".[20] Liebermann von Sonnenberg begründete in seinem Frankfurter Vortrag explizit diese Ausschließungspraxis: die antisemitische Partei verstehe die Versammlungsfreiheit in dem Sinne, daß sie selbst bestimmen könne, welche Zuhörer sie bei ihren Veranstaltungen zulassen wolle.[21]

Hielt man mittels Schildern und Einlaßverboten Juden fern, so sollten die Sozialdemokraten durch das hohe Eintrittsgeld von 50 Pfennig abgeschreckt werden. Diese Absicht hatte allerdings keinen Erfolg. Einige Sozialdemokraten waren anwesend und

15 MdVAA, 4. Jg. 1894, Nr. 46, S. 365.

16 Zum Ablauf der Versammlung siehe Artikel in: KP, Nr. 264, 10.11.1894; Deutsch-Soziale Blätter, Beil., 9. Jg., Nr. 97, 15.11.1894, S. 191; Deutsche Volkswacht, Nr. 12, 10.11.1894 und Nr. 13, 14.11.1894.

17 So die Deutsche Volkswacht, Nr. 14, 17.11.1894. Die Angabe dürfte übertrieben sein, denn laut der „Kleinen Presse" faßte der Saal nur 350 Personen, s. KP, Nr. 217, 16.9.1894, 2. Bl.

18 Deutsch-Soziale Blätter, Beil., 9. Jg., Nr. 97, 15.11.1894, S. 191.

19 Vgl. die Anzeige in: Deutsche Volkswacht, Nr. 10, 3.11.1894.

20 Deutsche Volkswacht, Nr. 12, 10.11.1894.

21 Ebd.

konnten sich an der Diskussion beteiligen, die nach der Rede LIEBERMANN VON SONNENBERGS stattfand.

Unter dem Vorsitz des Reichstagsabgeordneten OTTO HIRSCHEL sprach LIEBERMANN VON SONNENBERG über das Thema „Was wollen die Antisemiten?". Seine Rede wurde ausführlich, teils mit wörtlichen Zitaten, in der „Deutschen Volkswacht" wiedergegeben.[22] Die Juden machte er für alle von ihm mißbilligten, ökonomischen und gesellschaftlichen Entwicklungen verantwortlich, wofür hier nur einige Beispiele angeführt seien: Seit dem 30jährigen Krieg ruinierten sie das deutsche Handwerk; sie seien arbeitsscheu und lehnten jede körperliche Arbeit ab. Neben dem Nähr-, Lehr- und Wehrstand, aus dem sich das deutsche Volk zusammensetze, bildeten sie den „Zehrstand", „der am Mark der übrigen Stände zehrt". Damit würden die Juden die soziale Not und Unzufriedenheit hervorrufen, auf deren Boden die Sozialdemokratie gedeihen könne. Deshalb könne allein eine gegen den jüdischen Einfluß gerichtete Politik, wie die antisemitische Partei sie vertrete, erfolgreich die sozialen Mißstände beseitigen. Doch betreibe die Deutschsoziale Reformpartei „keine wüste Judenhetze ... Sie kommt aus dem tiefsten deutschen Herzen heraus und will die deutsche Volksseele befreien von der Wucherpflanze, die sich um den deutschen Eichenstamm gelegt hat".

Der Sozialdemokratie, deren Aufkommen LIEBERMANN VON SONNENBERG als ein Resultat des unheilvollen jüdischen Einflusses auf das deutsche Volk ansah und deren Führer hauptsächlich jüdischer Abstammung seien, warf der Redner vor, sie habe dem Deutschen Reich auch dadurch geschadet, daß sie Reichskanzler CAPRIVI, der nach Meinung des Redners nicht viel von der für das deutsche Volk notwendigen Politik verstanden habe, unterstützten.

Daran anschließend führte LIEBERMANN VON SONNENBERG aus, welche Reformen seine Partei befürwortete. Dem städtischen und ländlichen Mittelstand sollte durch Verstaatlichung des Getreidehandels und Einführung von Befähigungsnachweisen und Zwangsinnungen geholfen werden.

Seine über zwei Stunden dauernde Rede, die ohne Störungen verlaufen war, schloß er mit der Aufforderung, der Deutschsozialen Reformpartei beizutreten. Turbulent wurde es erst bei der anschließenden Diskussion.

Im Saal anwesend waren überwiegend Anhänger der antisemitischen Bewegung. Unter diesen Umständen hatten es gegnerische Diskussionsteilnehmer schwer, sich überhaupt verständlich zu machen. So gingen etwa die Ausführungen des bekannten Frankfurter Sozialdemokraten WILHELM DÖLLMANN[23] im Lärm unter: „Rufe wie: Stuß, Schluß, Schmus, Judensöldling, Quatsch, Blödsinn, Dummheit, Aufhören u.s.w. wechselten mit allerlei Naturlauten, so daß man glauben konnte, man wäre auf einem Kongress von Thierstimmenimitatoren."[24]

[22] Ebd., Nr. 13, 14.11.1894.
[23] V. EICHLER, Sozialistische Arbeiterbewegung, S. 411.
[24] KP, Nr. 264, 10.11.1894.

Aufmerksam zugehört wurde dagegen dem nächsten Diskussionsteilnehmer, Franz Hax, einem jungen Zentrumsmitglied. Dieser befürwortete eine Allianz von Zentrumspartei und Antisemiten, weil viele Zentrumsmitglieder innerlich bereits Antisemiten seien. Obwohl ihm von einem anderen Zentrumsmitglied widersprochen wurde, beharrte Hax unter dem Beifall der Zuhörer auf seiner Meinung. Im übrigen zog Franz Hax bald die politischen Konsequenzen aus seinem Diskussionsbeitrag und trat dem Deutschen Verein bei. Spätestens seit 1897 war Hax aktives Mitglied des Deutschen Vereins und des Deutschnationalen Handlungsgehilfenverbandes, einer berufsständischen, antisemitisch eingestellten Kaufmannsgehilfenorganisation.[25]

Nach dem Diskussionsbeitrag von Franz Hax stimmten noch zwei weitere Redner den Ausführungen Liebermann von Sonnenbergs zu, die beide Mitglied der Frankfurter Ortsgruppe der Christlichsozialen Partei waren. Auf Zuspruch konnte der Deutsche Verein mithin außer in seinen eigenen Reihen auch bei den Anhängern der Christlichsozialen Partei rechnen, von denen einige bereits die Veranstaltung des Vereins im September 1894 besucht hatten.

Ihren Abschluß fand die erste größere öffentliche Versammlung der Antisemiten in Frankfurt in einer für derartige Veranstaltungen üblichen Form: Nach dem Absingen des Deutschlandliedes und einem Hoch auf Vaterland und Redner schloß der Vorsitzende die Versammlung.

Diese beiden ersten öffentlichen Kundgebungen vom September und November 1894 standen am Beginn der kontinuierlichen Parteiarbeit des Deutschen Vereins. Von da an läßt sich seine Entwicklung über die nächsten Jahre relativ gut verfolgen, da er regelmäßig in der Öffentlichkeit auftrat und seine Parteinachrichten in antisemitischen Periodika publizierte.

Obgleich darüber keine Quellen vorliegen, muß es dem Deutschen Verein schon in dem Zeitraum von der Reichstagswahl 1893 bis zum Herbst 1894 gelungen sein, weitere Mitglieder zu gewinnen und ein Vereinsleben auszubilden, denn die Veranstaltungen des Jahres 1894 ließen sich nicht ohne eine bereits bestehende Organisation durchführen. Auch behaupteten die „Deutsch-Sozialen-Blätter", daß der Deutsche Verein im November 1894 über 300 Mitglieder verfügt habe.[26] Diese Angabe ist sicherlich übertrieben, aber als Indiz für die ungefähre Anzahl der Anhänger von Interesse. Vergleicht man damit die noch im Sommer 1893 von derselben Zeitung bemängelte Organisationslosigkeit der Frankfurter Antisemiten,[27] so kann daraus geschlossen werden, daß seit der Reichstagswahl von 1893 die Zahl der Neuaufnahmen erheblich gewesen sein muß.

[25] Zu Franz Hax's Mitgliedschaft s. Deutsche Volkswacht, 4. Jg., Nr. 98, 15.12.1897; Frankfurter Post, 2. Jg., Nr. 6, 1.10.1897, zum DHV siehe Kap. 10.2.

[26] Deutsch-Soziale Blätter, Beil., 9. Jg., Nr. 97, 15.11.1894, S. 191.

[27] Ebd., Beil., 8. Jg., Nr. 30, 21.7.1893, S. 106.

Auf eine im Unterschied zum Sommer 1893 verbesserte personelle und organisatorische Situation des Deutschen Vereins weisen auch die im Herbst 1894 beinahe schlagartig einsetzenden vielfältigen Tätigkeiten des Vereins hin, die 1895 einen ersten Höhepunkt erreichten. Seit Oktober 1894 berichtete die „Deutsche Volkswacht“ über die regelmäßigen Monatsversammlungen des Deutschen Vereins.[28] Die nun beginnende Öffentlichkeitsarbeit, Mitgliederwerbung und Veranstaltung von Vereinsversammlungen konnten nur mit einem entsprechend mobilisierbaren Anhängerpotential durchgeführt werden. Demnach kann von einer internen Konsolidierung des Deutschen Vereins seit 1893 ausgegangen werden, die jedoch erst von Herbst 1894 an zum Tragen kam und den Verein auch nach außen in der Öffentlichkeit wirken ließ. Der Beginn einer Parteiarbeit mit regelmäßigen Mitgliederversammlungen und Propagandaarbeit läßt sich deshalb erst auf Herbst 1894 datieren.[29]

Daß es das Jahr 1894 war, in dem der Frankfurter antisemitische Verein aktiv zu werden begann, hing mit überregionalen, nicht mit lokalen Entwicklungen zusammen. Zum einen scheint der Ausgang der Reichstagswahl 1893, bei der 16 antisemitische Abgeordnete gewählt wurden,[30] innerhalb der Bewegung im gesamten Reich Hoffnungen auf einen langfristigen Erfolg ihrer Politik geweckt und zu verstärkten Aktivitäten angeregt zu haben. Auch auf lokale Vereine, wie etwa den Frankfurter, wirkte das Ergebnis der Reichstagswahl in diesem Sinne. Es ließ sie erfolgreich erscheinen und erleichterte damit ihre Öffentlichkeitsarbeit.

Zum anderen haben aber auch einschneidende parteipolitische Veränderungen eine Rolle beim Aufkommen der Bewegung in jenem Jahr gespielt. Zwei Aspekte sind hier zu nennen: erstens der Zusammenschluß der beiden bislang getrennt bestehenden antisemitischen Parteien und zweitens die Ablösung Otto Böckels als Parteiführer in Hessen.

Im Oktober 1894 schlossen sich die Deutsche Reformpartei und die Deutschsoziale Partei zur Deutschsozialen Reformpartei zusammen.[31] Diese Fusion hatte eine wesentliche Arbeitserleichterung für die lokalen Vereine zur Folge. Denn es zwang sie nicht länger, sich für eine der beiden Parteien zu erklären und so die Anhänger der jeweils anderen Richtung von der Mitarbeit abzuhalten. Außer dem Zusammenschluß der antisemitischen Parteien dürften für den Aufschwung des Frankfurter Deutschen Vereins seit Herbst 1894 die personellen Veränderungen innerhalb der hessischen Bewegung von Bedeutung gewesen sein.

[28] Deutsche Volkswacht, Nr. 4, 13.10.1894.

[29] Die „Deutsche Volkswacht“, in der die Vereinsnachrichten des Deutschen Vereins zuerst publiziert wurden, erschien erst von September 1894 an, so daß mangelnde Quellen für diese Datierung verantwortlich sein könnten. Aber auch überregionale Zeitungen wie die antisemitischen „Deutsch-Sozialen Blätter“ oder die „Mitteilungen des Vereins zur Abwehr des Antisemitismus“ enthalten keine Berichte über Aktivitäten Frankfurter Antisemiten vor September 1894.

[30] P. Massing, Vorgeschichte, S. 118.

[31] M. Broszat, Antisemitische Bewegung, S. 97ff.; Lexikon zur Geschichte der Parteien, S. 100f.; D. Fricke, Deutschsoziale Reformpartei, S. 540.

Im September 1894 trat Otto Böckel von seinen Parteiämtern zurück. Er legte den Vorsitz im Mitteldeutschen Bauernverein und der Deutschen Reformpartei nieder und verließ die von ihm gegründete Partei.[32] Sein Nachfolger als Vorsitzender der Reformpartei wurde Oswald Zimmermann aus Sachsen. Den Vorsitz im Mitteldeutschen Bauernverein übernahm Philipp Köhler aus Langsdorf im Kreis Gießen.[33]

Otto Böckels Tätigkeit als Führer der hessischen Antisemiten war seit Sommer 1894 einer wachsenden Kritik ausgesetzt. Seine heftigen Auftritte hatten ihm mehrere Beleidigungsprozesse eingetragen und die Bewegung diskreditiert, auch hatte er familiäre und finanzielle Schwierigkeiten.[34] Hauptwortführer der Gegner waren seine bisherigen engsten Mitarbeiter, Philipp Köhler, Otto Hirschel und Fritz Bindewald. Otto Hirschel und Fritz Bindewald hatten den Sturz Böckels seit Sommer 1894 agitatorisch vorbereitet. Zu diesem Zweck unternahmen sie Vortragsreisen vor allem ins Nordhessische, wo der Bauernverein seinen stärksten Rückhalt hatte.[35] Auch die am 14. September 1894 von Hirschel, Bindewald und Reuther in Frankfurt abgehaltene Veranstaltung dürfte in diesem Zusammenhang als Vorstellung der die hessische Bewegung in Zukunft leitenden Personen zu sehen sein.

Als ein weiterer Grund für die Abkehr seiner früheren Mitarbeiter kam hinzu, daß Otto Böckel die geplante Vereinigung der Deutschen Reformpartei mit der Deutschsozialen Partei ablehnte, die aber von einer Mehrheit seiner eigenen Partei angestrebt wurde. Er hielt weiterhin an der Selbständigkeit der Reformpartei fest, denn er befürchtete, daß sie nach einer Fusion mit der Deutschsozialen Partei unter den Einfluß der Konservativen geraten werde. Nur ohne sein Wissen konnten deshalb Kontakte zwischen Liebermann von Sonnenberg und Oswald Zimmermann zur Vorbereitung des Zusammenschlusses der beiden Parteien aufgenommen werden.[36]

Die Kritik an Böckels Führungsstil und sein Widerstand gegen eine gemeinsame antisemitische Partei haben zur Ablösung Böckels im September 1894 geführt.[37] Ein Ergebnis dieser personellen Veränderung war, daß sich das organisatorische Zentrum der hessischen Antisemiten von Marburg nach Süden verlagerte.

Seit Böckels Weggang arbeiteten Philipp Köhler und Otto Hirschel in der Leitung der Bewegung eng zusammen. Otto Hirschel behielt das Amt des Schriftleiters des Bauernvereins bei, hatte aber als Redakteur des Parteiblattes größeren Einfluß auf

[32] E. Knauss, Politische Kräfte, S. 35; G. Kalbfleisch, Mitteldeutscher Bauernverein, S. 56; s. auch R. Mack, Otto Böckel, S. 390, der den Sturz Böckels auf Oktober 1894 datiert.

[33] E. Demandt, Leopold von Sacher-Masoch, S. 190ff.; E. Schmahl, Antisemitische Bauernbewegung, S. 92ff.

[34] E. Knauss, Politische Kräfte, S. 35.

[35] StaA Marburg, Bestand 340, Nachlaß Böckel, Paket 9, Bd. 1893/1894, S. 125f. und S. 130; vgl. auch R. Levy, Downfall, S. 107f.

[36] Dr. Wohlfarth, Bilder, S. 46.; D. Fricke, Antisemitische Parteien, S. 86.

[37] Einen weiteren Grund für den Sturz Böckels führt Richard Levy an: Otto Böckel habe sich zunehmend von preußischen, d.h. nicht-hessischen Mitarbeitern umgeben. Dies habe zu Widerstand aus den eigenen Reihen geführt, vor allem auch deshalb, da die hessische Antisemitenbewegung antipreußisch gesinnt war, s. R. Levy, Downfall, S. 53ff. und S. 105.

die Bewegung als zuvor. Um ihre Position zu festigen und die Einheit der hessischen Antisemiten zu erhalten, gründeten PHILIPP KÖHLER und OTTO HIRSCHEL im Herbst 1894 in Offenbach einen eigenen Verlag. In diesem Verlag erschien von Oktober 1894 an die „Deutsche Volkswacht" als Nachfolgerin des BÖCKELschen „Reichsherolds".[38] Verantwortlicher Redakteur war OTTO HIRSCHEL, der gleichzeitig von Frankfurt nach Offenbach übersiedelte.[39] Dieser Wohnungswechsel führte aber nicht dazu, daß er seine Tätigkeit für den Deutschen Verein aufgab. Als Vorsitzender des Vereins blieb OTTO HIRSCHEL auch weiterhin Führer der Frankfurter Antisemiten. Berücksichtigt man neben diesem Machtzuwachs HIRSCHELS innerhalb der hessischen Bewegung, daß er seit 1893 Reichstagsabgeordneter war, so verwundert es nicht, daß die antisemitische Bewegung in Frankfurt im Jahre 1894 einen deutlichen Aufschwung nahm. Mit OTTO HIRSCHEL hatten die Frankfurter Antisemiten einen Vorsitzenden, der über Frankfurt hinaus bekannt war und damit dem Deutschen Verein eine Bedeutung gab, die ihm angesichts seiner Aktivitäten nicht zukam. Wie sehr dies alles zur Konsolidierung der Bewegung in Frankfurt beitrug, läßt sich auch daran ablesen, daß der Deutsche Verein erstmals im Adreßbuch des Jahres 1895 unter den politischen Organisationen aufgezählt wurde.[40]

In vielfältiger Weise begann der Deutsche Verein von Herbst 1894 an tätig zu werden. Er trat mit regelmäßigen Kundgebungen an die Öffentlichkeit, warb neue Mitglieder und betrieb Propaganda für seine Bestrebungen, er hielt aber auch interne Vereinsversammlungen ab und nahm an reichsweiten Parteiveranstaltungen teil. Die Entwicklung des Vereins von diesem Zeitpunkt an wird, nach thematischen Schwerpunkten geordnet, in den folgenden Kapiteln dargestellt.

[38] Ebd., S. 116.
[39] StA Ffm., Einwohnermeldekarte.
[40] AdB 1895, S. 1414.

6. Soziale Struktur, Aufbau und Organisation des Deutschen Vereins

Jeder politische Verein verfügt über strukturelle Merkmale, die über einen längeren Zeitraum gleich bleiben. Während Mitgliederzahlen erheblichen Veränderungen unterliegen können, wandeln sich nicht im gleichen Ausmaß die soziale Zusammensetzung der Anhängerschaft und die Organisation des Vereins.[1]

Im folgenden werden die Zahl der Mitglieder, ihre soziale Zusammensetzung und die Organisation des Deutschen Vereins über den gesamten Zeitraum seines Bestehens behandelt. Außerdem werden die beiden Vereinszeitungen vorgestellt, die zu den wichtigsten Quellen für die Geschichte des Deutschen Vereins zählen. Der Schwerpunkt dieser systematischen Analyse der Vereins- und Mitgliederstruktur liegt auf den 90er Jahren, da dieser Zeitraum am besten dokumentiert ist.

6.1. Die Mitglieder des Deutschen Vereins

Exakte Angaben über die Zahl der Anhänger des Deutschen Vereins sind nicht überliefert. Trotzdem muß der Versuch unternommen werden, wenigstens einen Eindruck von der Stärke der antisemitischen Bewegung und der sozialen Zusammensetzung ihrer Träger zu vermitteln.

Die Mitglieder des Vereins wurden in aktive und passive unterteilt. Unter „passiven Mitgliedern" wurden ausschließlich Förderer des Deutschen Vereins verstanden. Jedes aktive Mitglied war berechtigt, sie formlos in den Verein aufzunehmen.[2] Die aktiven Mitglieder, die sich im Gegensatz zu den passiven an der Parteiarbeit beteiligen sollten, konnten nur persönlich in den Monatsversammlungen oder nach öffentlichen Veranstaltungen beitreten.[3] Alle im folgenden genannten Zahlen und Überlegungen zur sozialen Struktur des Vereins beziehen sich ausschließlich auf die aktiven Mitglieder.

Erstmals wurden Angaben über die Anzahl der Mitglieder anläßlich der öffentlichen Veranstaltung mit LIEBERMANN VON SONNENBERG im November 1894 mitgeteilt. Danach verfügte der Verein zu diesem Zeitpunkt über die „stattliche Zahl" von 300 Mitgliedern.[4] Fünfzig Mitglieder wurden allein durch diese Veranstaltung neu hinzugewonnen.[5] Im Dezember 1894 traten dem Verein 22 weitere Personen bei[6] und in

1 TH. NIPPERDEY, ORGANISATION, S. 85.
2 Deutsche Volkswacht, 2. Jg., Nr. 8, 10.1.1895.
3 Vgl. die jeweilige Tagesordnung der Monatsversammlungen in: Frankfurter Post, Nr. 1, 1.5.1896; Nr. 2, 1.6.1896 usw.
4 Deutsch-Soziale Blätter, Beil., 9. Jg., Nr. 97, 15.11.1894, S. 191.
5 Deutsche Volkswacht, Nr. 12, 10.11.1894.
6 Ebd., Nr. 20, 8.12.1894.

den Monatsversammlungen im Februar und Juli 1895 wurden „mehrere neue Mitglieder" aufgenommen,[7] so daß dem Deutschen Verein im Juli 1895 „an 500 Mitglieder" angehörten.[8] Er erreichte damit bereits im Juli 1895 seinen höchsten Mitgliederstand, denn in den folgenden Jahren fanden kaum Neuaufnahmen mehr statt. Im Januar 1896 teilte die „Deutsche Volkswacht" mit, daß sieben Neuanmeldungen für den Deutschen Verein vorgenommen wurden, deren Anzahl aber gewöhnlich größer sei.[9] Im April traten sechs Personen der Bewegung bei[10] und im August desselben Jahres nur noch einer.[11] Danach wurden für einige Zeit keine weiteren Angaben mehr gemacht. Erst im Mai 1899 veröffentlichte der Deutsche Verein in seinen Parteinachrichten, daß er einige Neuzugänge verzeichnen konnte.[12]

Weitere Neuanmeldungen hatte der Deutsche Verein erst wieder im Januar 1901: 25 Personen schlossen sich ihm in diesem Monat an.[13] Aus den folgenden Jahren ist nichts näheres bekannt. Nur für 1906 gibt es eine ungefähre Angabe über die Anzahl der Mitglieder: Es waren weniger als 200, denn der Verein hoffte, diese Zahl bei reger Werbetätigkeit erreichen zu können.[14] Tatsächlich traten nach einer öffentlichen Versammlung im Januar 1906 dem Verein 21 Herren bei.[15] Stolz konnte dann 1907 vermerkt werden, daß der Mitgliederzuwachs 184 Prozent betragen habe.[16] Damit hatte der Verein vermutlich an die 200 Mitglieder, was verglichen mit dem Jahr 1895 auf eine deutliche Einbuße an Mitgliedern hinwies.

Nachdem im April 1907 noch zehn Neuaufnahmen hinzugekommen waren,[17] wurden in den nächsten Jahren keine weiteren Mitgliederzahlen in den Parteizeitungen gemeldet. Erst während der letzten Friedensjahre wurden in den „Deutsch-Sozialen-Blättern" wieder Angaben darüber gemacht. Insgesamt 21 Mitglieder traten dem Deutschen Verein 1912 bei.[18] Im November und Dezember 1913 gab es 27 Neuaufnahmen und im Januar 1914 dreizehn weitere.[19] Im April 1914 wurden wiederum 13 Neuzugänge verzeichnet.[20] Damit wuchs der Deutsche Verein vom Februar 1912 bis April 1914 um 74 Mitglieder an, was im Vergleich mit der Stagnation seit Anfang des 20. Jahrhunderts eine durchaus beachtliche Zahl darstellte.

[7] Ebd., 2. Jg., Nr. 12, 13.2.1895 und Nr. 59, 3.8.1895.

[8] Antisemitisches Volksblatt, Nr. 685, 10.8.1895. Diese Angabe aus einer antisemitischen Zeitung, deren Intention es war, die Bewegung zu fördern und ihre Erfolge zu melden, wird sicherlich übertrieben sein. Auch die Formulierung „an 500 Mitglieder" deutet auf eine geringere Zahl hin. Dennoch vermittelt diese Angabe eine ungefähre Vorstellung von der Stärke des Vereins zu diesem Zeitpunkt.

[9] Deutsche Volkswacht, 3. Jg., Nr. 7, 25.1.1896.

[10] Frankfurter Post, Nr. 1, 1.5.1896.

[11] Deutsche Volkswacht, 3. Jg., Nr. 67, 29.8.1896.

[12] Ebd., 6. Jg., Nr. 35, 6.5.1899 und Deutsche Worte, 1. Jg., Nr. 1, 7.5.1899.

[13] Deutsche Volkswacht, 8. Jg., Nr. 3, 12.1.1901.

[14] Deutsch-Soziale Blätter, 21. Jg., Nr. 6, 20.1.1906, S. 73f.

[15] Ebd., Nr. 7, 24.1.1906, S. 89f.

[16] Deutsch-Soziale Blätter, 22. Jg., Nr. 29, 10.4.1907, S. 398.

[17] Ebd., Nr. 34, 27.4.1907, S. 465.

[18] Ebd., 27. Jg., Nr. 15, 21.2.1912, S. 174; Nr. 32, 20.4.1912, S. 374; Nr. 86, 26.10.1912, S. 1020f.

[19] Ebd., 29. Jg., Nr. 11, 7.2.1914, S. 126.

[20] Ebd., Nr. 32 (=34), 29.4.1914, S. 406f.

Faßt man diese Auflistung zusammen, so kann festgehalten werden, daß die Mitgliederzahl der antisemitischen Bewegung in Frankfurt ihren Höhepunkt bereits im Sommer 1895 erreichte und danach rückläufig war. Kaum ein Jahr nach seinem ersten öffentlichen Auftreten hatte der Deutsche Verein mit 500 Mitgliedern seine größte Anhängerschaft. In einem Zeitraum von neun Monaten — von November 1894 bis Juli 1895 — wuchs er um 200 Personen von 300 auf 500 Mitglieder an. Von da an blieb der Mitgliederstand im besten Falle gleich, war langfristig aber rückläufig. Viele scheinen wieder ausgetreten zu sein, so daß zehn Jahre später die Mitgliederzahl deutlich unter 200 lag. Erst von 1912 an läßt sich wieder ein stärkerer Zuwachs feststellen, mit dem aber sicherlich nicht das Ergebnis vom Sommer 1895 erreicht wurde.

Außer den Mitgliedszahlen des Deutschen Vereins ist die soziale Zugehörigkeit der Anhänger von Interesse. Aus welcher Schicht sich die Träger der antisemitischen Bewegung vornehmlich rekrutierten, könnte Aufschluß darüber geben, welche ökonomischen oder sozialen Mißstände es waren, die sie zu Anhängern des politischen Antisemitismus werden ließen.

Schwieriger als die Bestimmung der Zahl der Anhänger erweist sich allerdings eine Untersuchung ihrer sozialen Herkunft. Nur annäherungsweise ist es möglich, Schlußfolgerungen über die Trägerschicht der antisemitischen Bewegung in Frankfurt zu ziehen.

Mitgliederverzeichnisse des Vereins sind nicht überliefert, so daß eine Analyse für alle Mitglieder unmöglich ist. Aber auch das sonst aus den Quellen gewonnene Material vermittelt ein sehr fragmentarisches Bild. Insgesamt liegen nur von 34 Mitgliedern persönliche Daten vor. Und auch von diesen ist in aller Regel allein die Berufsbezeichnung bekannt, von der sich nicht zwangsläufig die Einordnung in eine bestimmte Sozialgruppe ergeben muß. Mit diesem dürftigen Material ist nur bei aller Vorsicht eine Bestimmung der Sozialstruktur des Deutschen Vereins möglich. Methodisch läßt sich eine Analyse auf der Grundlage so weniger Daten lediglich damit rechtfertigen, daß ihre Ergebnisse die bislang vorliegenden Aussagen über die soziale Zusammensetzung der antisemitischen Bewegung im Reich bestätigen.

Der erste Vorsitzende des Deutschen Vereins, Otto Hirschel, hatte ursprünglich eine Ausbildung zum Architekten absolviert, seit 1890 war er als Redakteur, Schriftführer des Mitteldeutschen Bauernvereins und Agitator tätig. 1894 gab er als Beruf Reichstagsabgeordneter, Druckereibesitzer und Redakteur an.[21]

Ähnlich unterschiedlich waren auch die Berufsbezeichnungen seines Nachfolgers im Vorsitz des Deutschen Vereins, Adolf Wolff. Er war Leutnant a.D. und seit 1898 zusammen mit Otto Hirschel Buchdruckereibesitzer. Seit 1899 war er außerdem als Redakteur tätig.[22]

[21] AdB der Stadt Offenbach 1897, I. Teil, S. 49; dasselbe 1901, I. Teil, S. 56.

[22] Frankfurter Post, 3. Jg., Nr. 1, 1.1.1898; 4. Jg., Nr. 4, 1.4.1899; Deutsche Volkswacht, 6. Jg., Nr. 25, 29.3.1899.

Diese beiden Vereinsmitglieder hatten sich beruflich ganz in den Dienst der antisemitischen Bewegung gestellt und betrieben als Redakteure und Druckereibesitzer Werbung für sie. Noch zwei weitere Journalisten befanden sich unter den übrigen 32 bekannten Mitgliedern des Deutschen Vereins. Außerdem gab es u.a. einen Arzt, einen Pfarrer, einen Gymnasiallehrer, einen Kalkfabrikanten, zwei Gastwirte, eine Reihe von Kaufleuten, Volksschullehrer, Schneider- und Schlossermeister, ferner Eisenbahnsekretäre, Postangestellte, Lageristen und Handlungsgehilfen.[23]

Mindestens vierzehn von den 34 namentlich bekannten Mitgliedern waren selbständig. Als Handwerker, Arzt, Unternehmer, Druckereibesitzer, Gastwirte, vor allem aber als Kaufleute waren sie in ihren eigenen Betrieben tätig. Diese Gruppe bildete die Majorität unter den Mitgliedern des Deutschen Vereins. Ihre berufliche Selbständigkeit, in der sie sich durch die fortschreitende wirtschaftliche Konzentration hin zu Großbetrieben bedroht sahen, könnte ein entscheidendes Motiv für ihre Affinität zur antisemitischen Bewegung gewesen sein. Ihrer sozialen Herkunft nach müssen sie dem Mittelstand zugerechnet werden, und zwar gehörten sie dem 'alten' Mittelstand der Handwerker, Händler und Bauern an, für den die berufliche Selbständigkeit kennzeichnend ist.[24]

Auch die übrigen Mitglieder des Deutschen Vereins entstammten dem Mittelstand. Neben den Selbständigen des 'alten' Mittelstandes stellten Angehörige des 'neuen' Mittelstandes, zu dem Angestellte und Beamte des öffentlichen und privaten Bereichs zählten,[25] einen wahrnehmbaren Anteil der Mitglieder. Dabei handelte es sich sowohl um Angestellte, wie die Handlungsgehilfen, als auch um Beamte, und zwar vornehmlich um untere Beamte. In Übereinstimmung mit den Ergebnissen der Forschung wird außerdem zu berücksichtigen sein, daß die Zahl der kleinen Beamten, Angestellten, Gesellen und Handlungsgehilfen vermutlich größer war, als diese Zusammenstellung erahnen läßt.[26] Da sie sich aber weniger aktiv an der Parteiarbeit beteiligt und auch keine Parteiämter übernommen haben, tauchen ihre Namen nur vereinzelt in den Quellen auf.

Diesen Mitgliedern des Deutschen Vereins, die dem Kleinbürgertum zugerechnet werden müssen, standen einige wenige Angehörige des Bildungsbürgertums gegenüber, etwa der Pfarrer, der Arzt und der Gymnasiallehrer.

Faßt man diese Aufschlüsselung der sozialen Zugehörigkeit der Mitglieder zusammen, so bleibt festzuhalten, daß sich die Anhänger des Deutschen Vereins ausschließlich aus dem Mittelstand rekrutierten. 'Mittelstand' wird hier umfassend in Übereinstimmung mit dem unspezifischen Gebrauch des Terminus um die Jahrhundertwende verstanden als diejenige Bevölkerungsgruppe, die „durch den ganzen bürgerlichen Zuschnitt der Lebensführung, über die große Masse der arbeitenden Klassen hinausra-

[23] Die Berufe der Mitglieder wurden über die Adreßbücher von Frankfurt a. M. oder, sofern vorhanden, über die Einwohnermeldekarte im Stadtarchiv Frankfurt ermittelt. Vgl. auch Anhang II.

[24] W. Conze, Mittelstand, S. 88.

[25] Ebd.

[26] W. Jochmann, Struktur (1976), S. 459; H. Grebing, Geschichte, S. 61.

gen, ohne aber durch ein großes Einkommen zu den kapital- oder besitzreichen Klassen zu gehören".[27] Eine weitere Untergliederung nach Einkommens- und Vermögensverhältnissen ist mangels Quellen über die tatsächliche ökonomische Lage der Mitglieder des Deutschen Vereins nicht möglich. Die antisemitische Bewegung war eine reine Mittelstandsbewegung. Industriearbeiter fehlten ebenso wie Angehörige der oberen Schichten.

Auch der Deutsche Verein selbst zählte seine Anhänger dem Mittelstand zu, wobei er besonders, wohl aus taktischen Gründen, die Beteiligung des höheren Mittelstandes betonte: „Auch der Unparteiische wird zugestehen müssen, daß die Besucher beinahe ausschließlich dem besseren Mittelstande unserer Stadt angehörten; selbständige Kaufleute, Handwerker und Beamte bildeten die Mehrzahl der Besucher."[28]

Die anhand der wenigen Daten gewonnene soziale Einordnung der Frankfurter Parteimitglieder entspricht den Ergebnissen der Forschung über die antisemitische Bewegung im Deutschen Reich. Konsens besteht darüber, daß die Trägerschicht der antisemitischen Parteien vornehmlich aus dem ländlichen und städtischen Mittelstand kam,[29] wobei besonders die Beteiligung des Kleinbürgertums hervorgehoben wird.[30] Aber auch das Bildungsbürgertum spielte für die Tradierung der antisemitischen Ideologie eine entscheidende Rolle, vor allem Lehrer und Professoren.[31] Versuche, die Anhängerschaft nach Berufsgruppen genauer zu untergliedern, ergeben keine detaillierten Angaben, denn meist werden sämtliche Berufsgruppen, die zum Mittelstand gehören, aufgezählt. So führt etwa Martin Broszat aus, daß die „soziale Basis" der antisemitischen Bewegung im weitesten Sinne der Mittelstand war. Nicht nur Kleinbauern und Kleinbürger, sondern auch Intellektuelle, Akademiker, Beamte, Angestellte und nicht zuletzt Handwerker waren ihre Träger.[32]

Allerdings scheint in der Tat das Strukturmerkmal der Trägerschichten nur ihre Zugehörigkeit zum Mittelstand und eine weitere Eingrenzung deshalb nicht möglich zu sein. Zum Antisemitismus neigten Angehörige des 'alten' wie des 'neuen' Mittelstandes. In der politischen Bewegung engagierten sich weder das reiche Finanzbürgertum noch die Arbeiterschaft, was nicht bedeuten muß, daß sie auch von antisemitischen Vorurteilen frei waren. Für die alten Führungsschichten — Adel und Offizierskorps — dagegen läßt sich eine derartige Zurückhaltung nicht durchgängig behaupten,[33] was in Frankfurt am Beispiel des Leutnants a.D. Adolf Wolff, der

[27] J. Wernicke, Der Mittelstand und seine wirtschaftliche Lage, Leipzig 1909, S. 4; zitiert nach W. Conze, Mittelstand, S. 88.
[28] Frankfurter Post, Nr. 11, 1.3.1897.
[29] M. Broszat, Antisemitische Bewegung, S. 102f.; W. Jochmann, Struktur (1976), S. 459; H. Grebing, Geschichte, S. 61; P. Pulzer, Entstehung, S. 225.
[30] H. Arendt, Elemente, S. 59; M. Klesse, Vom alten zum neuen Israel, S. 216; H. Rosenberg, Große Depression, S. 93.
[31] M. Richarz, Jüdisches Leben, S. 36; P. Massing, Vorgeschichte, S. 96.
[32] M. Broszat, Antisemitische Bewegung, S. 102f.
[33] Vgl. etwa auch Premierleutnant Max Liebermann von Sonnenberg, den Vorsitzenden der Deutschsozialen Partei, s. W. Jochmann, Struktur (1985), S. 99.

einige Jahre lang Vorsitzender des Deutschen Vereins war, deutlich wurde. Aber sie blieben unter den Anhängern der Bewegung eine Ausnahmeerscheinung.

Werner Jochmann sieht die besondere Affinität bestimmter sozialer Gruppen zum Antisemitismus in deren tatsächlicher oder befürchteter Bedrohung durch den wirtschaftlichen und gesellschaftlichen Wandel begründet. Die antisemitische Ideologie bot ihnen eine eingängige Erklärung für gesellschaftliche Veränderungen und versprach den Status quo festzuschreiben: „Der Antisemitismus war die Protestbewegung aller derer, die durch die Modernisierung des staatlichen und gesellschaftlichen Lebens beunruhigt waren, die in der modernen Gesellschaft im beruflichen, sozialen und geistigen Bereich soviel Individualität und Tradition wie möglich bewahren wollten. Mit ihr sympathisierten alle, die sich, wie schon ein zeitgenössischer Beobachter, Sidney Whitman, urteilte, gegen einen Prozeß auflehnten, der 'gar nicht in den Juden, sondern in der modernen Entwicklung' seine Ursache hatte."[34] In dieser Situation scheinen sich besonders viele Mittelständler, vornehmlich Selbständige, befunden zu haben, die mit den gesellschaftlichen Veränderungen nicht Schritt halten konnten oder wollten.[35]

Neben der sozialen Zugehörigkeit sind Alter und Konfession der Mitglieder des Deutschen Vereins von Interesse. Wurden eine Altersgruppe und Angehörige einer Konfession besonders angesprochen? Waren es vornehmlich Ältere, die sich in ihrer veränderten Umwelt nicht mehr zurechtfanden? Oder waren es junge Leute, die befürchteten, ihre Zukunft nicht in der Weise gestalten zu können, wie sie es sich erhofft hatten, und die Schuld daran jüdischem Einfluß zuschrieben?

Sowohl Alter wie religiöses Bekenntnis der Mitglieder läßt sich nur dann feststellen, wenn eine Einwohnermeldekarte des Betreffenden im Frankfurter Stadtarchiv vorliegt. Von den 34 bekannten Mitgliedern des Deutschen Vereins ist dies bei 25 der Fall. Das älteste Mitglied wurde 1830 geboren, fünf Vereinsangehörige im Zeitraum zwischen 1840 und 1849. Die Mehrzahl war jedoch nach 1860 geboren. Während die älteren, vor 1869 geborenen Mitglieder seit den Anfangsjahren des Deutschen Vereins aktiv waren, sind die jüngeren, nach 1870 geborenen Mitglieder im allgemeinen erst kurz vor Ausbruch des Ersten Weltkrieges als Vereinsangehörige bekannt. Seiner Altersstruktur nach war der Deutsche Verein demnach kein junger Verein. Die überwiegende Mehrzahl seiner Mitglieder war zu dem Zeitpunkt, als sie sich der Bewegung anschloßen, älter als 30 Jahre, zum Teil waren sie über 50 Jahre alt, in einem Fall sogar über 60.

Im Gegensatz zur Altersstruktur war die Konfessionszugehörigkeit der Mitglieder beinahe einheitlich. Abgesehen von drei katholischen Vereinsmitgliedern bekannten sie sich alle zum protestantischen Glauben. Obgleich die Protestanten in Frankfurt die Mehrheit der Bevölkerung stellten, scheint dies nicht der alleinige Grund für ihr

[34] Ders., Struktur (1976), S. 459.
[35] Vgl. auch H.-J. Bieber, Anti-Semitism, S. 34ff.

Überwiegen unter den Mitgliedern des Deutschen Vereins gewesen zu sein. Allgemein läßt sich nämlich für die antisemitische Bewegung im Deutschen Reich feststellen, daß sich unter ihrer Anhängerschaft kaum Katholiken, sondern vor allem Protestanten befanden.[36]

6.2. *Aufbau und Organisation*

Der Vorstand des Deutschen Vereins setzte sich aus erstem und zweitem Vorsitzenden, Schriftführer, Kassierer und Beisitzern zusammen.[37] Jährlich wurde er in der Hauptversammlung, die meist zu Beginn des Jahres im Januar oder Februar stattfand, neu gewählt. Nach dem Tätigkeitsbericht und der Rechnungslegung des vorangegangenen Vereinsjahres erfolgte die Neuwahl.[38]

Gelegentlich wurde ein Vorstandsmitglied in den antisemitischen Zeitungen erwähnt, eine vollständige Liste veröffentlichten sie aber nur ein einziges Mal.[39] Zumindest der 1. Vorsitzende wurde regelmäßig in den Frankfurter Adreßbüchern wiedergegeben, die seit 1895 den Deutschen Verein unter den politischen Vereinen der Stadt aufzählten. Aus diesen Gründen liegen jeweils sehr unterschiedliche Angaben über die Zusammensetzung des Vorstandes vor. Soweit bekannt, bestand er im Zeitraum von 1894 bis 1914 aus folgenden Personen:[40]

1894	Vorsitzender: OTTO HIRSCHEL, Redakteur Schriftführer: JOHANNES BERGMANN, Kaufmann
1895/1896	Vorsitzender: OTTO HIRSCHEL, Redakteur Schriftführer: Dr. ERNST STÖCKER, Gymnasiallehrer[41]

[36] P. MASSING, Vorgeschichte, S. 110; W. JOCHMANN, Struktur (1976), S. 434f.; H. GREIVE, Geschichte, S. 85-89, weist darauf hin, daß antisemitische Vorurteile auch unter den Katholiken verbreitet waren. Diese scheinen sich aber in geringerem Umfang an der politischen Bewegung beteiligt zu haben, wofür auch die wenigen antisemitischen Vereine in überwiegend katholischen Gegenden sprechen.

[37] Dies entsprach den gesetzlichen Vorschriften. Danach muß der Organisation des Deutschen Vereins auch eine Satzung zugrundegelegen haben. Diese konnte aber nicht mehr ermittelt werden, s. H. DELIUS, Deutsches Vereinsrecht, S. 37; H. REHM, Deutschlands politische Parteien, S. 5.

[38] Deutsche Volkswacht, 2. Jg., Nr. 9, 2.2.1895; Frankfurter Post, 2. Jg., Nr. 10, 1.2.1897; 3. Jg., Nr. 1, 1.1.1898; 4. Jg., Nr. 1, 1.1.1899.

[39] Deutsch-Soziale Blätter, 27. Jg., Nr. 26, 30.3.1912, S. 301.

[40] Sofern nichts anderes angegeben, wurden als Quelle die Frankfurter Adreßbücher benutzt. Da das Adreßbuch eines jeden Jahres schon gegen Ende des vorangegangenen Jahres gedruckt wurde, zählten sie jeweils den Vorstand des Jahres zuvor auf. D.h., im Adreßbuch von 1895 ist der Vorstand, der im Januar oder Februar 1894 gewählt wurde, veröffentlicht usw.
Nach der „Deutschen Volkswacht", Nr. 20 vom 8.12.1894 bestand der Vorstand des Vereins aus acht Mitgliedern. Wahrscheinlich kamen zum Vorsitzenden, dessen Stellvertreter, dem Schriftführer und Kassierer noch vier Beisitzer hinzu. Abgesehen von 1912, als es sich sogar um fünf Beisitzer handelte, sind diese namentlich nicht bekannt.

[41] Deutsch-Soziale Blätter, Beil., 10. Jg., Nr. 35, 4.7.1895, S. 105.

1897[42]	Vorsitzender: Otto Hirschel, Redakteur 2. Vors.: Dr. Ernst Stöcker, Gymnasiallehrer Schriftführer: Ludwig Heun, Aktuar a.D. Kassierer: Hermann Laass, Gastwirt
1898[43]	Vorsitzender: Adolf Wolff, Buchdruckereibesitzer und Leutnant a.D.[44] 2. Vors.: Georg Kämmer, Ingenieur Schriftführer: Ludwig Heun, Aktuar a.D. Kassierer: Dr. Ernst Stöcker, Gymnasiallehrer
1899	Vorsitzender: Adolf Wolff, Buchdruckereibesitzer und Leutnant a.D. Schriftführer: Ludwig Heun, Aktuar a.D.
1900	Vorsitzender: Hermann Bornemann, Telegraphenassistent
1901/1902	Vorsitzender: Hermann Bornemann, Telegraphenassistent Schriftführer: Ferdinand Zeising, Kaufmann Kassierer: Hermann Laass, Gastwirt
1903	Vorsitzender: Hermann Bornemann, Telegraphenassistent Schriftführer: Wilhelm Koch Kassierer: Hermann Laass, Gastwirt
Ende 1903 —1905	Vorsitzender: Hermann Laass, Gastwirt[45]
1906	Vorsitzender: Hermann Laass, Gastwirt Kassierer: M.F. Meyer, Prokurist[46]
1907	Vorsitzender: Hermann Laass, Gastwirt Schriftführer: Obersteiner[47]
1908/1909	Vorsitzender: Hermann Laass, Gastwirt
1910	Vorsitzender: Hermann Laass, Gastwirt Schriftführer: Dr. Ernst Hunkel, Redakteur[48]
1911	Vorsitzender: Julius Reinmuth, Postassistent[49]

42 Antisemitisches Jahrbuch für 1898, S. 197.
43 Antisemitisches Jahrbuch für 1899, S. 166.
44 Zur Ablösung Hirschels als Vorsitzender s. Frankfurter Post, 3. Jg., Nr. 2, 1.2.1898.
45 Im November 1903 wird Laass bereits als Vorsitzender bezeichnet, s. MdVAA, 13. Jg. 1903, Nr. 48, S. 380.
46 Deutsch-Soziale Blätter, 21. Jg., Nr. 6, 20.1.1906, S. 73f.
47 Ebd., 22. Jg., Nr. 64, 10.8.1907, S. 885.
48 Ebd., 25. Jg., Nr. 34, 27.4.1910, S. 406.
49 Reinmuth wurde als bisheriger Vorsitzender 1912 wiedergewählt, s. ebd., 27. Jg., Nr. 26, 30.3.1912, S. 301.

1912[50] Vorsitzender: JULIUS REINMUTH, Postassistent
2. Vors.: FR. KRÄMER
Kassierer: RICHARD VON DER HEID, Inhaber einer Agentur
Schriftführer: EUGEN HAEGELE, Kaufmann
später: GUSTAV MEYER[51]
Beisitzer: AUGUST HLINETZKY, Geschäftsführer
FRANZ KUHNE, Lagerist
HERMANN LAASS, Gastwirt
HEINRICH PFANNKUCH, Lehrer
HEINRICH WISSNER

1913 Vorsitzender: JULIUS REINMUTH, Postassistent[52]

1914 Vorsitzender: HERMANN LAASS, Gastwirt[53]

Der Vorstand hatte in letzter Instanz über alle Vereinsangelegenheiten zu entscheiden, wie die Organisation öffentlicher Veranstaltungen, Vereinsfeiern, Herausgabe von Flugblättern u.ä.m. Die für die Vereinsarbeit benötigten Gelder wurden zum überwiegenden Teil aus den Mitgliedsbeiträgen aufgebracht. Falls sie nicht ausreichten, wurde um Spenden gebeten.[54] Diesen Vereinsbeitrag, dessen Höhe unbekannt ist, hatte jedes Mitglied jährlich zu entrichten. Dafür erhielt es kostenlos diejenige Parteizeitung, in der der Deutsche Verein seine Parteinachrichten veröffentlichte.[55]

Versammlungen für die Mitglieder wurden regelmäßig einmal pro Monat abgehalten. Die Einladungen hierzu erfolgten unter Angabe der Tagesordnung in den lokalen antisemitischen Zeitungen.[56] Um 1895 wiesen manchmal auch die Frankfurter Lokalzeitungen in der Rubrik „Vereins-Nachrichten“ auf diese Monatsversammlungen des Deutschen Vereins hin.[57] Zuerst traf man sich im Lokal „Scheffeleck“ am Scheffeleck,[58] seit Anfang des Jahres 1896 bis 1914 dann im Hotel und Restaurant „Kölner Hof“ am Hauptbahnhof, das von dem Parteimitglied und langjährigen Vorsitzenden des Deutschen Vereins, HERMANN LAASS, betrieben wurde. Der organisatorische Ablauf dieser Monatsversammlungen war immer ähnlich: nach der stets eingeplanten

50 Ebd.
51 Schreiben des Deutschen Vereins an den Magistrat vom 5.9. und 20.9.1912, in: StA Ffm., Akten des Magistrats S 2673.
52 Deutsch-Soziale Blätter, 28. Jg., Nr. 35, 30.5.1913, S. 414.
53 Ebd., 29. Jg., Nr. 11, 7.2.1914, S. 126 und Nr. 25, 28.3.1914, S. 293. Dagegen ist im Adreßbuch von 1915, IV. Teil, S. 118, fälschlich JULIUS REINMUTH als Vorsitzender angegeben.
54 So etwa für den Wahlkampf anläßlich der Reichstagswahl 1893, s. Frankfurter Generalanzeiger, Nr. 137, 14.6.1893, S. 12; dasselbe für die Reichstagswahl im Januar 1898, s. Frankfurter Post, 2. Jg., Nr. 7, 1.11.1897.
55 Deutsche Volkswacht, Nr. 4, 13.10.1894; Frankfurter Post, Nr. 2, 1.6.1896; Deutsche Worte, Nr. 5, 4.6.1899.
56 Vgl. Deutsche Volkswacht, Nr.9, 31.10.1894; Nr. 18, 1.12.1894; Frankfurter Post, Nr. 1, 1.5.1896; Nr. 2, 1.6.1896; Nr. 3, 1.7.1896 usw.
57 Frankfurter Generalanzeiger, Nr. 78, 1.4.1896, S. 3; Nr. 108, 8.5.1896, S. 3.
58 Deutsche Volkswacht, 3. Jg., Nr. 7, 25.1.1896.

Aufnahme neuer Mitglieder wurden ein oder mehrere Vorträge gehalten. Manchmal fanden statt dessen Besprechungen von Wahlergebnissen oder Diskussionen um die Beteiligung des Deutschen Vereins an Wahlkämpfen statt. Die Referate wurden meist von Frankfurter Mitgliedern gehalten, aber auch auswärtige Mitglieder der antisemitischen Partei konnten Redner der parteiinternen Veranstaltung sein.[59] Mit den Vorträgen sollten die Mitglieder über aktuelle Entwicklungen innerhalb der Partei informiert oder mit Ereignissen der Frankfurter Geschichte aus antisemitischer Sicht vertraut gemacht werden. Dabei stand in den 90er Jahren, in dem Zeitraum, aus dem die Tagesordnungen der Monatsversammlungen beinahe lückenlos bekannt sind, das Thema „Juden“ im Vordergrund. So gab es etwa im Mai 1896 einen Vortrag über die Situation der Frankfurter Juden zu Anfang des Jahrhunderts,[60] im März 1898 einen Bericht über das jüdische Purimfest[61] und im April desselben Jahres referierte ein junger auswärtiger Gast über „Deutschthum und Judenthum."[62] Ein Jahr später in der Novemberversammlung sprach Dr. Ernst Stöcker über das Thema „Die Psychologie des Judenthums".[63] Aber auch Reiseeindrücke, die ein Mitglied in fernen Ländern — im Orient und ein anderes Mal im Norden Europas — sammeln konnte, standen auf der Tagesordnung der Monatsversammlungen.[64]

Neben den Monatsversammlungen fanden in der ersten Hälfte des Jahres 1897 einmal pro Monat sogenannte sozialpolitische Redeabende statt, in denen über grundsätzliche politische Fragen diskutiert werden sollte. Im Februar wurde über „Die Noth des Kaufmannsstandes“ debattiert, der Redeabend des folgenden Monats widmete sich der „Handwerkerfrage“[65] und im Mai 1897 konnten sich interessierte Mitglieder des Vereins über „Landwirtschaft und Sozialdemokratie“ unterhalten.[66]

Der Höhepunkt des Vereinslebens war das jährliche Stiftungsfest. Regelmäßig wurde es im Januar oder Februar organisiert,[67] wofür man einen großen Saal, etwa den des Kompostellhofes, anmietete. Nach einer dem Anlaß entsprechenden Rede des Vorsitzenden des Vereins oder seines Stellvertreters wurde den Anwesenden ein Unterhaltungsprogramm geboten, das meist Vereinsmitglieder und deren Frauen oder Töchter einstudiert hatten.[68] So wurde etwa am 4. Stiftungsfest im Januar 1895 ein antisemitisches Festspiel in Szene gesetzt. Dargestellt wurde „Das Wiedererwachen

59 Etwa Emil Gräfe in der ersten Monatsversammlung des Deutschen Vereins, s. Deutsche Volkswacht, Nr. 1, 31.10.1894; oder aus späteren Jahren Generalsekretär Adolf Stein aus Heidelberg, s. Deutsch-Soziale Blätter, Beil., 10. Jg., Nr. 358, 27.6.1895, S. 101f.

60 Frankfurter Post, Nr. 1, 1.5.1896.

61 Ebd., 3. Jg., Nr. 3, 1.3.1898.

62 Ebd., Nr. 4, 1.4.1898.

63 Deutsche Worte, 1. Jg., Nr. 26, 29.10.1899.

64 Frankfurter Post, Nr. 2, 1.6.1896; 4. Jg., Nr. 2, 1.2.1899.

65 Ebd., Nr. 10, 1.2.1897 und Nr. 11, 1.3.1897.

66 Ebd., 2. Jg., Nr. 1, 1.5.1897.

67 Deutsche Volkswacht, 2. Jg., Nr. 1, 3.1.1895; Nr. 3, 21.1.1895; 3. Jg., Nr. 7, 25.1.1896; 4. Jg., Nr. 9, 30.1.1897; Frankfurter Post, Nr. 11, 1.3.1897; 3. Jg., Nr. 4, 1.4.1898; 4. Jg., Nr. 2, 1.2.1899; Deutsch-Soziale Blätter, Beil., 12. Jg., Nr. 444, 18.2.1897, S. 26.

68 Frankfurter Post, Nr. 11, 1.3.1897.

des Deutschen Geistes“, das der Gründer des Germanischen Volksbundes, HANS VON MOSCH, verfaßt hatte.[69]

Bei diesen geselligen Veranstaltungen des Vereins waren auch die Frauen und Kinder der Mitglieder zugelassen. So wurden etwa zu dem Maskenball 1895 ausdrücklich die Ehefrauen miteingeladen: „Nach der erfolgreichen, aber auch harten politischen Arbeit des Winters wollen die Frankfurter Freunde einmal unter Gleichgesinnten ein paar recht vergnügte und harmonische Stunden verleben, zugleich aber auch ihren Damen eine Entschädigung bieten für so manche Stunde die das Vereinsleben den gestrengen Hausherrn dem Familienleben entzieht.“[70]

Ausschließlich den aktiven Mitgliedern des Deutschen Vereins blieb das Festessen zum 100sten Geburtstag Kaiser WILHELMS I. im Jahre 1897 vorbehalten.[71] Diese „patriotische Feier“ fand in den Räumen des „Kölner Hofs“ statt, dessen Wirt für den Ablauf des Abends verantwortlich war. Auch rund 10 Jahre später, 1906, wurde der Geburtstag Kaiser WILHELMS II. in gleicher Weise als nationale Feier begangen.[72] Durch die enge Bindung des Deutschen Vereins an den Hotelier HERMANN LAASS verfügte er immer über räumliche Möglichkeiten, um seine Parteiversammlungen und geselligen Veranstaltungen abhalten zu können. Nur bei größeren Festen oder bei öffentlichen Kundgebungen mußte der Deutsche Verein andere Räume anmieten.

Spätestens seit Ende der 90er Jahre hatte sich der Deutsche Verein ein Signet zugelegt. Als Erkennungszeichen zierte es die Veröffentlichungen des Vereins, vermutlich war es auch auf seinem Briefpapier gedruckt und auf Vereinsabzeichen wie Fahnen und ähnlichem mehr aufgestickt. Das Emblem war aus den ineinanderverschlungenen Anfangsbuchstaben des Satzes „Bleib’ treu gesinnt“ gebildet:

[73]

[69] Deutsche Volkswacht, 2. Jg., Nr. 3, 12.1.1895.
[70] Ebd., Nr. 15, 23.2.1895.
[71] Frankfurter Post, 2. Jg., Nr. 11, 1.3.1897.
[72] Deutsch-Soziale Blätter, 21. Jg., Nr. 7, 24.1.1906, S. 89f.
[73] Frankfurter Post, 4. Jg., Nr. 8, 1.8.1899.

Die Bedeutung dieses Spruchs wurde in Form eines Gedichtes erklärt, das von einem Mitglied des Deutschen Vereins verfaßt worden war. Weil es prägnant die nationalistische Gesinnung des Vereins widerspiegelt, werden Anfangs- und Schlußstrophen des Gedichtes hier vollständig zitiert:

„Bleib' treu gesinnt, ist unser Losungswort!
Denn unser Kleinod ist die deutsche Treue,
In allen Gau'n des Reichs, im kleinsten Ort
Gelobet man zu halten sie auf's Neue.
. . .
In Treue fest, steht es (das Vaterland, I.S.) *wie seine Eichen*
Mag auch der Sturmwind manchen Baum erschüttern,
Will auch der Feind die Macht durch List erreichen,
An deutscher Treue muss er doch zersplittern.

Drum zage nicht, du Vaterland der Treue:
Germania ruft ihrem Volke zu:
Kämpf für dein Reich, ich geb' dir meine Weihe,
Der Sieg ist dein — bleibst treu gesinnt nur du!"[74]

6.3. Die Vereinszeitungen „Frankfurter Post" und „Deutsche Worte"

Vom 1. Mai 1896 an gab der Deutsche Verein ein eigenes Publikationsorgan, die monatlich erscheinende „Frankfurter Post", heraus. Dies war keine Frankfurter Besonderheit. Innerhalb der antisemitischen Bewegung existierten eine große Zahl verschiedener, oft nur kurzlebiger Periodika. Eine eigene Zeitung erschien den antisemitischen Organisationen notwendig, weil die andern Lokal- und Regionalzeitungen angeblich nicht diejenigen Nachrichten, die für die antisemitische Partei wichtig waren, abdruckten. Man hoffte damit, seine politische Position einem breiteren Publikum nahebringen zu können. Schon der Frankfurter Reformverein der 80er Jahre sah aus diesem Grund als eine seiner vordringlichsten Aufgaben die Gründung eines eigenen Blattes an.[75] Dies gelang ihm jedoch in der kurzen Phase seiner Existenz nicht. Erst der Deutsche Verein mit seinem größeren Anhängerpotential konnte sich an die Herausgabe einer von ihm selbst redigierten Zeitung wagen.

Erst relativ spät, kurz vor dem Erscheinen der ersten Nummer der „Frankfurter Post", findet sich ein Hinweis auf die beabsichtigte Herausgabe einer Zeitung. In der Monatsversammlung des Deutschen Vereins vom April 1896 stand die Besprechung einer in Frankfurt zu gründenden Monatsschrift auf der Tagesordnung.[76] Die Vorbe-

[74] Ebd.; Deutsche Worte, 1. Jg., Nr. 12, 23.7.1899.
[75] Siehe Kap. 3.3.
[76] Deutsche Volkswacht, 3. Jg., Nr. 26, 1.4.1896.

reitungen waren zu diesem Zeitpunkt bereits so weit gediehen, daß schon bald darauf, Anfang Mai, die erste Nummer erschien.

In dem programmatischen Leitartikel der ersten Nummer „An unsere Leser" wurde die mit der Herausgabe der Zeitung verbundene Absicht klar formuliert: *„In diesem Ringen für unverfälschtes Deutschthum, für den geistigen und wirthschaftlichen Aufschwung unseres Volkes, für den durch die liberale Gesetzgebung so schwer geschädigten Mittelstand steht die junge, deutsch-soziale, antisemitische Reformbewegung in vorderster Reihe und Feinde ringsum lauern auf, um sie in ihrem Wachsen und Werden zu hemmen oder gar zu vernichten. In diesem Entwicklungsgange unserer Bewegung haben die Anhänger und Freunde unserer Sache das unabweisbare Bedürfniß empfunden, ein Preßorgan besitzen zu müssen, das im Stande ist, alle die offenen und versteckten Anfeindungen und Schmähungen von rechts und links, von oben und unten klar zu stellen und mit gebührender Entschiedenheit zurückzuweisen, zugleich aber auch damit ein Mittel zu gewinnen, um volle Wahrheit und Klarheit über unser Wollen und Streben im Dienste von Volk und Vaterland zu verbreiten. Diesem Umstand verdankt dieses Monatsblatt sein Entstehen und so möge es denn hinausziehen in unsere liebe Heimathstadt und unter seinem Mahnruf: 'Für Volk und Vaterland!' die Herzen gewinnen für die großen Aufgaben einer großen Zeit, allen feindlichen Gewalten zum Trotz sich erhalten und allezeit furchtlos treu eintreten für unseres Volkes wahre Freiheit, Wohlfahrt und Gesittung."*[77]

Zwei Ziele verfolgte der Deutsche Verein mit der Herausgabe einer eigenen Zeitung. Zum einen wollte er ein Publikationsorgan haben, um sich gegen Angriffe politischer Gegner verteidigen zu können, zum anderen sollten die Anhänger über Entwicklung und ideologische Standpunkte der antisemitischen Bewegung informiert werden.

Die „Frankfurter Post" erschien seit 1. Mai 1896 bis mindestens Oktober 1904 regelmäßig jeweils am ersten Tag eines Monats.[78] Während dieser neun Jahre ihres Bestehens wechselten häufiger Druckort und verantwortlicher Redakteur der Zeitung. In den ersten Jahren blieb sie eng mit der Entwicklung des Deutschen Vereins verbunden. 1896/97 war Otto Hirschel der verantwortliche Redakteur, der gleichzeitig Vorsitzender des Deutschen Vereins war. In seiner gemeinsam mit Philipp Köhler betriebenen Verlagsanstalt der „Deutschen Volkswacht" in Offenbach erschien die „Frankfurter Post". 1898 gründeten Otto Hirschel und Adolf Wolff die „Hessische Druckerei- und Verlagsanstalt", wo die Zeitung von da an auch gedruckt wurde.[79] Zur selben Zeit übernahm Adolf Wolff anstelle von Otto Hirschel die redaktionelle Leitung der „Frankfurter Post".[80] Da er seit Januar 1898 auch der Nachfolger Hirschels als Vorsitzender des Deutschen Vereins war,[81] bestand weiter-

[77] Frankfurter Post, Nr. 1, 1.5.1896.
[78] Vollständig erhalten ist die „Frankfurter Post" heute nur bis einschließlich dem 4. Jahrgang 1899. Danach sind nur mehr einzelne Nummern aus den Jahren 1900 und 1904 vorhanden.
[79] Frankfurter Post, 3. Jg., Nr. 1, 1.1.1898; Deutsch-Soziale Blätter, Beil., 13. Jg., Nr. 491, 13.1.1898, S. 4.
[80] Frankfurter Post, 3. Jg., Nr. 3, 1.3.1898.
[81] Ebd., Nr. 2, 1.2.1898.

1. Mai 1898.

3. Jahrgang. № 5.

Erscheint am 1. jeden Monats. Bezugspreis jährlich 1 Mk. bei freier Zusendung unter Briefumschlag durch die Post.
Einzel-Nummer 10 Pfg.
Anzeigen die Spaltzeile 10 Pfg.

Bestellungen nimmt an:
A. Wolff, Dreieichstr. 52, Frankfurt
Herm. Laaß, z. Köln. Hof, a. M.
Die Hess. Druckerei und Verlagsanstalt **Hirschel u. Wolff** zu Offenbach a. M.
Schriftlichen Bestellungen ist der Betrag in Briefmarken beizufügen.

Frankfurter Post.

Für die am 16. Juni stattfindende Reichstagswahl ist seitens der deutschsocialen Reformpartei für den Wahlkreis **Frankfurt a. M.**, abermals Herr

Liebermann von Sonnenberg

als Candidat aufgestellt worden.

Parteigenossen! Auf zum Wahlkampf! Vertheilt unser Flugblatt! Werbet Abonnenten für die „Frankfurter Post“! Seid unermüdlich thätig für unsere gute und gerechte Sache und der Sieg wird uns nicht ausbleiben!

Vom 16. Mai an liegen die Reichstagswählerlisten zur Einsicht auf. Kein Wahlberechtigter darf versäumen, sich zu überzeugen, daß er eingetragen ist. Der Wahl-Ausschuß ist bereit dies auf Wunsch für jeden Parteigenossen zu besorgen.

Geldspenden zum Wahlfonds bitten wir zu richten an unser **Wahlbureau** unter der Adresse: Herrn **Hermann Laass, „Kölner Hof“ Gneisenaustraße 3.**

Quittung erfolgt auf Wunsch in geschlossenem Briefumschlage oder unter gewünschter Ziffer in diesem Blatte.

Im **Wahlbureau** sind stets **Flugblätter** zu haben.

Der Wahl-Ausschuß.

Deutscher Verein in Frankfurt a. M.

Für den

Wahl- und Werbestock

des deutschen Vereins gingen ein: von A. M. 5 Mk.; von Z. 5 Mk.; von —i—. 200 Mk. Den Gebern besten Dank!

Monats-Versammlung

Donnerstag, 5. Mai, Abends 8½ Uhr, im kleinen Saal des

„Kölner Hof's“.

Tages-Ordnung:

1. Aufnahme neuer Mitglieder.
2. Vortrag eines Mitgliedes über die Wahlbewegung.

Abendzusammenkünfte.

Jeden **Samstag** und **Sonntag** Abend im **„Kölner Hof“.**

Jeden **Dienstag** Abend im „Schwarzen Bock“ (bei Aepfelwein) Elisabethenstraße 8.

Samstag, 7. Mai bei Gastwirth Ph. Häußer in Niederrad.
(Abmarsch Abends 7 Uhr vom „Kölner Hof“.)

Samstag, 14. Mai. Gemeinschaftliches Festessen zu Ehren der silbernen Hochzeit unseres Vorsitzenden im „Kölner Hof“. Einzeichnungslisten liegen daselbst auf.

Samstag, 21. Mai bei Gastwirth Jung, Schweizerstraße 32.

Samstag, 28. Mai bei Gastwirth Keiper, Neuhofstraße 2.

Frühschoppen.

Jeden **Sonntag** Vormittag 11½ Uhr im „Kölner Hof“.

Wir bitten um zahlreiche Betheiligung

Der Vorstand.

Für den Reichstags-Wahlfonds des Bezirks „Hessen und angrenzende Bezirke“ sind bei mir eingegangen:

D. K. Hanau	Mk.	12,
R. K. Barmen	„	0,50
P. A. Wiesboden	„	20,05
E. B. Frankfurt a. M.	„	10,
K. C.	„	35,50
Geschwister C. in F.	„	25,—
H. H. in B.	„	1,50
K. K. Berlin	„	25,
K. K. Mainz	„	18,
A. S. Charlottenburg	„	30,05
	Mk.	177,60

Dr. Stöcker, II. Kassenwart des Landesverbands. Frankfurt a. M., Blumenstr. 18.

Zentrum und Antisemitismus.

Während wir in unserem Nachbarlande Oesterreich das erfreuliche Bild haben, daß die christlichen Produktivstände auch politisch mit ihren Geistlichen vollständig geschlossen gegen das ausbeutende Judenthum marschiren, müssen wir bei uns immer wieder das naturwidrige, traurige Schauspiel erleben, daß das werktätige Volk gerade von der Geistlichkeit im Verzweiflungskampf gegen die Fremdherrschaft verlassen wird. Ganz besonders gilt dieser Vorwurf für die katholische Geistlichkeit, die bei der jetzigen judenfreundlichen Leitung des Zentrums geradezu dem Judenthum Vorschub leistet.

Bei der Berathung des Antrages Liebermann von Sonnenberg, betr. die Wiedereinführung der confessionellen Eidesformel, machte es einen häßlichen Eindruck, als der Zentrumsredner Dr. Lieber, der Mann mit dem „moralischen und physischen Ekel“, wie er sich einmal im Reichstage ausdrückte, seine Rede mit der Betheuerung schloß, daß ihm und seinen politischen Freunden jede „antisemitische“ Regung fernliege und daß er nur aus religiösen Gründen für den antisemitischen Antrag stimme. Wollte etwa Herr Lieber damit der Welt glauben machen, daß im Zentrum kein Antisemitismus herrsche? Weiß Herr Dr. Lieber nicht mehr, was er selbst am 11. Februar 1880 im preuß. Abgeordnetenhause sagte: „Bei der Judenfrage handelt es sich um eine tiefwurzelnde Stammesverschiedenheit, um eine Nothwehr des germ. Volksstammes gegen einen fremden.“ War es doch der Genosse des Herrn Lieber, der Abgeordnete Bachem, der am 22. November 1880 im Hause der Abgeordneten eine fulminante Rede gegen die Juden hielt, in der es unter anderem hieß: „Die große Mehrheit dieses Hauses ist, glaube ich, nicht geneigt, die sogenannte antisemitische Bewegung zu verurtheilen . . . Es ist eher ein fortschrittlich-jüdischer Terrorismus warnehmbar als das Gegentheil . . . Wir haben es . . . weit eher zu thun mit einer berechtigten Gegenwehr, als mit einer zu verurtheilenden Agression. Ich bin daher der Ansicht, daß, wie die Dinge heute liegen, die volltönenden Redewendungen vom Schutz der Verfassungsrechte, der Menschen-

Abb. 4 Titelseite der „Frankfurter Post“ vom 1.5.1898

hin eine enge personelle Verflechtung zwischen Deutschem Verein und Redaktion bzw. Druck der „Frankfurter Post". Die unmittelbare Verfügungsmöglichkeit über eine Druckerei durch ihren jeweiligen Vorsitzenden hatte es sicherlich erleichtert, daß der Deutsche Verein ab 1896 überhaupt an die Herausgabe einer eigenen Zeitung denken konnte. Jedoch war dem Unternehmen von Otto Hirschel und Adolf Wolff kein geschäftlicher Erfolg beschieden. Im Jahre 1900 ging die Hessische Druckerei- und Verlagsanstalt vermutlich in Konkurs, denn von da an besorgte den Druck der „Frankfurter Post" die Druckerei von Rudolf Weitzel in Offenbach, während seit Juli erneut Otto Hirschel für die Schriftleitung verantwortlich war.[82]

Von 1900 an läßt sich die Entwicklung der „Frankfurter Post" über die nächsten Jahre nicht verfolgen, weitere Nummern der Zeitung liegen erst aus dem Jahr 1904 vor. In diesem Jahr wurde die Zeitung bei der Druckerei- und Verlagsanstalt der „Deutschen Volkswacht" in Friedberg gedruckt.[83] An ihr waren wieder Otto Hirschel und Adolf Wolff beteiligt,[84] die aber beide nicht mehr im Frankfurter Deutschen Verein aktiv waren. Die Schriftleitung besorgte der nun in Friedberg lebende Adolf Wolff.[85]

Auch der Verlag, in dem die „Frankfurter Post" erschien, änderte sich im Laufe der Jahre. Bis zur Jahrhundertwende war es die Hessische Druckerei- und Verlagsanstalt. Von Juli 1900 an und im Oktober 1904 führte das Impressum der Zeitung als Verlag den „Verlag des Deutschen Vereins Frankfurt am Main" an.[86] Unter dieser Bezeichnung wurden seit 1895 die Veröffentlichungen des Deutschen Vereins vertrieben, so etwa das sogenannte Deutschbund-Adreßbuch von 1895/96,[87] 1897 das Weihnachtsflugblatt des Vereins[88] und 1904 ein Flugblatt zur Verteidigung des „judenfreien" Gasthofs „Kölner Hof".[89]

Nur Vermutungen lassen sich über den Leserkreis der Zeitung und ihre Auflage anstellen. In erster Linie wandte sich die „Frankfurter Post" an die Mitglieder des Deutschen Vereins, die sie kostenlos erhielten.[90] Sie konnte aber auch von Interessenten im Abonnement bezogen werden.[91] Die Auflagenhöhe der „Frankfurter Post" lag wahrscheinlich nur bei einigen hundert Exemplaren. Ihre Beschränkung auf Frankfurt — im Umland trat an ihre Stelle die häufiger erscheinende „Deutsche Volkswacht" — wird eine weit über die Zahl der Vereinsmitglieder hinausgehende Auflage von vornherein als unrentabel ausgeschlossen haben.

[82] Ebd., 5. Jg., Nr. 7, 1.7.1900.
[83] Ebd., 9. Jg., Nr. 10, 1.10.1904.
[84] Seit Mai 1904 war Adolf Wolff verantwortlicher Redakteur der „Deutschen Volkswacht", s. Deutsche Volkswacht, 11. Jg., Nr. 34, 4.5.1904. Otto Hirschel gehörte die Druckerei, s. Deutsche Volkswacht, 11. Jg., Nr. 1, 6.1.1904.
[85] Frankfurter Post, 9. Jg., Nr. 10, 1.10.1904.
[86] Ebd., 5. Jg., Nr. 7, 1.7.1900 und 9. Jg., Nr. 10, 1.10.1904.
[87] Ebd., Nr. 7, 1.11.1896 und Frankfurter Generalanzeiger, Nr. 272, 19.11.1895, S. 9; siehe auch Kap. 9.3.2.
[88] Beilage zur Frankfurter Post, 2. Jg., Nr. 8, 1.12.1897.
[89] Beilage zur Römerkatze, Nr. 42, Märzkatzen, 1904.
[90] Frankfurter Post, Nr. 2, 1.6.1896.
[91] Ebd., 2. Jg., Nr. 1, 1.5.1897.

Der Umfang der „Frankfurter Post" betrug während der gesamten Zeit ihres Bestehens vier Seiten. Die Leser wurden über die Tätigkeit des Deutschen Vereins oder anderer nahestehender Organisationen informiert, auch Einladungen zu deren Veranstaltungen wurden abgedruckt. Der Leitartikel kommentierte meist allgemeine, die Bewegung interessierende Fragen oder berichtete über Verhandlungen im Reichstag, an denen sich antisemitische Abgeordnete beteiligt hatten. Nach einzelnen Rubriken gegliedert, wurden im Hauptteil unterschiedliche Vorkommnisse im Reich und insbesondere in Frankfurt besprochen. Die letzte der vier Seiten nahm ausschließlich Werbung von Geschäften und Restaurants in Frankfurt bzw. Umgebung ein. Aber auch Anzeigen für neu erschienene antisemitische Broschüren, Zeitungen, Postkarten, antijüdische Anstecknadeln u.ä.m. fehlten nicht.

Der Redakteur war verantwortlich nur im Sinne des Presserechts, stellte aber nicht tatsächlich den Inhalt der Zeitung zusammen. Darüber gibt ein Gerichtsverfahren aus dem Jahre 1898 Aufschluß. Im September 1897 war ein Artikel, „Jüdische Richter" überschrieben, in der „Frankfurter Post" abgedruckt worden, in dem jüdischen Richtern unterstellt wurde, daß sie in Streitfällen zwischen Deutschen und Juden eher „ihren Stammesgenossen Recht geben, auch wenn sie Unrecht haben", als den Deutschen.[92] Daraufhin stellte die Staatsanwaltschaft Strafantrag gegen OTTO HIRSCHEL wegen Beleidigung durch die Presse, der zu der Zeit, als der Artikel veröffentlicht wurde, der verantwortliche Redakteur der „Frankfurter Post" gewesen war.[93] In der Akte über die Verhandlung ist die Zeugenaussage von ADOLF WOLFF für die redaktionelle Betreuung der Zeitung von besonderem Interesse. Der strittige Artikel war von dem Zeugen WOLFF selbst aus einer anderen antisemitischen Zeitung ausgeschnitten und dem verantwortlichen Redakteur für den Druck übergeben worden. Dies tat ADOLF WOLFF in seiner Funktion als Mitglied der Preßkommission des Deutschen Vereins, die aus sechs Mitgliedern bestand und die Aufgabe hatte, die in der Zeitung erscheinenden Beiträge zu aquirieren und zusammenzustellen. Bereits in der ersten Beratung über die Herausgabe der eigenen Zeitung im April 1896 war diese Kommission, auch „Preß-Ausschuß" genannt, eingesetzt worden.[94] Sie entnahm zum Teil Artikel aus anderen Zeitungen und schickte sie zusammen mit den neuverfaßten bereits druckfertig nach Offenbach an OTTO HIRSCHEL. Dieser hatte, wie er in der Verhandlung angab, mit der Redaktion der „Deutschen Volkswacht" ausreichend zu tun, so daß er das übersandte Material ohne Prüfung an die Druckerei weiterleitete.

Für den Inhalt der „Frankfurter Post" bedeutete dieses Vorgehen, daß neu geschrieben nur die Artikel, Einladungen oder Ankündigungen wurden, die sich direkt mit dem Deutschen Verein beschäftigten. Die allgemeinen Artikel oder solche, die außerhalb Frankfurts und seiner Umgebung stattfindende Ereignisse betrafen, wurden anderen antisemitischen Periodika entnommen. So stammte der dem Beleidigungs-

[92] Ebd., Nr. 5, 1.9.1897, s. dazu auch MdVAA, 8. Jg. 1898, Nr. 23, S. 181; Im deutschen Reich, 4. Jg. 1898, Nr. 6/7, S. 343f.
[93] HStaA Wiesbaden, Abt. 461, Nr. 57.
[94] Frankfurter Post, Nr. 1, 1.5.1896.

prozeß zugrundeliegende Artikel „Jüdische Richter" aus der in Dresden erscheinenden „Deutschen Wacht".[95] Besonders häufig wurden Artikel der „Deutschen Volkswacht" nachgedruckt, die ihrerseits die Parteinachrichten und andere für die „Frankfurter Post" geschriebene Artikel übernahm.[96] Schon in der Besprechung des Zeitungsprojektes in der Monatsversammlung des Deutschen Vereins im April 1899 wurde die Übernahme von Artikeln aus anderen Zeitungen, besonders aus der „Deutschen Volkswacht", für notwendig angesehen.[97] Nur auf diese Weise war es wohl möglich, eine lokale antisemitische Zeitung herzustellen, die nicht den finanziellen Rahmen des Vereins sprengte. Die „Frankfurter Post" war mithin keine für Frankfurt neu redigierte Zeitung, sondern ein Konglomerat von Artikeln verschiedener Herkunft. Jedoch wurden die aus anderen Zeitungen stammenden Artikel nicht mit Quellenangaben versehen, so daß das Erscheinungsbild der Zeitung einheitlich war.

Diese Art der Zusammenstellung war bei kleineren antisemitischen Zeitungen durchaus üblich. Die „Deutsch-Sozialen Blätter", deren Artikel offenbar häufig in anderen antisemitischen Periodika nachgedruckt wurden, beklagten 1898 die fehlende Quellenangabe in diesen Zeitungen und wünschten deutliche Herkunftsbelege.[98]

Ab Mai 1899 kamen zu der seit 1896 publizierten „Frankfurter Post" als zweite antisemitische Zeitung die „Deutschen Worte" hinzu. Begründet und herausgegeben wurden sie von dem Redakteur der „Frankfurter Post", Adolf Wolff.[99] Im Unterschied zu dieser waren die „Deutschen Worte" eine Wochenschrift, die jeweils sonntags erschien. Die neue Zeitung sollte kein Konkurrenzunternehmen zur „Frankfurter Post", sondern mit ihrem häufigeren Erscheinen eine Ergänzung sein. Seit Juli 1899 trug die „Frankfurter Post" dementsprechend den Untertitel „Monatsausgabe der Wochenschrift 'Deutsche Worte'".[100] Wie in der Ankündigung der „Deutschen Worte" begründet wurde, hätten es viele Parteifreunde als Mangel empfunden, daß die wöchentlich erscheinende „Deutsche Volkswacht" in erster Linie die Interessen der Bauern berücksichtige, nicht aber die der Stadtbevölkerung, und andererseits die „Frankfurter Post" als Monatsschrift in zu großen Abständen herauskomme. Sie erscheine „viel zu selten, um gerade in Frankfurt, der Hochburg der Gegner, dem so nöthigen Kampf zur Wahrung unserer heiligsten Güter, zur Erhaltung von Deutschlands Reinheit und Einheit mit dem gehörigen Nachdruck führen und alle Angriffe

95 HStaA Wiesbaden, Abt. 461, Nr. 57, Bl. 42.
96 Etwa einen Artikel über den Reichstagsabgeordneten Werner in Frankfurt, in: Frankfurter Post, 2. Jg., Nr. 1, 1.5.1897 = Deutsche Volkswacht, 4. Jg., Nr. 20, 10.4.1897; Generalversammlung des Deutschen Vereins, in: Frankfurter Post, 3. Jg., Nr. 2, 1.2.1898 = Deutsche Volkswacht, 5. Jg., Nr. 9, 2.2.1898 usw.
97 Frankfurter Post, Nr. 1, 1.5.1896.
98 Deutsch-Soziale Blätter, Beil., 13. Jg., Nr. 529, 6.10.1898, S. 317f.
99 Frankfurter Post, 4. Jg., Nr. 4, 1.4.1899.
100 Ebd., Nr. 7, 1.7.1899. Auch 1900 hatte die Zeitung diesen Untertitel, 1904 jedoch nicht mehr, da die „Deutschen Worte" inzwischen eingegangen waren.

sofort und schneidig abwehren zu können."[101] Aus diesem Grund setzte sich das neue Blatt zum Ziel, „über alle Parteiverhältnisse und Vorkommnisse zu informieren, insbesondere die Bewegung in Süddeutschland zu fördern. Daß dieses Blatt ganz besonders aber den Kampf gegen die Frankfurter jüdische und verjudete Presse aufnehmen wird, ist bei dem Orte seines Erscheinens und dem Namen seines Herausgebers (d.i. ADOLF WOLFF) selbstverständlich."[102] Die „Deutschen Worte" bezeichneten sich im Untertitel als Organ der Deutschsozialen Reformpartei. Auf dem Titelblatt war das antisemitische Schlagwort „Deutschland den Deutschen" als Motto aufgedruckt.

In Aufmachung und Inhalt unterschieden sich die „Deutschen Worte" nicht von der „Frankfurter Post". Neben den Leitartikeln, die sich mit Themen beschäftigten, die für die antisemitische Bewegung im allgemeinen relevant waren, wurden in der Rubrik „Aus Nah und Fern" Ereignisse berichtet, die einseitig antijüdisch interpretiert wurden. Hinzu kamen Parteinachrichten aus Frankfurt und dem südhessischen bzw. nordbadischen Raum.

Die Zeitung war kein Erfolg. Obwohl die „Deutschen Worte" von Mai 1899 bis mindestens September 1900 existierten, weist der häufige Wechsel von Herausgeber und Druckort auf Schwierigkeiten von Anfang an hin. Zuerst wurde sie, wie bereits erwähnt, von ADOLF WOLFF herausgegeben. Den Druck hatte die Hessische Druckerei- und Verlagsanstalt in Offenbach übernommen,[103] in der auch die „Frankfurter Post" und die „Deutsche Volkswacht" hergestellt wurden. Aber schon mit Beginn des Jahres 1900 änderte sich die Druckerei. RUDOLF WEITZEL in Offenbach ließ die Zeitung drucken, deren verantwortlicher Redakteur er auch wurde.[104] Im Sommer desselben Jahres gingen Verlag und Schriftleitung nach Heidelberg, während der Druckort identisch blieb.[105] Auch inhaltlich richteten sich die „Deutschen Worte" von da an stärker an den südhessischen und nordbadischen Raum, was sich bis in die geschäftlichen Anzeigen verfolgen läßt. Schon im September 1900 befand sich die Zeitung jedoch wieder in den Händen der hessischen Antisemiten. Die „Deutschen Worte" erschienen im Verlag der „Deutschen Volkswacht" in Offenbach und wurden von OTTO HIRSCHEL redigiert. Gedruckt wurde sie weiterhin in der Druckerei von RUDOLF WEITZEL.[106] Aber bereits zwei Nummern später, Ende September 1900, scheinen die „Deutschen Worte" eingegangen zu sein. Jedenfalls ist kein späteres Exemplar mehr vorhanden und auch in anderen antisemitischen Periodika aus dieser Zeit wurde nicht mehr auf diese Zeitung verwiesen.

101 Ebd., Nr. 5, 1.5.1899.
102 Ebd., Nr. 4, 1.4.1899. ADOLF WOLFF war zu diesem Zeitpunkt auch Vorsitzender des Deutschen Vereins, siehe Kap. 6.2.
103 Deutsche Worte, 1. Jg., Nr. 1, 1.5.1899.
104 Ebd., 2. Jg., Nr. 1, 7.1.1900.
105 Ebd., ab Nr. 24, 17.6.1900.
106 Ebd., ab Nr. 35, 9.9.1900. Während sich das Impressum änderte, blieb die Adresse von Schriftleitung und Verlag auf dem Titelblatt gleich. Dort wurde weiterhin eine Heidelberger Anschrift angegeben.

Damit scheiterte nach eineinhalb Jahren der Versuch, eine wöchentlich erscheinende antisemitische Zeitung für Frankfurt herauszugeben. Das daran interessierte Publikum war nicht zahlreich genug, um eine antisemitische Wochenschrift am Leben zu erhalten. Nur der Monatszeitung „Frankfurter Post" gelang es über neun Jahre hin, von 1896 bis mindestens 1904, zu erscheinen. Spätestens 1906 existierte dann keine Frankfurter antisemitische Zeitung mehr. Zu Anfang des Jahres 1906 wurde in einer Versammlung des Deutschen Vereins anstelle der „Frankfurter Post" für das in Hamburg erscheinende „Deutsche Blatt" geworben.[107]

[107] Deutsch-Soziale Blätter, 21. Jg., Nr. 6, 20.1.1906, S. 73f.

7. Der Deutsche Verein als Teil der antisemitischen Bewegung im Reich

Als der Deutsche Verein 1891 gegründet wurde, existierten zwei antisemitische Parteien, die Deutschsoziale Partei und die Antisemitische Volkspartei. Diese unterschieden sich weniger in programmatischer denn in taktischer Hinsicht: Die Deutschsoziale Partei lehnte sich stärker an die Konservative Partei an als die Volkspartei, die ein selbständiges Vorgehen propagierte.[1] Der Deutsche Verein in Frankfurt tendierte in den ersten Jahren seines Bestehens zu der von OTTO BÖCKEL geleiteten Antisemitischen Volkspartei, die sich 1893 in Deutsche Reformpartei umnannte. Diese Parteizugehörigkeit fand ihren Niederschlag in der Teilnahme an regionalen Veranstaltungen der Volkspartei bzw. der Reformpartei.[2]

Von Oktober 1894 an zählte der Deutsche Verein zu der Deutschsozialen Reformpartei. Diese war aus dem Zusammenschluß der beiden bislang nebeneinander existierenden antisemitischen Parteien, der Deutschsozialen Partei und der Deutschen Reformpartei, entstanden. Nachdem der Erfolg der Reichstagswahl 1893, bei der viele Kandidaten von beiden Parteien zusammen aufgestellt worden waren, gezeigt hatte, daß ein gemeinsames Vorgehen vielversprechend war, fusionierten sie im Oktober 1894. Um ein Gleichgewicht beider Organisationen zu garantieren, wurden zwei Vorsitzende bestimmt, nämlich deren bisherige Führer. Neben MAX LIEBERMANN VON SONNENBERG von der Deutschsozialen Partei wurde OSWALD ZIMMERMANN in den Vorstand berufen. ZIMMERMANN hatte erst vor kurzem den Vorsitz der Deutschen Reformpartei als Nachfolger OTTO BÖCKELS, der als Gegner eines Zusammenschlusses mit der Deutschsozialen Partei zum Rücktritt gezwungen worden war, angetreten.[3] Die nunmehr geeinte antisemitische Partei verabschiedete 1895 ihr Programm, dem sich der Deutsche Verein verpflichtet fühlte.[4] Bis zur erneuten Spaltung der Bewegung im Jahre 1900 verstand sich der Deutsche Verein als eine lokale Organisation der Deutschsozialen Reformpartei.[5]

[1] Dr. WOHLFARTH, Bilder, S. 48; P. MASSING, Vorgeschichte, S. 91f.; Lexikon zur Geschichte der Parteien, S. 92.

[2] MdVAA, 2. Jg. 1892, Nr. 26, S. 224; StaA Marburg, Bestand 340, Nachlaß Böckel, Paket 9/1, 2, S. 502-506.

[3] M. BROSZAT, Antisemitische Bewegung, S. 87ff.; Lexikon zur Geschichte der Parteien, S. 100f.; D. FRICKE, Deutschsoziale Reformpartei, S. 540.

[4] Deutsche Volkswacht, 2. Jg., Nr. 79, 12.10.1895; siehe den Abdruck des Programms im Anhang I und Kap. 8.

[5] Allerdings war er keine Ortsgruppe der Partei im heutigen Sinne. Dem stand das 1850 verabschiedete, bis Ende 1899 gültige preußische Vereinsgesetz entgegen. Es untersagte allen politischen Organisationen, miteinander in Verbindung zu treten (§ 8 des Vereinsgesetzes, s. H. DELIUS, Deutsches Vereins- und Versammlungsrecht, S. 581). Ein lokaler Verein einer Partei mußte rechtlich selbständig sein. Er war „Parteiorganisation als Organisation der Parteianhänger im Wahlkreis, nicht als Organ der zentralisierten nationalen

Als im Jahre 1900 Anhänger der früheren Deutschsozialen Partei unter MAX LIEBERMANN VON SONNENBERG die Deutschsoziale Reformpartei wieder verließen, blieb der Deutsche Verein bei der Restpartei. Die Deutschsoziale Reformpartei setzte sich nun ausschließlich aus den Anhängern der ehemaligen Reformpartei zusammen. 1903 nahm sie wieder ihren alten Namen „Deutsche Reformpartei" an. Die Entscheidung des Deutschen Vereins, sich der Deutschen Reformpartei anzuschließen, gibt noch einmal aus einem anderen Blickwinkel einen Hinweis auf seine Parteizugehörigkeit vor 1894: Die Deutschsoziale Reformpartei zerfiel in die Organisationen, aus denen sie sich 1894 zusammengesetzt hatte. Der geographische Schwerpunkt der Deutschen Reformpartei lag dabei in Sachsen, Ostelbien und Hessen.[6]

Der Anlaß für die Trennung der Deutschsozialen Reformpartei lag in den unterschiedlichen taktischen Ausrichtungen, die auch vor 1894 die Differenzen der beiden Parteien ausgemacht hatten, nämlich das Verhältnis zu den Konservativen und dem ihnen nahestehenden, 1893 gegründeten Bund der Landwirte (BdL). Wie schon zuvor war es die Gruppe um MAX LIEBERMANN VON SONNENBERG, die eine Anlehnung der antisemitischen Partei an konservative politische Kräfte befürwortete, während die ehemaligen Reformer um OSWALD ZIMMERMANN eine strikt antikonservative Haltung einnahmen.[7] Diese unterschiedlichen Einschätzungen bezogen sich auf die einzuschlagende politische Taktik, nicht auf interne programmatische Differenzen. Symptomatisch dafür war, daß beide Parteien auch nach der Trennung bis 1905 das gemeinsame Programm von 1895 beibehielten. Erst dann nahm die Deutschsoziale Partei neue Grundsätze an, und ein Jahr später die Deutsche Reformpartei.[8] Daß die Spaltung der Deutschsozialen Reformpartei keine programmatischen Konsequenzen hatte, wurde vom Deutschen Verein in Frankfurt begrüßt. In der Begründung des Vereins, warum er weiterhin in der Reformpartei verbleibe, kam dies zum Ausdruck: *„Der Deutsche Verein erkennt die Verdienste des Herrn Liebermann v. Sonnenberg als Vorkämpfer für die antisemitische Bewegung an, kann jedoch dessen Kartellpolitik nicht billigen. Aus letztern Gründen erklärt sich der Verein einverstanden mit der Abstimmung seiner Vertreter in Magdeburg. Da beide Parteien das bisherige Programm beibehalten haben, hat der Deutsche Verein keine Veranlassung, aus der Deutschsozialen Reformpartei auszutreten...Der Verein ist der Überzeugung, daß die Deutschsoziale Reformpartei in sozialpolitischer Hinsicht der neuen Deutsch-Sozialen Partei in keiner*

Partei, er war nicht Ortsgruppe." (TH. NIPPERDEY, Organisation, S. 84, E. LOENING, Vereins- und Versammlungsfreiheit, S. 161-165). Erst im Dezember 1899 wurde das Verbindungsverbot für politische Parteien aufgehoben, und ein zusammenhängendes Parteiwesen konnte sich entwickeln (H. DELIUS, Deutsches Vereins- und Versammlungsrecht, S. 581). Von da an war der Deutsche Verein rechtlich eine Ortsgruppe der antisemitischen Partei.

[6] D. FRICKE, Deutsche Reformpartei, S. 63.

[7] R. LEVY, Downfall, S. 198ff.; I. HAMEL, Völkischer Verband, S. 110; Lexikon zur Geschichte der Parteien, S. 92. Siehe dazu auch die Stellungnahme von MAX LIEBERMANN VON SONNENBERG, in: Deutsch-Soziale Blätter, Beil., 15. Jg., Nr. 598, 1.2.1900, S. 57, und aus der Sicht der Reformpartei s. W. GIESE, Die Herren Raab und v. Liebermann.

[8] R. LEVY, Downfall, S. 227; Lexikon zur Geschichte der Parteien, S. 92.

Weise nachstehen wird."[9] Der Deutsche Verein folgte damit der Kritik, die von reformerischer Seite an LIEBERMANNS Anbindung an die Konservative Partei geübt wurde. Der Frankfurter Verein befürwortete eine eigenständige antisemitische Politik.

Bis 1905 blieb der Deutsche Verein eine Ortsgruppe der Deutschen Reformpartei, um dann zur Deutschsozialen Partei überzuwechseln. Im September 1905 verkündete die Mitgliederversammlung die einstimmig gefaßte Absicht, „aus der deutschen Reformpartei auszuscheiden und sich der deutschsozialen Partei anzuschließen".[10] Auch diese Veränderung war wie schon 1900 das Verbleiben bei der Deutschen Reformpartei nicht ideologisch begründet. Noch hatten beide antisemitischen Parteien ein gemeinsames Programm. Vielmehr kann der Parteiwechsel darauf zurückgeführt werden, daß die Deutsche Reformpartei weit stärker als die Deutschsoziale Partei im Niedergang begriffen war. Schon an der Parteiorganisation machten sich die Unterschiede bemerkbar. 1903 hatten die Deutschsozialen beschlossen, die „lockeren örtlichen Parteigebilde" straffer zusammenzufassen. Zu diesem Zweck wurde der Reichsverband der Deutschsozialen Partei gegründet. 1905 war die Reorganisation der Partei abgeschlossen.[11] Auf dem Leipziger Parteitag im Oktober 1905 gab sich dann die Deutschsoziale Partei ein neues Programm.

Ein Jahr später nahm auch die Deutsche Reformpartei ein neues Programm an. Dieses war aber fast wörtlich identisch mit dem Programm der Deutschsozialen Reformpartei von 1895.[12] Schon dies zeigt, daß von der Deutschen Reformpartei keine neuen Impulse mehr ausgingen, während die Deutschsozialen in jenen Jahren versuchten, aktiv einer Auflösung ihrer Partei entgegenzuwirken.

Die Festigung der Deutschsozialen Partei bewog nicht nur den Frankfurter Verein, sondern auch andere lokale antisemitische Organisationen, insbesondere in Hessen, zum Parteiwechsel. Der Darmstädter und der Gießener Reformverein traten im selben Jahr wie der Frankfurter Deutsche Verein zur Deutschsozialen Partei über.[13] Und im Januar 1906 vollzog der gesamte hessische Landesverband der Reformpartei diesen Schritt.[14] Der Wechsel gründete sich auf die Hoffnung, mit dem Anschluß an die straffer organisierte Partei werde die Ortsgruppe nach Jahren der Stagnation einen neuen Aufschwung erleben, was sich im ersten Jahr danach tatsächlich zu erfüllen schien. Bei Veranstaltungen des Deutschen Vereins, z.B. in der Generalversammlung 1906, wurde beifällig verzeichnet, daß es wieder aufwärts gehe, seit man der Deutschsozialen Partei angehöre. Die Mitgliederzahlen seien im Wachsen begriffen und diejenigen, die schon länger dem Verein angehörten, würden nun wieder verstärkt mitar-

9 Deutsch-Soziale Blätter, Beil., 15. Jg., Nr. 638, 8.11.1900, S. 538.
10 Deutsche Volkswacht, 12. Jg., Nr. 71, 13.9.1905; MdVAA, 15. Jg. 1905, Nr. 37, S. 292.
11 D. FRICKE, Deutschsoziale Partei, S. 534.
12 Beide Programme sind abgedruckt in: K. MAHLER, Programme, S. 19-30.
13 Deutsch-Soziale Blätter, 19. Jg., Nr. 91, 12.11.1904, S. 1271; Deutsche Volkswacht, 12. Jg., Nr. 82, 21.10.1905.
14 R. LEVY, Downfall, S. 224.

beiten.[15] Wie sich zeigen sollte, hielt dieser Trend nicht lange an. Auch der Parteiwechsel vermochte den Niedergang des Deutschen Vereins nicht aufzuhalten.

Bis 1914 blieb der Deutsche Verein eine Ortsgruppe der Deutschsozialen Partei. Erst als sich diese im Frühjahr 1914 wieder mit der Deutschen Reformpartei verband und die Deutschvölkische Partei gründete,[16] wurde der Deutsche Verein Teil der Deutschvölkischen Partei.[17]

Die Parteizugehörigkeit des Frankfurter Deutschen Vereins manifestierte sich am sinnfälligsten an dem Besuch der Parteitage derjenigen Partei, welcher der Verein jeweils angehörte. Bereits auf dem ersten Parteitag der Deutschsozialen Reformpartei 1895 in Erfurt, auf dem das Parteiprogramm verabschiedet wurde, waren Delegierte aus Frankfurt anwesend.[18]

Bis zum Jahre 1900 handelte es sich fast immer um dieselben Frankfurter Abgesandten. Den Parteitag in Halle 1896 besuchten der Gymnasiallehrer Dr. Ernst Stöcker und Leutnant a.D. Adolf Wolff. Stöcker wurde zu einem der Schriftführer des Parteitages gewählt. Abgesehen von einem kurzen, inhaltlich bedeutungslosen Redebeitrag Adolf Wolffs traten die Frankfurter Abgesandten nicht hervor.[19] Die Delegierten zum Parteitag in Nordhausen 1897 waren ebenfalls Wolff und Stöcker, als dritter kam noch der Ingenieur Georg Kämmer dazu. Stöcker und Kämmer wurden neben anderen zu Schriftführern des Parteitages gewählt.[20] Wolff und Stöcker waren es auch, die der Deutsche Verein zu seinen Delegierten für den Kasseler Parteitag 1898 wählte.[21] Außer den beiden Abgesandten des Deutschen Vereins nahm aus Frankfurt noch Tapezierermeister Wilhelm Ohlenschlager daran teil.[22] Er war kein Parteimitglied, sondern besuchte in seiner Funktion als Vorstandsmitglied des Deutschen Handwerkerbundes den Parteitag.[23]

Auf dem Parteitag in Hamburg 1899 vertraten den Deutschen Verein wie zuvor Wolff und Kämmer.[24] Nach 1900 wurde nur noch einmal ein Delegierter aus Frankfurt namentlich erwähnt: Hermann Laass war der Abgesandte des Deutschen Vereins auf dem Parteitag der Reformpartei in Berlin 1903.[25]

Welche Bedeutung kam den Frankfurter Delegierten auf den Parteitagen zu? Beteiligten sie sich an den Debatten und brachten eigene Anträge ein? Materialien über

15 Deutsch-Soziale Blätter, 21. Jg., Nr. 6, 20.1.1906, S. 73f. und Nr. 7, 24.1.1906, S. 89.
16 Lexikon zur Geschichte der Parteien, S. 101; R. Levy, Downfall, S. 253.
17 Deutsch-Soziale Blätter, 29. Jg., Nr. 25, 28.3.1914, S. 293.
18 Ebd., Beil., 10. Jg., Nr. 377, 4.11.1895, S. 179; Antisemitisches Volksblatt, Nr. 699, 16.11.1895.
19 Deutsch-Soziale Blätter, 11. Jg., Nr. 427, 22.10.1896, S. 343f.
20 Ebd., 12. Jg., Nr. 478, 14.10.1897, S. 321.
21 Frankfurter Post, 3. Jg., Nr. 10 (= 9), 1.9.1898; Deutsche Volkswacht, 5. Jg., Nr. 80, 15.10.1898.
22 Deutsch-Soziale Blätter, 13. Jg., Nr. 531, 20.10.1898, S. 323.
23 Ohlenschlagers Erklärung zu seiner Teilnahme am Parteitag, in: ebd., Beil., 13. Jg., Nr. 532, 27.10.1898, S. 167.
24 Frankfurter Post, 4. Jg., Nr. 8, 1.8.1899; Deutsche Worte, 1. Jg., Nr. 20, 17.9.1899; Deutsche Volkswacht, 14. Jg., Nr. 578, 14.9.1899, S. 232.
25 Deutsche Volkswacht, 10. Jg., Nr. 83, 24.10.1903.

das Verhalten der Abgesandten liegen nur für die Veranstaltungen kurz vor der Jahrhundertwende vor.

Häufig übernahmen Delegierte aus Frankfurt das Amt des Schriftführers des Parteitages. Auch bei dem geselligen Rahmenprogramm taten sie sich besonders hervor. Adolf Wolff und Kämmer leiteten 1897 bzw. 1898 die „gemütliche Abschlußsitzung" des Parteitages.[26] An den Debatten selbst engagierten sich die Frankfurter Abgesandten nur selten, und wenn, dann war es meist Adolf Wolff, der sich in die Diskussion einschaltete.[27] Eigene Anträge gingen von Frankfurt nur in den Jahren 1897 und 1898 aus, wobei der Antrag des Jahres 1897 nicht im Namen des Deutschen Vereins gestellt und wohl auch nicht von ihm mitgetragen wurde. Er ging auf die Initiative eines Mitgliedes des Vereins zurück, nämlich des Aktuars Ludwig Heun. Dieser war ebenfalls auf dem Parteitag in Nordhausen anwesend, sprach aber nur für sich selbst und war im Unterschied zu den übrigen Frankfurter Abgesandten nicht stimmberechtigt. Er stellte zum Hauptgegenstand der Tagesordnung, der Position der antisemitischen Partei in der Arbeiterfrage, den Antrag: „Die Forderung der reichsgesetzlichen Festlegung eines Rechtes auf Arbeit ist in das Parteiprogramm aufzunehmen."[28] Damit traf er auf keine Zustimmung. Der Antrag wurde als aussichtslos beurteilt und wegen der im Falle einer Annahme zu befürchtenden weiteren Verschlechterung der Situation des Mittelstandes — auf den die wirtschaftlichen Reformpläne primär zielten — beinahe einhellig abgelehnt.[29] Nachträglich versuchte Ludwig Heun mit einem Artikel in den „Deutsch-Sozialen Blättern" seine Forderung zu rechtfertigen. Er vertrat die Ansicht, daß zwar eine gesetzliche Festlegung des Rechts auf Arbeit in absehbarer Zeit nicht durchzuführen sei, aber jede Partei auch idealistische Forderungen zu vertreten habe, wie es die Deutschsoziale Reformpartei in ihrem Programm mit dem Punkt „Aufhebung der Gleichberechtigung der in Deutschland lebenden Juden" selbst tue. Das Recht auf Arbeit sei laut Heun ein Teil des Menschenrechts und müsse als solches auch im Programm der Partei zum Ausdruck kommen.[30]

Diese Position eines einzelnen Parteimitgliedes wurde vom Deutschen Verein nicht unterstützt. Es war ein eigenständiger Beitrag. Der Verein selbst stellte auf dem 3. Parteitag der Deutschsozialen Reformpartei in Nordhausen keinen Antrag.

Erst ein Jahr später auf dem Parteitag in Kassel 1898 brachte der Deutsche Verein einen Antrag ein. Er bezog sich auf den Tagesordnungspunkt „Bericht über die Reichstagswahlen 1898" und lautete: *„Der Parteitag wolle beschließen, die Parteigenossen aufzufordern, in der Presse, wie in der Rede alles zu vermeiden, was eine Annäherung an die christlich-soziale Partei und ein Zusammengehen mit derselben bei den Wahlen*

[26] Deutsch-Soziale Blätter, 12. Jg., Nr. 479, 21.10.1897, S. 335; Deutsch-Soziale Blätter, 5. Jg., Nr. 80, 15.10.1898.

[27] Deutsch-Soziale Blätter, 13. Jg., Nr. 531, 20.10.1898, S. 334; 14. Jg., Nr. 579, 21.9.1899, S. 243 und S. 244; Deutsche Worte, 1. Jg., Nr. 14, 6.8.1899.

[28] Deutsch-Soziale Blätter, 12. Jg., Nr. 477, 7.10.1897, S. 158.

[29] Ebd., 12. Jg., Nr. 478, 14.10.1897 und Nr. 479, 21.10.1897.

[30] Ebd., 12. Jg., Nr. 485, 2.12.1897, S. 377-379.

erschweren könnte. Insbesondere soll in Kreisen, wo beide Parteien vertreten sind, vor den Wahlen eine Verständigung herbeigeführt werden, damit Vorkommnisse wie bei den letzten Reichstagswahlen in Wetzlar vermieden werden können."[31] Leutnant a.D. WOLFF als Abgesandter des Deutschen Vereins begründete dem Plenum gegenüber diesen Antrag. Im Wahlkreis Wetzlar-Altenkirchen war sowohl ein Kandidat der Reformpartei als auch der Christlichsozialen Partei aufgestellt worden, wodurch man sich gegenseitig die Stimmen wegnahm und keiner von beiden gewählt wurde. Der Deutsche Verein wollte derartiges für die Zukunft vermieden wissen und empfahl, aus wahltaktischen Gründen Absprachen mit den Christlichsozialen vorzunehmen. Ein Erfolg für den Deutschen Verein war das Ergebnis der Abstimmung: fast einstimmig wurde sein Antrag angenommen.[32]

Daß gerade der Deutsche Verein in Frankfurt sich mit den Wahlen im Kreis Wetzlar beschäftigte, war nicht zufällig. Dr. ERNST STÖCKER, Vorstandsmitglied des Deutschen Vereins, war zugleich Obmann der Deutschsozialen Reformpartei für den Reichstagswahlkreis Wetzlar-Altenkirchen.[33]

Mit diesem Antrag 1898 begann und endete die aktive Beteiligung des Deutschen Vereins an den Tagesordnungspunkten der Parteitage. Soweit bis 1914 Quellen über diese vorliegen, war dies das einzige Mal, daß von Frankfurter Seite aus versucht wurde, die Politik der Partei mitzubestimmen.

Auf den Parteitag 1899 in Hamburg muß noch hingewiesen werden, weil an der Stellungnahme des Frankfurter Delegierten die politische Ausrichtung des Deutschen Vereins schon vor der Trennung der Partei 1900 deutlich wurde. Auf dieser Versammlung wurden erstmals die unüberbrückbaren Differenzen zwischen der Gruppe um LIEBERMANN VON SONNENBERG und der um OSWALD ZIMMERMANN deutlich.[34] Der Abgesandte aus Frankfurt, ADOLF WOLFF, engagierte sich mit zwei kurzen Wortmeldungen in der heftigen und kontroversen Debatte um den Antrag des Abgeordneten RAAB, der den Parteivorstand aus den Reichstagsabgeordneten zusammengesetzt sehen wollte. Fraktion und Parteileitung sollten in Zukunft weigehend identisch sein. Was an diesem scheinbar nur organisatorisch begründeten Antrag zu grundsätzlichen Auseinandersetzungen führte, war der Umstand, daß seine Annahme ein Übergewicht der Deutschsozialen um LIEBERMANN VON SONNENBERG über die Gruppe der Reformer bedeutet hätte. Dementsprechend sprachen sich die Anhänger LIEBERMANNS für den Vorschlag RAABS aus, während die anderen sich dagegen wandten und im Falle seiner Annahme mit der Trennung von der Partei drohten. ADOLF WOLFFS Äußerung in der Debatte des Parteitages zeigte, in welche Richtung sich der Deutsche Verein bei einer eventuellen Spaltung der Partei entscheiden würde: Er war für die Ablehnung des RAABschen Antrags. Die anwesenden Delegierten mögen mit dessen Zurück-

31 Ebd., 13. Jg., Nr. 531, 20.10.1898, S. 334; Deutsche Volkswacht, 5. Jg., Nr. 78, 8.10.1898.
32 Deutsch-Soziale Blätter, 13. Jg., Nr. 531, 20.10.1898, S. 334.
33 Antisemitisches Jahrbuch 1899, S. 166.
34 Deutsch-Soziale Blätter, 14. Jg., Nr. 578, 14.9.1899, S. 232-238; Nr. 579, 21.9.1899, S. 241-245; Nr. 580, 28.9.1899, S. 248-250.

weisung OSWALD ZIMMERMANN ihr Vertrauen aussprechen.[35] Wie aus der vorangegangenen Debatte zu erwarten war, in der WOLFF neben vielen anderen zur Ablehnung des Antrags geraten hatte, erlebte dieser bei der Abstimmung eine Niederlage. Damit konnte die Trennung der Partei noch einmal hinausgezögert werden.

Bei den Parteitagen nach 1900 sollte das Engagement der Vertreter des Deutschen Vereins noch geringer werden, sofern Abgesandte aus Frankfurt überhaupt noch erwähnt wurden. Bekannt ist nur mehr, daß die beiden Delegierten aus Frankfurt auf dem Parteitag 1900 in Magdeburg für ein Verbleiben des Deutschen Vereins in der Deutschsozialen Reformpartei und damit gegen LIEBERMANN VON SONNENBERG votierten.[36]

Auch daß der Parteitag der Deutschsozialen Partei im September 1907 in Frankfurt stattfand, kann nicht als ein Indiz für eine gewachsene Bedeutung des Deutschen Vereins innerhalb der Gesamtpartei gewertet werden. Es ist die Zeit des allgemeinen Niedergangs der antisemitischen Partei. Kein Frankfurter Parteimitglied beteiligte sich an den inhaltlichen Diskussionen, und der Deutsche Verein trat nur als Organisator des Parteitages in Erscheinung.[37]

Überblickt man die Beteiligung des Deutschen Vereins an Veranstaltungen der Partei über den gesamten Zeitraum seiner Existenz, so kann festgestellt werden, daß ihm in der reichsweiten Bewegung keine besondere Bedeutung zukam. Er schickte zwar regelmäßig Abgesandte zu den Parteitagen, doch traten diese in den Debatten kaum hervor. Einfluß auf programmatische Entscheidungen der Partei nahm der Deutsche Verein nicht. Er war nur einer von vielen lokalen Organisationen der reichsweiten antisemitischen Parteien. Über die bloße Parteizugehörigkeit hinaus engagierte er sich nicht an der Politik der antisemitischen Parteien. Von Frankfurt gingen keine Impulse für die reichsweite Bewegung aus. Auch die Parteiwechsel, die der Deutsche Verein im Laufe seines Bestehens vollzog, sind nicht das Resultat einer bewußten programmatischen Entscheidung, sondern entsprachen einer allgemeinen Entwicklung innerhalb der Bewegung.

Nicht nur als Organisation blieb der Deutsche Verein im Hintergrund, auch keines seiner Mitglieder konnte eine Funktion in der Parteileitung übernehmen. Sieht man von dem Reichstagsabgeordneten OTTO HIRSCHEL in den ersten Jahren des Bestehens des Deutschen Vereins ab und später von HERMANN LAASS, der als Besitzer des „judenfreien“ Hotels „Kölner Hof“ sich einen Namen machen konnte, war niemand über Frankfurt hinaus in dem Gesamtverband der Partei besonders bekannt.

Selbst wenn man den Blick von der reichsweiten Partei auf regionale Parteivereinigungen lenkt, verändert sich dieses Bild nur wenig zugunsten des Deutschen Vereins. Die Partei war in Landesverbände unterteilt, die sich aus den Obmännern der

35 Deutsch-Soziale Blätter, 14. Jg., Nr. 579, 21.9.1899, S. 243 und S. 244; Deutsche Worte, 1. Jg., Nr. 14, 6.8.1899.

36 Deutsch-Soziale Blätter, Beil., 15. Jg., Nr. 631, 20.9.1900, S. 453 und Nr. 638, 8.11.1900, S. 538.

37 KP, Nr. 211, 7.9.1907; Nr. 212, 9.9.1907; Nr. 213, 10.9.1907; MdVAA, 17. Jg. 1907, Nr. 37, S. 281; Mittelstandszeitung, 3. Jg., Nr. 36, 7.9.1907 und Nr. 39, 28.9.1907.

Deutschsozialen Reformpartei in den Reichstagswahlkreisen der jeweiligen Provinz zusammensetzten. Aufgabe des Landesverbandes war es, die Organisation der Partei und die politische Agitation in seinem Bezirk zu regeln.[38] Frankfurt gehörte zu dem 1896 gegründeten Landesverein der Deutschsozialen Reformpartei für das Großherzogtum Hessen und angrenzende Bezirke. Dieser erstreckte sich von Gießen im Norden bis zum Odenwald im Süden. Im Osten waren Hanau und Offenbach/Dieburg einbezogen und im Westen reichte der Verband bis zum Reichstagswahlkreis Bingen-Alzey.[39] Als Obmänner verschiedener Reichstagswahlkreise waren mehrere Mitglieder des Deutschen Vereins in ihm vertreten. Von 1896 an leitete der Reichstagsabgeordnete Otto Hirschel den Landesverband, der 1896 und 1897 Vorsitzender des Deutschen Vereins war. Sein Stellvertreter im Landesverein war in den Jahren 1896 und 1897 ebenfalls ein Frankfurter, der Obmann des Reichstagswahlkreises Frankfurt und 2. Vorsitzender des Deutschen Vereins, Dr. Ernst Stöcker.[40] Ein Jahr später, 1898, wurde er zum Obmann des Wahlkreises Wetzlar-Altenkirchen gewählt. Er war zugleich 2. Kassierer des Landesverbandes. Obmann des Wahlkreises Frankfurt war 1898 der Vorsitzende des Deutschen Vereins, Adolf Wolff. Im Vorstand des Landesvereins hatte er das Amt des 2. Schriftführers inne.[41]

Bei den insgesamt dürftigen Quellen über den Landesverein deutet nichts darauf hin, daß dem Frankfurter Wahlkreis mit dem Deutschen Verein im Landesverein für das Großherzogtum Hessen eine besondere Bedeutung zukam. Zwar waren von 1896 bis 1898 jeweils zwei Mitglieder des Deutschen Vereins im Vorstand des Landesvereins, aber dies war keine Frankfurter Besonderheit, sondern traf ebenso für die Vertreter aus Darmstadt zu. Von Frankfurt aus wurde die Parteiarbeit in Hessen jedenfalls nicht geleitet. Auch daß in Frankfurt häufig die Vorstandssitzungen des Landesvereins stattfanden,[42] kann nicht als ein Indiz dafür gewertet werden. Die Treffen in Frankfurt lassen sich auf die verkehrsgünstige Lage der Stadt und auf die Beliebtheit des „Kölner Hofs" als Tagungsort zurückführen.

Daß Frankfurt nicht das Zentrum der hessischen Bewegung war, zeigt sich auch daran, daß ein einziges Mal, 1903, Überlegungen diskutiert wurden, es zu einem solchen zu machen. Anlaß dafür war, daß es Hermann Laass in Frankfurt gelungen war, bei den Reichstagswahlen für die Deutschsoziale Reformpartei, die sich bald in Deutsche Reformpartei umbenennen sollte, 4506 Stimmen auf sich zu vereinigen. Der Landesverband der Deutschsozialen Reformpartei für Südwestdeutschland erwog mit

[38] Die Parteivereine selbst durften aufgrund des Verbindungsverbots vor 1900 nicht den Landesverband bilden, sondern dieser mußte sich auf dem „Vertrauensmänner-System" gründen, s. Organisationsplan der Partei, in: D. Fricke, Organisation, S. 430.

[39] Deutsch-Soziale Blätter, Beil., 11. Jg., Nr. 402, 30.4.1896, S. 69. Für die folgenden Jahre s. die Aufstellung im Antisemitischen Jahrbuch für 1898, S. 196, und dasselbe für 1899, S. 166; vgl. auch Deutsche Volkswacht, 5. Jg., Nr. 10, 5.2.1898.

[40] Antisemitisches Jahrbuch 1898, S. 196f.

[41] Antisemitisches Jahrbuch 1899, S. 166.

[42] So z.B. Deutsch-Soziale Blätter, Beil., 13. Jg., Nr. 495, 10.2.1898, S. 20; 23. Jg., Nr. 4, 11.1.1908, S. 46.

dem Argument, dies beweise, daß es dem Deutschen Verein „Ernst mit seinen deutschen Bestrebungen" sei und „daß ihm auch die Kraft innewohne überzeugend zu wirken",[43] in Zukunft die Bewegung in Südwestdeutschland von Frankfurt aus zu organisieren. Da es aber schon bald zu internen Streitigkeiten kam — Otto Hirschel legte kurzfristig den Vorsitz nieder[44] —, die den Landesverband belasteten, wurden keine Versuche zur Durchsetzung dieses Planes unternommen.

43 Deutsche Volkswacht, 10. Jg., Nr. 77, 3.10.1903.
44 Ebd., Nr. 96, 9.12.1903 und 11. Jg., Nr. 2, 9.1.1904.

8. Das Programm des Deutschen Vereins

Grundlage der politischen Zielsetzungen des Deutschen Vereins war das Programm der Deutschsozialen Reformpartei von 1895.[1] Bis 1905 blieb es für den Verein verbindlich, um danach durch ein gering modifiziertes Programm abgelöst zu werden. Anhand des Programms von 1895 und seiner Rezeption in Frankfurt wird die politische Position des Deutschen Vereins bestimmt.

Das Programm der Deutschsozialen Reformpartei ist in zwei Abschnitte unterteilt. Bevor die Forderungen präzisiert werden, geben eine Reihe von „Leitsätzen" die prinzipiellen politischen Ansichten der Partei wieder. Die Überlegungen gingen von einer Interpretation der Situation des deutschen Volkes aus. Beklagt wurde eine „fortschreitende Zersetzung aller gesellschaftlichen und wirtschaftlichen Ordnung", wogegen „Abhilfe auf gesetzgeberischen Gebiete unter besonderer Berücksichtigung der schaffenden Stände" angestrebt werden sollte. Die Ursache dieses allgemeinen Niedergangs war für eine antisemitische Partei leicht auszumachen: „Träger der Zersetzung ist das stammfremde Judenvolk, das in unserem wirtschaftlichen, politischen und gesellschaftlichen Leben, in der Rechtspflege und in der Presse unserem Volkstum seinen zersetzenden Geist aufgedrängt und damit den Anlaß zu der antisemitischen Strömung gegeben hat."

Weil die alleinige Ursache aller politischen, gesellschaftlichen und wirtschaftlichen Mißstände auf jüdischen Einfluß zurückzuführen sei, wurde eine Stärkung alles Nichtjüdischen, d.h. Deutschen, propagiert: „Deutschen Geist und deutsche Eigenart wollen wir bewahren vor jedem schädlichen Fremdstoff, deutsche Arbeit schützen gegen Ausnützung und Ausbeutung. Darum erscheint uns der Kampf gegen den jüdischen Geist, gegen die wachsende Verjudung auf allen Gebieten des Lebens als eine wirtschaftliche, politische und sittliche Notwendigkeit."

Konkreten politischen Gehalt nahmen die Leitsätze in den daran anschließenden 19 Forderungen an, für deren Durchsetzung die Deutschsoziale Reformpartei einzutreten versprach. Sie können in drei aufeinander bezogene und sich in ihren Aussagen ergänzende Gruppen unterteilt werden.

Obwohl erst am Schluß dezidiert antijüdische Forderungen erhoben wurden, stand die 'Judenfrage' im Zentrum des Programms. Von der ausschließlich negativen Definition der Rolle der jüdischen Bürger im Deutschen Reich lassen sich beinahe alle anderen politischen Zielsetzungen der antisemitischen Partei ableiten.

Einen zweiten Bereich bilden wirtschaftliche Reformforderungen. Deren Ziel war, den Niedergang der „deutschen" Wirtschaft durch gesetzliche Maßnahmen aufzuhal-

[1] Siehe das Parteiprogramm in Anhang I.

ten. Sie sollten in erster Linie dem Schutz des alten, selbständigen Mittelstandes dienen.

Der dritte und letzte Komplex ist der Stärkung des „Deutschtums“ gewidmet. Eine sittliche und nationale Erneuerung sollte unabhängig von gesetzlichen Änderungen eine Grundlage für eine dauerhafte Abwehr jedes vermeintlich jüdischen Einflusses bilden. In diesem Abschnitt werden auch die politischen und volkspädagogischen Überlegungen der Partei behandelt.

Es soll hier nicht darum gehen, das Programm der reichsweiten Deutschsozialen Reformpartei nachzuzeichnen. Vielmehr steht deren Umsetzung auf die lokale Frankfurter Situation im Vordergrund des Interesses. Da es kein ausformuliertes Programm des Deutschen Vereins gibt, müssen seine politischen Zielsetzungen den Vorträgen, die in den Monatsversammlungen gehalten und zum Teil in der „Frankfurter Post“ gedruckt werden, entnommen werden. Ferner können als Quelle einzelne Artikel zu grundsätzlichen politischen Fragen aus den Zeitungen des Vereins herangezogen werden. Gegliedert nach den drei skizzierten thematischen Bereichen des Parteiprogramms von 1895 werden im folgenden diese programmatischen Grundsätze des Deutschen Vereins herausgearbeitet.

8.1. Die antijüdischen Zielsetzungen

Zentraler Punkt im Programm des Deutschen Vereins war die Auseinandersetzung mit der sozialen und rechtlichen Situation der jüdischen Mitbürger. Zwei Aspekte sollen bei der Analyse der antijüdischen Einstellungen des Vereins untersucht werden:

1. Was wurde den Juden vorgeworfen?

2. Welche Lösungsvorschläge wurden unterbreitet? Was soll mit den Juden geschehen?

Die erste Frage wendet sich der Interpretation der gesellschaftlichen und ökonomischen Lage zu, die zweite behandelt die von dem Deutschen Verein gewünschte 'Lösung'. Während der Schwerpunkt der Aktivitäten des Deutschen Vereins in Frankfurt selbst lag, wurde in den grundsätzlichen politischen Überlegungen betont, daß die angestrebten Veränderungen nicht für die Stadt allein, sondern nur für das gesamte Reich gefunden werden könnten.

Die Notwendigkeit einer Abwehr jeglichen vermeintlichen jüdischen Einflusses wurde von den Anhängern des Deutschen Vereins mit ihrem Selbstverständnis als gute Patrioten und Verteidiger des Deutschen Reichs begründet. Der 1897 in der „Frankfurter Post“ abgedruckte „Neujahrsgruß an die deutsche Nation soweit die deutsche Zunge klingt und Gott im Himmel Lieder singt“ illustriert diese Verquickung von Nationalismus und Antisemitismus. Die Bejahung einer starken militärischen Position nach außen und die Forderung eines festen innenpolitischen Rückhalts in einer auch ideell geeinten deutschen Nation hingen eng zusammen: *„Wenn verlangt wird,* *daß unsere Söhne sich gegen Russen und Franzosen schlagen, darf man ihnen nicht dadurch die Freude verkümmern, daß man den jüdischen Einfluß überall bis in die höchsten Kreise allmächtig werden läßt . . . Die Männer, die Gott an die Spitze gestellt, möge er in seiner Allmacht erleuchten, auf daß sie ihr Volk vom Judenthum erretten.*"[2]

Auch die programmatische Erklärung des Deutschen Vereins anläßlich der Reichstagswahl 1898 belegt diese Verbindung von nationalistischen mit gegen die Juden gerichteten Argumenten: „*Die erste Aufgabe des Deutschen Vereins ist doch wohl, als Stütze und Sammelpunkt derjenigen überzeugungstreuen Männer zu dienen, welche nicht nur bereit sind, im Kriegsfall für die Erhaltung und den Fortbestand des Reichs einzutreten, sondern auch entschlossen sind, dem wirthschaftlichen Niedergang und der Aufsaugung des Volkswohlstandes durch das Judenthum mit allen gesetzlichen Mitteln Einhalt zu gebieten.*"[3] Eine günstige Entwicklung des Deutschen Reichs erschien den Antisemiten nur dann gewährleistet, wenn es gelänge, allen jüdischen Einfluß in Wirtschaft und Politik zu unterbinden.

Auf dieser argumentativen Linie lag ein Vortrag, der 1896 von einem Frankfurter Parteimitglied gehalten wurde. Der Schneidermeister JOHANN HEINRICH HETTLER referierte im Deutschen Verein über das Thema „Warum der wahrhaft vaterländisch gesinnte Deutsche Antisemit sein muß?"[4] HETTLER begann seinen Vortrag mit einer Definition des Begriffes „Antisemit". Obgleich nach der Bedeutung des Wortes „Semit" der Ausdruck nicht nur auf Juden, sondern auf alle Semiten, also auch auf Araber und Armenier, anwendbar sei, beziehe der deutsche Antisemit ihn ausschließlich auf Juden, denn nur mit diesen habe er es zu tun. Sprachlich korrekter wäre deshalb, statt „Antisemit" „Antijude" zu sagen. Der Referent mochte letzterem jedoch nicht zustimmen und versuchte zu begründen, warum gleichwohl die Bezeichnung „Antisemit" gewählt wurde: „Ich denke mir aber das Wort Antijude war unsern Parteigenossen — doch zu jüdisch, deßhalb der vielleicht reinlicher klingende Name Antisemit."

Wer aber kann sich als ein Antisemit bezeichnen? Nicht die Zugehörigkeit zu einer entsprechenden Partei ist wesentlich, sondern der Antisemitismus sei die Gesinnungshaltung, zu der jeder Deutsche gelange, der seiner „inneren Stimme" folge: „Jeder echte Deutsche, der nicht Lust hat, sein Staatsbürgerrecht mit hergelaufenen Schnorrern zu theilen, ist also Antisemit."

Daran anschließend zählte JOHANN HEINRICH HETTLER die negativen Eigenschaften der Juden auf, die sie seiner Meinung nach besäßen und die zur Entstehung des Antisemitismus geführt hätten. An erster Stelle betonte er, daß es den Juden ausschließlich um die Vermehrung ihres Kapitals ginge. Zu diesem Zweck beuteten sie ohne Skrupel ihre christlichen Mitmenschen aus, was sich besonders am Beispiel Frankfurts zeigen lasse. Früher sei die „Ehrbarkeit des Frankfurter christlichen Handelsstandes, der

2 Frankfurter Post, Nr. 9, 1.1.1897.

3 Ebd., 3. Jg., Nr. 3, 1.3.1898.

4 Ebd., Nr. 4, 1.8.1896. Daß es HETTLER war, von dem dieser Vortrag stammte, wurde nur in den Deutsch-Sozialen Blättern, Beil., 11. Jg., Nr. 412, 9.7.1896, S. 110, erwähnt.

Gewerbefleiß seiner Handwerker" bekannt gewesen. „Wie ist's heute? Ruinieren nicht jüdische Schleuderbazare unzählige kleine und mittlere deutsche Kaufleute?" Geldgierige und gewissenlose Geschäftemacher finde man zwar auch unter den Nichtjuden, aber doch nur vereinzelt, „so typisch, so allgemein findet man den Hang zum Geldzusammenraffen, die Geldgier bei den Christen nicht." Dies habe seinen Grund in der jüdischen Religion, die unlautere Geschäftspraktiken, Betrug u.ä.m. gutheiße. Der wesentliche Vorwurf, den HETTLER den Juden machte, ist ein wirtschaftlicher. Im bestehenden Konkurrenzkampf übervorteilten sie ihre christlichen Konkurrenten und ruinierten viele.

In einem zweiten Argument setzte sich der Redner damit auseinander, ob sich die in Deutschland lebenden Juden im Laufe der Zeit so weit an die deutsche Umwelt assimilieren könnten, daß sie diese „Eigentümlichkeiten" ablegen würden. Seine Kernfrage lautete: Ist es möglich, zugleich Deutscher und Jude zu sein? Er beantwortete sie mit einer in Frankfurt offenbar verständlichen Analogie: „Deutsches Blut und Juden Blut vermischt sich so wenig gern als Rhein- und Mainwasser thut." Einem Juden sei es unmöglich Deutscher zu sein, da er einem anderen Volk angehöre. Zwei Völkern aber könne niemand angehören. HETTLER kommt auf die zu seiner Zeit erst im Entstehen begriffene Rassenanthropologie zu sprechen und wendet sich gegen RUDOLF VIRCHOW, der bei seinen Schädelmessungen keinen Unterschied zwischen Deutschen und Juden feststellen konnte: „Wenn Virchow, der berühmte Pathologe, der die Schädel mißt, keinen Unterschied zwischen einem Germanenkopf und einem Judenschädel finden kann, dann sieht's bedenklich aus mit seiner Schädellehre." Schon körperlich unterschieden sich die Juden von den Deutschen. Auch getaufte Juden könnten diese Merkmale selbstverständlich nicht ablegen. Viele ließen sich sowieso nur des wirtschaftlichen Vorteils wegen taufen, innerlich blieben sie aber weiterhin Juden.

HETTLER scheint bereits eine „völkische" Unterscheidung von Deutschen und Juden propagiert zu haben, die sich durch die Taufe nicht aufheben ließ. Damit ging er weiter als etwa die Christlichsozialen unter ADOLF STOECKER, aber nicht alle seiner Parteigenossen waren bereit, diesen Schritt mitzumachen, wie zu zeigen sein wird.

Seine Darlegungen zusammenfassend gibt er am Schluß noch einmal die Gründe an, die für den Antisemitismus sprächen: *„Darum muß jeder vaterländisch denkende Deutsche Antisemit sein, weil wir nicht beherrscht sein wollen von Leuten, denen ihre Religion — ihr Jehovah die Herrschaft über die Völker verspricht. Weil wir nicht zulassen wollen, daß dem Deutschen das tägliche Brot genommen werde von geriebenen Fremdlingen, deßhalb sind wir Antisemiten. Deutschland den Deutschen, nicht den Juden!"*

Besonders deutlich fällt die Betonung des defensiven Charakters des Antisemitismus auf. Es ging den Antisemiten nach ihrem Selbstverständnis darum, ihre angestammten Rechte gegen „fremde Eindringlinge" zu verteidigen. Dabei sind zwei Schwerpunkte der Argumentation auszumachen: Zum einen der Vorwurf, den wirtschaftlichen Ruin des „Gastvolkes" herbeizuführen, und zum anderen die Unterstellung, daß die Juden mit ihrer beabsichtigten Assimilation an das deutsche Volk etwas

Unmögliches versuchten, wobei es ihnen in Wirklichkeit nur um die Beherrschung der Deutschen ginge. Beide Ziele seien von den Juden schon in erschreckendem Ausmaß verwirklicht und eine Gegenreaktion des deutschen Volkes dringend geboten.

Daß der Schneidermeister HETTLER mit seinen Ausführungen nicht allein stand, sollen einige weitere Zitate aus Veröffentlichungen des Deutschen Vereins illustrieren. Insbesondere der Vorwurf, am wirtschaftlichen Ruin der christlichen Mitbürger Schuld zu sein, wurde dabei herausgestellt.[5] Immer wieder lassen sich Sätze finden wie: „Ein starker Beschleuniger des wirthschaftlichen Niederganges des Mittelstandes ist das Judenthum."[6] Mit Beispielen aus dem Frankfurter Wirtschaftsleben sollten diese Behauptungen belegt und aktualisiert werden.[7]

Häufiger vorgebracht wurde auch das Argument, Juden beeinflußten die deutsche Öffentlichkeit mit Hilfe der von ihnen angeblich kontrollierten Presse. Ein Artikel in den „Deutschen Worten", „Ein Wort über unsere Presse" betitelt, widmete sich ausschließlich diesem Thema.[8] In ihm wurde behauptet, daß die Frankfurter Zeitungen alle für die Juden unbequemen Nachrichten verschwiegen. Judenfeindliche Artikel würden entweder unterdrückt, weil sich die Zeitung in jüdischem Besitz befände oder aber aus wirtschaftlichen Gründen, um die Werbeanzeigen jüdischer Geschäfte nicht zu verlieren.

Diesen Vorwurf akzentuierte der Deutsche Verein stärker als das Parteiprogramm der Deutschsozialen Reformpartei, wo nur in den Leitsätzen kurz auf die Bedeutung der Juden im Pressewesen hingewiesen wurde, wodurch das Judentum „unserem Volkstum seinen zersetzenden Geist" aufdränge. Daß dies für die Frankfurter Antisemiten von größerer Relevanz war als für die reichsweite Bewegung, mag an der Bedeutung Frankfurts als süddeutsche Zeitungsmetropole gelegen haben. Vornehmlich LEOPOLD SONNEMANN mit seiner „Frankfurter Zeitung" war ein beliebtes Beispiel zur Illustration dieser These. Allgemein galt diese Zeitung in der antisemitischen Bewegung neben dem „Berliner Tageblatt" und der „Vossischen Zeitung" als besonders judenfreundlich. Die „Frankfurter Zeitung" sei „von allen deutschen Blättern wohl am meisten zur Vertretung des Judentums durch die Persönlichkeit ihres Besitzers und ihrer Redakteure berufen."[9] Aber auch die „Kleine Presse" oder der „Frankfurter Generalanzeiger" wurden häufig wegen ihrer Berichterstattung kritisiert.[10] Der Deutsche Verein warf den Juden vor, durch ihren Einfluß auf die Presse die deutschen

5 Siehe dazu Kap. 8.2.

6 Frankfurter Post, Nr. 5, 1.9.1896.

7 Etwa den Artikel „Wie es gemacht wird", in: Deutsche Worte, 1. Jg., Nr. 3, 21.5.1899.

8 Deutsche Worte, 2. Jg., Nr. 3, 21.1.1900.

9 Dr. WOHLFARTH, Bilder, S. 65. Nach P. GAY, Freud, S. 175, wurde die „Frankfurter Zeitung" „nur von den hartnäckigsten Antisemiten als 'jüdisch' gescholten, denn sie behandelte jüdische Interessen oder Themen nur am Rande." E. KAHN, Frankfurter Zeitung, S. 229, betont, daß sich der Vorwurf, die „Frankfurter Zeitung" sei ein „Judenblatt", vor allem auf die Person des Herausgebers, LEOPOLD SONNEMANN, bezog.

10 Deutsche Volkswacht, 2. Jg., Nr. 38, 18.5.1895; 3. Jg., Nr. 49, 27.6.1896; Frankfurter Post, Nr. 11, 1.3.1897. Der „Frankfurter Generalanzeiger" wurde mit dem Synonym „Generallügner" belegt, s. Deutsche Volkswacht, 4. Jg., Nr. 17, 27.2.1897; Frankfurter Post, Nr. 11, 1.3.1897.

Leser über die 'wahren' Zustände im Deutschen Reich im Unklaren zu lassen, ihre eigenen Absichten geheimzuhalten und die Öffentlichkeit dadurch in Sicherheit zu wiegen, während sie eigentlich „nur auf Euer (der Deutschen, I.S.) Verderben aus sind."[11] Der Deutsche Verein zog daraus die Konsequenz, eine eigene Zeitung zu gründen, um ein Gegengewicht gegen die seiner Meinung nach einseitige Berichterstattung zu schaffen.

Weiterhin wurde den jüdischen Bürgern vorgeworfen, sie nähmen in der Rechtspflege eine für das deutsche Volk unheilvolle Position ein. Es wurde damit argumentiert, daß jüdische Richter ihren eigenen Glaubensgenossen gegenüber milder urteilten und auf diese Weise die christlichen Kontrahenten benachteiligten.[12] Als Forderung wurde nicht nur erhoben, Juden von der Rechtspflege auszuschließen, sondern anstelle des herrschenden römischen Rechts sollten „deutsch-nationale Rechts-Anschauungen" eingeführt werden, „damit ein deutsches, lebendiges und soziales Recht die Bürgschaft werde für eine glückliche Zukunft unseres Volkes".[13]

Nach Meinung des Deutschen Vereins ließ sich ihre antijüdische Position aus diesen vielfältigen Gründen rechtfertigen. Denn es gälte, die Gefahren abzuwehren, „welche durch die Juden dem deutschen Reiche drohen, indem sie durch die Macht des Geldes und ihrer Presse, durch ihre Weltanschauung den deutschen Volksgeist unterdrücken, durch ihre undeutschen Handels- und Geschäftsprinzipien das Nationalvermögen bandwurmartig aufsaugen, einerlei ob das deutsche Volk sittlich oder geistig dabei zu Grunde geht."[14]

Der Deutsche Verein definierte seine gegen die Juden gerichtete Politik als Reaktion auf das Verhalten der Juden seit ihrer Gleichberechtigung. Sie sahen sich nicht als der angreifende Teil, sondern als Verteidiger angestammter Rechte. Den Juden wurde unterstellt, daß ihr Wirken für das deutsche Volk und das Deutsche Reich unheilvoll sei. Der reale Hintergrund für diese überzogenen Befürchtungen bildete der überproportional starke Anteil von jüdischen Glaubensangehörigen im Handel, im Anwaltsberuf und als Redakteure in liberal-demokratischen Zeitungen.[15] Verbunden mit dem Vorurteil, daß das Ziel der Juden eine Beherrschung der Deutschen sei, wofür als Beispiele immer die gleichen Sätze aus dem Alten Testament herangezogen wurden,[16] ergab sich für die Antisemiten daraus eine unmittelbare Bedrohung des erst vor wenigen Jahrzehnten gebildeten Deutschen Reichs.

11 Deutsche Worte, 2. Jg., Nr. 3, 21.1.1900.

12 Frankfurter Post, 2. Jg., Nr. 5, 1.9.1897; MdVAA, 8. Jg., Nr. 23, S. 181.

13 Siehe Parteiprogramm von 1895 in Anhang I; vgl. dazu auch P. Massing, Vorgeschichte, S. 93f.; P. Pulzer, Entstehung, S. 39ff.

14 Frankfurter Post, 3. Jg., Nr. 3, 1.3.1898.

15 P. Pulzer, Religious and Judical Appointments, S. 192; M. Richarz, Jüdisches Leben, S. 36f.; A. Barkai, Sozialgeschichtliche Aspekte, bes. S. 242, S. 257; s. dazu auch E. Reichmann, Flucht, bes. S. 27-39, die dies als „objektive Judenfrage" im Gegensatz zur „subjektiven Judenfrage" charakterisiert.

16 Vortrag Hettlers in: Frankfurter Post, Nr. 4, 1.8.1896. Zitiert wird häufig die Stelle in 1. Moses 26,3: „Sei ein Fremdling in diesem Lande und ich will mit dir sein und dich segnen; denn dir und deinem Samen will ich alle diese Länder geben."

Bevor die als Schutz vor dem Einfluß der Juden vorgeschlagenen gesetzlichen und außergesetzlichen Änderungen dargestellt werden, muß der Frage nachgegangen werden, mit welchen Kategorien die Mitglieder des Deutschen Vereins die Unterschiede zwischen Deutschen und Juden bewerteten. Wie die entsprechenden 'Lösungsvorschläge' aussahen, hing letztlich davon ab, ob die Juden als eigenes Volk, als Rasse oder religiöse Gemeinschaft definiert wurden. Wurden sie als Angehörige einer Glaubensgemeinschaft aufgefaßt, so war es für den Einzelnen möglich, sich durch Taufe oder Austritt davon zu lösen. War aber die Abstammung entscheidend, blieb Jude-Sein ein unaufhebbares Merkmal. Die unter dieser Prämisse von den Antisemiten erwogenen Abwehrmaßnahmen mußten zwangsläufig radikaler sein als diejenigen, die sich allein auf Religionszugehörigkeit gründeten.

Nur wenige grundsätzliche Äußerungen des Deutschen Vereins über diese Frage liegen vor. Aber alles deutet darauf hin, daß die Juden als ein Volk mit unverwechselbaren und unveränderlichen Eigenschaften angesehen wurden. Am prägnantesten äußerte sich dazu der bereits zitierte Schneidermeister JOHANN HEINRICH HETTLER. Mit seiner physiologisch begründeten Unterscheidung zwischen Deutschen und Juden neigte er bereits zu einer Rassenideologie. Seine Charakterisierung der Semiten, zu denen auch die christlichen Armenier gehören, enthält rassische Unterscheidungsmerkmale: Am Beispiel der Armenier, die als besonders betrügerisches Volk bekannt seien, sehe man, daß „ein Semit die Race nicht verleugnen kann, auch wenn er vor hundert Generationen getauft ist". Die Juden selbst seien sich dessen bewußt, daß „ihre Stärke in ihrer Rasse" liege, weshalb sie versuchten, sich nicht mit anderen Völkern durch Mischehen oder Übertritte zu verbinden.[17] Daß die Juden wie hier explizit als Angehörige einer Rasse bezeichnet wurden, geschah in den Veröffentlichungen des Deutschen Vereins jedoch nur äußerst selten.

Das Parteiprogramm der Deutschsozialen Partei führte den Unterschied zwischen Deutschen und Juden auf eine verschiedene Stammeszugehörigkeit zurück. Das „stammfremde Judenvolk" sei als „Träger der Zersetzung" an allen bestehenden Mißständen schuld. Im Zusammenhang mit der Forderung nach einer Judenstatistik wünschte die Partei, daß alle „in Deutschland lebenden Personen jüdischen Stammes" zu registrieren seien. Auch dieser Sprachgebrauch legt die Vermutung nahe, daß es den Antisemiten des Kaiserreichs um die Betonung nationaler Unterschiede ging und noch nicht um rassische.[18]

Die Ablehnung alles Jüdischen wurde entsprechend der patriotischen Gesinnung als eine nationale Forderung angesehen. Das Wesen des deutschen Volkes sei mit dem des jüdischen nicht zu vereinbaren. Aus diesem Grund habe „der Staat die

[17] Frankfurter Post, Nr. 4, 1.8.1896.

[18] Vgl. dazu auch M. BROSZAT, Antisemitische Bewegung, S. 88-91. BROSZAT kommt zu dem Schluß, daß eine rassentheoretische Weltanschauung nicht von den Parteiantisemiten der 90er Jahre vertreten wurde. Dagegen betont P. MASSING, Vorgeschichte, S. 103ff., die bewußte Adaption rassistischer Ideen durch die Antisemiten seit den 90er Jahren. Eine Auseinandersetzung mit diesen Ideologien fand in Frankfurt erst kurz vor dem 1. Weltkrieg statt, siehe Kap. 15. Davor scheint der Gebrauch des Begriffs „Jude" bis auf wenige Ausnahmen von den Mitgliedern des Deutschen Vereins nicht hinterfragt worden zu sein.

Pflicht . . . nicht Judenschutz zu treiben, sondern seine Bürger vor dem Judenthum zu schützen."[19] Dies hieß aber nicht, daß die jüdische Religion keine Rolle spielte. Diese stehe mit ihrer Moral, die eine Ausbeutung Andersgläubiger gutheiße, einer Integration der Juden schon von vornherein entgegen.[20] Aber durch die Taufe sei die Integration in das deutsche Volk nicht zu erreichen. Da für die Volkszugehörigkeit allein die Abstammung zählte, war die Schranke zwischen Deutschen und Juden damit prinzipiell unüberbrückbar.

Der Umstand, daß es unter den Frankfurter Antisemiten insgesamt nur wenige Auseinandersetzungen über die Definition des Begriffs „Jude" gab, weist darauf hin, daß es ihnen offenbar kein Problem war, ob sie ihre Angriffe gegen die Juden als Angehörige einer Rasse, eines Volkes oder einer Religionsgemeinschaft richteten. Es wurde nicht thematisiert, man sprach schlicht von „Juden".[21] Wer dazu zählte, konnte offenbleiben. Sicher ist nur, daß getaufte Juden für die Antisemiten nicht als Deutsche galten. Aber eine eindeutige Begriffsbestimmung fehlte den Antisemiten des Kaiserreichs.[22] Für die politische Arbeit scheint es vollständig genügt zu haben, von „Juden" zu sprechen.

Welche Maßnahmen sollten nach Meinung der Frankfurter Antisemiten ergriffen werden, um — wie es in einem Artikel der „Deutschen Worte" hieß — die deutsche Bevölkerung vor der jüdischen zu schützen?[23] Alle Veränderungen, die der Deutsche Verein forderte, sollten mit gesetzlichen Mitteln herbeigeführt werden.[24] Man lehnte spontane antijüdische Aktionen ab, statt dessen sollten die Maßnahmen gesetzlich abgesichert werden. Dies entsprach dem Programm der Deutschsozialen Reformpartei, in dem gefordert wurde, daß eine „durchgreifende Abhilfe auf gesetzgeberischem Gebiete" zu erfolgen habe. Eine grundlegende Lösung der 'Judenfrage' sei nur möglich, wenn die Emanzipation der Juden, die sich als ein „verhängnisvoller Irrtum" erwiesen habe, wieder aufgehoben werde.[25]

Auch die weniger umfassenden Vorschläge, die von Frankfurter Parteimitgliedern erwogen wurden, sind nicht ohne eine prinzipielle Infragestellung der Gleichberechtigung zu denken. Von der Ansicht getragen, daß es unmöglich sei, Deutscher und Jude zu sein, wurde etwa vorgeschlagen, deutsche Juden mit der Erhebung einer doppelten Steuer zu belasten: „Um aber auf des Pudels Kern zu kommen, wäre eine Steuer von denjenigen, welche zwei Völkern angehören wollen, in Dublo zu erheben. Deutscher sein und Jude ist ein Luxus, der eine Doppelbesteuerung vollständig rechtfertigt."[26]

[19] Deutsche Worte, 1. Jg., Nr. 23, 8.10.1899.
[20] Ebd.
[21] Frankfurter Post, Nr. 5, 1.9.1896; Nr. 9, 1.1.1897.
[22] Vgl. auch K. Wawrzinek, Entstehung, S. 83.
[23] Deutsche Worte, 1. Jg., Nr. 23, 8.10.1899.
[24] Frankfurter Post, 3. Jg., Nr. 3, 1.3.1897.
[25] Deutsche Worte, 1. Jg., Nr. 23, 8.10.1899.
[26] Frankfurter Post, Nr. 5, 1.9.1896.

Da sie den Juden vorwarfen, im Rechtswesen und in der Presse einen unheilvollen Einfluß auf das deutsche Volk auszuüben, wurde ein Verbot für Juden in diesen Berufen gefordert: „Wir sagen, weil wir Deutsche sind und sein wollen und der Jude nimmer gleichzeitig Deutscher sein kann, deßhalb hinaus mit ihm aus den Gerichten, hinaus aus der Advokatur, der Presse und allen Volksbildungsanstalten."[27] Der ebenfalls gewünschte Ausschluß von Juden aus den Erziehungsberufen sollte gewährleisten, daß die deutschen Schüler nicht von jüdischen Lehrern in eine undeutsche Richtung gelenkt würden.[28] Insgesamt sollten Juden in all den Bereichen, die den Amtsinhabern Autorität über andere verleihen, nicht länger arbeiten dürfen.

Vergleicht man diese wenigen, dezidiert formulierten Verlautbarungen der Frankfurter Antisemiten mit den entsprechenden Forderungen aus dem Programm der Deutschsozialen Reformpartei, so fällt auf, daß die Frankfurter Antisemiten in ihren Publikationen einiges davon besonders betonten, während sie auf anderes nicht eingingen.

In den letzten der 19 Forderungen des Programms der Reformpartei werden zusammenhängend die antijüdischen Zielsetzungen formuliert: „*19. Aufhebung der Gleichberechtigung der in Deutschland lebenden Juden und Stellung derselben unter ein besonderes Fremdenrecht, namentlich Ausschluß der Juden aus allen amtlichen und einflußreichen Stellungen, Aufstellung und dauernde Führung einer Statistik über die in Deutschland lebenden Personen jüdischen Stammes, Verbot der Einwanderung fremder Juden, Schächtverbot, wissenschaftliche Prüfung der jüdischen Religionsvorschriften bezüglich ihres Inhaltes und ihrer Verbindlichkeit.*" Die jüdischen Bürger sollten vollständig von einer Beteiligung am Staat ferngehalten werden, alle emanzipatorischen und assimilatorischen Bestrebungen galt es zu verhindern. Damit sollte der rechtliche Zustand wieder eingeführt werden, der vor der Emanzipation geherrscht hatte. Zusätzlich propagierte die Deutschsoziale Reformpartei noch einige Gesetze, die einen Eingriff in das innerjüdische Leben bedeuteten (z.B. Schächtverbot).

Besonders hervorgehoben wurde von den Frankfurter Antisemiten die Forderung nach einem Ausschluß der Juden aus allen „amtlichen und einflußreichen Stellungen". Dies mag ihnen deshalb nahegelegen haben, weil sie gerade Frankfurt als in hohem Maße vom Judentum beherrscht ansahen, und zwar von einem gebildeten, assimilierten Bürgertum. Neuzugewanderte Juden aus dem Osten spielten dagegen keine Rolle. Wohl aus diesem Grund waren den Frankfurter Antisemiten die Forderungen nach einem Verbot der Einwanderung und nach einer amtlichen Statistik nicht wichtig. Mit anderen Punkten des Parteiprogramms setzten sich die hiesigen Antisemiten zwar nicht theoretisch auseinander, sie wurden aber in der praktischen Tätigkeit des Deutschen Vereins berücksichtigt, so etwa die geforderte Prüfung der jüdischen Religionsvorschriften.[29]

[27] Ebd., Nr. 4, 1.8.1896.
[28] Ähnlich auch ebd., 3. Jg., Nr. 6, 1.6.1898.
[29] Siehe Kap. 9.4.

Bei allen Maßnahmen zur 'Lösung' der 'Judenfrage' wurde die Wohnberechtigung der eingebürgerten Juden im Deutschen Reich nicht angezweifelt. Wenn auch unter erheblichen restriktiven Bedingungen, hielten die Antisemiten daran fest.

Von einzelnen jedoch wurden schon weitergehende Überlegungen angestellt. Wenn das Reich auch auf eine ideologische Einheit gegründet werden sollte, mußten das „Deutschtum" unter der deutschen Bevölkerung gestärkt und der „humanitätsduselige Liberalismus" abgeschafft werden. Die schließliche Errichtung eines 'wahrhaft' deutschen Staates würde Konsequenzen für die in ihm lebende jüdische Bevölkerung mit sich bringen: „Für Juden ist allerdings in einem solchen Gemeinwesen kein Platz."[30]

8.2. *Das wirtschaftliche Reformprogramm*

Die Deutschsoziale Reformpartei glaubte eine „fortschreitende Zersetzung" der wirtschaftlichen Ordnung feststellen zu müssen, die „den Arbeiter- und Mittelstand in Stadt und Land in seinem bescheidenen Besitz" bedrohe und „täglich die Schar der Besitzlosen" vermehre. Dagegen solle der Gesetzgeber Abhilfe schaffen „unter besonderer Berücksichtigung der schaffenden Stände". Diese einleitende Formulierung des Parteiprogramms zeigt bereits den Kerngedanken des wirtschaftlichen Reformprogramms: es gelte, den drohenden Untergang bestimmter Schichten zu verhindern, wobei das Hauptaugenmerk auf den sogenannten „schaffenden Ständen" lag.

Unter den „schaffenden Ständen" wurden jene wirtschaftlichen Kräfte verstanden, die zum „produzierenden" Gewerbe gehörten, d.h. an der Herstellung von Gütern beteiligt waren. Der Terminus wandte sich vornehmlich gegen diejenigen, die ausschließlich mit Kapitalien, Anleihen oder Aktien handelten. Denn diesen gelänge es, innerhalb kürzester Zeit Reichtümer in einer Weise anzuhäufen, die für den Uneingeweihten nicht zu durchschauen waren und deshalb kritisch beargwöhnt wurden. Nur „mühsam", durch produktive Arbeit erworbener Reichtum wurde als „gerechtfertigt" oder „verdient" angesehen.

„Was hat das, in einem langen Fabrikantenleben gewonnene Kapital zu besagen, gegenüber dem Börsengewinn, den die im Besitz obersten Zehntausend mühelos bei Staatsanleihen und beim Handel mit Staatspapieren und Aktien machen?"[31] Entsprechend der antijüdischen Vorwürfe konnte der Autor dieses Artikels „Socialismus und Judenthum" in den „Deutschen Worten" dann nur zu dem Schluß kommen, daß es vor allem Juden seien, die auf diese Weise zu Reichtum kämen: „Der Welt-Finanzring ist spezifisch jüdisch." Oder anders formuliert: Die „goldene Internationale" sei es, die neben der „rothen Internationalen" den Staat bedrohe.[32] Es war

[30] Frankfurter Post, Nr. 5, 1.9.1896.
[31] Deutsche Worte, 1. Jg., Nr. 9, 2.7.1899.
[32] „Socialismus und Judenthum" in: Deutsche Worte, 1. Jg., Nr. 9, 2.7.1899. Zu dem stereotypen Gebrauch des Schlagwortes „goldene Internationale" seit den 90er Jahren des 19. Jahrhunderts vgl. W. CONZE, Mittelstand, S. 84.

keine umfassende antikapitalistische Haltung, die hier zum Ausdruck kam, sondern eine selektive. Nur gegen das jüdische Kapital richtete sich die Kritik.

Positiv im Sinne einer Stärkung der „schaffenden Stände" konnte es deshalb kurzgefaßt in den Leitsätzen des Programms der Deutschsozialen Reformpartei heißen: Man wolle „deutsche Arbeit schützen gegen Ausnützung und Ausbeutung". In sozialer Hinsicht war die Bezeichnung „schaffende Stände" mit einem wichtigen Schlagwort der antisemitischen Bewegung identisch, dem des „Mittelstandes". An ihm orientierten sich alle wirtschaftlichen Reformvorschläge der Partei.

Der Frankfurter Deutsche Verein begründete in seinen Veröffentlichungen, warum es wichtig sei, den Mittelstand zu erhalten. Im Vordergrund seiner wirtschaftspolitischen Bestrebungen stehe dessen Schutz, denn: „Gerade der Mittelstand sollte aber entlastet werden und vor allem geschützt werden: er ist das Oel, welches die Reibung des Rades mit der Achse mindert und die Entzündung verhindert. Fehlt der Mittelstand dann geräth sicherlich die Gesellschaftsordnung in Brand, welcher alles verzehrt und nur Trümmer zurückläßt."[33] Ähnlich wie der Begriff „schaffende Stände", der sich scheinbar auf eine Produktionsweise bezog, in Wirklichkeit aber gegen eine gleichberechtigte jüdische Beteiligung am Wirtschaftsleben richtete, war auch „Mittelstand" nicht nur sozial definiert. Die Bezeichnung war umfassend genug, um weite Teile der Bevölkerung einzubinden, konnte aber so spezifisch ausgelegt werden, daß bestimmte Gruppen ausgeschlossen wurden.

Was verstand der Deutsche Verein unter dem „Mittelstand", dessen Schutz er forderte? Ohne auf strenge soziologische Einordnungskriterien zu sprechen zu kommen, genügt es, aufzuzählen, was von den Antisemiten darunter verstanden wurde. Scharfe Begriffsabgrenzungen sind hier, wie bei anderen antisemitischen Schlagworten, nicht zu erwarten.[34] Der Begriff „Mittelstand" wurde synonym mit den Begriffen „schaffende" oder „produktive Stände" benutzt. Ausgeschlossen war das Proletariat, das seine Arbeitskraft verkauft, und nach oben der „unproduktive" Stand derjenigen, die mit Kapitalien handeln. Als der wichtigste „aller Produktionsstände" galten die Landwirte.[35] Entsprechend der Bedeutungslosigkeit der Landwirtschaft in der Frankfurter Wirtschaft wurden die Probleme der Bauern nur am Rande in der Propaganda des Deutschen Vereins erwähnt. Das Schwergewicht seiner Bestrebungen lag vielmehr auf dem städtischen Mittelstand, zu dem Handwerker und selbständige Kleinhändler zählten. Aber auch die Handlungsgehilfen, deren Berufsziel die Übernahme eines eigenen Geschäftes war, wurden berücksichtigt. Die meisten der vorgeschlagenen Reformforderungen sollten dem Schutz des sogenannten „alten" oder „gewerblichen" Mittelstandes dienen, dessen Kennzeichen die wirtschaftliche Selbständigkeit war.[36]

33 Frankfurter Post, Nr. 5, 1.9.1896.
34 Generell war der Begriff „Mittelstand" in diesem Zeitraum nicht eindeutig definiert, s. R. Gellately, Politics, S. 10.
35 Frankfurter Post, 3. Jg., Nr. 6, 1.6.1898.
36 Der „gewerbliche" oder „gewerbetreibende" Mittelstand war in der politischen Öffentlichkeit des letzten Viertels des 19. Jahrhunderts der „eigentliche Mittelstand", s. W. Conze, Mittelstand, S. 81f.

Die Antisemiten schlossen in ihrer Definition des Mittelstandes alle jüdischen Gewerbetreibenden von vornherein aus. So hieß es in einem Artikel „Mittelstand und Judenthum" in den „Deutschen Worten", daß der „Todfeind" des Mittelstandes das Judentum sei.[37] Für sie implizierte der Begriff „Mittelstand" mehr als eine wirtschaftliche oder soziale Kategorie. In nationaler Hinsicht stelle er die wichtigste und zuverlässigste Gruppe im Deutschen Reich dar, die mit dem Staat selbst gleichgesetzt werden könne.

Die Diagnose, der alte Mittelstand sei zum Untergang verurteilt, wurde nicht nur von den Antisemiten vertreten. Vom Zentrum über die Konservativen bis hin zu den Sozialdemokraten war man sich in dieser Ansicht einig.[38] Besonders stark aber hatten sich die Antisemiten diesem Problem verschrieben und ihr wirtschaftliches Programm darauf ausgerichtet. Den Untergang des Mittelstandes sahen die Sozialdemokraten an als eine notwendige Erscheinung hin zur Polarisierung der Gesellschaft in Kapitalisten und besitzlose Proletarier, d.h. zum Klassenstaat. Aus diesem Grund hielten sie Schutzmaßnahmen für überflüssig.[39] Dagegen verurteilten die Antisemiten die Auflösung der traditionalen Wirtschaftsordnung zugunsten des entstehenden Industriestaates, in dessen Verlauf viele Kleinbetriebe verschwanden. Sie forderten staatliche Hilfe, denn der gewerbliche Mittelstand könne sich durch Selbsthilfe allein nicht mehr schützen. Die Deutschsoziale Reformpartei verlangte vom Staat eine Änderung seiner wirtschaftspolitischen Gesetzgebung, denn durch seine bisherige, zu liberale Wirtschaftspolitik habe er entscheidend zur Auflösung des Mittelstandes beigetragen. Mit dem Wirtschaftsliberalismus habe man vor allem die Juden begünstigt, die „starke(n) Beschleuniger des wirtschaftlichen Niedergangs des Mittelstandes".[40] Ähnlich hieß es auch 1900 in einem Artikel in den „Deutschen Worten" über die liberale Wirtschaftsordnung: „Ist diese unbedingte Freiheit in der That aber etwas anderes, als die Freiheit jener (d.h. der Juden, I.S.) Vampyre und Blutsauger sich mit allen Mitteln und auf Kosten ihrer Nebenmenschen zu bereichern?"[41]

Der selbständige, nichtjüdische Mittelstand sei seit Gründung des Reichs durch die Einführung liberaler Wirtschaftsgesetze in seiner Existenz aufs schwerste gefährdet.[42] Auf gesetzlichem Wege, mittels Schutzgesetzen, müsse der weitere Niedergang

37 Deutsche Worte, 2. Jg., Nr. 27, 8.7.1900.

38 H. A. Winkler, Mittelstand, S. 23.

39 Vgl. Erfurter Programm der SPD von 1891, ebd., S. 26; s. auch ders., Rückversicherte Mittelstand, S. 173.

40 Frankfurter Post, Nr. 5, 1.9.1896.

41 Deutsche Worte, 2. Jg., Nr. 27, 8.7.1900.

42 Ob die Klagen des Deutschen Vereins über die Lage des selbständigen Mittelstandes in Frankfurt am Main gerechtfertigt waren, läßt sich im Rahmen der vorliegenden Arbeit nicht beurteilen. Untersuchungen über die Sozial- und Wirtschaftsstruktur der Stadt vor dem 1. Weltkrieg fehlen völlig. Die Situation des Mittelstandes im Deutschen Reich war im allgemeinen nicht so düster, wie von den Antisemiten behauptet, wenn auch die Gewerbetreibenden finanzielle Einbußen hinnehmen mußten. Auch war die Entwicklung in den verschiedenen Branchen unterschiedlich. Es verschwanden vor allem Handwerksbetriebe, die Produkte herstellten, die mit der Industrialisierung überflüssig oder durch maschinelle Fertigung besser bzw. billiger produziert werden konnten, s. dazu die zeitgenössische Broschüre von Gustav Schmoller, Was

dieser „staatserhaltenden“ Schichten verhindert werden. Die Anrufung des Staates um Hilfe geschah nach diesem Selbstverständnis nicht nur, um eine bestimmte Schicht zu schützen, sondern sei für Staat und Gesellschaft von prinzipieller Bedeutung. Der Mittelstand wurde als die wichtigste Gruppe im Staat angesehen. Sollte sie verschwinden, sei der Fortbestand des Staates selbst nicht mehr sicher.[43] Deshalb bedeute der Schutz des Mittelstandes mehr als eine rein wirtschaftliche Protektion.[44] Seit Jahrzehnten ließen die Gesetzgeber aber „Handwerk und Landwirthschaft“ verkümmern und proklamierten statt dessen „den Industriestaat“.[45] Eine Veränderung müsse, so die „Frankfurter Post“ in ihrem Neujahrsgruß zum Jahr 1900, auf diesem Gebiet bald durchgesetzt werden: „Die Aufgabe des kommenden Jahrhunderts wird sein, hier Wandel zu schaffen. An Stelle des wirtschaftlichen Chaos, muß die wirtschaftliche Ordnung gesetzt werden, auf daß das Reich auch im Innern seiner Größe nach außen entspreche.“[46]

Der vom Wirtschaftsliberalismus anvisierte Zustand eines freien Spiels aller am Wirtschaftsleben teilnehmenden Kräfte erschien als ein drohendes „Chaos“, weil er lenkende Eingriffe des Staates weitgehend ausschloß. Obwohl die Wirtschaftsgesetzgebung im Deutschen Reich nur in den 70er Jahren im eigentlichen Sinne liberal gewesen war und bis in die 90er Jahre zahlreiche Begrenzungen erfahren hatte (Zollgesetzgebung, Sozialgesetze u.ä.m.),[47] war auch dies den Antisemiten noch zu wenig.[48] Sie wünschten eine streng reglementierte, dem Schutz überkommener Produktionsweisen und Produktionszweige dienende staatliche Gesetzgebung: „Dem kapitalistischen Faustrecht stellt sie (die Deutschsoziale Reformpartei, I.S.) die wirtschaftliche Neuordnung, der sozialen Revolution die soziale Reform gegenüber.“[49]

Im einzelnen wurde eine Fülle von Forderungen erhoben, wie in Zukunft die Gesetze zu diesem Zweck verändert werden sollten. In dem Rahmen, in dem sie auch von den Frankfurter Antisemiten vertreten wurden, sollen sie hier skizziert werden.

Eine der Änderungen, die von den Antisemiten angestrebt wurde, war eine Steuerreform. Erläutert wurde sie etwa in einem „Beiträge zur Lösung der sozialen Frage“ betitelten Vortrag im Deutschen Verein.[50] Man befürwortete eine progressive Ein-

verstehen wir unter dem Mittelstand?; vgl. auch C. Bürger, Politische Mittelstandsbewegung, S. 5ff.; D. Blackbourn, Between Resignation, S. 39ff.

43 Deutsche Worte, 1. Jg., Nr. 14, 6.8.1899.

44 Zu dieser Selbsteinschätzung des Mittelstandes s. vor allem H. A. Winkler, Rückversicherte Mittelstand, bes. S. 167, S. 174; vgl. auch W. Conze, Mittelstand, S. 84; R. Gellately, Politics, S. 10; M. Broszat, Antisemitische Bewegung, S. 104.

45 Frankfurter Post, 5. Jg., Nr. 1, 1.1.1900.

46 Ebd.

47 L. Gall, Bismarck, S. 540ff.; K. Born, Reichsgründung, S. 133f.

48 Shulamit Volkov stellt in ihrer Untersuchung über die städtischen Handwerksmeister des Kaiserreichs fest, daß deren Ablehnung des wirtschaftlichen Liberalismus trotz seiner steten gesetzlichen Unterhöhlung nicht nur weiter bestehen blieb, sondern eher sogar konstant zunahm, obwohl der wirtschaftliche Liberalismus immer geringere reale Bedeutung hatte, s. Sh. Volkov, Rise, S. 292.

49 Parteiprogramm in Anhang I.

50 Auch als Artikel in der Frankfurter Post abgedruckt, ebd., Nr. 5, 1.9.1896, zum Vortrag s. ebd., Nr. 4, 1.8.1896.

kommensteuer, wie sie seit Anfang der 90er Jahre in geringem Umfang gültig war.[51] Jedoch sollte sie stärker als bisher auf Wohlhabende angewendet werden. Bislang trügen die „schwerste Steuerlast der Landwirth, der Haus- und Grundbesitzer, der Handwerker, der Kaufmann (der große, wie der kleine) und die Industrie." Die Besitzenden aber, wozu man das Finanzkapital zählte, würden unverhältnismäßig weniger Steuern zahlen. Ihnen sollte man eine „bis zu 25% und noch höher(e)" Einkommensteuer auflegen.[52]

Diese scharfe Besteuerung der höheren Einkommen sollte aber nicht für alle gleichmäßig gelten, sondern es wurde zwischen dem nichtjüdischen und dem jüdischen Kapital unterschieden. Der Reichstagsabgeordnete Bindewald führte dies in einer in Frankfurt gehaltenen Rede 1895 beispielhaft aus: „Allerdings sei ein Unterschied zu machen zwischen den Millionen eines Krupp und Rothschild, während die ersteren in Betrieben angelegt sind, die volkswirthschaftlich großen Nutzen stiften und Tausenden Arbeit und Brot gewähren, bilden die jüdischen Millionen einen stets wachsenden Krebsschaden am deutschen Volkskörper."[53] Das jüdische Kapital müsse aus diesem Grund erheblich höher besteuert werden als das nichtjüdische.

Besonders herausgestellt wurden in der Propaganda des Deutschen Vereins die wirtschaftlichen Maßnahmen, die die Partei zum Schutze von Handwerk und Kleinhandel ergreifen wollte. Obgleich Handwerker und Kaufleute unter dem Begriff „Mittelstand" zusammengefaßt wurden, unterschieden sie sich in ihren Forderungen erheblich.[54] Dies berücksichtigend differenzierte der Deutsche Verein in seinen wirtschaftspolitischen Zielsetzungen zwischen beiden Gruppen.

Der Kleinhandel sollte vor Großbetrieben, Kaufhäusern und Filialgeschäften geschützt werden. Die Antisemiten glaubten dies am ehesten mit einer Erhöhung der Umsatzsteuer für Großbetriebe zu erreichen. Der Artikel „Die Frankfurter Handelskammer und ihre Ablehnung des Entwurfs der Besteuerung von Warenhäusern" eines Mitgliedes der Frankfurter Ortsgruppe des Deutschnationalen Handlungsgehilfenverbandes[55] in den „Deutschen Worten" widmete sich ausschließlich diesem Problem.[56] Anlaß dieses Artikels war das Gutachten der Frankfurter Handelskammer für die Wiesbadener Landesregierung über eine preußische Gesetzesvorlage zur Besteuerung der Warenhäuser. Die Frankfurter Handelskammer hatte diesen Entwurf mit dem Argument abgelehnt, dies bedeute ein staatliches Eingreifen in den Wirtschaftsablauf, der nicht im öffentlichen Interesse liege. Durch ein derartiges Gesetz würde der freie Wettbewerb eingeschränkt und nicht mehr konkurrenzfähige Betriebe weiterhin am Leben erhalten. In dieser Begründung finden sich in nuce die liberalen Grundüberzeugungen von einer autonomen, sich selbst regelnden Konkurrenzwirt-

51 Maximal mußten 4 Prozent abgeführt werden, s. H.-U. Wehler, Deutsches Kaiserreich, S. 143.
52 Frankfurter Post, Nr. 5, 1.9.1896.
53 Deutsche Volkswacht, 2. Jg., Nr. 59, 3.8.1895.
54 Vgl. dazu die Überlegungen bei R. Gellately, Politics, S. 22-27.
55 Deutsche Worte, 1. Jg., Nr. 12, 23.7.1899.
56 Ebd., Nr. 14, 6.8.1899.

schaft, die von den Antisemiten als undeutsch, einseitig die jüdischen Geschäfte bevorzugend bekämpft wurden. Dementsprechend warf der Autor der Frankfurter Handelskammer eine „analog ihrer Zusammensetzung" projüdische, mittelstandsfeindliche Position vor. Die Handelskammer lehne ausschließlich aus diesem Grund, wider besseres Wissen — denn alle statistischen Untersuchungen würden den Niedergang der Selbständigen belegen — die Forderungen des Kleinhandels nach Schutz ab. Das von ihr statt dessen gutgeheißene wirtschaftliche Laissez-faire schädige sowohl das Nationalvermögen als auch die Konsumenten.[57]

Zum Schutz des selbständigen Mittelstandes sollte der Staat entsprechend dem vorgeschlagenen Gesetzentwurf eine erhöhte Steuerbelastung für die Großbetriebe im Handel vorsehen. Das Mitglied des Deutschnationalen Handlungsgehilfenverbandes BONKATZ würde „die Einführung einer einschneidenden, prohibitiv wirkenden progressiven Umsatzsteuer verbunden mit Branchen- und Filialsteuer für Warenhäuser, Consumvereine und derartige kaufmännische Großgeschäfte, deren Umsatz eine bestimmte Höhe übersteigt" begrüßen.[58] Zwar sah auch er darin nur eine vorläufige Verbesserung für den Kleinhandel, die allerdings den Vorzug habe, in absehbarer Zeit durchsetzbar zu sein, wenn auch nicht in Frankfurt, wie das Gutachten der hiesigen Handelskammer zeige.

Ähnliches war auch einige Monate vor Erscheinen des Artikels — im April 1899 — in einer öffentlichen Kundgebung von mehreren Vereinen, dem Deutschen Verein, dem Deutschnationalen Handlungsgehilfenverband, dem Handwerkerverein, den Vereinigten Detaillisten Bockenheims und dem Verein Christlich-Sozialer älterer Richtung eine höhere Besteuerung der Warenhäuser gefordert worden. Aus fünf Gründen würden, wie der bereits öfter erwähnte OTTO HIRSCHEL auf dieser Versammlung ausführte, die Warenhäuser den Kleinhandel schädigen: Sie würden die selbständigen Gewerbetreibenden um ihre Kundschaft bringen, durch die Beschäftigung weiblicher Angestellter die Löhne für Handlungsgehilfen drücken und die Käufer mit ihrer billigeren, aber schlechteren Ware betrügen. Letztlich würden auch durch die Schließung vieler kleinerer Läden die Häuser entwertet, wodurch die Hausbesitzer einen Teil ihres Vermögens verlören. Nur eine progressive Umsatzsteuer verbunden mit einer Branchen- und Filialsteuer sei ein wirksames Mittel, „den produktiven Mittelstand gegen die Auswüchse des Großkapitalismus zu schützen".[59]

Der Widerstand gegen die seit den 90er Jahren aufkommenden Kaufhäuser und Kettengeschäfte wurde nicht allein — wie die Liste der Frankfurter Veranstalter zeigt — von den Antisemiten getragen, sondern auch von Interessenverbänden der Einzelhändler. Diese verlangten bereits seit 1893, daß moderne Großbetriebe eine Sonder-

[57] Dieser reichsweit gestellte Antrag auf Besteuerung der Warenhäuser ging auf eine Initiative der Schutzverbände des Kleinhandels zurück. Er wurde von fast allen Handelskammern abgelehnt, s. J. WEIN, Verbandsbildung, S. 73; M. BIERMER, Warenhaus, S. 610.

[58] Deutsche Worte, 1. Jg., Nr. 14, 6.8.1899.

[59] Frankfurter Post, 4. Jg., Nr. 5, 1.5.1899; Deutsche Volkswacht, 6. Jg., Nr. 33, 29.4.1899.

steuer entrichten sollten. Anders glaubten sie sich nicht mehr gegen die Konkurrenz wehren zu können.[60]

Im Kampf gegen die Warenhäuser, deren lukrative Geschäfte man mit Hilfe einer höheren Umsatzsteuer beschneiden wollte, trafen sich wirtschaftliche Befürchtungen der Einzelhändler mit antisemitischen Vorbehalten. Im Unterschied zu anderen politischen Parteien hatten sich die Antisemiten schon frühzeitig gegen die Warenhäuser ausgesprochen, vor allem deshalb — wie es die „Deutsch-Sozialen Blätter" 1899 formulierten — „weil an diesen gefährlichsten Auswüchsen der Gewerbefreiheit vorwiegend Juden beteiligt waren." Ihre Ablehnung der Warenhäuser sei „demnach in letzter Linie auch ein Kampf gegen das Judenthum".[61] Nicht allein auf gesetzlichem Wege sei diesen beizukommen, sondern es müsse sich die Bereitschaft bei den Konsumenten durchsetzen, Warenhäuser zu boykottieren.[62] Gelänge dies nicht, würde die Macht des Judentums weiter gestärkt und der selbständige Mittelstand vollends seinem Ruin zugeführt. Insbesondere für Frankfurt beklagte die „Deutsche Volkswacht" 1901, daß noch immer zuviele Christen, selbst christliche Geschäftsleute, in den jüdischen Warenhäusern einkauften.[63]

Außer einer erhöhten Umsatzsteuer für Warenhäuser und Kettengeschäfte forderten die Frankfurter Antisemiten auch eine deutliche namentliche Kennzeichnung der Firmen. Der Firmenname sollte vollständig mit Vor- und Zunamen des Besitzers bzw. Geschäftsführers und gut lesbar an den Geschäften angebracht sein. Denn in vielen Fällen würde schon aus dem Namen hervorgehen, ob das Geschäft ein jüdisches oder ein christlich-deutsches sei. Das Publikum könne dann sein Einkaufsverhalten danach ausrichten, jedenfalls aber wüßte es, bei wem es kaufe.[64]

Ebenso wie die Forderungen zugunsten des Kleinhandels zielten auch die Reformvorschläge für das Handwerk auf dessen Protektion vor neuen wirtschaftlichen Entwicklungen. Mittels Zugangskontrollen und Einschränkungen der Wettbewerbsfreiheit sollte die wirtschaftliche Position des selbständigen Handwerks gesichert werden. Zentral waren dafür zwei Forderungen: die Einführung eines Befähigungsnachweises für Handwerker und Zwangsinnungen.[65] Beide Ideen, die am Modell der Zunftordnung orientiert waren, wurden nicht nur von den Antisemiten vertreten. Vielmehr hatten diese sie von Handwerkerparteien und ihnen nahestehenden Organisationen übernommen.[66] So war, wie oben in Kapitel 4.2. geschildert, die Frankfurter Handwerkerpartei im Wahlkampf zum Reichstag 1893 deshalb für den Kandidaten der

[60] J. Wein, Verbandsbildung, S. 70f. Als kommunale Sondergewerbesteuer wurde im Jahre 1900 in Preußen eine Warenhaussteuer eingeführt, s. M. Biermer, Warenhaus, S. 611.
[61] Deutsch-Soziale Blätter, 14. Jg., Nr. 566, 22.6.1899, S. 134f.
[62] Frankfurter Post, 3. Jg., Nr. 5, 1.5.1898. Siehe auch Kap. 9.3.
[63] Deutsche Volkswacht, 8. Jg., Nr. 77, 5.10.1901.
[64] Deutsche Worte, 1. Jg., Nr. 3, 21.5.1899, s. dazu neuerdings D. Bering, Name, bes. Kapitel 3.7., S. 329-336.
[65] Vgl. etwa Deutsche Worte, Nr. 19, 10.9.1899.
[66] Sh. Volkov, Rise, S. 292.

Antisemiten eingetreten, weil er versprochen hatte, diese Forderungen des organisierten Handwerks im Reichstag zu unterstützen.

Im Parteiprogramm der Deutschsozialen Reformpartei hieß es zum Schutz des Handwerks unter Punkt 13 ausdrücklich: „Schaffung zeitgemäßer obligatorischer Innungen für das Handwerk mit Befähigungsnachweis". Außerdem sollte die „zügellose Gewerbefreiheit" beseitigt, Genossenschaften und Handwerkskammern errichtet werden, bei öffentlichen Ausschreibungen und staatlichen Aufträgen sollten die Handwerksmeister an erster Stelle berücksichtigt werden u.ä.m. Mit der Aufnahme dieser Forderungen in ihr Programm wollte die Deutschsoziale Reformpartei für Handwerker attraktiv werden. Tatsächlich kam aus dieser Gruppe und aus der der Kleinhändler ein großer Teil ihrer Anhänger, wie sich an der sozialen Zusammensetzung der Mitglieder des Deutschen Vereins zeigen ließ.

Faßt man das wirtschaftliche Reformprogramm des Deutschen Vereins zusammen, so kann festgehalten werden, daß im Zentrum seiner Bestrebungen der Schutz des Mittelstandes stand. Alle zu diesem Zweck vorgeschlagenen wirtschaftspolitischen Zielsetzungen orientierten sich an der idealisierten Vergangenheit eines obrigkeitlich regulierten Wirtschaftslebens. Die Zukunft des gewerblichen Mittelstandes sah der Verein skeptisch. Dessen Situation wurde als extrem gefährdet beschworen, falls die geforderten staatlichen Regelungen ausblieben. Mittels gesetzlicher Änderungen sollte der Status quo erhalten werden. Letztlich hoffte man sogar darauf, die Zustände, wie sie vor Einführung der Gewerbefreiheit geherrscht hatten, wiederherstellen zu können.[67]

8.3. Die nationalen und staatspolitischen Vorstellungen

Die Forderungen nach einer Stärkung des Deutschtums durch Rückbesinnung auf das „deutsche Wesen" wurden in den letzten Jahren vor dem 1. Weltkrieg zu einem zentralen Gedanken in der Ideologie der antisemitischen und völkischen Bewegung.[68] Ansätze dafür waren aber schon seit den 90er Jahren im Programm der antisemitischen Partei vorhanden. Allerdings blieben diese Vorstellungen im Vergleich zu den späteren noch diffus und unbestimmt.

Eine sittliche Erneuerung des Deutschtums wurde von den Frankfurter Antisemiten seit den 90er Jahren wiederholt beschworen. So konnte man etwa in der „Frankfurter Post" anläßlich der Reichstagswahl 1898 lesen, die nationalen Grundsätze der Partei seien, das „Wiedererwachen des deutschen Volksgeistes" und des „Nationalstolzes" zu fördern. Jedem Deutschen solle bewußt werden, „ich bin ein Deutscher und habe als solcher die Pflicht an der Abwehr des inneren Feindes teilzunehmen".[69] Dem entsprach auch das Emblem des Deutschen Vereins, dessen Motto „Bleib' treu

67 Zum Antimodernismus der Antisemiten s. ebd., S. 296.
68 Siehe Kap. 15.
69 Frankfurter Post, 3. Jg., Nr. 3, 1.3.1898.

gesinnt“ zum Festhalten an nationalen Besonderheiten aufrief.[70] Als ein weiteres Beispiel kann der Neujahrsgruß von 1897 angeführt werden. Dieser wandte sich an die deutsche Nation, „so weit die deutsche Zunge klingt“ und forderte dazu auf, dem deutschen Wesen treu zu bleiben. Anstelle der staatlichen Einheit wurde eine sprachlich-nationale Gemeinschaft betont. Der Vorstand des Deutschen Vereins richtete seine Mahnung nicht nur an Österreicher und Schweizer, sondern an alle in der Welt verstreut lebenden Deutschen: „Haltet treu zusammen in Sprache, Sitte und deutscher Kultur. Seid nicht Wachs in fremder Hand, seid zäh wie die deutsche Eiche, verleugnet nicht die gemeinsame Mutter Germania.“[71] Diese Auffassung des Vereins zeigte sich ebenfalls an den Themen einiger Vorträge, die in seinen Monatsversammlungen gehalten wurden. Mit Referaten über „Das bedrängte Deutschthum in den Ostmarken“ wurde an die bewußtseinsmäßige Zusammengehörigkeit aller Deutschen über die staatlichen Grenzen hinweg appelliert.[72]

Was aber wurde unter dem deutschen Volk verstanden? War es eine rassische, historische oder eine in der Gesinnung begründete Einheit? Wie der Begriff „Jude“ war auch der Ausdruck „deutsch“ nicht klar definiert. Der wechselnde Gebrauch des Wortes „deutsch“ sowohl als „christlich-deutsch“ als auch „germanisch-deutsch“ zeigt, daß die Antisemiten des Kaiserreichs nicht über eine eindeutige Interpretation verfügten. So konnte es in einem Artikel der „Frankfurter Post“ neben „christlich-deutsch“ auch nur „christlich“ oder nur „deutsch“ heißen.[73] Und an anderer Stelle wurde das Deutsche Reich als „dieser christliche, germanische, deutsche Staat“ charakterisiert.[74] Auch der Schneidermeister Johann Heinrich Hettler sprach in seinem Vortrag „Warum der wahrhaft vaterländisch gesinnte Deutsche Antisemit sein muß?“, von dem deutschen Volk als dem „christliche(n) und germanisch deutsche(n) Volk“.[75] Diese Formulierungen zeigen, daß nach Meinung der Frankfurter Antisemiten der 90er Jahre sich die Einheit des deutschen Volkes sowohl aus dem kollektiven religiösen Bewußtsein wie auch aus der gemeinsamen Abstammung ergäbe. Dementsprechend propagierte der Deutsche Verein „die sittliche Erneuerung unseres Volkes auf dem Boden des Christenthums und der deutschen Eigenart“.[76]

Weder das religiöse Bekenntnis noch die Abstammung waren als Merkmale ausreichend für die Definition der Gemeinsamkeiten des deutschen Volkes. Allerdings muß dabei berücksichtigt werden, daß das Christentum aus einer säkularisierten Perspektive als eine gemeinsame kulturelle Tradition begriffen wurde. Die Leitsätze des Programms der Deutschsozialen Reformpartei verdeutlichen dieses Verständnis: Die Partei stehe auf dem Boden der christlichen Weltanschauung, was der „geschichtlichen Entwicklung unseres Volkstums“ entspräche, „in dem sich deutscher und christlicher

[70] Siehe Kap. 6.2.
[71] Frankfurter Post, Nr. 9, 1.1.1897.
[72] Ebd., 3. Jg., Nr. 1, 1.1.1898.
[73] Ebd., Nr. 7 (=6), 1.6.1898; Nr. 13 (=12), 1.12.1898.
[74] Ebd., 1. Jg., Nr. 9, 1.1.1897.
[75] Ebd., Nr. 4, 1.8.1896.
[76] Ebd., Nr. 1., 1.5.1896; 3. Jg., Nr. 3, 1.3.1898.

Geist innig und unauflöslich verbunden hat". Schon mit der Definition des deutschen Volkes als eines christlichen Volkes war es möglich, die jüdischen Glaubensangehörigen von vornherein auszuschließen. Aber als alleiniges Kriterium genügte es nicht. Das Merkmal „germanisch", versinnbildlicht in der gemeinsamen Stammutter aller Deutschen „Germania", trat als eine weitere Charakterisierung des deutschen Volkes hinzu. Diese Eingrenzung hatte den Vorzug, daß diejenigen ausgeschlossen werden konnten, die aus einer jüdischen Familie stammten und konvertiert waren, aber auch diejenigen, die zwar christlich, aber nicht germanisch-deutsch waren, wie etwa die polnischen Staatsbürger des Deutschen Reiches.

Ähnlich diffus blieb auch die Beschreibung dessen, was man positiv unter „Deutschtum" verstand. Die „teutonische" Lebensart sollte sich durch Zuverlässigkeit, Treue, Ehre, Idealismus und Festhalten an der Tradition auszeichnen.[77] Sie war ein positiver Gegenbegriff zu dem, was den Juden unterstellt wurde, die als anpassungsfähig, materialistisch und egoistisch galten. Das Wort „Deutschtum" war ein abgeleiteter Begriff, der nicht definiert oder auf seinen Gehalt hin überprüft wurde, sondern ebenso ungeklärt blieb wie „Judentum".

Diese terminologischen Unklarheiten hatten möglicherweise auch politische Gründe. Gerade bei den unterschiedlichen, politisch meist ungebildeten Schichten, die die Antisemiten anzusprechen beabsichtigten, konnten auslegungsfähige, unklare politische Schlagworte praktikabler sein als festumrissene.[78]

Grundsätzliche, staatspolitische Überzeugungen des Deutschen Vereins wurden explizit nicht entwickelt, nur am Rande wurden sie in einzelnen Reden und Artikeln thematisiert.[79] Die Deutschsoziale Reformpartei befürwortete die politische Einheit Deutschlands unter „einem machtvollen Kaisertum". Jedoch sollte der föderative Charakter des Staates zur Wahrung der „Eigenart der einzelnen Stämme" erhalten bleiben. Man hielt an der bestehenden konstitutionellen Monarchie fest, in der Volksvertreter Entscheidungsbefugnisse besaßen. Änderungsvorschläge für die bestehende Verfassung machte die Reformpartei in bezug auf das Wahlrecht. Anders als die Konservativen, aber in Übereinstimmung mit den Sozialdemokraten, wollte sie ein allgemeines, gleiches und direktes Reichstagswahlrecht mit geheimer Abstimmung einführen. Außerdem sollte das Wahlrecht zu einer Wahlpflicht erweitert werden.[80] Man hoffte damit, Stimmen aus Wählerkreisen zu gewinnen, die aus Desinteresse oder Unkenntnis nicht zur Wahlurne gingen.

Im Zusammenhang mit dem von ihnen gewünschten Erstarken nationaler Gesinnung hatten die Antisemiten besonderes Interesse an der staatlichen Jugenderziehung, denn die Erneuerung des Deutschtums wurde als eine vornehmlich pädagogische Aufgabe angesehen. Bereits in der Schule sollte „deutsche Gesinnung" vermittelt werden.

[77] Frankfurter Post, Nr. 4, 1.8.1896; 4. Jg., Nr. 4, 1.4.1899.
[78] M. Broszat, Antisemitische Bewegung, S. 55f., S. 99.
[79] Siehe etwa Frankfurter Post, Nr. 4, 1.8.1896; Nr. 9, 1.1.1897.
[80] Vgl. auch das Programm Hettlers zu seiner Kandidatur für die Stadtverordnetenwahlen 1900, siehe Kap. 13.2.1.

Im vierten Punkt des Parteiprogramms wurden diese Forderungen ausführlich dargelegt: „Wahrung des christlichen, nationalen und praktischen Gesichtspunktes in der Jugend-Erziehung, gemeinsamen Unterbau für das gesamte Schulwesen, fachmännische Schulaufsicht, Unentgeltlichkeit des Unterrichts und der Lehrmittel für die Volksschulen, Ausscheidung des jüdischen Elements aus christlich-deutschen Schulen." Es ging ihnen darum, die Verbreitung liberaler Gedanken in den Schulen zu unterbinden und jüdische Lehrer (und letztlich auch jüdische Schüler), die ihrer Meinung nach als Vermittler deutscher Kultur, wie sie sie verstanden, nicht in Frage kamen, auszugrenzen.[81] Gelänge es, Heranwachsende von antisemitischen und nationalistischen Ideen zu überzeugen, so glaubten die Antisemiten, getreu dem Spruch „Wer die Jugend hat, hat die Zukunft",[82] darauf hoffen zu können, für ihren antijüdischen, deutschnationalen Staat in absehbarer Zeit eine Mehrheit zu finden.

[81] Frankfurter Post, 3. Jg., Nr. 6, 1.6.1898.

[82] Vgl. den Artikel über die deutsche Jugendbewegung in: Deutsche Worte, 1. Jg., Nr. 12, 23.7.1899; ähnlich auch Frankfurter Post, Nr. 4, 1.8.1896.

9. Veranstaltungen und Aktivitäten des Deutschen Vereins 1894 — 1914

Verglichen mit den programmatischen Zielsetzungen beschränkten sich die tatsächlichen Aktivitäten des Deutschen Vereins auf wenige Unternehmungen.[1] Seit 1894 organisierte er regelmäßig öffentliche Versammlungen mit einem auswärtigen Redner, um in seinem Sinne 'aufklärend' zu wirken (Kap. 9.1.). Für die Reichstagswahlen stellten die Frankfurter Antisemiten seit 1893 eigene Kandidaten auf, für die sie in öffentlichen Kundgebungen und mittels Flugblättern warben (Kap. 9.2.). Direkt an die Frankfurter Öffentlichkeit wandte sich der Deutsche Verein mit seinen Aufrufen, jüdische Geschäfte zu boykottieren (Kap. 9.3.). Diese Propaganda wiederholte sich mit den sogenannten Weihnachtsflugblättern beinahe jährlich. Mit Frankfurt unmittelbar nichts zu tun hatte eine weitere Aktivität des Vereins aus dem Jahre 1895 (Kap. 9.4.). In diesem Jahr richtete er an den in Berlin tagenden preußischen Landtag eine Petition um Übersetzung jüdischer Religionsbücher in die deutsche Sprache.[2]

9.1. Die öffentlichen Versammlungen des Deutschen Vereins

Seit Beginn seiner politischen Arbeit im Herbst 1894 veranstaltete der Deutsche Verein öffentliche Versammlungen. Diese Veranstaltungen, in denen über die politischen Absichten der antisemitischen Bewegung informiert und neue Mitglieder geworben werden sollten, hielt der Deutsche Verein mit Unterbrechungen bis 1914 ab. Beinahe regelmäßig kamen etwa zwei- bis dreimal im Jahr, teils auch häufiger, bekannte Reichstagsabgeordnete oder Vorstandsmitglieder der antisemitischen Parteien als Referenten nach Frankfurt. Die folgende Zusammenstellung gibt einen Überblick über Termin, Redner und Thema der öffentlichen Vorträge im Zeitraum von 1894 bis 1914:

[1] Kundgebungen und andere Formen der Öffentlichkeitsarbeit einer politischen Partei, die über die kurze Zeit der Wahlkämpfe hinausgingen, gab es erst seit den 90er Jahren. Diese Methode der Massenwerbung betrieben vor allem die Sozialdemokraten, die Antisemiten und der seit 1893 bestehende Bund der Landwirte, s. TH. NIPPERDEY, Organisation, S. 91.

[2] Zwei andere, über den Rahmen des internen Vereinslebens hinausgehende wichtige Unternehmungen des Deutschen Vereins werden an anderer Stelle ausführlich behandelt. In einem längeren Kapitel wird die Beteiligung des Deutschen Vereins an den Stadtverordnetenwahlen behandelt (Kap. 13.). Auch der Widerstand gegen die Errichtung des HEINE-Denkmals 1912/13 wird in einem separaten Abschnitt dargestellt (Kap. 14).

1894, 14. 9.	MdR Fritz Bindewald, MdR Otto Hirschel und Thomas Reuther aus Heidelberg	Die antisemitische Bewegung und die gegnerischen Parteien; Die Situation der Bewegung in Baden[3]
8.11.	MdR und Vors. der Deutschsozialen Reformpartei Max Liebermann von Sonnenberg	Was wollen die Antisemiten?[4]
1895, 8. 2.	MdR Prof. Dr. Paul Förster	Die deutsche Frau und das Judentum[5]
1. 4.	MdR Otto Hirschel und MdR Fritz Bindewald	Über die Umsturzvorlage und über den Kampf gegen das Judentum[6]
29. 7.	MdR Fritz Bindewald	Die Ausbeutung des Mittelstandes durch Großkapital und Judentum[7]
1896, 24. 1.	MdR und Vors. der Deutschsozialen Reformpartei Oswald Zimmermann	Der deutsche Handels- und Gewerbestand und das Judentum[8]
24. 8.	MdR und Vors. der Deutschsozialen Reformpartei Max Liebermann von Sonnenberg[9]	
1897, 2.-4.4.	MdR Ludwig Werner	Die Stellung des Reichstags zur Gehaltsaufbesserung der Beamten und zur Judenfrage[10]
16. 6.	MdR Fritz Bindewald	Die Juden, die Könige der Zeit[11]
1898, 11. 2.	ders.	Unser Kampf gegen die Goldene Internationale[12]
(16./17.2.	MdR Hermann Ahlwardt	Über die Judenfrage)[13]
10. 3.	MdR und Vors. der Deutschsozialen Reformpartei Max Liebermann von Sonnenberg	Das Programm der Deutschsozialen Reformpartei[14]

3 Deutsche Volkswacht, Nr. 1, 3.10.1894; KP, Nr. 217, 16.9.1894, 2. Bl.

4 KP, Nr. 264, 10.11.1894; Deutsch-Soziale Blätter, Beil., 9. Jg., Nr. 97, 15.11.1894, S. 191; Deutsche Volkswacht, Nr. 12, 10.11.1894 und Nr. 13, 14.11.1894.

5 Deutsche Volkswacht, 2. Jg., Nr. 12, 13.2.1895.

6 Nur Ankündigung in: ebd., Nr. 25, 30.3.1895.

7 Ebd., Nr. 59, 3.8.1895; Antisemitisches Volksblatt, Nr. 685, 10.8.1895.

8 Deutsche Volkswacht, 3. Jg., Nr. 10, 5.2.1896.

9 Nur angekündigt in: Deutsch-Soziale Blätter, Beil., 11. Jg., Nr. 418, 20.8.1896, S. 134.

10 Deutsch-Soziale Blätter, Beil., 12. Jg., Nr. 452, 15.4.1897, S. 58; Frankfurter Post, 2. Jg., Nr. 1, 1.5.1897.

11 Deutsch-Soziale Blätter, Beil., 12. Jg., Nr. 463, 1.7.1897, S. 102; Frankfurter Post, 2. Jg., Nr. 3, 1.7.1897.

12 Frankfurter Post, 3. Jg., Nr. 3, 1.3.1898.

13 Diese Kundgebung hatte wohl nicht der Deutsche Verein organisiert, sondern sie war eine Veranstaltung im Rahmen einer süddeutschen Agitationsreise Ahlwardts, die er selbst einberufen hatte. Selbstverständlich wurde sie aber von Mitgliedern des Deutschen Vereins besucht, s. Frankfurter Post, 3. Jg., Nr. 3, 1.3.1898; KP, Nr. 42, 19.2.1898; MdVAA, 8. Jg. 1898, Nr. 9, S. 68.

14 Frankfurter Post, 3. Jg., Nr. 4, 1.4.1898.

11. 6.	ders.	(Wahlkampfrede als Kandidat der Deutschsozialen Reformpartei für die Reichstagswahl im Wahlkreis Frankfurt)[15]
1899, 29. 4.	Vors. der Deutschsozialen Reformpartei Oswald Zimmermann	Deutschland unter der jüdischen Fremdherrschaft[16]
1900, 1. 3.	Graf Pückler und MdR Fritz Bindewald	Über die Burenfrage[17]
1901, 8. 1.	MdR Fritz Bindewald	Über die Burenfrage und die Judengefahr in Stadt und Land[18]
9. 1.	ders.	Über den Prozeß in Konitz (Ritualmordprozeß)[19]
15. 3.	Geschäftsführer der Deutschsozialen Reformpartei Dr. Giese	Die bürgerliche Freiheit nach deutscher und jüdischer Auffassung[20]
1902, 22. 1.	Vors. der Deutschsozialen Reformpartei Oswald Zimmermann	Deutsche Arbeit und internationale Ausbeutung[21]
1903, 12. 2.	ders.	Die politische Stellung und die wirtschaftliche Bedeutung des Mittelstandes[22]
10. 9.	MdR Wilhelm Bruhn	Der Warenhausbrand in Budapest und die Schädlichkeit der Warenhäuser und die Feuergefährlichkeit derselben[23]
1904, 16. 8.	MdR Ludwig Graf von Reventlow	Allerlei aus Reich und Reichstag[24]
14.10.	MdR Friedrich Raab	Die Forderung des Mittelstandes bei den Stadtverordnetenwahlen[25]

15 Frankfurter Zeitung, Nr. 160, 12.6.1898, 3. Morgenbl.; KP, Nr. 136, 14.6.1898; Deutsch-Soziale Blätter, Beil., 13. Jg., Nr. 516, 7.7.1898, S. 104.

16 Deutsche Volkswacht, 6. Jg., Nr. 35, 6.5.1899; Deutsch-Soziale Blätter, Beil., 14. Jg., Nr. 559, 4.5.1899, S. 41; Deutsche Worte, 1. Jg., Nr. 1, 7.5.1899.

17 Deutsche Worte, 2. Jg., Nr. 10, 11.3.1900.

18 Deutsche Volkswacht, 8. Jg., Nr. 3, 12.1.1901.

19 Ebd.

20 Ebd., Nr. 22, 20.3.1901.

21 Ebd., 9. Jg., Nr. 10, 1.2.1902.

22 Frankfurter Zeitung, Nr. 44, 13.2.1903, 3. Morgenbl.; KP, Nr. 37, 13.2.1903.

23 Ankündigung in: Deutsche Volkswacht, 10. Jg., Nr. 69, 5.9.1903.

24 Ebd., 11. Jg., Nr. 65, 24.8.1904 und Nr. 71, 14.9.1904; Deutsch-Soziale Blätter, 19. Jg., Nr. 68, 24.8.1904, S. 948f.

25 KP, Nr. 244, 16.10.1904, 4. Bl.

1906, 21. 1.	Generalsekretär der Deutschsozialen Partei JOHANN HENNINGSEN[26]	
20. 3.	ders.	Die Heinrich Heine-Verehrung, ein Zeichen sittlichen und nationalen Niederganges[27]
31.10.	MdR FRIEDRICH RAAB	1) Über die Finanzreform, 2) Liberalismus, Sozialdemokratie und Mittelstand[28]
7.11.	MdR und Vors. der Deutschsozialen Partei MAX LIEBERMANN VON SONNENBERG	Die wirtschaftliche und nationale Wiedergeburt unseres Volkes[29]
1907, 22. 4.	Generalsekretär der Deutschsozialen Partei JOHANN HENNINGSEN	Was erwartet der Beamten- und gewerbliche Mittelstand vom neuen Reichstag?[30]
29.10.	ders.	Die Kohlenteuerung — Ursachen, Wirkung und Beseitigung[31]
1908, Ende Sept./Anf. Okt. (insgesamt fünf Versammlungen)	Generalsekretär der Deutschsozialen Partei JOHANN HENNINGSEN	Der Liberalismus als Totengräber des Mittelstandes und Die Bedeutung der Reichs-, Staats-, Gemeinde- und Privatbeamten für die Gesamtheit unseres Volkes[32]
1910, 27.10.	ders.	Der Hansabund als Freund des Großkapitals, Gegner des Mittelstandes und Helfer der Sozialdemokratie[33]
1911, vor 26. 4.	MdR Dr. FERDINAND WERNER	Die Notwendigkeit nationaler Volkserziehung[34]
1912, 12. 4.	Generalsekretär der Deutschsozialen Partei JOHANN HENNINGSEN	Wie das Judentum für den Antisemitismus sorgt[35]

26 Deutsch-Soziale Blätter, 21. Jg., Nr. 7, 24.1.1906, S. 89f.
27 Mittelstandszeitung, 2. Jg., Nr. 12, 22.3.1906; MdVAA, 16. Jg., Nr. 13, S. 103.
28 Mittelstandszeitung, 2. Jg., Nr. 44, 3.11.1906; KP, Nr. 257, 2.11.1906; Frankfurter Zeitung, Nr. 302, 1.11.1906, Abendbl.
29 Mittelstandszeitung, 2. Jg., Nr. 45, 10.11.1906; KP, Nr. 263, 9.11.1906; Deutsch-Soziale Blätter, 21. Jg., Nr. 91, 14.11.1906, S. 1262.
30 Deutsch-Soziale Blätter, 22. Jg., Nr. 34, 27.4.1907, S. 465.
31 Mittelstandszeitung, 3. Jg., Nr. 44, 2.11.1907; Deutsch-Soziale Blätter, 22. Jg., Nr. 90, 9.11.1907, S. 1245.
32 Deutsch-Soziale Blätter, Beil., 23. Jg., Nr. 80, 3.10.1908, S. 1113.
33 Ebd., 25. Jg., Nr. 89, 5.11.1910, S. 1069f.; KP, Nr. 253, 28.10.1910.
34 KP, Nr. 97, 26.4.1911.
35 Fand zusammen mit der Monatsversammlung des Deutschen Vereins statt, insbesondere waren „die Freunde der konservativen und christlichsozialen Partei" eingeladen, s. Deutsch-Soziale Blätter, 27. Jg., Nr. 26, 30.3.1912, S. 301 und Nr. 32, 20.4.1912, S. 374.

14. 6.	MdR Dr. FERDINAND WERNER	Das Heine-Denkmal in Frankfurt am Main, ein Zeichen jüdischer Herrschaft[36]
13. 9.	ders.	Das Heine-Denkmal — eine Herausforderung des monarchischen und christlichen Deutschlands[37]
18.10.	ders.	Von der Judenbefreiung bis zur Judenweltherrschaft[38]
1913, 24. 2.	Vors. der Deutschsozialen Partei Amtsgerichtsrat LATTMANN	Gefahren ringsum! Deutschland sei wach![39]
12. 6.	Generalsekretär der Deutschsozialen Partei JOHANN HENNINGSEN	Warenhäuser, Filialgeschäfte und Konsumvereine, die Schädlinge aller Erwerbsstände[40]
24.11.	Generalsekretär der Deutschsozialen Partei JOHANN HENNINGSEN	Über die Judenfrage[41]
12.12.	MdR Dr. FERDINAND WERNER	Die Schmach des Heine-Denkmals[42]
1914, 16. 1.	Generalsekretär der Deutschsozialen Partei JOHANN HENNINGSEN	Die Judenfrage und der Fall Zabern[43]
17. 4.	ders.	Die Warenhäuser, eine wirtschaftliche, soziale und kulturelle Gefahr[44]

Seine öffentlichen Veranstaltungen kündigte der Deutsche Verein durch Zeitungsannoncen[45] oder auch durch Plakatanschläge an.[46] Da ihm nahezu alle lokalen Zeitungen der Stadt für seine Anzeigen verschlossen waren, veröffentlichte er sie in seinen eigenen regionalen oder den überregionalen antisemitischen Periodika, ab 1906 auch

[36] Jüdische Presse, 43. Jg., Nr. 25, 21.6.1912, S. 242f.; Frankfurter Zeitung, Nr. 164, 15.9.1912, 3. Morgenbl.; Deutsch-Soziale Blätter, 27. Jg., Nr. 50, 22.6.1912, S. 588f.; Der Israelit, 53. Jg. 1912, Nr. 25, S. 2.
[37] Deutsch-Soziale Blätter, 27. Jg., Nr. 77, 25.9.1912, S. 918f.
[38] Ebd., Nr. 86, 26.10.1912, S. 1020f.
[39] Ebd., 28. Jg., Nr. 20, 8.3.1913, S. 230.
[40] Ebd., Nr. 52, 28.6.1913, S. 614.
[41] Ebd., 29. Jg., Nr. 11, 7.2.1914, S. 126.
[42] Ebd.; Frankfurter Nachrichten, Nr. 345, 13.12.1913; Frankfurter Zeitung, Nr. 345, 13.12.1913, 3. Morgenbl.; KP, Nr. 292, 13.12.1913; Frankfurter Generalanzeiger, Nr. 292, 13.12.1913 und Sonne, Nr. 245, 13.12.1913, in: StA Ffm., Akten des Magistrats S 2673.
[43] Deutsch-Soziale Blätter, 29. Jg., Nr. 11, 7.2.1914, S. 126.
[44] Ebd., Nr. 32 (=34), 29.4.1914, S. 406f.
[45] So z.B. Deutsche Volkswacht, 2. Jg., Nr. 25, 30.3.1895; Deutsch-Soziale Blätter, Beil., 11. Jg., Nr. 418, 20.8.1896, S. 134; Deutsch-Soziale Blätter, 27. Jg., Nr. 26, 30.3.1912, S. 301 und 28. Jg., Nr. 47, 11.6.1913, S. 558.
[46] Etwa Deutsche Worte, 2. Jg., Nr. 10, 11.3.1900; KP, Nr. 225, 24.9.1908; Deutsch-Soziale Blätter, 28. Jg., Nr. 20, 8.3.1913, S. 230.

in der Zeitung der politisch nahestehenden Frankfurter Mittelstandsvereinigung, der „Mittelstandszeitung".[47]

Um die Versammlung abzuhalten, mietete der Deutsche Verein meist einen großen Restaurantsaal an. So fanden die Veranstaltungen Mitte der 90er Jahre regelmäßig im Restaurant „Scheffeleck" statt, später vornehmlich im Saal des Restaurants „Flora" in der Rotlintstraße, aber auch im Kompostellhof. Die Räumlichkeiten scheinen dem antisemitischen Verein gegen ein entsprechendes Entgelt ohne weiteres gewährt worden zu sein. In zwei Fällen allerdings hatte er Schwierigkeiten, den von ihm gewünschten Saal zu bekommen. Der Deutsche Verein wollte den großen Saal des Restaurants der Börse für seine Veranstaltung am 7. November 1906 mit dem Reichstagsabgeordneten Max Liebermann von Sonnenberg anmieten. Die Kundgebung war bereits für diesen Saal angekündigt,[48] als sich der Vorstand der Börse entschloß, die dem Deutschen Verein durch den Restaurantpächter erteilte Genehmigung zurückzuziehen. Laut der einseitigen, dem Deutschen Verein wohlwollenden Berichterstattung der „Mittelstandszeitung" und der „Deutsch-Sozialen Blätter" begründete der Börsenvorstand seinen Entschluß damit, daß er prinzipiell einem antisemitischen Verein diese Räume nicht zur Verfügung stelle.[49] Daraufhin druckte der Deutsche Verein ein Flugblatt mit dem Titel „Sieg der Börsenjuden!", von dem angeblich 6000 Exemplare verteilt wurden.[50] Die geplante Veranstaltung mit Max Liebermann von Sonnenberg fand dann im Bürgersaal in Bornheim statt.

Ähnliches wiederholte sich sieben Jahre später, 1913, als der Deutsche Verein erneut versuchte, den offenbar wegen seiner zentralen Lage begehrten Börsensaal für seine Veranstaltung zu erhalten. Ebenso wie 1906 war die Veranstaltung mit dem Generalsekretär der Deutschsozialen Partei Johann Henningsen am 12. Juni 1913 bereits für diesen Saal angekündigt, als der Deutsche Verein die Absage erhielt und umdisponieren mußte. Diesmal habe laut den „Deutsch-Sozialen Blättern" der Wirt auf Betreiben der Handelskammer seine Zusage kurzfristig zurückziehen müssen.[51]

Diese beiden Ereignisse zeigen, daß es dem Deutschen Verein nicht gelang, solche Räume für seine Kundgebung zu erhalten, deren Vergabe von einem größeren Gremium kontrolliert wurde und nicht ohne Wirkung auf die Öffentlichkeit bleiben konnte. Nur in Restaurants, in denen der Besitzer allein über die Nutzung zu entscheiden hatte, konnte er einen Versammlungssaal anmieten. Städtische Gebäude waren dem Deutschen Verein als einem politischen Verein von vornherein verschlossen, da die Stadtverwaltung generell allen politischen Vereinen ihre Räume verweigerte.[52]

Bei den Rednern der öffentlichen Veranstaltungen handelte es sich in der überwiegenden Mehrzahl um Reichstagsabgeordnete der antisemitischen Parteien. Aber auch

47 Etwa Mittelstandszeitung, 2. Jg., Nr. 11, 15.3.1906 und Nr. 44, 3.11.1906.
48 Mittelstandszeitung, 2. Jg., Nr. 44, 3.11.1906.
49 Ebd., Nr. 45, 10.11.1906; Deutsch-Soziale Blätter, 21. Jg., Nr. 91, 14.11.1906, S. 1262.
50 Deutsch-Soziale Blätter, 21. Jg., Nr. 91, 14.11.1906, S. 1262.
51 Ebd., 28. Jg., Nr. 52, 28.6.1913, S. 614.
52 Vgl. die Debatte in der Stadtverordnetenversammlung 1907, in: Mitteilungen 1907, S. 748-755.

die Vorsitzenden oder Geschäftsführer derjenigen Partei, der der Deutsche Verein zu diesem Zeitpunkt angehörte, kamen zu Vorträgen nach Frankfurt. In der Regel reisten die Redner nicht ausschließlich zu dem Zweck nach Frankfurt, um hier eine Versammlung abzuhalten.[53] Sie besuchten Frankfurt als eine Station auf einer Agitationsreise, die sie durch andere Städte und Dörfer des näheren und weiteren Umlandes führte.

Ebenso waren auch die Vorträge der geladenen Redner nicht speziell für die Frankfurter Verhältnisse entworfen, sondern Standardreden, die sie vermutlich im Laufe ihrer Agitationsreisen noch in anderen Orten hielten. Nur beiläufig gingen sie auf besondere Frankfurter Ereignisse ein.[54] Manchmal ergänzten deshalb anwesende Parteimitglieder nach dem Vortrag die Ausführungen des Referenten, indem sie neuere, von ihrem Standpunkt aus zu kritisierende Vorkommnisse der Frankfurter Stadtverwaltung darstellten.[55]

Thematisch lassen sich beinahe alle Veranstaltungen, die über 20 Jahre vom Deutschen Verein organisiert wurden, zwei Bereichen zuordnen. Es waren dies die 'Judenfrage' und die wirtschaftlichen Reformforderungen, was auch den programmatischen Zielsetzungen der antisemitischen Parteien entsprach. Vor allem in den ersten Jahren behandelten die Vorträge nahezu ausschließlich die antisemitische Politik der Partei. Auch bei ökonomische Fragen berührenden Veranstaltungen wurde nicht vergessen, schon im Titel auf die Wichtigkeit der antijüdischen Position hinzuweisen. So hielt etwa 1897 Ludwig Werner einen Vortrag über „Die Stellung des Reichstags zur Gehaltsaufbesserung der Beamten und zur Judenfrage". Nach der Jahrhundertwende begann sich dies zu ändern. Von 1902 bis 1910 dominierten die wirtschaftlichen Reformgedanken der Partei bei den Versammlungen des Deutschen Vereins. Der Antisemitismus spielte in diesem Zeitraum nur eine untergeordnete Rolle. Nach 1910 machten die Themen der öffentlichen Vorträge noch einmal eine Wandlung durch. Nun stand wie in den 90er Jahren die 'Judenfrage' wieder im Zentrum.

Der Ablauf der öffentlichen Veranstaltungen des Deutschen Vereins war immer ähnlich. Meist war es der jeweilige Vorsitzende des Vereins, der die Versammlung mit einem Hoch auf Kaiser und Reich eröffnete. Danach folgte die in der Regel sehr lange, eineinhalb bis zwei Stunden dauernde Rede des Gastes, worauf nach einer kurzen Pause die Diskussion begann. Deren Dauer war unterschiedlich, sie hing sowohl von der Anzahl der Teilnehmer ab wie auch davon, ob Gegenredner vorhanden waren.

[53] Ausnahmen waren die Protestveranstaltungen gegen das Heine-Denkmal mit dem in Oberhessen lebenden Reichstagsabgeordneten Dr. Ferdinand Werner, siehe Kap. 14.

[54] Im Februar 1896 ging der Reichstagsabgeordnete Oswald Zimmermann auf das Deutschbund-Adreßbuch ein, s. Deutsche Volkswacht, 3. Jg., Nr. 10, 5.2.1896. Ausschließlich Frankfurter Entwicklungen gewidmet waren alle Heine-Veranstaltungen 1912 und 1913.

[55] So etwa Johann Heinrich Hettler zum „Kölner Hof" nach der Rede Zimmermanns im April 1899, s. Deutsche Volkswacht, 6. Jg., Nr. 35, 6.5.1899 und derselbe nach der Veranstaltung mit dem Geschäftsführer Giese 1901, ebd., 8. Jg., Nr. 22, 20.3.1901.

Geschlossen wurde die Versammlung mit einem Hoch oder auch Heilrufen auf den Redner und dem gemeinsamen Absingen des Deutschlandliedes.[56]

Die Anzahl der Besucher ist nicht für alle öffentlichen Veranstaltungen bekannt. Häufig finden sich in den antisemitischen Zeitungen nur pauschale Formulierungen wie „gut besucht" oder „dicht besetzt",[57] von denen nicht auf die ungefähre Zahl der Anwesenden geschlossen werden kann. Sofern genaue Zahlen angegeben wurden, geschah dies meist in den Parteiblättern. Deshalb dürften sie leicht übertrieben sein, doch vermitteln sie einen Eindruck von der Resonanz, die die Versammlungen des Deutschen Vereins in der Frankfurter Öffentlichkeit hatten. Dabei ist zu berücksichtigen, daß nicht alle Anwesenden Anhänger der antisemitischen Partei waren, sondern sich auch viele Neugierige darunter befanden.

Die meisten kamen zur Protestveranstaltung des Vereins gegen die Errichtung des Heine-Denkmals im September 1912. An dieser Versammlung nahmen 1.500 Personen teil.[58] Dies dürfte auf die Aktualität des Themas zurückzuführen sein und bildete eine Ausnahme. Nur zwei Versammlungen vermochten noch annähernd so viele Zuhörer anzuziehen. Etwa 1.000 besuchten die Veranstaltung im Juli 1895 mit dem Reichstagsabgeordneten Bindewald, der über „Die Ausbeutung des Mittelstandes durch Großkapital und Judentum" sprach.[59] Die gleiche Anzahl wurde noch einmal 1900 bei der Veranstaltung mit Graf Pückler „Über die Judenfrage" registriert.[60] Diese Kundgebungen stellten in bezug auf die Zahl der Zuhörer den Höhepunkt der Versammlungstätigkeit des Deutschen Vereins dar. In der Regel kamen dagegen 300 bis 500 Besucher zu seinen Kundgebungen.[61]

Da aber andererseits nur für knapp die Hälfte der Versammlungen Zahlenangaben vorliegen, muß angenommen werden, daß diese nur bei den gut besuchten Versammlungen des Deutschen Vereins angegeben wurden, während bei den übrigen die Berichterstatter der Parteiblätter die Anzahl nicht mitteilten, vielleicht deshalb, weil weniger als erhofft gekommen waren. D.h. aber, daß ein Besuch von 300 bis 500 Personen für die Antisemiten schon ein Erfolg war, der berichtenswert erschien. Gelang es gar, 1000 oder mehr Personen zu versammeln, so wurde dies als ein besonderes Ereignis gewertet, das als Beispiel für die Stärke und Präsenz der antisemitischen Bewegung in Frankfurt dienen konnte.[62]

56 Als Beispiel für viele s. Deutsche Volkswacht, Nr. 1, 3.10.1894 und Nr. 13, 14.11.1894; Frankfurter Post, 2. Jg., Nr. 3, 1.7.1897.

57 Etwa Deutsche Volkswacht, 3. Jg., Nr. 10, 5.2.1896; Deutsch-Soziale Blätter, 29. Jg., Nr. 32 (=34), 29.4.1914, S. 406f. und 27. Jg., Nr. 86, 26.10.1912, S. 1020f.

58 Deutsch-Soziale Blätter, 27. Jg., Nr. 77, 25.9.1912, S. 918f.

59 Deutsche Volkswacht, 4. Jg., Nr. 17, 27.2.1897.

60 Deutsche Worte, 2. Jg., Nr. 10, 11.3.1900.

61 KP, Nr. 217, 16.9.1894; Mittelstandszeitung, 2. Jg., Nr. 12, 22.3.1906 und Nr. 44, 3.11.1906; Deutsch-Soziale Blätter, 28. Jg., Nr. 20, 8.3.1913, S. 230.

62 Siehe den Artikel „Die Fortschritte der antisemitischen Bewegung in Frankfurt a.M.", in: Deutsche Volkswacht, 4. Jg., Nr. 17, 27.2.1897. Ein Vergleich mit der Anzahl der Besucher von Veranstaltungen anderer politischer Parteien in Frankfurt ist aufgrund fehlender Untersuchungen nicht möglich. Nur vereinzelt lassen sich Angaben den obigen Ergebnissen gegenüberstellen. Geringer war etwa die Zahl der Anwesenden

Bei den Versammlungen des Deutschen Vereins waren nicht nur Einwohner Frankfurts anwesend. Häufig scheinen auch Bauern aus dem Umland — wie bereits bei der LIEBERMANN-Versammlung 1894 — die Veranstaltungen des Vereins besucht zu haben.[63] So waren etwa im Januar 1896 zu dem Vortrag von OSWALD ZIMMERMANN einige der Zuhörer aus der Wetterau nach Frankfurt gekommen.[64] Unter den Besuchern der Versammlung mit dem Reichstagsabgeordneten FRITZ BINDEWALD im Juli 1895 zählte die „Deutsche Volkswacht" auch Parteigenossen aus Bergen und Hochstadt auf.[65]

Versucht man außer der quantitativen Analyse der Zuhörerschaft antisemitischer Versammlungen auch eine Bestimmung der sozialen Gruppen, denen sie angehörten, stößt man sehr schnell auf Grenzen. Nähere Zuschreibungen erweisen sich als nahezu unmöglich. Die wenigen Angaben sind nicht eindeutig und zeigen eher, da sie überwiegend antisemitischen Periodika entnommen sind, wen die Partei anzusprechen wünschte, als wer tatsächlich anwesend war.

Am treffendsten wird wohl die bereits zitierte Notiz in der „Kleinen Presse" über die im September 1894 stattgefundene Versammlung sein.[66] Danach waren untere Staatsbeamte sowie städtische und Privatbeamte, aber auch eine erhebliche Anzahl Lehrer anwesend. Vornehmlich Unselbständige, zum neuen Mittelstand Zählende stellten das Publikum dieser ersten öffentlichen Veranstaltung des Deutschen Vereins. Weitere Informationen über die soziale Zugehörigkeit der Besucher sind erst für eine zehn Jahre später stattfindende Versammlung bekannt: Alle „mittelständischen Kreise" seien vertreten gewesen, um die Ausführungen des GRAFEN VON REVENTLOW zu hören.[67] Bei der HEINE-Veranstaltung im Jahre 1906 habe es sich, wie dieses eher kulturelle Thema erwarten ließ, auch um eine große Zahl Akademiker gehandelt. Rechtsanwälte, Lehrer, Beamte, Kaufleute und Gewerbetreibende seien laut der „Mittelstandszeitung" zu dieser Veranstaltung gekommen.[68] Beamte und Gewerbetreibende sollen das Gros der Besucher in der Veranstaltungsfolge gestellt haben, die der Generalsekretär JOHANN HENNINGSEN im September und Oktober 1908 über den Liberalismus und die Bedeutung der Beamten abhielt.[69] Vornehmlich Gewerbetreibende sollen es gewesen sein, die demselben Redner 1914 über die Gefahren, die von

in einer Versammlung der Nationalsozialen im März 1898. Nur 50 Personen waren erschienen, s. HStaA Wiesbaden, Abt. 407, Nr. 159, 2. Bd., Bl. 13. Ganz anders dürfte allerdings der Besuch von sozialdemokratischen und fortschrittlich-freisinnigen Veranstaltungen mit auswärtigen Parteirednern ausgesehen haben. Vergleicht man die Zahl der Besucher antisemitischer Veranstaltungen in Frankfurt mit denen in anderen Städten, so waren etwa die antisemitischen Veranstaltungen in Hamburg 1892 durchweg besser besucht. Zu drei Versammlungen kamen jeweils 1500 bzw. zweimal sogar 2000 Personen, s. I. HAMEL, Völkischer Verband, S. 48f.

63 Deutsch-Soziale Blätter, Beil., 9. Jg., Nr. 97, 15.11.1894; Frankfurter Post, 2. Jg., Nr. 1, 1.5.1897.
64 Deutsche Volkswacht, 2. Jg., Nr. 10, 5.2.1896.
65 Ebd., Nr. 59, 3.8.1895.
66 Siehe Kap. 5; KP, Nr. 217, 16.9.1894, 2. Bl.
67 Deutsche Volkswacht, 11. Jg., Nr. 71, 14.9.1904.
68 Mittelstandszeitung, 2. Jg., Nr. 12, 22.3.1906.
69 Deutsch-Soziale Blätter, Beil., 23. Jg., Nr. 80, 3.10.1908.

den Warenhäusern ausgingen, zuhörten.[70] Das wenige, was aus diesen allgemeinen Angaben zu schließen ist, zeigt nur, an welche sozialen Gruppen die Antisemiten ihre jeweiligen Vorträge adressierten. Häufig wurden sie, insbesondere wenn es sich um wirtschaftspolitische Reden handelte, bereits im Titel des Vortrages angesprochen.

Nicht allen Bevölkerungsgruppen standen die Versammlungen des Deutschen Vereins offen. In der Regel wurde jüdischen Bürgern der Zutritt verweigert. Schon anläßlich der Veranstaltung mit Max Liebermann von Sonnenberg im November 1894 war auf den Plakaten, die die Versammlung ankündigten, sowie auf den Eintrittskarten gedruckt: „Juden ist der Zutritt nicht gestattet".[71] Vor allem in den ersten Jahren legten die Antisemiten besonderen Wert auf dieses Einlaßverbot. Sowohl für die Versammlung mit Prof. Förster über „Die deutsche Frau und das Judentum" im Februar 1895 wie auch im April mit Otto Hirschel und Fritz Bindewald wurde bereits bei der Ankündigung in der „Deutschen Volkswacht" vermerkt, daß Juden keinen Zutritt haben.[72] Gleiches galt auch für einige weitere Veranstaltungen der folgenden Jahre. [73] Danach scheinen diese Hinweise für einige Zeit nicht mehr üblich gewesen zu sein. 1912 wurden die Einlaßbeschränkungen allgemeiner gefaßt und konnten sich ebenfalls gegen Sozialdemokraten richten: Der Besuch der Versammlung war für alle „nicht deutsch-völkische(n) und christlich-nationale(n) Männer und Frauen verboten".[74] Erst bei zwei Veranstaltungen im Jahre 1913 wurde wieder explizit das Zutrittsverbot für Juden ausgesprochen[75]. In der Ankündigung zu einer Veranstaltung mit dem Amtsgerichtsrat Lattmann hieß es, „Juden ist der Zutritt verboten". Dagegen wurden ausdrücklich zu dieser Veranstaltung über „Gefahren ringsum! Deutschland sei wach!" „alle deutsch-völkischen, christlich-nationalen Männer und Frauen Frankfurts" eingeladen.[76] Der Berichterstatter der „Deutsch-Sozialen Blätter" führte den störungsfreien Ablauf der Versammlung auf dieses Einlaßverbot zurück: *„Am 24. Februar hat der Deutsche Verein einen Tag erster Ordnung in seiner Vereinsgeschichte zu vermerken. Bisher waren seine Versammlungen immer sehr stürmisch verlaufen. Nachdem man sich aber entschlossen hatte, die Ausschließung der Juden in unseren Bekanntmachungen ohne Umschreibung auszusprechen (es war wunderbar schön an den Plakatsäulen zu lesen: 'Juden ist der Zutritt verboten!'), war ein friedfertiges und äußerst aufmerksames Publikum in unserem Versammlungslokal erschienen. Über 500 deutschvölkische, christlich-nationale Männer und Frauen lauschten ohne den geringsten Widerspruch den interessanten Worten unseres verehrten Parteivorsitzenden, Herrn Amtsgerichtsrat Lattmann."*[77]

70 Ebd., 29. Jg., Nr. 32 (=34), 29.4.1914, S. 406f.
71 Deutsche Volkswacht, Nr. 10, 3.11.1894.
72 Ebd., 2. Jg., Nr. 12, 13.2.1895 und Nr. 25, 30.3.1895.
73 Deutsch-Soziale Blätter, Beil., 12. Jg., Nr. 463, 1.7.1897, S. 102; Frankfurter Post, 2. Jg., Nr. 3, 1.7.1897; KP, Nr. 133, 10.6.1898.
74 Deutsch-Soziale Blätter, 27. Jg., Nr. 77, 25.9.1912, S. 918.
75 Ebd., 28. Jg., Nr. 15, 19.2.1913, S. 173; Nr. 20, 8.3.1913, S. 230 und Nr. 47, 11.6.1913, S. 558.
76 Ebd., Nr. 15, 19.2.1913, S. 173.
77 Ebd., Nr. 20, 8.3.1913, S. 230.

Abgesehen davon, daß man bereits in Zeitungsannoncen und auf Plakaten auf das Teilnahmeverbot für Juden hinwies, führte man — vornehmlich in den 90er Jahren — Einlaßkontrollen durch. Selbst bei den Veranstaltungen, zu denen der Eintritt frei war, wurde Einlaß nur gegen zuvor erworbene Karten bzw. das Vorzeigen des Mitgliedsausweises des Deutschen Vereins gewährt.[78] Da die Einlaßkarten nur über die Mitglieder des Deutschen Vereins zu beziehen waren, konnte bereits bei deren Vergabe eine Auswahl getroffen und allen Unerwünschten, d.h. primär Juden und Sozialdemokraten, die Karte verweigert werden. So jedenfalls sollte es in der Theorie funktionieren.

Tatsächlich aber waren vor allem in der Anfangszeit häufig jüdische Zuhörer, aber auch Sozialdemokraten anwesend. Sobald die jüdischen oder vermeintlich jüdischen Gäste von antisemitischen Gesinnungsgenossen als solche identifiziert worden waren, wurden sie meist gleich zu Beginn der Veranstaltung aus dem Saal gewiesen.[79] Man muß sich dabei vorstellen, daß besonders in den oft nicht allzu gut besuchten Veranstaltungen politische Gegner sofort auffielen und, sofern sie sich nicht als Sozialdemokraten zu erkennen gaben, prinzipiell als Juden oder als sogenannte „Judengenossen" angesehen wurden.[80]

Hatte 1894 Max Liebermann von Sonnenberg den Ausschluß der Juden bei Veranstaltungen des Deutschen Vereins damit begründet, daß die antisemitische Partei unter Versammlungsfreiheit das Recht verstünde, selbst zu bestimmen, welche Zuhörer man zulassen wolle,[81] so wurde dazu in späteren Jahren ausgeführt, daß nur so eine störungsfreie Veranstaltung garantiert werden könne. In der Tat kam es in den Veranstaltungen der 90er Jahre und in denen kurz vor dem ersten Weltkrieg beinahe regelmäßig zu Tumulten.[82] Allerdings waren dies seltener Auseinandersetzungen zwischen Antisemiten und jüdischen Zuhörern, sondern sie fanden, inbesondere in den 90er Jahren, zwischen Antisemiten und Sozialdemokraten statt. Zum Teil endeten die Veranstaltungen in handgreiflichen Auseinandersetzungen,[83] die den überwachenden Beamten die Versammlung auflösen ließen.

Juden waren nicht die einzigen, die die Antisemiten von ihren Versammlungen fernzuhalten wünschten. Dies traf auch für Sozialdemokraten zu. Wie bereits für die Veranstaltung mit Max Liebermann von Sonnenberg im November 1894 geschildert, versuchte man, Sozialdemokraten durch Erheben eines Eintrittsgeldes in Höhe von 50 Pfennig vom Besuch der Veranstaltung abzuschrecken.[84] Dies erwies sich jedoch als ein unzureichendes Mittel. Offenbar wurde es auch nicht wiederholt. Wahrschein-

[78] Etwa Deutsche Volkswacht, 2. Jg., Nr. 10, 6.2.1895 und Nr. 25, 30.3.1895.
[79] Frankfurter Post, 2. Jg., Nr. 3, 1.7.1897; Deutsche Volkswacht, 4. Jg., Nr. 49, 26.6.1897; Deutsch-Soziale Blätter, Beil., 12. Jg., Nr. 463, 1.7.1897, S. 102.
[80] Deutsche Volkswacht, 2. Jg., Nr. 59, 3.8.1895; Antisemitisches Volksblatt, Nr. 685, 10.8.1895.
[81] Deutsche Volkswacht, Nr. 12, 10.11.1894.
[82] Frankfurter Zeitung, Nr. 160, 12.6.1898, 3. Morgenbl.
[83] Ebd., Nr. 164, 15.6.1912, Abendbl.
[84] MdVAA, 4. Jg. 1894, Nr. 46, S. 365.

lich hatte die Höhe des Eintrittsgeldes abschreckend für die gewirkt, die die Antisemiten gerade ansprechen wollten, nämlich kleinere Gewerbetreibende, Handwerker oder die nur einen unzureichenden Lohn erhaltenden Handlungsgehilfen.

Mit der Anwesenheit von Sozialdemokraten mußte in beinahe jeder Versammlung des Deutschen Vereins während der 90er Jahre gerechnet werden. Die Antisemiten fürchteten sie besonders, da ihnen mit den Sozialdemokraten in den Diskussionen geschulte Redner gegenübertraten, die den antisemitischen Vortragenden in Bedrängnis bringen konnten. Die sozialdemokratischen Gegenredner wandten sich in der freien Aussprache entschieden gegen die antisemitische Interpretation der Ursachen der gesellschaftlichen und wirtschaftlichen Mißstände und setzten ihre eigene Interpretation dagegen. Manchmal konnten sie sogar die antisemitische Veranstaltung für ihre eigene Agitation „umfunktionieren", so daß der Vorsitzende die Versammlung abbrechen mußte.[85] Es ging ihnen dabei in erster Linie nicht um eine Abwehr des Antisemitismus, sondern darum, die Versammlung als ein Forum für ihre Mitgliederwerbung zu nutzen.[86]

Dennoch bleibt festzuhalten, daß es ausschließlich Sozialdemokraten waren, die sich in den öffentlichen Versammlungen der Antisemiten gegen deren Politik aussprachen. Andere Parteien fehlten vollständig. Die bürgerlichen liberalen Parteien engagierten sich nicht in der direkten, politischen Auseinandersetzung, obgleich sie eine dezidiert ablehnende Position dem Antisemitismus gegenüber einnahmen. Ihr Widerstand bestand vornehmlich in rationaler Aufklärungsarbeit, Beschreiten des Rechtsweges bei Verleumdungen u.ä.m.[87]

Aber auch sozialdemokratische Gegenredner traten in den Versammlungen des Deutschen Vereins im wesentlichen nur in den 90er Jahren auf. Im 20. Jahrhundert besuchten sie diese Veranstaltungen nicht mehr. Da sich aber auch — von Einzelnen, die sich ab und zu zu Wort meldeten, abgesehen[88] — keine anderen kritischen Stimmen zu den Ausführungen der Referenten erhoben, verliefen die antisemitischen Versammlungen im ersten Jahrzehnt des 20. Jahrhunderts störungsfrei.

Nur einmal kam es noch zu einem Zwischenfall, an dem sich zeigte, daß von Seiten der Sozialdemokraten der Besuch antisemitischer Versammlungen durch Parteigenossen mittlerweile verurteilt wurde. In der Kundgebung mit Oswald Zimmermann 1903 über den Mittelstand äußerte ein sich als Anhänger der sozialdemokratischen Partei bezeichnender Redner, viele Mitglieder seiner Partei seien im Grunde ihres Herzens Antisemiten. Die sozialdemokratische „Volksstimme" kritisierte diese Stellung-

85 So etwa bei der Wahlkampfveranstaltung mit Liebermann von Sonnenberg 1898, in: Frankfurter Zeitung, Nr. 160, 12.6.1898, 3. Morgenbl.

86 Bereits in den antisemitischen Versammlungen der 80er Jahre besonders in Berlin waren zahlreiche Sozialdemokraten als Gegner anwesend. Diese versuchten die Kundgebung in eine Demonstration für ihre eigene, durch das Sozialistengesetz geächtete Partei zu verwandeln, s. P. Massing, Vorgeschichte, S. 181; R. Leuschen-Seppel, Sozialdemokratie, S. 106.

87 W. Jochmann, Struktur (1976), S. 437.

88 Frankfurter Post, 2. Jg., Nr. 1, 1.5.1897; Deutsche Volkswacht, 9. Jg., Nr. 10, 1.2.1902.

nahme nachdrücklich und wies gleichzeitig darauf hin, daß Parteigenossen keine antisemitischen Versammlungen aufsuchen sollten.[89]

Tatsächlich waren schon seit 1899 keine Sozialdemokraten mehr in antisemitischen Veranstaltungen aufgetreten. Diese Zurückhaltung mag darauf zurückzuführen sein, daß den Sozialdemokraten einerseits die Auseinandersetzung nicht mehr bedeutsam erschien, sie andererseits im Zuge ihrer zunehmenden Konsolidierung es nicht mehr nötig hatten, Veranstaltungen anderer politischer Parteien aufzusuchen, um ihr Programm vorzustellen. Die Partei war seit Beginn des 20. Jahrhunderts stark genug, um sich nicht mehr mit den mittlerweile bedeutungsloser gewordenen Antisemiten messen zu müssen. Die Frage der Abwehr des Antisemitismus dürfte dabei nur eine untergeordnete Rolle gespielt haben.

9.2. Die Reichstagswahlen 1898 bis 1912

Wie bereits im Kapitel 4.2. beschrieben, stand erstmals bei der Reichstagswahl 1893 mit Liebermann von Sonnenberg ein antisemitischer Zählkandidat in Frankfurt zur Wahl. Zu diesem Zeitpunkt existierte der Deutsche Verein zwar nominell, war aber nicht in der Lage, sich aktiv am Wahlkampf zu beteiligen. Dies änderte sich erst bei den späteren Reichstagswahlen.[90]

Nachdem Liebermann von Sonnenberg ohne größere Agitation bei der Reichstagswahl 1893 in Frankfurt 1448 Stimmen erreicht hatte, hofften die Antisemiten mit einem intensiver betriebenen Wahlkampf bei der kommenden Wahl besser abschneiden zu können.[91]

Bereits im Spätsommer 1897 begann der Deutsche Verein, die Reichstagswahl im Juni 1898 vorzubereiten. Mit Anzeigen in der „Frankfurter Post" wurden Freunde und Mitglieder des Deutschen Vereins dazu aufgefordert, Geld für die Organisation des Wahlkampfes zu spenden.[92] Im April 1898 gab der Frankfurter Wahlausschuß der Deutschsozialen Reformpartei, wie sich der Deutsche Verein während des Wahlkampfes nannte, ein Flugblatt heraus, in dem er noch einmal eindringlich um Unterstützung bat: Im Gegensatz zur Wahl 1893 beabsichtige man diesmal, eine umfangreiche Wahlagitation zu betreiben. *„Darum richten wir an alle deutsch- und christlichgesinnten Männer die herzliche Bitte, Geldmittel zum Wahlfonds beizusteuern. Uns stehen nicht die reichlichen Judasgroschen unserer Gegner zur Verfügung, aber wir bedürfen deren auch nicht, denn nirgends wird soviel selbstlose und opferwillige Arbeit umsonst*

[89] Angabe aus: Deutsche Volkswacht, 10. Jg., Nr. 16, 25.2.1903; KP, Nr. 37, 13.2.1903. Da dieser Jahrgang der „Volksstimme" nicht mehr existent ist, kann die Angabe nicht überprüft werden.

[90] Unberücksichtigt bleiben die Landtagswahlen, für die der Deutsche Verein keine eigenen Kandidaten aufstellte, statt dessen rief er seine Anhänger zum Wahlboykott auf, s. z.B. Deutsche Volkswacht, 5. Jg., Nr. 84, 29.10.1898.

[91] Deutsch-Soziale Blätter, Beil., 8. Jg., Nr. 30, 21.7.1893, S. 106; auch Teilabdruck eines Flugblattes des Deutschen Vereins, in: MdVAA, 8. Jg. 1898, Nr. 17, S. 135.

[92] Frankfurter Post, 2. Jg., Nr. 7, 1.7.1897 und Nr. 8, 1.8.1897.

gethan, als in unseren Reihen. Aber ganz ohne Geld können wir nichts ausrichten, mit Geld dagegen dürfen wir hoffen, den kostspieligen Wahlkampf siegreich durchzuführen und unseren Kandidaten Herrn Liebermann von Sonnenberg als Vertreter von Frankfurt in den Reichstag zu schicken."[93] Die Wahlkampfparole des Deutschen Vereins lautete dementsprechend: „Es gilt die Befreiung unserer Vaterstadt aus schimpflicher Judenknechtschaft!"[94]

Wer im Reichstagswahlkreis Frankfurt kandidieren sollte, war schon frühzeitig bestimmt worden. Im November 1897 wählte der Deutsche Verein den Privatier und ehemaligen Schneidermeister JOHANN HEINRICH HETTLER zu seinem Kandidaten.[95] Mit ihm wollte der Deutsche Verein anders als 1893 mit LIEBERMANN VON SONNENBERG ein Frankfurter Vereinsmitglied aufstellen, das in seinem Wahlkreis auch persönlich bekannt war. Obwohl HETTLER die Kandidatur annahm, war seit Februar 1898 wiederum LIEBERMANN VON SONNENBERG der Kandidat der Deutschsozialen Reformpartei im Reichstagswahlkreis Frankfurt.[96] Daß dieser Wechsel auf den Deutschen Verein zurückging, ist unwahrscheinlich. Vermutlich hatte die Parteileitung in Berlin, die nach dem Organisationsplan zum Vorschlag geeigneter Kandidaten befugt war,[97] den Parteivorsitzenden LIEBERMANN VON SONNENBERG anstelle von HETTLER nominiert. Jedenfalls wurde MAX LIEBERMANN VON SONNENBERG, als er am 10. März 1898 nach Frankfurt kam, um einen Vortrag über das Parteiprogramm zu halten, vom Wahlausschuß des Deutschen Vereins als sein Kandidat für die Reichstagswahl vorgeschlagen und von der Versammlung einstimmig angenommen.[98]

Mit dieser Veranstaltung im März 1898 eröffnete der Deutsche Verein seinen Wahlkampf, in dem er besonders seine antijüdische Politik betonte. Zwei der übrigen zur Wahl stehenden Kandidaten wurden wegen ihrer projüdischen Haltung angegriffen. Die Agitation richtete sich dabei vor allem gegen die Nationalsozialen, deren Kandidat, Pfarrer FRIEDRICH NAUMANN, früher ein Anhänger ADOLF STOECKERS gewesen war und sich nun explizit gegen den Antisemitismus wandte. Während des Wahlkampfes besuchten Mitglieder des Deutschen Vereins die Veranstaltungen der Nationalsozialen, um sie in Diskussionen über die Berechtigung der antisemitischen Bewegung zu verwickeln.[99]

Auch der Kandidat der Freisinnigen Volkspartei, Stadtrat FLINSCH, mußte es sich gefallen lassen, wegen seiner Ablehnung antisemitischer Bestrebungen diffamiert zu

[93] MdVAA, 8. Jg. 1898, Nr. 17, S. 135.
[94] Frankfurter Post, 2. Jg., Nr. 7, 1.1.1897; Nr. 8, 1.8.1897; 3. Jg., Nr. 1, 1.1.1898.
[95] Deutsche Volkswacht, 4. Jg., Nr. 87, 6.11.1897; Deutsch-Soziale Blätter, Beil., 12. Jg., Nr. 483, 18.11.1897, S. 182.
[96] Frankfurter Post, 3. Jg., Nr. 2, 1.2.1898.
[97] D. FRICKE, Organisation, S. 431.
[98] Deutsch-Soziale Blätter, Beil., 13. Jg., Nr. 500, 17.3.1898, S. 40; Frankfurter Post, 3. Jg., Nr. 4, 1.4.1898. Ebenso wie 1893 kandidierte LIEBERMANN VON SONNENBERG in einer Reihe von weiteren Wahlkreisen, s. etwa das Verzeichnis für Hessen, in: Deutsche Volkswacht, 5. Jg., Nr. 43, 8.6.1898.
[99] HStaA Wiesbaden, Abt. 407, Nr. 159, Bd. 2, Bl. 16f. und Bl. 18-23; Frankfurter Post, 3. Jg., Nr. 5, 1.5.1898; Deutsche Volkswacht, 5. Jg., Nr. 33, 30.4.1898.

werden. Flinsch hatte sich die Abneigung der Antisemiten als Vorsitzender der Frankfurter Ortsgruppe des Vereins zur Abwehr des Antisemitismus in besonderem Maße zugezogen. Seine Veranstaltungen allerdings wagten sie nicht zu besuchen. Nur in ihren Zeitungen beschimpften sie ihn als „Häuptling der Judenschutztruppe" u.ä.m.[100]

Im Unterschied zur vorangegangenen Wahl waren die Frankfurter Antisemiten diesmal erheblich besser organisiert. Zahlreiche Spenden gingen auf dem Wahlbüro bei Hermann Laass ein.[101] Flugblätter wurden verteilt und die Adressen derjenigen zusammengestellt, denen man unmittelbar vor der Wahl den Stimmzettel für Liebermann von Sonnenberg schickte.[102]

Der Kandidat selbst kam kurz vor dem Wahltermin am 11. Juni noch einmal zu einer Veranstaltung nach Frankfurt. Zu dieser Kundgebung hatten Juden keinen Zutritt. Liebermann von Sonnenberg stellte sich anders als im April-Flugblatt des Deutschen Vereins nur als Zählkandidat der Deutschsozialen Reformpartei vor, dessen Wahlaussichten gering waren. Er warb um die Stimmen der christlich-deutschen Wähler, die sich als Deutsche im Gegensatz zu dem „Fremdvolk" fühlten. In seinem zweistündigen Vortrag entwickelte er kein zusammenhängendes Programm seiner Partei, wie der Berichterstatter der „Frankfurter Zeitung" tadelnd bemerkte, sondern kam auf verschiedene, von ihm kritisierte Aspekte des öffentlichen Lebens zu sprechen. Er schilderte die Mißstände in der Landwirtschaft, wandte sich gegen das römische Recht und die Goldwährung. Die Handelsverträge mit anderen Staaten wollte er für die deutsche Wirtschaft vorteilhafter gestaltet wissen. Unter den politischen Gegnern griff er die Nationalsozialen und die Sozialdemokraten an, von denen zahlreiche unter den Zuhörern anwesend waren. Von dem Redner provoziert versuchten sich die sozialdemokratischen Genossen zu rechtfertigen, worauf die Versammlung einen stürmischen Verlauf nahm und in Lärm zuende ging.[103]

Als die Stimmzettel nach der Wahl am 16. Juni ausgezählt waren, war das Ergebnis für die Deutschsoziale Reformpartei trotz der regeren Agitation nicht günstiger als fünf Jahre zuvor. Zum Vertreter Frankfurts im Reichstag wurde mit 20.000 Stimmen erneut der Sozialdemokrat Schmidt gewählt. Von den abgegebenen 39.393 Stimmen entfielen die wenigsten Stimmen, nur 1.551, auf Liebermann von Sonnenberg. Das waren gerade 103 Stimmen mehr als bei der vorangegangenen Wahl und bedeutete bei der höheren Anzahl der abgegebenen Stimmen sogar einen absoluten Rückgang der antisemitischen Stimmen.[104] Diese Wahl zeigt, daß das Wählerpotential in Frankfurt, das bereit war, einem Antisemiten seine Stimme zu geben, gleich geblieben war.

100 Deutsche Volkswacht, 5. Jg., Nr. 42, 4.6.1898.

101 Vgl. etwa die Spendenliste in: Frankfurter Post, 3. Jg., Nr. 8 (=7), 1.7.1898.

102 Ebd., Nr. 7 (=6), 1.6.1898.

103 Frankfurter Zeitung, Nr. 160, 12.6.1898, 3. Morgenbl.; KP, Nr. 133, 10.6.1898 und Nr. 136, 14.6.1898; Deutsch-Soziale Blätter, Beil., 3. Jg., Nr. 516, 7.7.1898, S. 104.

104 F. Specht/P. Schwabe, Reichstagswahlen, S. 157; KP, Nr. 143, 22.6.1898.

Auch ein besser geführter Wahlkampf des antisemitischen Vereins konnte keine größere Anzahl Wähler von dessen Programm überzeugen.

Dieses Ergebnis entsprach nicht den Erwartungen des Deutschen Vereins. In ihrem Kommentar konnte die „Frankfurter Post" ihre Enttäuschung nicht verbergen, wenn sie auch versuchte, den Ausgang der Wahl in einer für sie günstigen Weise zu interpretieren: *„Um ehrlich zu sein, müssen wir gestehen, daß uns dieser Erfolg* (der Zuwachs von 103 Stimmen, I.S.) *nicht befriedigt. Allein nach Lage der Dinge können wir dennoch zufrieden sein. Als das vorige Mal gewählt wurde, vereinigten sich auf unsere Partei viele Stimmen des evangelischen Arbeiter-Vereins, ebenso wie die zahlreichen Beamten. Letztere sind uns zum Theil wohl treu geblieben, aber der andere Theil und ebenso die gesammten evangelischen Arbeiter folgten den Pfeifenklängen des neuen Rattenfängers, der sich Naumann nennt ... Wir können also mit dem Erreichten zufrieden sein, bedeutet doch die Zahl eine bedeutende Zunahme der zielbewußten antisemitisch Denkenden, denn die Mitläufer, die Unklaren und Unschlüssigen, die nur augenblicklichen Vortheils halber einer Partei nachlaufen, sind geschwunden. Anstatt auf eine ungeschulte Truppe, vielfach in ihrem Ziele sich unklarer Wähler, können wir uns nun auf eine der Zahl nach sogar noch stärkere Kerntruppe zielbewußter Männer stützen."*[105]

Ob diese Analyse der sozialen Schichtung ihrer Wähler der Realität entsprach, kann anhand der Reichstagswahlergebnisse nicht überprüft werden. Daß sich aber — wie die „Frankfurter Post" meint — viele Arbeiter protestantischer Konfession unter den Wählern befunden haben sollen, die 1893 für LIEBERMANN VON SONNENBERG gestimmt hatten, ist kaum anzunehmen. Am Beispiel der Koalitionen, die der Deutsche Verein zu Anfang des 20. Jahrhunderts bei den Stadtverordnetenwahlen einging, kann gezeigt werden, daß es sich eher um mittelständische Selbständige, kleinere Beamte und Angestellte gehandelt haben dürfte, die den Antisemiten ihre Stimme gaben, nicht aber um Arbeiter.[106]

Wesentlich mehr Stimmen als 1893 und 1898 erreichten die Antisemiten bei der Reichstagswahl 1903. Erstmals stellten sie mit HERMANN LAASS einen Frankfurter auf. Dieser war als Besitzer des „judenfreien" Hotels „Kölner Hof" bekannt und seit 1896 in der Bewegung aktiv. Schon drei Monate vor der im Juni 1903 stattfindenden Wahl war er zum Kandidaten der Reformpartei für den Reichstagswahlkreis Frankfurt am Main ernannt worden.[107] Trotz dieser frühzeitigen Nominierung betrieb der Deutsche Verein praktisch keinen Wahlkampf. Kurz vor dem Wahltermin wurden Plakate angeschlagen[108] und es fand eine Kundgebung statt, in der der Landtagsabgeordnete OTTO HIRSCHEL und der Stadtverordnete JOHANN HEINRICH HETTLER für LAASS warben. Der Kandidat selbst aber entfernte sich während der Veranstaltung unter Hinweis

[105] Frankfurter Post, 3. Jg., Nr. 8 (=7), 1.7.1898.
[106] Siehe Kap. 13.2.
[107] MdVAA, 13. Jg. 1903, Nr. 12, S. 92.
[108] KP, Nr. 138, 16.6.1903.

auf dringende familiäre Verpflichtungen. Die angekündigte Wahlrede entfiel damit und wurde auch nicht nachgeholt.[109] Eine Versammlung von Handlungsgehilfen zugunsten LAASS' wurde zu einem Fiasko: anwesenden demokratisch gesinnten Handlungsgehilfen gelang es, die Veranstaltung in ihrem Sinne zu beherrschen.[110] Umso überraschender war das Wahlergebnis. HERMANN LAASS erzielte 4506 Stimmen, was einen Zuwachs von 3000 Stimmen im Vergleich zu der vorangegangenen Wahl bedeutete. Über 10% der 40.854 Wähler hatten für HERMANN LAASS votiert.[111]

Gewählt wurde HERMANN LAASS vermutlich vor allem von mittelständischen Selbständigen und Handlungsgehilfen, aber auch politisch organisierte, konservative Protestanten scheinen für ihn votiert zu haben.[112] Der Deutsche Verein selbst sprach in seinem Wahlkampf besonders die mittelständischen Selbständigen an.[113] Daß der Kandidat als Hotelier dieser Schicht angehörte, mag seine Wahlchancen erhöht haben. Dieser Umstand wie auch die persönliche Bekanntheit von LAASS werden für ihn günstig gewesen sein.

Für das Zustandekommen dieses Wahlergebnisses wichtig wird das zu Anfang des 20. Jahrhunderts auch bei den Stadtverordnetenwahlen festzustellende veränderte Wahlverhalten vieler mittelständischer Wähler gewesen sein. Diese gaben ihre Stimme nicht länger den etablierten Parteien, von denen sie sich mit ihren Forderungen nach gesetzlichem Schutz von Kleinhandel und Handwerk nicht genügend unterstützt fühlten, sondern politischen Gruppierungen, die dezidiert ein Mittelstandsprogramm vertraten. Die Reformpartei, zu der der Deutsche Verein gehörte, versprach diese Wünsche im Reichstag zu befürworten. Sich als politischer Vertreter dieser sozialen Schicht präsentierend, konnten die Antisemiten ihre Wahlaussichten verbessern. HERMANN LAASS sollte es als Kandidat einer mittelständischen Koalition ein Jahr später gelingen, in die Stadtverordnetenversammlung einzuziehen.

Wie weit der Deutsche Verein bei den Reichstagswahlen 1903 bereit war, zugunsten mittelständischer Positionen seine antisemitischen Forderungen zurückzustellen, zeigt besonders deutlich die Wahlempfehlung, die er für die Stichwahl ausgab. Zur Abstimmung standen der Kandidat der Sozialdemokraten und bisherige Vertreter Frankfurts im Reichstag SCHMIDT und der Kandidat der Demokraten und Fortschrittler, Dr. LUDWIG BRUCK. Ihren Anhängern rieten die Antisemiten entgegen ihrem ursprünglichen Interesse, BRUCK zu wählen, obwohl er Jude war.[114] Der Kampf gegen die Sozialdemokratie als Gegnerin des Mittelstands war ihnen zu diesem Zeitpunkt wichtig genug, um das antisemitische Programm hintanzustellen. Auch das Votum

[109] KP, Nr. 121, 26.5.1903; Nr. 123, 28.5.1903, 2. Bl. und Nr. 136, 13.6.1903.
[110] KP, Nr. 133, 10.6.1903 und Nr. 134, 11.6.1903.
[111] Zum Wahlergebnis s. F. SPECHT/P. SCHWABE, Reichstagswahlen, S. 157; Deutsche Volkswacht, 10. Jg., Nr. 54, 17.7.1903; MdVAA, 13. Jg. 1903, Nr. 24, S. 185.
[112] Dafür spricht der Wahlaufruf von Pfarrer CORDES im „Sonntagsgruß", s. die Notiz in: KP, Nr. 133, 10.6.1903.
[113] Deutsche Volkswacht, 10. Jg., Nr. 30, 18.4.1903.
[114] P. PULZER, Entstehung, S. 159.

der antisemitischen Wähler brachte dem Fortschrittler Dr. Bruck nicht den Sieg. Erneut, wenn auch nur knapp, wurde der Sozialdemokrat Schmidt gewählt.[115]

Mit dem beachtlichen Ergebnis von über 4000 Stimmen bei der Wahl 1903 fanden die selbständigen antisemitischen Kandidaturen in Frankfurt ihr Ende. Nur noch zusammen mit anderen unterstützte der Deutsche Verein einen gemeinsam Nominierten, der kein Mitglied der antisemitischen Partei mehr war.

Obgleich der Deutsche Verein 1907 ursprünglich noch einmal beabsichtigt hatte, mit Hermann Laass einen eigenen Kandidaten aufzustellen,[116] kam es nicht mehr dazu. Wie bei den Stadtverordnetenwahlen schloß sich der Verein einem Bündnis von Mittelstandspartei und Freier evangelischer Volksvereinigung an, das sich „Nationaler Wahlausschuß" nannte. Als gemeinsamer Kandidat wurde der frühere Stadtverordnete der Handwerkerpartei Michael Kämpf nominiert.

Bis zum Wahltermin Ende Januar organisierten sie eine Reihe von Veranstaltungen, in denen sich Michael Kämpf vorstellte und die verbündeten Vereine ihre Position deutlich machten. Der Wahlkampf des Bündnisses entsprach der nationalen Tendenz, unter der die gesamte Wahlbewegung des Jahres 1907 stand. Die Wahl selbst, die als sogenannte „Hottentottenwahl" bekannt ist, war kurzfristig anberaumt worden, nachdem Reichskanzler von Bülow im Dezember 1906 den Reichstag aufgelöst hatte. Zu diesem Schritt sah sich der Reichskanzler veranlaßt, als mit den Stimmen von Zentrum und Sozialdemokratie der Nachtragsetat für die Kolonien, insbesondere die vorgesehene Finanzierung zur Niederschlagung des Hottentottenaufstandes, nicht bewilligt wurde. Thema des Wahlkampfes aller politischen Parteien von konservativ bis liberal war daher der Kampf gegen Zentrum und Sozialdemokratie, die mit ihrem Abstimmungsverhalten im Reichstag eine expansive Kolonialpolitik des Deutschen Reiches verhindern würden.[117]

Der Frankfurter „Nationale Wahlausschuß für die Kandidatur Kämpf" griff dementsprechend in seinen Wahlversammlungen die Sozialdemokratie und das Zentrum als national unzuverlässig an. Ihr Kandidat versprach im Reichstag, „die Summe" zu bewilligen, „wegen der die Auflösung erfolgte". Ferner werde er sich für den weiteren Ausbau der Flotte einsetzen, damit Deutschland nicht hinter England zurückfalle.[118] Außer für die Erhöhung der Rüstungsausgaben versprach er, sich für mittelständische Belange einzusetzen. Er versicherte seinen Wählern, im Reichstag für die Annahme mittelstandsfreundlicher Gesetze zu stimmen, wie für die Einführung des Befähigungsnachweises in Handel und Handwerk und für die Einschränkung der billigen Gefängnisarbeit.[119]

115 F. Specht/P. Schwabe, Reichstagswahlen, S. 157.
116 KP, Nr. 296, 19.12.1906.
117 K. Born, Von der Reichsgründung, S. 220f.
118 KP, Nr. 7, 9.1.1907.
119 KP, Nr. 15, 18.1.1907; Nr. 17, 20.1.1907; Mittelstandszeitung, 3. Jg., Nr. 1, 5.1.1907 und Nr. 3, 19.1.1907.

Für den Deutschen Verein begrüßte Stadtverordneter HERMANN LAASS die Kandidatur KÄMPFS. Er stellte in seiner Rede stärker als die militärischen Interessen die wirtschaftlichen Reformforderungen heraus. LAASS plädierte für Schaffung einer Wehrsteuer, Ausfuhrzölle auf Kaliprodukte und Verstaatlichung der Bergwerke.[120]

Ein Sprecher des Deutschnationalen Handlungsgehilfenverbandes brachte in den Wahlversammlungen des Bündnisses noch ein weiteres Argument vor, weshalb man KÄMPF wählen sollte: Schon aus Rassebewußtsein müsse man für diesen Kandidaten stimmen.[121]

Aber auch mit diesen vereinten Bemühungen war das Ergebnis prozentual nicht besser als das des Deutschen Vereins bei der vorangegangenen Wahl. Der „Nationale Wahlausschuß für die Kandidatur Kämpf" erreichte von 60.821 abgegebenen Stimmen 5.003. Nur der Kandidat des Zentrums schnitt schlechter ab, während für die Kandidaten aller übrigen Parteien erheblich mehr Wähler votiert hatten.[122]

In ihrem Rückblick auf die Wahl bewerteten die „Deutsch-Sozialen Blätter" diese 5.000 Stimmen für MICHAEL KÄMPF als einen Erfolg der antisemitischen Bewegung in Frankfurt. Diese Stimmen könne man der Deutschsozialen Partei zuzählen, denn angeblich sei es vor allem der Deutsche Verein gewesen, der die Wahlarbeit geleistet und die Gelder für den Wahlkampf zusammengebracht habe.[123] Für diese Interpretation der Frankfurter Wahlbewegung gibt es allerdings keinen Beleg. Der Deutsche Verein hatte sich zwar an den Wahlveranstaltungen beteiligt, sich aber dabei nicht besonders exponiert.

Da im ersten Wahlgang keiner der Nominierten die absolute Mehrheit erreicht hatte, kam es zwischen den beiden, die die meisten Stimmen auf sich vereinigen konnten, zur Stichwahl. Der Sozialdemokrat QUARCK und der Kandidat der Demokraten RUDOLF OESER standen sich gegenüber. Der Nationale Wahlausschuß forderte seine Anhänger dazu auf, trotz „der vorhandenen großen Gegensätze" den Demokraten OESER zu wählen.[124] Selbst LIEBERMANN VON SONNENBERG schaltete sich mit einem Brief in den Frankfurter Wahlkampf ein, der in der „Mittelstandszeitung" abgedruckt wurde: *„An alle meine deutschsozialen Parteifreunde und an alle Wähler, die für den Kandidaten Herrn Kämpf in Frankfurt am Main am 25. Januar ihre Stimme abgegeben haben, richte ich die herzliche Bitte, am 5. Februar vollzählig für den Kandidaten Oeser einzutreten. Wo es sich um Erfüllung nationaler Pflichten handelt, darf für Männer unserer Gesinnung keine, auch nicht die berechtigste politische Verstimmung in Frage kommen, die uns davon zurückhalten könnte. Also bedingungsloses Eintreten für Oeser sei unsere Parole!"*[125] Der Führer der Deutschsozialen Partei empfahl die Stimmabgabe

[120] KP, Nr. 17, 20.1.1907.
[121] KP, Nr. 7, 9.1.1907.
[122] KP, Nr. 23, 27.1.1907.
[123] Deutsch-Soziale Blätter, 22. Jg., Nr. 13, 13.2.1907, S. 174.
[124] Mittelstandszeitung, 3. Jg., Nr. 5, 2.2.1907.
[125] Ebd.

für den Demokraten Oeser, weil dieser ihm unter nationalen Gesichtspunkten zuverlässiger erschien als der Sozialdemokrat.

Nach dem von allen Parteien gegen die Sozialdemokratie geführten Wahlkampf konnte sich diesmal der Demokrat gegen den Sozialdemokraten in der Stichwahl durchsetzen und als Vertreter Frankfurts in den Reichstag einziehen.[126]

Fünf Jahre später, bei der Wahl Anfang des Jahres 1912, befand sich die antisemitische Bewegung in Frankfurt in einem so desolaten Zustand, daß der Deutsche Verein ein eigenständiges Vorgehen nicht einmal mehr erwog. Man schloß sich den Christlichsozialen, an, die auch erst nach langem Zögern einen Kandidaten nominierten. In einer zu diesem Zweck einberufenen Versammlung sprachen sich Hermann Laass und Wilhelm Lindner als Vertreter des Deutschen Vereins für die Aufstellung eines christlichsozialen Zählkandidaten aus.[127] Dieser erreichte nur 1.280 Stimmen und war damit weit abgeschlagen.[128]

Das Ergebnis von 1912 war das schlechteste, das der Deutsche Verein in Frankfurt bisher erzielt hatte. Das Zusammengehen mit den Christlichsozialen verbesserte die Position des Deutschen Vereins nicht. Selbst 1893, als sich der Verein überhaupt nicht für seinen Zählkandidaten einsetzte, erreichte er mehr Stimmen. Dem Deutschen Verein war es trotz seiner nahezu zwanzig Jahre betriebenen Agitation nicht gelungen, mehr Wähler von der Notwendigkeit einer antisemitischen Politik zu überzeugen. Nur die kleine Gruppe von etwas über 1000 Personen, die zur antisemitischen Bewegung aus welchen Gründen auch immer neigte, war ihr treu geblieben. Viele von ihnen werden, wie Paul Massing herausgestellt hat,[129] aus Protest gegenüber den anderen Parteien die Antisemiten gewählt haben, ohne deshalb die antisemitischen Forderungen mitzuvertreten. Sie nahmen sie jedoch in Kauf und erleichterten damit eine langfristige Gewöhnung an antijüdische Parolen als politische Schlagworte.

9.3. Aufrufe zum Boykott jüdischer Geschäfte

Das wirtschaftliche Programm des Deutschen Vereins setzte sich den Schutz des gewerblichen Mittelstandes, inbesondere der Handwerker und kleinen selbständigen Kaufleute, zum Ziel. Die dafür vorgeschlagenen gesetzlichen Reformen konnte jedoch nur der Reichstag, nicht die kommunalen Parlamente verabschieden. Auf lokaler Ebene hoffte der Deutsche Verein, durch Aufrufe die von ihm beklagte fehlende Solidarität unter der christlich-deutschen Bevölkerung herbeiführen zu können. Zum Nachteil der christlichen Handwerker und Kaufleute kaufe die deutsche Bevölkerung

126 KP, Nr. 23, 27.1.1907; W. Klötzer, Wilhelminisches Frankfurt, S. 164.
127 Deutsch-Soziale Blätter, 26. Jg., Nr. 101, 20.12.1911, S. 1213.
128 MdVAA, 22. Jg. 1912, Nr. 4, S. 25.
129 P. Massing, Vorgeschichte, S. 112.

in jüdischen Geschäften und Warenhäusern. Schon mit einem Boykott dieser Geschäfte könnte nach Meinung des Deutschen Vereins der Einfluß der Juden auf das Wirtschaftsleben der Stadt geschmälert und der Niedergang des gewerblichen Mittelstandes aufgehalten werden.

Vor allem durch zwei Propagandakampagnen versuchte der Deutsche Verein die nichtjüdische Bevölkerung Frankfurts in ihrem Sinne zu beeinflussen: zum einen durch die regelmäßige Herausgabe eines Weihnachtsflugblattes, in dem vor dem Kauf in jüdischen Geschäften gewarnt wurde, und zum anderen durch die Zusammenstellung eines sogenannten Deutschbundadreßbuches für Frankfurt, das nur christlich-deutsche Geschäfte aufzählte.

9.3.1. Das Weihnachtsflugblatt

Bereits 1894 gab der Deutsche Verein zu Weihnachten ein Flugblatt heraus, in dem er vor dem Kauf in jüdischen Geschäften warnte. Das „Weihnachtsmahnung an das deutsche Volk" betitelte Flugblatt wurde in der gesamten Stadt und auch im näheren Umland verteilt.[130]

Von da an erschien beinahe jährlich kurz vor Weihnachten ein neues Flugblatt des Deutschen Vereins. Nicht für jedes Jahr läßt sich dies belegen. Sicher ist, daß regelmäßig von 1894 bis 1898 und dann wieder 1905 ein Weihnachtsflugblatt ausgegeben wurde. Für 1903 wurde es angekündigt, ob es tatsächlich herauskam, ist unklar.[131] Es ist aber anzunehmen, daß auch in den dazwischenliegenden Jahren der Deutsche Verein diese Art der antijüdischen Propaganda betrieb.[132] Mangelnde Quellen sind wohl für diese Lücken verantwortlich.

Der Brauch, zu Weihnachten antisemitische Flugblätter herauszugeben, war keine Erfindung des Frankfurter Deutschen Vereins, sondern wurde überall seit den 90er Jahren von antisemitischen Gruppen praktiziert.[133] Die „Deutsch-Sozialen Blätter" wiesen regelmäßig vor Weihnachten auf Bezugsquellen für antijüdische Weihnachtsflugblätter hin. Vor allem die kleineren Vereine dürften kaum die Möglichkeit zur Herausgabe eigener Flugblätter — wie der Deutsche Verein — gehabt haben, so daß sie diese zur Verteilung von der Zentrale der Partei bezogen.

130 Deutsche Volkswacht, Nr. 20, 8.12.1894 und Nr. 25, 28.12.1894.

131 1895 s. Frankfurter Post, 3. Jg., Nr. 1, 1.1.1898; 1896 s. Frankfurter Post, Nr. 8, 1.12.1896; s. auch Ch. Hallgarten, Neues über den Antisemitismus, S. 10; 1897 s. Frankfurter Post, 2. Jg., Nr. 8, 1.12.1897; 1898 s. Frankfurter Post, 3. Jg., Nr. 13, 1.12.1898; 1903 s. MdVAA, 13. Jg. 1903, Nr. 48, S. 380; 1905 s. KP, Nr. 295, 16.12.1905.

132 Vgl. auch die pauschale Äußerung in der „Kleinen Presse", daß bes. die Weihnachtszeit von den Antisemiten für ihre Propaganda benützt würde, s. KP, Nr. 286, 6.12.1903 und Nr. 295, 16.12.1905.

133 MdVAA, 1. Jg. 1891, Nr. 9, S. 73, 13. Jg. 1903, Nr. 48, S. 380. Es waren nicht nur die Antisemiten, die die Parole ausgaben, nicht bei Juden Weihnachtsgeschenke zu kaufen. Auch in kirchlichen Kreisen tauchte diese Forderung ab und zu auf. So auch in Frankfurt 1903 im „Sonntagsgruß" des protestantischen Pfarrers Cordes, s. KP, Nr. 286, 6.12.1903.

Vom Frankfurter Deutschen Verein ist nur das Flugblatt, das Weihnachten 1897 verteilt wurde, im Original vorhanden, das im folgenden exemplarisch vorgestellt werden soll.[134] Das „Vorsicht bei Weihnachts-Einkäufen!“ überschriebene Blatt rief dazu auf, nicht in Geschäften einzukaufen, deren Besitzer Juden waren. Gerade um die Weihnachtszeit gingen viele christlich-deutsche Frankfurter „und besonders die Frauen“ in jüdischen Geschäften einkaufen. Vor allem bei dem Erwerb der Weihnachtsgeschenke wäre es aber doch nur „recht und billig, daß der Deutsche den Deutschen, der Christ den Christen durch seine Einkäufe unterstützt“. Mit drei Argumenten würde der Käufer in der Regel seinen Besuch der „Judengeschäfte“ rechtfertigen: man würde dort billiger kaufen, man würde zuvorkommender bedient und habe mehr Auswahl. Diese drei Begründungen verurteilte der Deutsche Verein als kurzsichtig, da sie letztlich nicht dem Vorteil der Kunden dienten. Billiger sei es wegen der schlechteren Qualität des Angebots. Zuvorkommender bedient würde man, um von der Prüfung der Ware abzulenken. Unlautere Absichten, besonders gegenüber der weiblichen Kundschaft, seien das wahre Motiv der zuvorkommenden Bedienung.

Schwerer machte es sich der Deutsche Verein damit, das dritte Argument „Man hat beim Juden mehr Auswahl“ zu entkräften. Dies träfe in der Tat oft zu, sei aber darauf zurückzuführen, daß die Käufer selbst, indem sie ihre Einkäufe in jüdischen Geschäften erledigten, die christliche Konkurrenz schädigten, so daß diese kein großes Warenangebot mehr auf Lager halten könnte.

Das Flugblatt beschwor unter diesen Umständen das Schicksal der nachkommenden Generationen in eindringlichen Worten: Würde auch weiterhin in dem Maße wie bisher von der christlich-deutschen Bevölkerung in jüdischen Geschäften eingekauft, so ginge nicht nur der gewerbliche Mittelstand unaufhaltsam seinem Ruin entgegen, auch zukünftige Generationen könnten nur ein gerade noch ausreichendes Auskommen als Abhängige im „Dienste des Juden“ finden. Mit dem Satz „Und daran seid Ihr dann Schuld!“ schloß diese Zukunftsvision, die nach Meinung des Deutschen Vereins Wirklichkeit würde, wenn ein Boykott jüdischer Geschäfte nicht durchzusetzen sei.

Nachdem noch zur Unterstützung des Deutschen Vereins aufgerufen und erneut eindringlich vor dem Besuch jüdischer Geschäfte gewarnt worden war, gipfelte das Flugblatt in der Aufforderung: „wer aber ein Deutscher, ein Christ bleiben will, wer an seinem eigenen Volke nicht zum Verräter werden will, der kauft Christgeschenke nur in christlichen Geschäften!“

Verteilt wurden die Weihnachtsflugblätter des Deutschen Vereins von Parteimitgliedern und Anhängern, aber auch von bezahlten Dienstmännern.[135] Jeweils in der Anfang Dezember stattfindenden Monatsversammlung des Deutschen Vereins wurde an die Anwesenden eine Anzahl zur Weitergabe ausgegeben.[136] Außerdem lag 1897

[134] Beilage zur Frankfurter Post, 2. Jg., Nr. 8, 1.12.1897.
[135] Deutsche Volkswacht, Nr. 25, 28.12.1894.
[136] Deutsche Volkswacht, Nr. 20, 8.12.1894; Frankfurter Post, 2. Jg., Nr. 8, 1.12.1897.

und 1898 der „Frankfurter Post“ ein Exemplar als Beilage bei.[137] „(S)olange der Vorrath reicht“, konnten weitere Flugblätter bei HERMANN LAASS im Hotel „Kölner Hof“ bezogen werden.[138] Diese wurden dann entweder straßenweise in die Briefkästen geworfen[139] oder Passanten auf der Straße ausgehändigt.[140]

Im Jahre 1903 wollte der Deutsche Verein das Weihnachtsflugblatt von den Geschäftsleuten selbst finanzieren lassen. Im November 1903 wandte man sich zu diesem Zweck mit einem Rundschreiben an die christlichen Geschäftsleute Frankfurts und forderte sie auf, sich mit Geldspenden daran zu beteiligen. Begründet wurde dieses Ansinnen damit, daß sie von dem Weihnachtsflugblatt einen wirtschaftlichen Vorteil hätten. Das Weihnachtsflugblatt des Deutschen Vereins werde die christlich-deutsche Bevölkerung mahnen, nicht bei den Juden zu kaufen, „sondern in christlich-deutschen Häusern ... Ganz besonders soll sich diese Mahnung aber gegen die Warenhäuser und Ramschbazare, den Ruin vieler Spezialgeschäfte wenden“. Der Deutsche Verein beabsichtigte etwa 150.000 Flugblätter nicht nur in Frankfurt, sondern auch im Umland — in Darmstadt, Hanau, Bad Homburg, Friedberg, Vilbel, Kronberg, Langen, Offenbach usw. — verteilen zu lassen. Diese hohe Auflage sollte zu einem großen Teil von den christlich-deutschen Geschäftsleuten in Frankfurt finanziert werden, wobei der Deutsche Verein den Spendern zusicherte, „daß Ihr Name, falls Sie eine Zuwendung machen, auf Wunsch streng geheim bleibt und daß das Flugblatt in keiner Weise parteiorganisatorischen Zwecken dienen soll.“[141] Ob sich einzelne dazu bereit erklärten und ob es überhaupt zur Herausgabe dieses Weihnachtsflugblattes kam, ist unklar.

Zwei Jahre später erschien dann abermals ein Weihnachtsflugblatt des Deutschen Vereins, das, allerdings ohne die Parole „Kauft nicht bei Juden!“ direkt zu nennen, gegen das Kaufen von Weihnachtsgeschenken in Warenhäusern polemisierte. Wie die „Kleine Presse“ schrieb, wisse trotzdem jeder, gegen wen es gerichtet sei und auch der von der Zeitung zitierte Beispielsatz legte mit seinem Rekurs auf die christliche Religion die beabsichtigte Judenhetze nahe: „Unser Heiland sagt klar und deutlich: Es ist nicht recht, daß man den Kindern das Brot nehme und werfe es vor die Hunde.“[142] Diese Zurücknahme der offenen antijüdischen Zielsetzung ging einher mit der gleichzeitigen Anbindung des Deutschen Vereins an die Mittelstandsbewegung.

Aus späteren Jahren sind keine Hinweise mehr auf Weihnachtsflugblätter überliefert. Da dies eine Propaganda war, die wenig Aufwand erforderte, ist vermutlich davon auszugehen, daß sie auch weiterhin vom Deutschen Verein verteilt wurden.

137 Ebd. und 3. Jg., Nr. 13 (=12), 1.12.1898.
138 Ebd., 2. Jg., Nr. 8, 1.12.1897; MdVAA, 13. Jg. 1903, Nr. 48, S. 380.
139 Frankfurter Post, 3. Jg., Nr. 1, 1.1.1898.
140 Deutsche Volkswacht, Nr. 25, 28.12.1894.
141 MdVAA, 13. Jg. 1903, Nr. 48, S. 380; KP, Nr. 286, 6.12.1903.
142 KP, Nr. 295, 16.12.1905.

Über die Wirkung der Weihnachtsflugblätter ist wenig bekannt. Man wird kaum annehmen können, daß sie auf starke Resonanz stießen. Für die Antisemiten selbst waren sie nicht gedacht, und die anderen taten sie vermutlich als Merkwürdigkeit ab. Sofern die Frankfurter Lokalzeitungen sie überhaupt zur Kenntnis nahmen, wurden sie als Kuriosität geschildert.[143]

So unbedeutend und wirkungslos diese Propaganda heute erscheinen mag, die Weihnachtsflugblätter sind die einzige antisemitische Agitation aus der Zeit vor 1914, an die sich Frankfurter jüdische Bürger erinnern. SELMAR SPIER erwähnt in seiner Autobiographie „Vor 1914" als antijüdische Agitation, mit der er als Kind konfrontiert wurde, das regelmäßig vor Weihnachten im Briefkasten liegende Flugblatt mit der Parole „Kauft nicht bei Juden!".[144]

9.3.2. Das Deutschbund-Adreßbuch 1895/96

Der „Frankfurter Generalanzeiger" vom 19. November 1894 enthielt eine große Anzeige des Deutschen Vereins für ein neuartiges Adreßbuch *„Im Verlage des Deutschen Vereins erschien so eben ein Adreßbuch christlich deutscher Geschäfte für Frankfurt a.M. In demselben sind empfehlenswerthe Geschäfte aller Zweige, ohne Rücksicht auf die Parteistellung des Inhabers, ohne jegliche Bezahlung und ohne Zuthun der Ausgewählten aufgeführt. Wir bitten unsere Mitbürger, sich dieses von uns in uneigennütziger Weise hergestellten Wegweisers fleißig bedienen zu wollen."*[145] Für 25 Pfennig wurde diese meist „Deutschbund-Adreßbuch" genannte Broschüre vom Deutschen Verein vertrieben, von dem sie entweder direkt oder über einige Buchhandlungen zu beziehen war.[146]

Worum handelte es sich bei dieser in der Anzeige vorsichtig „Adreßbuch christlich deutscher Geschäfte" bezeichneten Veröffentlichung? In der Vorrede zum Adreßbuch wurde der mit der Publikation beabsichtigte Zweck benannt: *„Wir machen deshalb Ernst mit der Pflicht„ nur bei Deutschen zu kaufen, und geben zunächst unseren (Bundes-) Brüdern und Freunden, zugleich aber jedem, der es nutzen will, dieses Adreßbuch als zuverlässigen Rathgeber bei den täglichen Einkäufen des Kleinverkehrs an die Hand ... Es giebt heute schon viele Tausende von Deutschen, welche sich an politischen Bewegungen nicht betheiligen, aber doch zu ihrem Theile in der Stille das Deutschthum unterstützen und das Judenthum abwehren möchten ... Ihnen und daneben auch denjenigen, welche von Auswärts Einkäufe in Frankfurt machen, soll dieses Adreßbuch hoffentlich gute Dienste leisten."*[147] Ebenso wie mit dem Weihnachtsflugblatt beabsichtigte man auch mit dem Deutschbund-Adreßbuch, einen Boykott jüdischer Geschäfte zu erreichen.

143 Siehe dazu Kritik in: Frankfurter Post, 3. Jg., Nr. 1, 1.1.1898; vgl. aber auch KP, Nr. 286, 6.12.1903.
144 S. SPIER, Vor 1914, S. 104.
145 Frankfurter Generalanzeiger, Nr. 272, 19.11.1895, S. 9.
146 Ebd.; Deutsche Volkswacht, 2. Jg., Nr. 91, 23.11.1895; MdVAA, 5. Jg. 1895, Nr. 47, S. 373.
147 Zitiert nach MdVAA, 5. Jg. 1895, Nr. 47, S. 373.

Nicht durch eine Zusammenstellung der jüdischen Geschäfte sollte der Deutsche vom Kauf in diesen Läden abgehalten werden, sondern umgekehrt den Hinweis auf christliche Geschäfte derselben Branche zu deren Besuch animiert werden. Dementsprechend bestand das Adreßbuch aus einer Liste Frankfurter nichtjüdischer Kaufleute, Handwerker, Ärzte, Gastwirte und Banken, anhand deren der christlich-deutsche Frankfurter sich orientieren sollte.

Derartige Geschäftswegweiser gab es nicht nur für Frankfurt. Schon bevor das Frankfurter im November 1895 erschien, wurde in Anzeigen in den „Deutsch-Sozialen Blättern" für Adreßbücher anderer Städte geworben. Danach gab es im Sommer 1895 Deutschbund-Adreßbücher für Leipzig, Berlin, Breslau, Halle, Hannover und Mainz.[148] Sie leiteten ihren Namen von dem Verband ab, der sie herausgab, dem sogenannten Deutschbund.

Der Deutschbund wurde 1894 von dem Rechtsanwalt und Redakteur der „Täglichen Rundschau", Dr. Friedrich Lange, gegründet.[149] Er war eine exklusive deutschvölkische Vereinigung, die sich wie ein Orden aus Logen zusammensetzte. Ziel des Deutschbundes war die Pflege und Aktivierung eines „deutschen Volksbewußtseins". Nur Deutsche konnten Mitglied des Bundes werden, die bereit waren, in „thätiger Liebe" das Wohl des deutschen Volkes anzustreben und in fortwährender Selbsterziehung alles Fremde, d.h. Undeutsche, abzulegen. Diese nationalen Bestrebungen waren eng mit Antisemitismus verknüpft: Letztlich seien es die jüdischen Mitbürger und ihr Hang zum Materiellen, der das deutsche Volk verderbe. Deshalb sei die Abwehr des jüdischen Einflusses die entscheidende Aufgabe auf dem Weg zu einem „reineren Deutschtum".[150] Nach den Statuten des Vereins waren Juden — auch getaufte — von der Mitgliedschaft ausgeschlossen: „Der Jude kann nicht des Deutschbundes sein, noch durch die Taufe werden, denn seine Natur bleibt in der Beschneidung. Vielmehr wer des Deutschbundes ist, bezeuge seinen Eifer in aller gesetzlichen Abwehr des Juden."[151] Als eines dieser Mittel zur Abwehr des jüdischen Einflusses müssen die vom Bund herausgegebenen Adreßbücher christlich-deutscher Geschäfte verstanden werden.

Die Zahl der Mitglieder des Deutschbundes war nicht groß. Bis 1905 gab es im gesamten Reich nur circa 800 Mitglieder in 35 Ortsgruppen.[152] In Frankfurt existierte in den 90er Jahren keine Deutschbundgemeinde.[153] Erst für die Zeit nach

[148] Etwa Deutsch-Soziale Blätter, 10. Jg., Nr. 357, 10.6.1895, S. 200; vgl. auch F. G. Schultheiss, Deutschnationales Vereinswesen, S. 73, H. Class, Wider den Strom, S. 30f.

[149] P. Pulzer, Entstehung, S. 185f., M. Broszat, Antisemitische Bewegung, S. 145ff., W. Buch, 50 Jahre, S. 27, W. Giese, Deutschsoziale Reformpartei, S. 206.

[150] R. Küster, Wesen, bes. S. 5ff., S. 14ff.

[151] Zitiert nach F. G. Schultheiss, Deutschnationales Vereinswesen, S. 72; P. Pulzer, Entstehung, S. 185f., R. Küster, Wesen, S. 24.

[152] P. Pulzer, Entstehung, S. 185; M. Broszat, Antisemitische Bewegung, S. 145. 1910 waren es 1100 Mitglieder in 45 Ortsgruppen, s. A. Geiser (Hrsg.), Deutsches Reich, S. 206f.

[153] 1895 gab es in der näheren Umgebung Frankfurts nur in Wiesbaden und Mainz Deutschbundgemeinden, s. R. Küster, Wesen, S. 19.

1910 ist eine Deutschbundorganisation auch für Frankfurt belegt, ohne daß näheres über sie zu erfahren wäre.[154]

Obwohl es in Frankfurt im Jahre 1895 noch keine Vereinigung des Deutschbundes gab, weist die Bezeichnung „Deutschbund-Adreßbuch" darauf hin, daß der Frankfurter Deutsche Verein nicht allein für diese Broschüre verantwortlich war. Zwar wurde in der Anzeige im „Frankfurter Generalanzeiger" behauptet, daß das Adreßbuch ausschließlich vom Deutschen Verein herausgegeben wurde, in dessen Verlag es auch erschienen war. Dies war jedoch nicht ganz korrekt.

Daß es kein alleiniges Unternehmen des Deutschen Vereins war, sondern in enger Zusammenarbeit mit dem Deutschbund herausgegeben wurde, verdeutlicht am nachhaltigsten die in der „Deutschen Volkswacht" abgedruckte Abrechnung.[155] Sie veranschaulicht auch die Aufnahme der Broschüre durch die Frankfurter Bevölkerung. Die Auflagenhöhe betrug rund 2000 Broschüren, von denen innerhalb von zwei Monaten über 1500 Exemplare verkauft worden waren. Die erwirtschaftete Summe wurde vom Deutschen Verein nach Berlin an den Kassenwart des Deutschbundes überwiesen. Der Deutschbund hatte die Druckkosten bezahlt und forderte den Gesamterlös für sich. Insofern war es ein vollständig unter der Autorität des Bundes stehendes Unternehmen. Der Deutsche Verein war die Anlaufadresse des Deutschbundes in Frankfurt und besorgte auch den Vertrieb des Adreßbuches. In diesem Sinne muß der Ausdruck „im Verlag des Deutschen Vereins erschienen" verstanden werden.

Der Deutsche Verein hatte wohl auch die im Adreßbuch abgedruckte Liste der Geschäfte erarbeitet. Ob ein bestimmtes Geschäft jüdisch sei, d.h. ob der Inhaber Jude sei oder nicht, wurde in den Monatsversammlungen des Deutschen Vereins häufiger behandelt, vermutlich wurden darüber auch schon seit längerem Listen geführt.[156] Daß der Deutsche Verein maßgeblich an der Zusammenstellung des Adreßbuches mitgewirkt hat, dafür spricht auch der in seiner April-Versammlung 1895 gehaltene Vortrag über „Anlegung eines deutsch-christlichen Geschäfts-Adreßbuches für Frankfurt am Main".[157] Es dürfte sich dabei um Vorarbeiten für das im November erscheinende „Deutschbund-Adreßbuch" gehandelt haben. Demnach scheint es so gewesen zu sein, daß der Deutsche Verein für den Inhalt verantwortlich zeichnete und der Deutschbund den Druck und die Finanzierung ermöglichte.

Fragt man nach der Wirkung, die das Adreßbuch hatte, so muß zwischen der von den Herausgebern intendierten und der Reaktion gegen diese Broschüre unterschieden werden. Immerhin wurden 1500 Exemplare des Werkes innerhalb einer relativ kurzen Zeit von zwei Monaten verkauft. Wohl nicht nur Interessierte, sondern auch

[154] Mitglieder des Deutschbundes nahmen an der von nationaler Seite organisierten Bismarckfeier teil, s. Deutsch-Soziale Blätter, 25. Jg., Nr. 30, 13.4.1910, S. 358. Die Frankfurter Deutschbundgemeinde spendete Geld für die unentgeltliche Verteilung des Buches „Der Kampf gegen das Judenthum", s. Deutsch-Soziale Blätter, 27. Jg., Nr. 96, 30.11.1912, S. 1141.

[155] Deutsche Volkswacht, 3. Jg., Nr. 7, 25.1.1896.

[156] Ebd., 1. Jg., Nr. 20, 8.12.1894.

[157] Ebd., 2. Jg., Nr. 25, 30.3.1895.

Neugierige werden die Broschüre erworben haben, die praktisch sofort nach ihrem Erscheinen allgemein bekannt war. Viele protestierten öffentlich dagegen, in der Broschüre aufgeführt zu werden. Denn, wie es in der Anzeige des Deutschen Vereins hieß, waren sie nicht um ihr Einverständnis gebeten worden. Eine große Zahl der Geschäftsleute distanzierte sich dann auch unverzüglich von der mit diesem Adreßbuch verbundenen antijüdischen Absicht.

Im „Frankfurter Generalanzeiger" erschienen bereits am Tage, nach dem die Anzeige des Deutschen Vereins erschienen war, Annoncen, in denen im Adreßbuch Genannte gegen ihre Aufnahme Einspruch erhoben. Die Glaser-Innung war die erste, die öffentlich dagegen protestierte.[158] In den nächsten Tagen folgten eine Reihe von Geschäften diesem Beispiel.[159] Nicht nur in Zeitungsanzeigen wandten sich Geschäftsleute und Handwerker gegen das Deutschbund-Adreßbuch, auch Listen waren ausgelegt worden, in die man sich einschreiben konnte.[160] Eine erhebliche Anzahl der aufgezählten christlichen Geschäftsinhaber verwahrte sich auf diese oder die andere Weise gegen ihre Namensnennung im Deutschbund-Adreßbuch.[161]

Diese öffentlichen Proteste waren so stark, daß die Frankfurter Ortsgruppe des Vereins zur Abwehr des Antisemitismus keine Veranlassung mehr sah, ihrerseits gegen den Deutschen Verein und das Adreßbuch vorzugehen. Sie verzichtete auf juristische Schritte oder eine Pressekampagne, da sie die bislang erfolgte Reaktion für ausreichend hielt, um der antisemitischen Bewegung in Frankfurt ihre Grenzen zu zeigen.[162]

Auch eine vermutlich schon länger geplante Veranstaltung des Vereins der Fortschrittspartei, in der Prof. STENGEL aus Marburg über den Antisemitismus sprach, fand in diesen Tagen Ende November 1895 statt. Ebenso wie der Verein zur Abwehr des Antisemitismus waren auch die Anhänger der Fortschrittspartei aufgrund der schon bislang erfolgten Kritik am Deutschbund-Adreßbuch der Meinung, daß sie ihrerseits nichts mehr unternehmen sollten. Es wurde nur eine Resolution verabschiedet, in der die mit dem Adreßbuch verbundene Absicht kritisiert, aber auch jede weitere Auseinandersetzung mit dieser Broschüre für überflüssig angesehen wurde: *„Im Anschluß an die Vorgänge der letzten Woche erklärt sie die Aufnahme zahlreicher Mitbürger, ohne deren Wissen und Willen, in das antisemitische Adreßbuch für einen groben Unfug und eine frivole Störung des von jeher in Frankfurt gewahrten konfessionellen Friedens. Trotzdem warnt sie alle wahrhaft freisinnigen Männer vor übertriebenen Maßnahmen und Kundgebungen, die dem bereits der Lächerlichkeit verfallenen Machtwerk eine ihm nicht zukommende Bedeutung verleihen würde."*[163]

158 Frankfurter Generalanzeiger, Nr. 273, 20.11.1895, S. 5.
159 Ebd., Nr. 274, 22.11.1895, S. 12; Nr. 275, 23.11.1895 und Nr. 276, 24.11.1895; s. auch KP, Nr. 276, 24.11.1895, 3. Bl.
160 Frankfurter Generalanzeiger, Nr. 275, 23.11.1895, S. 8.
161 MdVAA, 5. Jg. 1895, Nr. 48, S. 378.
162 Frankfurter Generalanzeiger, Nr. 280, 29.11.1895, S. 3; MdVAA, 5. Jg. 1895, Nr. 49, S. 388.
163 Abgedruckt in: KP, Nr. 278, 27.11.1895, 2. Bl.

Wie wenig ernst ein derartiger Boykott jüdischer Geschäfte Ende des 19. Jahrhunderts in Frankfurt genommen wurde, zeigt die Scherz-Annonce des Hutgeschäftes LEVY. Der Inhaber bedauerte, nicht in das Adreßbuch aufgenommen worden zu sein. In seinem Geschäft fände man einen großen Posten Damen- und Herrenhüte, besonders preisgünstig seien zur Zeit Trauerhüte.[164]

Aber es gab auch andere Stimmen. Der Wirt des „Kölner Hofs", HERMANN LAASS, dessen Lokal seit Mitte des Jahres 1895 wegen antisemitischer Tendenzen berüchtigt war, ließ eine das Adreßbuch befürwortende Anzeige in die Zeitung setzen: „Erklärung. Dem hiesigen antisemitischen 'Deutschen Verein' spreche ich hiermit meinen verbindlichsten Dank aus für die zwar ohne mein Zuthun erfolgte Aufnahme in das Deutschbund-Adreßbuch für Frankfurt a.M."[165] Auch die Inhaber eines Textilwarengeschäftes in Sachsenhausen, die Gebrüder ZEISS, sprachen sich für ihre Aufnahme im Adreßbuch aus: „Geehrte Kundschaft! Wir sind nicht darüber entrüstet, daß man uns in's 'Deutschbund-Adreßbuch' aufgenommen hat. Wir handeln und leben als christliche Kaufleute und haben gar keine Veranlassung, uns dessen zu schämen oder Gegner zu fürchten."[166] Diese waren im Unterschied zu HERMANN LAASS bislang noch nicht als Befürworter der antisemitischen Bewegung bekannt. Drei Jahre später jedoch sollte die „Frankfurter Post" die Wahl des einen Geschäftsinhabers, HEINRICH WILHELM ZEISS, zum Stadtverordneten begrüßen, da mit ihm endlich ein christlich-deutscher Mann in die Stadtverordnetenversammlung einziehe.[167]

Diese wenigen Stimmen, die die Broschüre begrüßten, wurden jedoch bei weitem überwogen von den Protesten. Die Antisemiten, aber auch ihnen nahestehende Redner unterließen es noch bei späteren Gelegenheiten nicht, die Einwände der Frankfurter Geschäftsleute gegen das Adreßbuch zu diffamieren.

In einer Ende November 1895 abgehaltenen Versammlung des Conservativen Vereins sprach Pastor JULIUS WERNER aus Beckendorf bei Oschersleben über „Deutschkonservativ und Christlichsozial". Pastor JULIUS WERNER, der zu diesem Zeitpunkt ADOLF STOECKERS Christlichsozialer Partei angehörte, trat hier erstmals in Frankfurt auf. Drei Jahre später, 1898, wurde er Pfarrer der Frankfurter Paulsgemeinde,[168] spätestens seit 1911 war er Mitglied des Deutschen Vereins und in der antisemitischen Bewegung aktiv.[169] In seinem Vortrag von 1895 bekannte er öffentlich, daß jeder „anständige Mensch Antisemit" sei und rief zum „energischen Kampf gegen das moderne Judenthum auf".[170] In der anschließenden Diskussion ging es auch um die Reaktionen gegen das Adreßbuch, die von einem Diskussionsteilnehmer unter dem

164 Frankfurter Generalanzeiger, Nr. 276, 24.11.1895, S. 26; KP, Nr. 276, 24.11.1895, 3. Bl.
165 Frankfurter Generalanzeiger, Nr. 275, 23.11.1895, S. 12.
166 Ebd., Nr. 276, 24.11.1895, S. 7.
167 Frankfurter Post, 3. Jg., Nr. 13 (=12), 1.12.1898.
168 J. TELSCHOW/E. REITER, Evangelische Pfarrer, S. 347.
169 Deutsch-Soziale Blätter, 26. Jg., Nr. 25, 29.3.1911, S. 289 und S. 293.
170 MdVAA, 5. Jg. 1895, Nr. 49, S. 386.

Beifall der Anwesenden als ein „betrübendes Zeichen und der 'Judenfurcht' entsprungen" interpretiert wurden: „Vor ganz Deutschland habe man sich mit den Erklärungen blamiert."[171]

Noch Anfang Februar 1896, als der Vorsitzende der Deutschsozialen Reformpartei und Reichstagsabgeordnete Oswald Zimmermann in einer öffentlichen Versammlung des Deutschen Vereins über „Den Kampf des deutschen Handels- und Gewerbestandes mit dem Judenthum" referierte, kam der Redner auch auf das Frankfurter Deutschbund-Adreßbuch zu sprechen. Er warf den dagegen protestierenden Kaufleuten vor, sich von ihren jüdischen Mitbürgern unter Druck setzen zu lassen und „in mehr oder weniger judendienerischer Form Einsprache erhoben" zu haben.[172]

Obgleich der Deutsche Verein wohl mit Protesten gerechnet haben dürfte, wofür auch der zurückhaltende Text seiner Anzeige sprach, muß ihn doch die beinahe einhellige und heftige Ablehnung überrascht haben. Denn er rechtfertigte in einer erneuten Anzeige im „Generalanzeiger" die Herausgabe des Adreßbuches:[173] Nach Meinung des Deutschen Vereins seien die öffentlichen Verlautbarungen völlig überflüssig gewesen, da alle Geschäfte ohne Wissen und Wollen der Inhaber in das Adreßbuch aufgenommen worden waren. „Für die Auswahl war nicht die antisemitische Gesinnung maßgebend, sondern lediglich die deutsche Abstammung." Aus diesem Grund seien auch nichtjüdische Mitglieder des Vereins zur Abwehr des Antisemitismus in der Broschüre aufgezählt. In bezug auf die öffentlichen Proteste beharrte der Deutsche Verein auf seiner Position:

„Einsprüche hatten wir, so überflüssig sie erscheinen, aus naheliegenden Gründen dennoch erwartet, nicht erwartet hatten wir dagegen, daß christlich-deutsche Kaufleute ihren Protest in eine solche Form kleiden würden. Ob die Nennung ihrer Namen den betreffenden Geschäftsleuten angenehm war oder nicht, ist uns völlig gleichgültig, daß es gar manche als eine Beleidigung ansehen, unter anderen deutschen Kaufleuten ebenfalls aufgeführt zu sein, beklagen wir tief.

Wegen eines Punktes bitten wir um Entschuldigung: Infolge der Schwierigkeit der Ermittelung sind die christlich-deutschen Geschäfte und Berufsvertreter unserer Stadt nicht alle aufgeführt. Dieser Mangel soll schon in der nächsten Auflage des Büchleins, die selbstverständlich in Jahresfrist erscheinen wird, beseitigt sein.

Mit diesem Versprechen quittiren wir alle bereits erschienenen und noch folgenden Erklärungen und sehen den angekündigten 'weiteren Schritten' mit Seelenruhe entgegen.

Auf Zeitungsfehden lassen wir uns fernerhin nicht ein."

Die Namen derjenigen, die gegen ihre Aufnahme protestiert und damit ihre „undeutsche" Gesinnung gezeigt hatten, wollte der Deutsche Verein für die Zukunft festgehalten wissen und ergänzte die erste Auflage durch einen entsprechenden

[171] HStaA Wiesbaden, Abt. 407, Nr. 159 (Conservativer Verein für Frankfurt und Umgegend), Bd. 1, Bl. 166-167.

[172] Deutsche Volkswacht, 3. Jg., Nr. 10, 5.2.1896.

[173] Frankfurter Generalanzeiger, Nr. 277, 26.11.1895, S. 10.

Anhang. Dieses erweiterte Adreßbuch wurde seit Sommer 1896 vertrieben.[174] Aber damit war die Angelegenheit mit dem Deutschbund-Adreßbuch noch nicht beendet.

Die in der Anzeige des Deutschen Vereins angekündigte zweite Auflage des Deutschbund-Adreßbuches erschien tatsächlich, und zwar genau ein Jahr später, im November 1896. Und kam damit rechtzeitig genug heraus, um als Leitfaden für die Weihnachtseinkäufe dienen zu können. Wie die Erstauflage war auch die zweite von der Berliner Zentrale des Deutschbundes finanziert worden.[175]

Die heftigen öffentlichen Reaktionen auf das erstmalige Erscheinen des Adreßbuches waren vom Deutschen Verein noch nicht vergessen worden und man erhoffte sich für diesmal eine bessere Aufnahme. Vom Verein wurden die Proteste des vergangenen Jahres als ein Beweis für die „Judenhörigkeit" der Frankfurter Geschäftswelt interpretiert. Auf jeden Fall hätten sie in keinem Verhältnis zu dem gestanden, was der Deutsche Verein mit dem Deutschbund-Adreßbuch beabsichtigt habe. Überzeugt von der Richtigkeit seiner Bemühungen wurde in der „Frankfurter Post" erneut die Herausgabe der Broschüre begründet und der Widerstand für überzogen hingestellt: *„Und was hatten wir gethan? Wir hatten lediglich zum Vortheil der Frankfurter christlich-deutschen Kaufleute einen Wegweiser durch empfehlenswerthe Geschäfte zusammengestellt, um die durch die Juden zurückgedrängten deutschen Verkäufer zu unterstützen und die deutschen Käufer vor Übervortheilung in jüdischen Geschäften zu sichern.*

So etwas ist in Judenfurt, wie unsere Stadt füglich heißen sollte, natürlich unerhört ... Wir sind überzeugt, daß unser Deutschbund-Adreßbuch, verbunden mit einem warmen Aufrufe, nur bei Deutschen zu kaufen, ein wirksames Mittel bildet, der drohenden Verjudung im Handel zu steuern und wir hoffen, daß sich inzwischen mancher Protestler auf sein deutsches Gewissen besonnen hat und davor bewahrt bleibt, einen derartigen Hexensabbat nochmals mitzumachen."[176]

Tatsächlich erfolgten diesmal keine öffentlichen Einwände mehr. Jedoch dürfte dies weniger auf eine allgemeinere Akzeptanz der zweiten Auflage im Unterschied zur ersten zurückzuführen sein. Es war vielmehr ein Indiz dafür, daß die Frankfurter Öffentlichkeit derartige Aufrufe zum Boykott jüdischer Geschäfte nicht mehr ernst nahm und deshalb nicht darauf reagierte. Auf eine bessere Aufnahme des Deutschbund-Adreßbuches, wie es sich der Deutsche Verein erhoffte, kann daraus nicht geschlossen werden. Dafür sprach auch, daß die zweite Auflage nicht so schnell wie die erste abgesetzt werden konnte. Noch 1898 wurde das „Adreßbuch christlich deutscher Kaufleute in Frankfurt" zum Preis von 30 Pfennig in der „Frankfurter Post" zum Verkauf angeboten.[177]

[174] Frankfurter Post, Nr. 3, 1.7.1896.
[175] Ebd., 3. Jg., Nr. 1, 1.1.1898.
[176] Ebd., 1. Jg., Nr. 7, 1.11.1896.
[177] Ebd., 3. Jg., Nr. 1, 1.1.1898.

Ein einziges Mal während seines Bestehens betrieb der Deutsche Verein eine Agitation, mit der er sich nicht primär an die Frankfurter Öffentlichkeit oder an eine städtische Behörde, sondern darüberhinaus an eine höhere politische Instanz wandte. Im Herbst 1895 schickte er eine Petition an den preußischen Landtag mit der Bitte um Übersetzung des Schulchan Aruch. Dieses jüdische Religionsbuch sollte auf Staatskosten aus der hebräischen Sprache ins Deutsche übertragen werden.[178]

Der Schulchan Aruch (wörtl.: gedeckter Tisch) ist ein Kompendium des jüdischen Rechts und der Ritualgesetze, das im 16. Jahrhundert zusammengestellt worden war. Seine systematische Anordnung und seine Abfassung in einer leicht faßlichen Form ließen ihn zu einem weit verbreiteten Werk werden. Bis heute ist er für das orthodoxe Judentum der verbindliche Kodex für alle religiös-rituellen Angelegenheiten. Ursprünglich in hebräischer Sprache geschrieben, liegen seit der ersten Hälfte des 19. Jahrhunderts wissenschaftliche Übersetzungen ins Deutsche vor, während frühere Übersetzungen beabsichtigten, die jüdische Religion zu diffamieren.[179]

Seit Anfang des 18. Jahrhunderts — seit Johann Andreas Eisenmengers „Entdecktes Judenthum" — wurde der Schulchan Aruch als ein Werk angegriffen, das den Juden Feindschaft und Verachtung gegenüber den Christen vorschreibe und jedes an ihnen begangene Unrecht gutheiße. Zum Beweis wurden einzelne Stellen aus dem Zusammenhang gerissen und mißverständlich gedeutet. Obwohl immer wieder Rabbiner wie auch christliche Gelehrte diese einseitigen Interpretationen des hebräischen Textes richtigstellten, wurden diese antijüdischen Verleumdungen weiterhin verbreitet. Denn den Judengegnern galt der Schulchan Aruch als wichtiger Beleg für ihre These von der Gefährlichkeit und Nichtassimilierbarkeit der jüdischen Staatsbürger.

Erfolgten die Angriffe gegen den Schulchan Aruch seit dem 18. Jahrhundert mittels Broschüren, die über seinen Inhalt 'aufklären' sollten, wandten sich die politisch aktiven Antisemiten der 90er Jahre direkt an die gesetzgebenden Körperschaften. Diese sollten eine staatlich autorisierte Übersetzung oder doch wenigstens eine Prüfung des Werkes in Auftrag geben. Die Antisemiten erhofften sich damit eine Anerkennung ihrer Interpretation des Schulchan Aruch als ein den Nichtjuden feindlich gesinntes Werk und damit zugleich eine Legitimation für ihre Forderungen nach rechtlicher Beschränkung der jüdischen Bürger. Würden die Juden, so lautete die Argumentation, schon von ihrer Religion her zu rücksichtslosem Verhalten gegenüber Andersgläubigen angehalten, so wäre es nur konsequent, wenn sich die christlichen Einwohner gegen die jüdischen mit allen Mitteln wehrten. Und selbst wenn es nicht gelang, mit Hilfe von Petitionen eine Übersetzung zu erreichen, so konnte doch bereits eine parla-

[178] Ebd., 1 Jg., Nr. 2, 1.6.1896 und Nr. 3, 1.7.1896.

[179] Jüdisches Lexikon, Bd. 5/2, Sp. 275-279; Lexikon des Judentums, Sp. 734; C. Bürger (Hrsg.), Antisemiten-Spiegel, S. 321-329.

mentarische Diskussion darüber, ob die jüdische Religion der Integration der jüdischen Bürger entgegenstehe, als ein Erfolg für die antisemitische Bewegung gewertet werden. Außerdem gab es immer wieder einzelne Abgeordnete, die sich, obgleich sie keine Mitglieder antisemitischer Parteien waren, dennoch für diesen Antrag aussprachen. Dies sollte sich auch bei der Debatte über die Frankfurter Bittschrift 1896 zeigen.

Von 1892 an wurden an die zuständigen politischen Organe derartige Gesuche gerichtet. Bei den Petitionskommissionen des Reichstags, des preußischen Landtages und bei verschiedenen Parlamenten, etwa in Sachsen und Baden, gingen eine Reihe von Petitionen um Übersetzung der „jüdischen Geheimbücher" ein,[180] worunter sowohl der Talmud wie auch der Schulchan Aruch verstanden werden konnten.[181] Keines dieser Gesuche hatte Erfolg. Oft nur nach kurzer, manchmal ohne Debatte ging die Versammlung zur Tagesordnung über. Sofern es überhaupt zu einer Weiterverweisung an die höhere Stelle kam, wies diese das Ansinnen als undurchführbar und überflüssig zurück.

Trotz dieser Ablehnungen wurden von antisemitischer Seite regelmäßig entsprechende Gesuche abgefaßt. Den Antisemiten war diese Forderung wichtig genug, um hartnäckig daran festzuhalten. Auch im Parteiprogramm der Deutschsozialen Reformpartei von 1895 war sie mit aufgenommen. Dort wurde unter Punkt 19 eine „wissenschaftliche Prüfung der jüdischen Religionsvorschriften bezüglich ihres Inhaltes und ihrer Verbindlichkeit" verlangt. Dementsprechend scheint der Vorstand der Partei die Petition an die gesetzgebenden Körperschaften mitgetragen und vorbereitet zu haben, wenn es auch letztlich die lokalen Vereine selbst waren, von denen sie ausgingen. Dies legt jedenfalls das Frankfurter Beispiel nahe.

Die Petition Frankfurts war nicht die einzige, die der Petitionskommission des preußischen Herrenhauses und des Abgeordnetenhauses im Herbst 1895 bzw. Frühjahr 1896 vorlag. Es waren zwei derartige Petitionen eingegangen: außer aus Frankfurt noch eine weitere aus Weißstein in Schlesien.[182] Beide Petitionen waren gedruckt und wörtlich identisch. Die Vorlagen waren offenbar direkt von der Parteizentrale zu beziehen und vor Ort wurden nur die Unterschriften gesammelt. Das Gesuch des Deutschen Vereins war mithin keine originäre Aktivität der Frankfurter antisemitischen Bewegung, sondern wurde auch von anderen lokalen Organisationen an die Parlamente geschickt.

[180] Siehe die Zusammenstellung in: Allgemeine Zeitung des Judentums, 63. Jg., Nr. 52, 29.12.1899, S. 615. Zur Petition des Karlsruher Deutsch-Sozialen Vereins an den Badischen Landtag 1893, s. M. Riff, Government of Baden, S. 132.
Möglicherweise war der Elberfelder antisemitische Verein der erste, der 1892 eine solche Petition an den Reichstag richtete, s. B. Suchy, Antisemitismus, S. 275.

[181] In ähnlicher Weise wie der Schulchan Aruch wurde auch der Talmud angegriffen, s. H. Greive, „Umgekehrte Talmud", S. 18.

[182] Orig. s. ZStaA Merseburg, Rep. 169 A XXXIII, Nr. 31, Bd. 2, Bl. 186-188; s. Stenographische Berichte, Abgeordnetenhaus, Bd. 3 (Anlagen), Anhang S. 2; ebd., Herrenhaus, Bd. 1, S. 223; vgl. auch Deutsch-Soziale Blätter, 11. Jg., Nr. 404, 14.5.1896, S. 159.

Während die Petition aus Schlesien mit 12 Unterschriften versehen war, hatten sich in Frankfurt etwa 40 Personen zur Unterzeichnung bereitgefunden.[183] Verantwortlich dafür war in Frankfurt der als Mitglied des Deutschen Vereins bereits mehrfach erwähnte Leutnant a.D. Adolf Wolff. Hinzu kamen 40 weitere Personen, von denen weniger als zehn als Mitglied des Deutschen Vereins bekannt sind. Diese geringe Anzahl kann im wesentlichen auf die unzureichende Quellenlage über die Mitglieder des Vereins zurückgeführt werden. Die übrigen Unterzeichner waren aber zumindest Anhänger der antisemitischen Bewegung, selbst wenn sie kein Mitglied des Deutschen Vereins gewesen sein sollten.

Der Antrag der im September 1895 an das preußische Herrenhaus gerichteten Petition lautete wörtlich: Da neue Veröffentlichungen gezeigt hätten,[184] *„daß die bisher geheim gehaltenen Gesetz- und Lehrbücher auf Anschauungen beruhen, die mit den sittlichen und rechtlichen Grundlagen unseres Volkslebens in Widerstreit stehen und in ihren weiteren Folgen eine Bedrohung unserer staatlichen und sittlichen Ordnungen bedeuten, richten die Unterzeichneten an die berufenen Vertreter des deutschen Volkes das höfliche Ansuchen, bei den maßgebenden Behörden eine Übersetzung des Schulchan aruch auf Staatskosten beantragen zu wollen.“* Zur Begründung des Gesuchs wurde angeführt, daß ohne *„Kenntnis der jüdischen Gesetze und Lehren ... der Staat und das ganze Volk in eine irrtümliche Haltung gegenüber dem Judentum geraten* (muß), *und die verhängnißvollen Folgen dieser Thatsache zeigen sich allerwegen. Die politische und rechtliche Stellung des Judentums innerhalb unseres Staatsganzen ist eine irrtümliche, weil sie auf falschen Voraussetzungen beruht.“*[185]

In den Ausführungen wurde bereits das Ergebnis der beantragten Prüfung unterstellt, daß nämlich in den jüdischen Religionsbüchern tatsächlich Lehren enthalten seien, die nicht mit den allgemeinen Gesetzen des Staates übereinstimmen. Die Konsequenz, die daraus zu ziehen sei, konnte dann nur die Zurücknahme der Emanzipation sein.

Die Petition um Übersetzung des Schulchan Aruch an das Herrenhaus vom September 1895 war nicht die einzige, die der Deutsche Verein abschickte. Noch bevor über diese im April 1896 im Herrenhaus diskutiert wurde, hatte der Verein eine gleichlautende an das Abgeordnetenhaus des preußischen Landtages gerichtet. Diese wurde Ende Februar/Anfang März von Max Liebermann von Sonnenberg persönlich bei der Petitionskommission des Abgeordnetenhauses abgegeben.[186] Aber während diese das Gesuch als nicht diskussionswürdig ansah und es, da kein Gegenantrag gestellt wurde, dem Plenum nicht vorlegte,[187] wurde im Herrenhaus darüber debat-

[183] ZStaA Merseburg, Rep. 169 A XXXIII, Nr. 31, Bd. 2, Bl. 186-188.
[184] Als Beleg wurden zwei antijüdische Broschüren, die 1895 erschienen waren, angeführt: Fr. von Langen, Das jüdische Geheim-Gesetz und die deutschen Landesvertretungen, und anonym, Die Aufhebung der Juden-Emanzipation und ihre rechtliche Begründung.
[185] ZStaA Merseburg, Rep. 169 A XXXIII, Nr. 31, Bd. 2, Bl. 186.
[186] Deutsch-Soziale Blätter, Beil., 11. Jg., NR. 395, 12.3.1896, S. 43.
[187] Stenographische Berichte, Abgeordnetenhaus, Bd. 3 (Anlagen), Anhang S. 2.

tiert. Dort war ebenfalls die Petitionskommission in ihren Beratungen zu dem Schluß gekommen, die Petition nicht zu berücksichtigen. Dagegen lag allerdings ein Antrag von 20 Mitgliedern des Herrenhauses vor, der die Überweisung und Berücksichtigung des Gesuchs an die Staatsregierung befürwortete. Aus diesem Grund mußte darüber diskutiert werden.[188]

In der Sitzung des Herrenhauses vom 29. April 1896 stand die Debatte über die Petitionen aus Weißstein und Frankfurt am Main auf der Tagesordnung.[189] Als erster sprach der Berichterstatter der Petitionskommission, der den Beschluß der Kommission begründete. Er bezog sich in seiner Stellungnahme auf das Ergebnis einer Untersuchung aus dem Jahre 1893. Im Jahr 1892 hatten dem Herrenhaus erstmals Bittschriften um Prüfung der „jüdischen Geheimbücher" vorgelegen. Diese waren damals der Regierung zur Prüfung und Berücksichtigung übergeben worden, die 1893 abgeschlossen war. Die Regierung sah diese Petitionen schon wegen des Umfangs der Werke als undurchführbar an. Gleichzeitig verwies sie darauf, daß Übersetzungen vorlägen und die in Frage kommenden Orientalisten sich bereits zu dieser Frage geäußert hätten. Die Majorität gelangte dabei zu der Ansicht, daß die jüdische Religion ihren Anhängern nichts vorschreibe, was mit der bürgerlichen Ordnung im Widerspruch stehe. Die als Beleg für eine andere Auffassung angeführten Stellen aus Schulchan Aruch und Talmud seien falsch übersetzt. Daran habe sich in der Zwischenzeit nichts geändert, weshalb die Petitionskommission auch jetzt, 1895, zu dem Schluß gelangt sei, daß es einer staatlich angeordneten Übersetzung des Schulchan Aruch nicht bedürfe.

Eine gänzlich andere Ansicht über Inhalt und Bedeutung des Schulchan Aruch vertraten die Befürworter der Petition. Der Gegenantrag wurde von 20 Mitgliedern des Herrenhauses unterstützt, von denen die meisten ostelbische Landadlige waren.[190] Der schlesische Großgrundbesitzer Freiherr von Durant hatte die Begründung des Antrags übernommen.[191] Auch er ging von dem Urteil der Staatsregierung aus dem Jahre 1893 aus, das eine staatlich angeordnete Übersetzung der jüdischen Religionsbücher für undurchführbar erklärt hatte. Die Ablehnung sei aber nach Meinung des Freiherrn nicht hinreichend begründet worden und er hoffe, daß dieser Bescheid nicht lediglich aus „Rücksicht auf einen fremden, unter uns wohnenden Volksstamm" erfolgt sei. Sachlich erklärbar sei die Nichtberücksichtigung der Petition von 1892, weil sie sich auf die Übersetzung sämtlicher jüdischer Religionsbücher bezogen habe, deren Umfang zu groß sei, um eine Übersetzung in absehbarer Zeit herzustellen. Sollten die Anträge 1893 allein aus diesem Grund zurückgewiesen worden sein, so liege mit den jetzigen Petitionen eine andere Situation vor. Diese beschränkten ihre Bitte auf Übersetzung des Schulchan Aruch, der mit seinen 2000 Seiten in einer angemessenen Zeit zu übersetzen sei.

188 A. Plate, Handbuch, S. 19.
189 Stenographische Berichte, Herrenhaus, Bd. 1, S. 223-229.
190 Ebd., Bd. 2, S. 426.
191 Ebd., Bd. 1, S. 224-227.

Eine Übertragung ins Deutsche sei nach Auffassung von Durants notwendig, weil die bislang bekannt gewordenen Übersetzungen zeigen würden, daß besonders der Schulchan Aruch Anschauungen vermittle, „deren genaue Klarstellung von größter Wichtigkeit" seien. Als Quelle zitierte er Johann Andreas Eisenmengers „Entdecktes Judenthum" und August Rohlings „Talmudjude" aus dem Jahre 1871, vor allem aber ein 1884 erschienenes Werk von Jakob Ecker „Der Judenspiegel im Lichte der Wahrheit". Alle drei Autoren beabsichtigten mit ihren Schriften, den Nachweis für staatsgefährdende, antichristliche Vorschriften der jüdischen Religion zu liefern. Den daraus entnommenen Übersetzungen konnte Freiherr von Durant dann auch nur entnehmen, „daß, wenn dieselben richtig sind, das Judenthum eine eigene Sittenlehre haben würde, die der bei uns gebräuchlichen entgegensteht, daß es also gewissermaßen einen Staat im Staate bilden würde". Aus diesem Grund sei es nicht nur das Recht, sondern auch die Pflicht der Staatsregierung, die jüdischen Religionsbücher einer genauen Prüfung zu unterziehen.

Ohne die antisemitische Bewegung beim Namen zu nennen, kam der Freiherr indirekt auf sie zu sprechen. Er rechtfertigte sie zwar nicht, hielt sie aber als eine politische Reaktion auf die zunehmend einflußreicher werdende wirtschaftliche Position vieler Juden für verständlich. Der wachsende Einfluß der Juden rufe „in weiten Kreisen" Beunruhigung hervor. „Und die Anschauung ist eine weit verbreitete, daß hierbei nicht nur der gewöhnliche Gang der Ereignisse bestimmend ist, sondern daß auch noch andere Faktoren mitwirken, welche sich unserer Beurteilung entziehen und welche bis jetzt in ein geheimnißvolles Dunkel gehüllt sind." Dieses „Dunkel" könnte sich, so wurde damit suggeriert, durch eine Übersetzung des Schulchan Aruch aufhellen lassen. Der auffällige wirtschaftliche Erfolg vieler Juden liege in ihrem rücksichtslosen Gebahren gegenüber der christlichen Konkurrenz begründet, wie es ihnen von ihrer Religion vorgeschrieben werde. Mit diesem Gedankengang hatte sich der konservative Freiherr von Durant ein Argument zu eigen gemacht, das der antisemitischen Propaganda entsprach.

An Freiherrn von Durant anschließend legte Oberregierungsrat Löwenberg den Standpunkt der Staatsregierung dar, der sich mit dem der Petitionskommission deckte:[192] Eine Reihe von teils widersprüchlichen Übersetzungen des Schulchan Aruch lägen bereits vor. Auch eine staatlich angeordnete Übersetzung werde an diesen vielfältigen Ansichten des Gelehrten nichts ändern. Die Regierung sehe sich schon aus praktischen Gründen nicht in der Lage, diesen Meinungsstreit durch eine staatlich angeordnete Übersetzung zu schlichten.

Einen anderen Gesichtspunkt betonte der Hildesheimer Oberbürgermeister Gustav Struckmann.[193] Er stellte Überlegungen darüber an, welche Absicht die Petenten aus Frankfurt und Weißstein verfolgten. Er glaubte nämlich nicht, daß es den Antragstellern um die bloße Kenntnisnahme eines Buches gehe, dessen Sprache

192 Ebd., S. 227.
193 Ebd., S. 227f.

sie nicht verstünden. Er befürchtete vielmehr im Unterschied zu FREIHERR VON DURANT, daß mit derartigen Petitionen versucht werde, der antisemitischen Bewegung weiteren Zulauf zu verschaffen. Hinter diesen Forderungen nach Offenlegung angeblich geheimer Lehren verberge sich eine weitergehende politische Zielsetzung, denn das Buch selbst sei jederzeit, in welcher Übersetzung auch immer, zugänglich. Dann allerdings müsse man sich fragen, warum seit einigen Jahren wiederholt diese Anträge gestellt würden. Schon dies lasse vermuten, „daß er (der Antrag, I.S.) etwas ganz Anderes in sich birgt, als sein unschuldiges Gewand es vermuten läßt." GUSTAV STRUCKMANN war der Ansicht, daß durch die Annahme der Petition der antisemitischen Bewegung zu einer staatlichen Rechtfertigung verholfen werden sollte. Zu ihrer Unterstützung aber solle sich das Herrenhaus auf keinen Fall bereiterklären, weshalb der Redner unbedingt wie die Petitionskommission den Übergang zur Tagesordnung empfehle.

Bei der Schlußabstimmung fanden die Befürworter der Petitionen keine Mehrheit, statt dessen wurde dem Antrag der Petitionskommission stattgegeben und zur Tagesordnung übergegangen.[194] Damit waren die Petitionen aus Weißenstein und aus Frankfurt um staatliche Übersetzung des Schulchan Aruch abgelehnt.

Den Beschluß des preußischen Herrenhauses besprach der Deutsche Verein in seiner Monatsversammlung am 4. Juni 1896.[195] Ein Mitglied berichtete über die Debatte und erkannte dabei „dankbar" an, in welch ausgezeichneter Weise FREIHERR VON DURANT sich für die Annahme der Petition ausgesprochen habe. Besonders kritisch wurde auf die Rede des Hildesheimer Oberbürgermeisters GUSTAV STRUCKMANN eingegangen. Dieser habe sich „in den taktlosesten Angriffen auf die antisemitische Bewegung" ergangen.

Obwohl die Zurückweisung des Antrags — entsprechend der Ablehnung früherer Petitionen — zu erwarten war, hielt der Deutsche Verein an seiner Forderung nach Übersetzung des Schulchan Aruch fest. Bereits in der ersten, direkt auf die Ablehnung ihrer Petition folgenden Monatsversammlung am 7. Mai 1896 wurde erneut über die Dringlichkeit einer Übersetzung der hebräischen „Geheimbücher" beraten. Die Anwesenden beschlossen, beim Vorstand der Deutschsozialen Reformpartei anzuregen, dieser solle im Reichstag einen Antrag auf Übersetzung des Schulchan Aruch auf Staatskosten einbringen.[196] Diesem Ansinnen der Frankfurter Antisemiten scheinen die Abgeordneten der Deutschsozialen Reformpartei aber nicht nachgekommen zu sein.

[194] Zur Debatte vgl. auch KP, Nr. 102, 1.5.1896; Frankfurter Post, Nr. 3, 1.7.1896; Deutsche Volkswacht, 3. Jg., Nr. 49, 27.6.1896; Frankfurter Generalanzeiger, Nr. 102, 1.5.1896, Bl. 2.

[195] Über den Ablauf der Versammlung liegen nur kurze zusammenfassende Berichte vor, s. Frankfurter Post, Nr. 3, 1.7.1896; Deutsch-Soziale Blätter, Beil., 11. Jg., Nr. 408, 11.6.1896, S. 95.

[196] Frankfurter Post, Nr. 2, 1.6.1896. Dies war einer von drei Anträgen, die die Abgeordneten der Deutschsozialen Reformpartei nach Meinung des Deutschen Vereins im Reichstag stellen sollten. Außerdem sollten sie Anträge um Beseitigung aller kulturkämpferischen Gesetze und um Verbot der Einwanderung fremder Juden einbringen.

Auch nach der Ablehnung der Petition aus Frankfurt und Schlesien im Frühjahr 1896 wurden derartige Anträge bei den Reichs- und Landesparlamenten gestellt. Sie hatten aber ebensowenig Erfolg. 1897 und 1898 wurden jeweils zwei Petitionen an die sächsische und württembergische Kammer sowie an den Reichstag gerichtet. All diese Petitionen hatten das gleiche Schicksal wie die Frankfurter. Die Abgeordneten ließen den Antrag auf sich beruhen und gingen zur Tagesordnung über.[197]

Die Petition des Deutschen Vereins aus dem Jahre 1895 war demnach keine Frankfurter Besonderheit. Zahlreiche lokale antisemitische Organisationen im Deutschen Reich schickten in den 90er Jahren ähnliche Petitionen um Übersetzung der jüdischen Religionsbücher an die Länderparlamente und an den Reichstag. Diese Gesuche müssen im Rahmen einer von der gesamten Deutschsozialen Reformpartei verfolgten Politik gesehen werden, bei der die einzelnen Vereine die Initiative übernommen hatten.

[197] Allgemeine Zeitung des Judentums, 63. Jg., Nr. 52, 29.10.1899, S. 615.

10. Dem Deutschen Verein nahestehende Gruppen

Außer dem Deutschen Verein gab es in Frankfurt noch einige Verbände, die, soweit es die antijüdischen und nationalistischen Einstellungen betraf, mit ihm sympatisierten. Aber anders als der Deutsche Verein, der als lokale Organisation einer politischen Partei für jeden offen war, der sich bereit erklärte, das Parteiprogramm zu unterstützen, wandten sich jene an spezielle Adressaten, etwa an eine bestimmte Berufsgruppe, an Jugendliche oder an sportlich Interessierte.

Dem Deutschen Verein am ähnlichsten, so daß er beinahe als seine Jugendorganisation angesehen werden konnte, war der Deutsche Jugendbund „Hermann". Er muß deshalb an erster Stelle genannt werden, obwohl er nur kurze Zeit existierte.

Weit erfolgreicher war die seit 1897 in Frankfurt bestehende Ortsgruppe des Deutschnationalen Handlungsgehilfenverbandes, in dessen Ideologie berufsständische Forderungen mit Antisemitismus und nationalen Zielsetzungen verschmolzen waren. Da der DHV schon bald über mehr Mitglieder als der Deutsche Verein verfügte und umfangreiche Aktivitäten entfaltete, wird die Geschiche dieses Verbands in Frankfurt in einem längeren Kapitel beschrieben. Zwar kann der DHV mit seiner Verbindung von Antisemitismus und berufsspezifischen Belangen nicht vorbehaltlos der politischen antisemitischen Bewegung zugezählt werden, jedoch war gerade dieser Verein die erfolgreichste Ausprägung des organisierten Antisemitismus.

Im Schlußkapitel wird noch auf einen gänzlich anderen Verein, einen Sportverein, eingegangen, der ebenfalls Juden von der Mitgliedschaft ausschloß. Es handelte sich dabei um den Deutschvölkischen Turnverein „Friesen", zu dessen Gründung 1912 aufgerufen wurde.

Mit einigen weiteren politischen und geselligen Vereinen hatte der Deutsche Verein zeitweise Kontakt. Diese können aber nicht der antisemitischen Bewegung zugezählt werden. Die Gemeinsamkeiten, die sie mit dem Deutschen Verein zusammengehen ließen, waren meist partiell und nur auf eine kurze Zeit, manchmal nur auf eine Kundgebung, beschränkt. Es handelte sich dabei um den Christlichsozialen Verein,[1] um

1 Der Christlichsoziale Verein in Frankfurt ging 1896 aus dem Conservativen Verein für Frankfurt am Main und Umgegend hervor, der seit den 80er Jahren bestand, s. HStaA Wiesbaden, Abt. 407, Nr 159, Bd. 1, Bl. 177. Eine gemeinsame Veranstaltung mit dem Deutschen Verein und einigen Mittelstandsorganisationen fand im April 1899 über die Forderung nach höherer Besteuerung der Warenhäuser statt, s. Frankfurter Post, 4. Jg., Nr. 5, 1.5.1899; Deutsche Volkswacht, 6. Jg., Nr. 33, 29.4.1899 (s. auch Kap. 8.2.). Der Deutsche Verein lud auch die „Freunde" der konservativen und christlichen Parteien zu Vorträgen ein, s. Deutsch-Soziale Blätter, 27. Jg., Nr. 26, 30.3.1912, S. 301 und Nr. 32, 20.4.1912, S. 374. Umgekehrt inserierte z.B. 1900 der Christlichsoziale Verein seine öffentlichen Versammlungen mit dem früheren Hofprediger Adolf Stoecker auch in der „Frankfurter Post". Der Deutsche Verein seinerseits forderte seine Mitglieder dringend auf, an dieser Versammlung teilzunehmen, „ist doch Hofprediger Stoecker einer der

Organisationen der Mittelstandsbewegung[2] und um den Alldeutschen Verband.[3] Zwei Gesangvereine traten als „befreundete Vereine“ bei Veranstaltungen des Deutschen Vereins auf.[4]

Da eine Darstellung dieser im Kern nicht antisemitischen Vereine den Rahmen der Arbeit sprengen würde, wurde ihnen kein eigenes Kapitel gewidmet. Sie sind aber insofern bedeutsam, als sie zeigen, daß der Deutsche Verein auch mit anderen, nicht antisemitischen Vereinen zusammenarbeitete. Er war stärker in das Frankfurter Parteien- und Vereinsspektrum integriert, als es bei der bisherigen, isolierten Darstellung der Entwicklung des Vereins den Anschein hatte. Jedoch waren diese Ortsgruppen und Vereine ebenso wie der Deutsche Verein keine mitgliederstarken Vereine, sondern hatten zum Teil selbst Existenzprobleme.[5]

10.1. Deutscher Jugendbund „Hermann“

Eng assoziiert mit dem Deutschen Verein war der Deutsche Jugendbund „Hermann“. Er sollte, wie die „Deutschen Worte“ es 1899 formulierten, den Jüngeren das sein, was „der deutsche Verein den älteren Gesinnungsgenossen ist“.[6] In seinen politischen Überzeugungen glich er dem Deutschen Verein, er war jedoch während der kurzen Phase seiner Existenz organisatorisch selbständig.

Die Jugendbundbewegung ging von lokalen Gründungen „Deutscher Jugendbünde“ in Hessen in den 80er Jahren aus. 1886 entstand erstmals in Kassel ein solcher Jugendbund.[7] Ins Leben gerufen wurden sie von den antisemitischen Parteiorganisationen, die einen Zusammenschluß national gesinnter Jugendlicher als Vorbereitung

besten Vorkämpfer für den Antisemitismus“, s. Frankfurter Post, 5. Jg., Nr. 1, 1.1.1900; s. auch Deutsche Worte, 1. Jg., Nr. 35, 31.12.1899. Noch 1911 nahm der Deutsche Verein an Versammlungen der Christlichsozialen teil, s. Deutsch-Soziale Blätter, 26. Jg., Nr. 101, 20.12.1911, S. 1213.

2 Verschiedene Handwerkervereine und Organisationen der Gewerbetreibenden unterstützten die Kandidaten des Deutschen Vereins für die Stadtverordnetenwahlen, besonders im Jahre 1904, s. Kap. 13.2.2.

3 Eine Ortsgruppe des Alldeutschen Verbandes existierte seit 1899/1900 in Frankfurt, s. AdB 1900, S. 729. Von 1912 an scheint sich diese dem Antisemitismus anzunähern. Die Frankfurter Ortsgruppe veranstaltete in diesem Jahr mit dem Reichstagsabgeordneten der Deutschsozialen Partei, Dr. Ferdinand Werner, eine Sonnenwendfeier auf dem Großen Feldberg und im darauffolgenden Jahr wechselte sie ihr Vereinslokal zugunsten des „Kölner Hofs“, s. Deutsch-Soziale Blätter, 27. Jg., Nr. 54, 6.7.1912; MdVAA, 23. Jg. 1913, Nr. 11, S. 88. Diese Entwicklung war keine Frankfurt spezifische. Sie korrespondierte mit der allgemeinen Tendenz des Verbandes in jenen Jahren. Die Aufnahme antisemitischer Gedanken deutete sich schon durch den Wechsel des Vorsitzenden 1908 an. Mit Heinrich Class wurde ein überzeugter Antisemit zum Vorsitzenden des Gesamtverbandes gewählt, s. L. Werner, Alldeutsche Verband, S. 36 und S. 86.

4 Der „befreundete“ Gesangverein „Sängerlust“ bestritt das musikalische Programm des 4. Stiftungsfestes des Deutschen Vereins, s. Deutsche Volkswacht, 2. Jg., Nr. 3, 12.1.1895. Der Hortersche Gesangverein publizierte 1898/1899 seine Vereinsnachrichten in der „Frankfurter Post“ und lud die Mitglieder des Deutschen Vereins zu geselligen Abenden ein, s. ebd., 3. Jg., Nr. 1. 1.1.1898; Nr. 9 (=8), 1.8.1898; Nr. 11 (=10), 1.10.1898; 4. Jg., Nr. 5, 1.5.1899; Nr. 6, 1.6.1899.

5 Für die Christlichsozialen s. etwa KP, Nr. 290, 10.12.1896.

6 Deutsche Worte, 1. Jg., Nr. 12, 23.7.1899.

7 A. Geiser (Hrsg.), Deutsches Reich, S. 199.

für einen späteren Beitritt in die antisemitischen Parteien begrüßten.[8] 1890 rief OTTO BÖCKEL in seinem „Reichsherold" seine „jugendlichen Freunde" auf, dem Beispiel einiger Ortsgruppen zu folgen und weitere Jugendbünde zu gründen. Die Jugendbünde beabsichtigten „die Pflege des Deutschthums, eine gesellige Fröhlichkeit und Bekämpfung des jüdischen Einflusses".[9]

Ausführlich wurde die Zielsetzung im „Handbuch des Deutschnationalen Vereinswesens" von FR. SCHULTHEISS beschrieben: Die Jugendbünde „versprechen die deutsche Jugend zu sammeln, sie dem seichten Getriebe städtischen Vergnügungslebens und der Verhetzung durch die Sozialdemokratie zu entziehen und ihr eine Stätte der nationalen Erziehung und Erbauung, aber auch der wahren Fröhlichkeit zu schaffen."[10] Diese Vereinigungen richteten sich gegen das moderne städtische Leben mit seinem wirtschaftlichen Konkurrenzdruck und seinen politischen Kontroversen. Dagegen wollten sie ihren Anhängern ein idealisiertes Deutschtum vermitteln, das gekoppelt war mit einem „großdeutschen und weltanschaulichen Antisemitismus".[11] Anhänger hatte diese Bewegung vornehmlich unter der städtischen bzw. kleinstädtischen mittelständischen Jugend.

Die ursprünglich allein auf lokaler Ebene zusammengeschlossenen Jugendbünde verbanden sich 1894 zum Wartburgbund, dessen Sitz in Eisenach war. Ein Jahr später waren dem Wartburgbund circa 70 Ortsgruppen angeschlossen.[12] Doch bald danach begann seine Auflösung.[13] Die Auseinandersetzung darüber, ob auf dem Boden des Christentums eine Erneuerung des germanischen Wesens überhaupt möglich sei oder ob man sich von dem Christentum gänzlich zu lösen habe, führte zur Spaltung der Jugendbundbewegung.[14] 1899 wurde der Wartburgbund zum Jungdeutschen Bund umgewandelt, ging jedoch in seiner Bedeutung immer mehr zurück.[15]

Von Anfang an scheinen die Jugendbünde keine sehr erfolgreichen Zusammenschlüsse gewesen zu sein. Immer wieder finden sich schon Mitte der 90er Jahre Hinweise auf ein Niedergehen der Bewegung. In Proklamationen wurde dazu aufgerufen, „neues Leben in die einst so mächtig blühende Jugendbewegung" zu tragen.[16] Auch die Entwicklung des Frankfurter Jugendbundes zeigt, wie schwach diese Vereine waren und auf wie wenig Resonanz sie stießen.

In Frankfurt bestand mit Unterbrechung von 1895 bis 1899 ein Deutscher Jugendbund, der sich zeitweise den Beinamen „Hermann" zulegte.[17]

[8] I. HAMEL, Völkischer Verband, S. 72.
[9] Reichsherold, 4. Jg., Nr. 345, 3.10.1890.
[10] FR. G. SCHULTHEISS, Deutschnationales Vereinswesen, S. 71f.
[11] I. HAMEL, Völkischer Verband, S. 72.
[12] Ebd., S. 76.
[13] Im Antisemitischen Jahrbuch für 1898, S. 200f., sind noch 68 Vereine aufgezählt; ein Jahr später im Antisemitischen Jahrbuch für 1899, S. 172, nur mehr 29.
[14] I. HAMEL, Völkischer Verband, S. 80f.; FR. G. SCHULTHEISS, Deutschnationales Vereinswesen, S. 72.
[15] A. GEISER (Hrsg.), Deutsches Reich, S. 199.
[16] Deutsche Volkswacht, 3. Jg., Nr. 40, 23.5.1896.
[17] Vermutlich sollte an HERMANN DEN CHERUSKER erinnert werden. So gab es etwa in Berlin und in Kassel einen Deutschen Jugendbund „Cherusker", s. Antisemitisches Jahrbuch 1899, S. 172.

Die Gründung eines Jugendbundes wurde in Frankfurt erstmals im September 1895 erwogen, zu einer Zeit, zu der sich an anderen Orten schon lange Jugendbünde formiert hatten.[18] Für Sonntag, den 8. September 1895, wurden junge und alte Gesinnungsgenossen eingeladen, sich beim Gastwirt Ludwig Müller in der Friedberger Landstraße zwecks Gründung eines Jugendbundes zu versammeln. Unterzeichnet war die Einladung, die in der „Deutschen Volkswacht" publiziert wurde, ohne Namensnennung mit „Mehrere Reformer".[19]

Ob die Gründung an diesem Tag gelang, ist unklar. Erst eindreiviertel Jahr später, im Sommer 1896, sind Aktivitäten des Deutschen Jugendbundes in Frankfurt zu verzeichnen. Am 14. Juni 1896 veranstaltete der Bund eine Feier im Saal der Concordia, zu der er alle Freunde und Bundesbrüder einlud.[20]

Damit aber war die erste Phase des Jugendbundes in Frankfurt schon wieder zu Ende. Denn im Mai 1897 wurde in der „Frankfurter Post" erneut zur Bildung eines deutsch-nationalen Jugendbundes aufgerufen.[21] Dieser Aufruf hatte ebenfalls nicht sofort Erfolg. Erst im November 1897 kam es zur Gründung, die diesmal einen Verein entstehen ließ, der über ein Jahr hinweg tätig blieb.

Die Formierung des Deutschen Jugendbundes „Hermann", wie sich der Verein spätestens ab 1898 nannte, erfolgte am 15. November 1897 im Hotel „Kölner Hof". Nachdem Oskar Eisinger aus Offenbach über die Bedeutung der Deutschen Jugendbünde gesprochen hatte, traten fünfzehn Anwesende dem „neuen deutschnationalen Vereine" bei. Der Deutsche Verein wünschte ihm „ein fröhliches Gedeihen" und forderte seine Leser auf, „alle deutschgesinnten jungen Leute dem Vereine zuzuführen".[22]

Im Beisein des Deutschen Vereins fand dann auch die erste Versammlung im Dezember 1897 im „Kölner Hof" statt, in der Dr. Winterstein aus Kassel über „Die alten Deutschen zu Zeiten des Tacitus" sprach.[23] An der zweiten Feier des Deutschen Jugendbundes „Hermann" nahm ebenfalls der Deutsche Verein teil. Am 6. April 1898 feierte der Jugendbund den 100. Geburtstag des Dichters Hoffmann von Fallersleben. Hoffmann von Fallersleben genoß in den nationalen Kreisen eine besondere Verehrung als Dichter des Deutschlandliedes. Der Höhepunkt der Feier des Jugendbundes war dann auch der Vortrag des Jurastudenten Harmony aus Eschwege, der unter dem Thema „Ein Jahrhundert deutscher Geschichte" auf diese Bedeutung Hoffmann von Fallerslebens hinwies.[24]

18 Etwa 1890 in Alsfeld-Lauterbach und Nieder-Wöllstadt bei Friedberg/Wetterau, s. Reichsherold, 4. Jg., Nr. 345, 3.10.1890; auch der in Darmstadt existierte bereits 1894, s. Deutsche Volkswacht, Nr. 5, 17.10.1894.

19 Ebd., 2. Jg., Nr. 69, 7.9.1895.

20 Deutsch-Soziale Blätter, 11. Jg., Nr. 408, 11.6.1896, S. 95; Deutsche Volkswacht, 3. Jg., Nr. 45, 13.6.1895.

21 Frankfurter Post, 2. Jg., Nr. 1, 1.5.1897.

22 Ebd., 2. Jg., Nr. 8, 1.12.1897.

23 Ebd., 3. Jg., Nr. 1, 1.1.1898.

24 Ebd., Nr. 4, 1.4.1898 und Nr. 5, 1.5.1898.

Ein weiterer, eher der beruflichen Fortbildung dienender Vortrag fand im November 1898 statt. OSKAR EISINGER, der bereits bei der Gründung des Jugendbundes gesprochen hatte, referierte über den Dampf- und Arbeitsmaschinenbau.[25]

Zwischen dem seit November 1897 existierenden Deutschen Jugendbund „Hermann" und dem Deutschen Jugendbund in Offenbach gab es enge Verbindungen. Möglicherweise wurde der Frankfurter sogar nur aufgrund einer Offenbacher Initiative gegründet, wo es bereits einen Jugendbund gab. Im „Antisemitischen Jahrbuch für 1898" wurde nur der Offenbacher erwähnt, der Frankfurter noch nicht. OSKAR EISINGER, war Vorsitzender des Offenbacher Vereins[26] und wurde es auch im Frankfurter Verein: Das „Antisemitische Jahrbuch für 1899" gab ihn als Vorsitzenden des Frankfurter und des Offenbacher Jugendbundes an.[27] Der Deutsche Jugendbund in Frankfurt scheint demnach keine Gründung gewesen zu sein, die in Frankfurt selbst auf große Resonanz stieß. Er mußte von dem in der Bewegung sehr aktiven OSKAR EISINGER, der auch dem Gauverband deutscher Jugendbünde in Hessen vorstand,[28] geleitet werden.

Dafür, daß es in Frankfurt kein antisemitisches Potential unter der mittelständischen Jugend gab, spricht die sehr kurze und wechselvolle Geschichte des Jugendbundes. Erst der zweiten Gründung im November 1897 gelang es, ein regelmäßiges Vereinsleben zu organisieren. Wie kurz aber auch diese Phase war, verdeutlicht die Aufforderung in den „Deutschen Worten" vom Juli 1899, weiterhin den Deutschen Jugendbund „Hermann" zu unterstützen: *„Etwas von der Jugendbundbewegung. Vor einigen Jahren machte sich bei der deutschen Jugend das Bestreben bemerkbar, durch Gründung von Vereinen (Jugendbünden) den völkischen Gedanken innerhalb der Jugend Deutschlands zu pflegen und zu verbreiten ... Auch hier in Frankfurt fand die neue Bewegung einen fruchtbaren Boden und die hiesige Ortsgruppe verfügte über eine recht stattliche Mitgliederzahl. Da kam der mächtige Aufschwung des Deutschnationalen Handlungsgehilfenverbandes, wodurch uns eine Menge der besten und brauchbarsten Mitglieder entrissen wurden. Der Frankfurter Jugendbund „Hermann" verlor an Ansehen und Bedeutung und fristete eine Zeitlang ein kümmerliches Scheindasein. Neuerdings hat jedoch das Interesse für die Sache wieder bedeutend zugenommen und es finden bis auf weiteres allwöchentlich Samstag Abend 9 Uhr in der Goldenen Zange, Fahrgasse, zwanglose Vereinssitzungen statt. Hierzu wird jeder, der Deutsch denkt und fühlt, herzlichst eingeladen. Besonders an die noch hier wohnenden alten Mitglieder ergeht die dringende Bitte, den Sitzungen wieder regelmäßig beizuwohnen ... Der Jugendbund soll ein Hort des Deutschthums sein und jeder Deutsche, gleichviel welchen Standes, findet nach der Woche Last und Mühe dort Gelegenheit, in einem Kreise Gleichgesinnter sich der Pflege deutschen Wortes und Liedes hinzugeben. Vornehmlich soll diese Aufforderung auch an*

25 Ebd., Nr. 12 (=11), 1.11.1898.
26 Antisemitisches Jahrbuch 1898, S. 201.
27 Ebd. 1899, S. 172.
28 Frankfurter Post, 3. Jg., Nr. 3, 1.3.1898.

die noch deutschgesinnten Handwerker und Arbeiter gerichtet sein ... Beweist, daß auch in unserem Neu-Jerusalem noch eine einige, starke Jugend bereit ist, mit Wort und That für reines, unverfälschtes Deutschthum einzutreten. Dann wird die Zukunft unser sein, aber auch nur dann."[29]

Die Hoffnung, mit diesem Aufruf dem Deutschen Jugendbund „Hermann" zu einem Aufschwung zu verhelfen, erfüllte sich nicht. Sechs Wochen später, in den „Deutschen Worten" vom 10. September 1899, erschien die letzte Einladung zu den wöchentlichen Treffs.[30] Danach tauchte der Frankfurter Jugendbund nicht mehr in antisemitischen Periodika auf.

Zum Schluß soll noch das soziale und berufliche Umfeld, aus dem sich die Mitglieder des Deutschen Jugendbundes rekrutierten, bestimmt werden. Der zitierte Aufruf vom Juli 1899 wandte sich außer an Handwerker und Arbeiter mit der einschränkenden Bemerkung, sofern sie „noch deutschgesinnt" seien, vor allem an die früheren Mitglieder. Der Hinweis, daß besonders durch die Gründung des Deutschnationalen Handlungsgehilfenverbandes, der seit Frühjahr 1897 in Frankfurt eine Ortsgruppe unterhielt, der Jugendbund „Hermann" eine Reihe von Mitgliedern verloren habe, zeigt, daß es sich bei den Mitgliedern im wesentlichen um junge Handlungsgehilfen gehandelt haben dürfte.

Diese soziale Zusammensetzung entspricht derjenigen, die für die Jugendbünde im Reich insgesamt festgestellt werden kann. Träger der Deutschen Jugendbundbewegung der 90er Jahre waren vornehmlich Handlungsgehilfen.[31] Viele von ihnen — nicht nur in Frankfurt — wechselten Ende der 90er Jahre zu dem 1893 gegründeten, erfolgreicheren Deutschnationalen Handlungsgehilfenverband hinüber und beschleunigten damit die Auflösung der Jugendbundbewegung.[32]

10.2. Der Deutschnationale Handlungsgehilfenverband (DHV)

Erfolgreicher als die Zusammenarbeit mit dem kurzlebigen Deutschen Jugendbund „Hermann" gestaltete sich für den Deutschen Verein die Kooperation mit dem Deutschnationalen Handlungsgehilfenverband. Eine Ortsgruppe dieser nationalen und antijüdischen berufsständischen Organisation existierte seit Anfang 1897 in Frankfurt am Main. An den vielfältigen Beziehungen beider Organisationen lassen sich Gemeinsamkeiten und Unterschiede zwischen dem parteipolitischen Antisemitismus des Deutschen Vereins und dem verbandspolitischen Antisemitismus des DHV zeigen.[33]

[29] Deutsche Worte, 1. Jg., Nr. 12, 23.7.1899.
[30] Ebd., 1. Jg., Nr. 19, 10.9.1899.
[31] A. GEISER (Hrsg.), Deutsches Reich, S. 198f.
[32] I. HAMEL, Völkischer Verband, S. 80f.
[33] Zu dieser terminologischen Unterscheidung s. R. RÜRUP, Emanzipation und Antisemitismus (1985), S. 95f.

Anfang Februar 1897 veröffentlichten die „Frankfurter Post" und die „Deutsche Volkswacht" eine Einladung an alle Gesinnungsgenossen, vor allem aber an Handlungsgehilfen und selbständige Kaufleute, an der öffentlichen Versammlung am 12. Februar teilzunehmen. Der Verbandsvorsteher des DHV, WILHELM SCHACK aus Hamburg, werde im Saal des Restaurants „Zum Storch" über „Zweck und Ziele der deutschnationalen Handlungsgehilfenbewegung" sprechen. Beabsichtigt sei, eine Ortsgruppe des DHV zu gründen.[34]

Welche besonderen politischen und wirtschaftlichen Ziele verfolgte der DHV, die andere kaufmännische Vereine nicht vertraten und die sie auf Mitglieder in Frankfurt hoffen ließ, obgleich es hier, wie die "Kleine Presse" kritisch schrieb, „ein Dutzend und etliche" gäbe?[35]

Der Deutschnationale Handlungsgehilfenverband wurde 1893 in Hamburg gegründet.[36] Er wandte sich an die im Einzelhandel angestellten Handlungsgehilfen. Deren soziale Lage hatte sich seit den 80er Jahren spürbar verändert. Der Wunsch vieler Handlungsgehilfen nach späterer Selbständigkeit in einem eigenen Geschäft erwies sich bei der zunehmenden Tendenz zu Großbetrieben und der wirtschaftlich prekären Lage vieler selbständiger Kleinhändler als trügerisch. Die Aussicht auf ein ausschließliches Angestelltendasein ließ den Handlungsgehilfen ihre abhängige Situation in einem anderen Licht erscheinen. Die langen, auch an Feiertagen abzuleistenden Arbeitsstunden mußten dann als ein Dauerzustand und nicht mehr als ein vorübergehendes Durchgangsstadium ihres beruflichen Werdeganges angesehen werden. Seit Ende der 80er Jahre führte dies zu einer zunehmenden Politisierung der Handlungsgehilfen.[37] Neben den älteren Berufsorganisationen, etwa dem Verein für Handlungs-Commis von 1858 und dem Verband deutscher Handlungsgehilfen, entstanden stärker politisch ausgerichtete Vereine. Es waren dies vor allem die der sozialdemokratischen Partei nahestehende Freie Vereinigung der Kaufleute von 1889[38] und der 1893 gegründete Deutschnationale Handlungsgehilfenverband (DHV). Die Gründung des DHV erfolgte mit Unterstützung der Deutschsozialen Partei,[39] an die er sich auch in der Folgezeit mit seiner Propaganda anlehnte. Von Anfang an hielt der neue Verband die Sozialdemokraten für seinen wichtigsten politischen Gegner, deren bislang erfolgreiche Werbetätigkeit unter den Handlungsgehilfen es zu verhin-

[34] Frankfurter Post, Nr. 10, 1.2.1897; Deutsche Volkswacht, 4. Jg., Nr. 10, 3.2.1897.

[35] KP, Nr. 38, 14.2.1897.

[36] Ursprünglich hieß der Verband „Deutscher Handlungsgehilfen-Verband". 1895 nannte er sich in „Deutschnationaler Handlungsgehilfenverband" um, s. I. HAMEL, Völkischer Verband, S. 59; H. SCHUON, Deutschnationale Handlungsgehilfen-Verband, S. 7; zur Gründung s. I. HAMEL, Völkischer Verband, S. 52f.; A. ZIMMERMANN, Deutschnationale Handlungsgehilfenverband, S. 10; H. SCHUON, Deutschnationale Handlungsgehilfen-Verband, S. 5f.

[37] I. HAMEL, Völkischer Verband, S. 15-20; R. GELLATELEY, Politics, S. 54f.; P. MASSING, Vorgeschichte, S. 146f.

[38] I. HAMEL, Völkischer Verband, S. 20f.

[39] H. SCHUON, Deutschnationale Handlungsgehilfen-Verband, S. 4; W. SCHACK, Wie und was wir geworden sind, S. 19ff.; W. JOCHMANN, Struktur (1976), S. 440f.; Entstehung und Bedeutung, S. 4f.

dern galt.[40] Anders als die sozialdemokratische Vereinigung, die eine zukünftige Proletarisierung der Handlungsgehilfen als zwangsläufig ansah und deshalb für diese Berufsgruppe keine zukunftsorientierte Politik betrieb, setzte sich der DHV für die bewußte Pflege des Standesbewußtseins der Handlungsgehilfen auf deutschnationaler Grundlage ein.[41] Wie bei vielen Vereinigungen des Mittelstandes, die Ende des 19. Jahrhunderts gegründet wurden, war dieses Bekenntnis zum Deutschtum gekoppelt mit Antisemitismus.[42] Als eine kaufmännische Standesorganisation vertrat der Verein die Berufsinteressen der Handlungsgehilfen und forderte wirtschaftliche Reformen zur Verbesserung ihrer sozialen Lage. Gewerkschaftliche Arbeit und Nationalismus waren für die Tätigkeit des Verbandes entscheidend: „Die Verfolgung reiner Standesinteressen, gepaart mit nationaler Begeisterung, wurde das Leitmotiv für die künftige Arbeit."[43]

Die wirtschaftlichen Reformprogramme, mit deren gesetzlicher Verankerung der DHV sich eine Verbesserung der sozialen Lage der Handlungsgehilfen versprach, lassen sich im wesentlichen vier Forderungen zuordnen. Diese waren bereits in der ersten Verbandssatzung des DHV verankert und bildeten auch die Hauptthesen der Rede Wilhelm Schacks im Februar 1897 in Frankfurt am Main.[44] Dabei handelte es sich um folgende vier Punkte:

1. Regelung der Arbeitszeit (Maximalarbeitstag, gesetzliche Sonntagsruhe),
2. Festlegung der Kündigungsfristen,
3. Regelung des Lehrlingswesens (Bestimmung der Zahl der Lehrlinge nach Größe des Geschäftes; Gewährung des Besuches von Fortbildungskursen) sowie
4. Einschränkung der Frauenarbeit.[45]

Besonders originell waren diese gesetzlichen Reformvorschläge nicht. Sie unterschieden sich nicht von denen anderer Organisationen der Handlungsgehilfen. So wurden etwa die Forderungen nach gesetzlicher Regelung der Arbeitszeit und Verbot der Sonntagsarbeit für Handlungsangestellte schon länger von den Sozialdemokraten erhoben.[46]

Das Besondere der Satzung des DHV lag nicht in ihren wirtschaftlichen Zielsetzungen, sondern in ihrer Betonung der nationalen Gesinnung[47] und dem Ausschluß von Juden von der Mitgliedschaft. Hinzu kam noch die mit der Entstehungsge-

[40] W. Schack, Wie und was wir geworden sind, S. 19, S. 44; Entstehung und Bedeutung, S. 5.
[41] H. Schuon, Deutschnationale Handlungsgehilfen-Verband, S. 4f.
[42] M. Broszat, Antisemitische Bewegung, S. 104.
[43] H. Schuon, Deutschnationale Handlungsgehilfen-Verband, S. 7.
[44] Frankfurter Post, Nr. 11, 1.3.1897.
[45] Zur Satzung des DHV s. I. Hamel, Völkischer Verband, S. 53ff.
[46] Ebd., S. 54.
[47] Schon die 1895 gewählte Verbandsbezeichnung „deutschnational" verwies auf die Weltanschauung des DHV. Die Definition dieses Begriffes stammte von dem österreichischen Antisemiten Georg von Schönerer: „Deutschnational sein heißt, sein eigenes Volk lieben über alles in der Welt." Vgl. I. Hamel, Völkischer Verband, S. 75.

schichte des Vereins verbundene Abwehr jeglicher sozialdemokratischer Agitation unter den Handlungsgehilfen.[48]

Von den ersten Tagen seines Bestehens an vertrat der DHV eine judenfeindliche Politik. Laut der Satzung von 1893 wurde jüdischen Handlungsgehilfen — auch getauften — die Mitgliedschaft verwehrt. In Paragraph 2 hieß es: „Mitglied kann jeder unbescholtene Handlungsgehülfe werden, jedoch sind Juden und nachweislich von Juden abstammende Personen von der Aufnahme ausgeschlossen."[49] Diese Ausschließungspraxis stellte unter berufsständischen Organisationen etwas völlig neuartiges dar. Die jüdischen Handlungsgehilfen wurden als Angehörige einer eigenen Nation angesehen, die einen Gegensatz zum deutschen Volk bildete.[50] Mit dem im DHV vorherrschenden deutschnationalen Geist sei die Mitgliedschaft jüdischer Handlungsgehilfen unvereinbar. Eine spätere, aus den 20er Jahren stammende Begründung dieser Aufnahmebeschränkung mag als Beispiel für diese Gesinnung innerhalb des DHV dienen: „*Eine Gemeinschaft, die gegen die ganze Dumpfheit der Standeslage und die ganze brutale Gewalt der Sozialdemokratie ihr Los bessern will, braucht eine klare Begrenzung für die Auswahl ihrer Mitglieder, die einer Eignungsprüfung gleichen konnte. So beschlossen sie, nur Schicksalsgenossen aufzunehmen, also nur Handlungsgehilfen, und zwar nur lebenslange Schicksalsgenossen, also nur Männer. Um die Gemeinschaft auch schwerster Proben auf Treue in der Not aussetzen zu können, beschlossen sie, nur Blutsbrüder aufzunehmen und das Ferment der Dekomposition, die Juden, sich fernzuhalten.*"[51]

Mit seiner Verbindung von gewerkschaftlicher und deutschnationaler Ausrichtung hatte der DHV von Anfang an Erfolg. Er konnte einen steten Zulauf verzeichnen, so daß er bald die älteren Handlungsgehilfenvereine überflügelte und 1913 mit weit über 120.000 Mitgliedern zu ihrer größten Organisation wurde.[52]

Dieser rasche Mitgliederzuwachs kann nicht allein auf das Programm des Verbandes zurückgeführt werden, seine intensive Werbetätigkeit im gesamten Deutschen Reich trug erheblich dazu bei. Obgleich der DHV ursprünglich eine Hamburger Gründung war, begann er schon ab 1895 planmäßig sich auszudehnen. Ortsgruppen entstanden auch in anderen Städten. Überall gingen die Gründungen der lokalen Vereine in ähnlicher Weise wie in Frankfurt vor sich. Seit 1896 veranstaltete der Verein Werbekampagnen, indem er einen Hamburger Agitator durch verschiedene Städte

48 §1 Abschn. 5: „Dem Eindringen der Socialdemokratie in den Kaufmannsstand zu wehren." Vgl. I. Hamel, Völkischer Verband, S. 53.

49 Ebd.

50 H. Schuon, Deutschnationale Handlungsgehilfen-Verband, S. 16.

51 Aus: W. Lambach, Was wir sind/Von Wesen und Art des Deutschnationalen Handlungsgehilfenverbandes, Hamburg 1926, S. 5, zitiert nach R. Leuschen-Seppel, Sozialdemokratie, S. 189f. und P. Massing, Vorgeschichte, S. 147.

52 L. Müffelmann, Moderne Mittelstandsbewegung, S. 84; zur Mitgliederentwicklung von 1894—1911 s. H. Schuon, Deutschnationale Handlungsgehilfen-Verband, S. 18f. Hatte der Verband 1894 nur 76 Mitglieder, so waren es bereits 1896 über 2.000 und 1897 über 7.000 Mitglieder. 1900 hatten sich dann mehr als 40.000 und 1907 über 100.000 Handlungsgehilfen dem DHV angeschlossen.

reisen und für den DHV Propaganda betreiben ließ. Meist war es — wie in Frankfurt — der Verbandsvorsteher WILHELM SCHACK selbst, der ein Referat über die Ziele des DHV hielt, worauf sich dann Interessenten dem Verband anschlossen und eine Ortsgruppe bildeten.[53] Vorbereitet wurden diese Veranstaltungen von den örtlichen antisemitischen Organisationen, in deren Zeitungen auch die Einladungen erschienen.[54] Vor der Frankfurter Gründung im Jahre 1897 existierten bereits eine Reihe von Zweigvereinen vornehmlich in Nord- und Mitteldeutschland, etwa in Dresden, Berlin, Braunschweig, Kiel, Leipzig, Erfurt, Hildesheim und Kassel.[55]

Die Frankfurter Gründung von 1897 muß also im Rahmen einer allgemeinen, von Hamburg ausgehenden Werbetätigkeit der Zentrale des DHV gesehen werden, die aber vom örtlichen antisemitischen Deutschen Verein unterstützt wurde. Wie sich bald zeigen sollte, gewann der DHV auch in Frankfurt schnell Mitglieder unter den Handlungsangestellten, so daß die Ortsgruppe von Anbeginn an eine rege Tätigkeit entfalten konnte.

Wie von den Initiatoren der Werbeveranstaltung beabsichtigt, wurde am 12. Februar 1897 im Anschluß an die Rede des Verbandsvorstehers WILHELM SCHACK ein Zweigverein des DHV in Frankfurt gegründet.[56] Die Versammlung selbst verlief allerdings sehr stürmisch.[57] Zahlreiche Gegenredner aus anderen kaufmännischen Vereinen sowie Sozialdemokraten wandten sich gegen die nationalistischen und antisemitischen Tendenzen des Vereins, während die wenigen sich zu Wort meldenden Befürworter, wie der Aktuar LUDWIG HEUN, schon seit längerem als Mitglieder des Deutschen Vereins bekannt waren.[58] In ihrer Mehrzahl war die Versammlung von Gegnern des DHV besucht, die den Ablauf des Abends letztlich bestimmen konnten. Eine Resolution wurde verabschiedet, die ein Hineintragen des Antisemitismus in die Handlungsgehilfenbewegung verurteilte und „den Antisemitismus als wirtschaftlich reaktionär und sittlich tiefstehend" bezeichnete.[59] Obgleich die Veranstaltung selbst keinen Erfolg für den DHV bedeutete, wurde nach Schluß der öffentlichen Versammlung eine Ortsgruppe gegründet. Zehn Handlungsgehilfen sollen ihr sofort beigetreten sein.[60]

Im Sommer desselben Jahres verfügte die Ortsgruppe schon über genügend Mitglieder, um ein regelmäßiges Vereinsleben zu organisieren.[61] Im Herbst 1897 konnte

53 W. SCHACK, Wie und was wir geworden sind, S. 37f.; Entstehung und Bedeutung, S. 18f.

54 I. HAMEL, Völkischer Verband, S. 63f.; vgl. auch H. SCHUON, Deutschnationale Handlungsgehilfen-Verband, S. 8f.

55 I. HAMEL, Völkischer Verband, S. 64.

56 Dies galt selbst 30 Jahre später noch als das offizielle Gründungsdatum der Frankfurter Ortsgruppe, s. G. LAUER, Ortsgruppe Frankfurt a.M., S. 15.

57 Zur Veranstaltung s. KP, Nr. 38, 14.2.1897; Frankfurter Post, Nr. 11, 1.3.1897; Deutsch-Soziale Blätter, Beil., 12. Jg., Nr. 444, 18.2.1897, S. 26.

58 Zu LUDWIG HEUN s. Frankfurter Post, Nr. 1, 1.5.1896.

59 KP, Nr. 38, 14.2.1897.

60 Deutsch-Soziale Blätter, Beil., 12. Jg., Nr. 444, 18.2.1897, S. 26.

61 Seit Juni 1897 trafen sich die Mitglieder jeweils Freitag abends im Restaurant „Schlesinger Eck" in der Großen Gallusgasse, s. Deutsche Volkswacht, 4. Jg., Nr. 50, 30.6.1897.

bereits eine zweite öffentliche Veranstaltung abgehalten werden. Erneut war es der Verbandsvorsteher SCHACK, der nach Frankfurt kam, um über „Die soziale Lage der Handlungsgehilfen und die kaufmännischen Vereine“ zu sprechen. Wie es in der Einladung hieß, sollte die Veranstaltung am 23. September 1897 dem Ziel dienen, die „Ortsgruppe weiter auszubauen, die praktischen und idealen Ziele des Verbandes in immer weitere Kreise zu tragen“. Der Mißerfolg der letzten Veranstaltung war noch präsent genug, um alle Anhänger und Freunde eindringlich zum Erscheinen aufzufordern: *„Wir bitten unsere Gesinnungsgenossen, insbesondere Kaufleute dringend, nicht nur selbst derselben beizuwohnen, sondern auch recht viele Freunde dafür zu gewinnen, damit diesmal nicht wieder die Gegner die Oberhand gewinnen. Es gilt ferner den Beweis zu führen, daß auch in Frankfurt unter den Kaufleuten noch viele gutgesinnte Herzen schlagen, welche die Kraft in sich fühlen auch ohne Juden ihre geistigen und Berufs-Interessen zu vertreten. Heil! Durch Kampf zum Sieg!“*[62]

Tatsächlich gelang es ihnen, die Mehrheit im Versammlungssaal zu stellen, so daß die Veranstaltung trotz der auch diesmal anwesenden Gegner erfolgreich zu Ende geführt werden konnte.[63] Von da an konnte die Frankfurter Ortsgruppe ein kontinuierliches Anwachsen ihrer Mitglieder verzeichnen.

Nach dieser zweiten Veranstaltung mit WILHELM SCHACK im September 1897 traten dem Verein 16 neue Handlungsgehilfen bei. Damit verfügte er bereits nach einem halben Jahr über mehr als 50 Mitglieder.[64] Zwei Jahre später, im April 1899, konnte die Aufnahme des 200. Mitgliedes gefeiert werden. Dies war den Deutschnationalen Anlaß genug, ein „solemnes Kellerfest“ zu veranstalten. Wie die „Frankfurter Post“ und die „Deutsche Volkswacht“ schrieben, hatte ein „Freund der nationalen Bewegung“ der Ortsgruppe reichlich Bier zur Feier des Tages gestiftet.[65]

200 Mitglieder in zwei Jahren seines Bestehens wiesen auf eine erfolgreiche Werbetätigkeit unter den Handlungsgehilfen hin und der Verein wuchs ähnlich schnell weiter an. Immer wieder meldeten die antisemitischen Blätter Neuzugänge.[66] Absolute Mitgliederzahlen wurden allerdings erst für Februar 1901 angegeben. Zu diesem Zeitpunkt verfügte der DHV in Frankfurt über 370 Mitglieder[67] und hatte damit vermutlich mehr als der Deutsche Verein in diesem Zeitraum.

Ebenso wie die Bewegung der deutschnationalen Handlungsgehilfen im Reich allgemein einen steten Zulauf zu verzeichnen hatte,[68] konnte auch die Frankfurter Ortsgruppe bis zum Ausbruch des 1. Weltkrieges auf ein kontinuierliches Wachstum

62 Frankfurter Post, 2. Jg., Nr. 5, 1.9.1897; Deutsche Volkswacht, 4. Jg., Nr. 67, 28.8.1897.
63 Frankfurter Post, 2. Jg., Nr. 6, 1.10.1897.
64 Ebd.
65 Ebd., 4. Jg., 1.5.1899; Deutsche Volkswacht, 6. Jg., Nr. 35, 6.5.1899.
66 Etwa Deutsche Volkswacht, 6. Jg., Nr. 75, 27.9.1899 und 7. Jg., Nr. 84, 31.10.1900; Frankfurter Post, 4. Jg., Nr. 7, 1.7.1899.
67 Deutsche Volkswacht, 8. Jg., Nr. 9, 2.2.1901.
68 I. HAMEL, Völkischer Verband, S. 110; H. SCHUON, Deutschnationale Handlungsgehilfen-Verband, S. 18f.; L. MÜFFELMANN, Moderne Mittelstandsbewegung, S. 84.

blicken. Im Januar 1903 hatte die Ortsgruppe 473 Mitglieder, fünf Jahre später, 1908, 1088 Mitglieder und im Januar 1914 schließlich 1600 Mitglieder.[69]

Laut zeitgenössischen Quellen[70] wie auch der Sekundärliteratur[71] konnten aktive Mitglieder nur Handlungsgehilfen werden. Dies muß auch für Frankfurt gegolten haben. Merkwürdigerweise war auch ein Dr. jur. WELKER Mitglied der Frankfurter Ortsgruppe, der 1899 sogar zu ihrem Schriftführer gewählt wurde.[72] Vielleicht war Dr. WELKER als Kaufmann tätig. Auf jeden Fall hatte er sich als promovierter Jurist auf Handelsrecht spezialisiert, worüber er im Juli 1899 zwei Vorträge im DHV hielt.[73] In aller Regel aber waren die Mitglieder des DHV Handlungsgehilfen, d.h. ausgebildete kaufmännische Angestellte.

Bevor die Aktivitäten und die Entwicklung des DHV in Frankfurt weiter beschrieben werden, soll der Frage nachgegangen werden, welcher Art die Beziehungen zwischen dieser Organisation der Handlungsgehilfen und dem Deutschen Verein waren.

Wie sich schon bei der Gründung der Ortsgruppe des DHV in Frankfurt gezeigt hatte, lag eine Zusammenarbeit auf Grund des von beiden vertretenen Antisemitismus und der nationalen Gesinnung nahe. Die Kooperation reichte von Anzeigen in den Publikationsorganen des Deutschen Vereins bis zu dem gegenseitigen Besuch der Veranstaltungen. Am deutlichsten aber wurden die ideologischen Gemeinsamkeiten an den personellen Verflechtungen. Einige Mitglieder des DHV waren zugleich auch Mitglieder im Deutschen Verein.

Über einen längeren Zeitraum lassen sich die personellen Bezüge zwischen beiden Vereinen am Beispiel des Handlungsgehilfen und späteren Versicherungsangestellten FRANZ HAX zeigen. Dieser war bereits — noch als Mitglied der Zentrumspartei — in der ersten Versammlung des Deutschen Vereins mit MAX LIEBERMANN VON SONNENBERG im November 1894 als ein Befürworter des Antisemitismus aufgetreten.[74] Drei Jahre später begann seine Karriere in der antisemitischen, nationalistischen Bewegung. Seit 1897 war er Mitglied sowohl im DHV als auch im Deutschen Verein.[75] Parteiämter allerdings hatte er nur im DHV inne, dessen erster Vorsitzender er einige Jahre lang von der Gründung 1897 an war. Noch 1905, obwohl zu diesem Zeitpunkt als Versicherungsagent tätig,[76] war er im DHV aktiv, in dessen Namen er die Gene-

[69] G. LAUER, Ortsgruppe Frankfurt a. M., S. 15; s. auch die Angaben in der Deutschen Handels-Wacht, 12. Jg., Nr. 4, 15.2.1905, S. 59; 14. Jg., Nr. 10, 15.5.1907, S. 181 und 16. Jg., Nr. 9, 1.5.1909, S. 166 mit teils abweichenden Angaben. So gab die Deutsche Handels-Wacht, 16. Jg., Nr. 9, für 1908 1311 Mitglieder der Frankfurter Ortsgruppe an.

[70] Zitate in: R. LEUSCHEN-SEPPEL, Sozialdemokratie, S. 189f.

[71] L. MÜFFELMANN, Moderne Mittelstandsbewegung, S. 87f.

[72] Deutsche Worte, 1. Jg., Nr. 8, 25.6.1899.

[73] Er sprach über „Begriff und geschichtliche Entwicklung des Handelsrechts bis zum Jahre 1897" und über „Der Kaufmann im Sinne des Handelsrechts", s. Deutsche Worte, 1. Jg., Nr. 8, 25.6.1899.

[74] Deutsche Volkswacht, Nr. 13, 14.11.1894; KP, Nr. 264, 10.11.1894.

[75] Deutsche Volkswacht, 4. Jg., Nr. 98, 15.12.1897; Frankfurter Post, 2. Jg., Nr. 6, 1.10.1897; 3. Jg., Nr. 2, 1.2.1898; 4. Jg., Nr. 6, 1.6.1899.

[76] Siehe sein Inserat in der Mittelstandszeitung, 1. Jg., Beil. zu Nr. 6, 24.8.1905.

ralversammlung der Deutschen Mittelstandsvereinigung in Frankfurt am Main begrüßte.[77] Gleichzeitig war er weiterhin Mitglied des Deutschen Vereins.[78]

Als weiteres Beispiel für die Mitgliedschaft in beiden Vereinen kann der Geschäftsführer und Gauvorsteher des DHV Julius Schellin aufgezählt werden. Vermutlich war er bereits seit seinem Zuzug im Jahre 1907 auch in der antisemitischen Bewegung in Frankfurt tätig. Sicher ist dies aber erst seit 1911.[79] Von da an beteiligte er sich häufiger an den Veranstaltungen des Deutschen Vereins, vor allem an den Anti-Heine-Veranstaltungen.[80] Insgesamt waren vermutlich — wie in anderen Städten auch — weit mehr Handlungsgehilfen außer im DHV auch im Deutschen Verein Mitglied.[81]

Nicht nur die Handlungsgehilfen unter den Mitgliedern des Deutschen Vereins besuchten die Veranstaltungen des DHV. In der ersten Zeit des Bestehens des DHV hielten einige Mitglieder des Deutschen Vereins Vorträge in dessen Versammlungen. Im November 1897 sprach Ludwig Heun über „Das Recht auf Arbeit" und in der letzten Monatsversammlung des Jahres skizzierte Dr. Ernst Stöcker seine Reise nach Konstantinopel.[82] Ähnliche Vorträge hielt Dr. Stöcker auch im Deutschen Verein.[83] Einen Monat später im Januar 1898 sprach Reichstagsabgeordneter Otto Hirschel über „Die Bedeutung der Frankfurter Messe in früheren Jahrhunderten".[84] Obgleich man erwarten konnte, daß die Mitglieder des Deutschen Vereins sich im DHV zu aktuellen politischen Fragen, insbesondere zur 'Judenfrage', das für beide Organisationen zentrale Thema, äußern würden, waren es überwiegend allgemeinbildende bzw. historische Vorträge, die sie hielten. Dies war auch bei dem am häufigsten im DHV sprechenden Adolf Wolff der Fall. Zwischen 1898 und 1900 sprach der Leutnant a.D. und Vorsitzende des Deutschen Vereins in drei Versammlungen des DHV. Auch er äußerte sich nicht zu tagespolitischen Ereignissen, sondern referierte über militärgeschichtliche Themen. 1898 sprach er über „Die Franzosen in Frankfurt und die Erstürmung der Stadt durch die Hessen".[85] Auf dem Gaufest des Main-Weser und des Badisch-Pfälzischen Gaues des DHV im Jahre 1899 hielt er eine Ansprache zur Erinnerung an die Schlacht bei Sedan.[86] Und ein Jahr später stellte er bei einer geselligen Zusammenkunft der Frankfurter Ortsgruppe eine Militär-Humoreske des heute völlig unbekannten Autors Karl Tastrow vor.[87]

77 Mittelstandszeitung, 1. Jg., Nr. 8, 7.9.1905.
78 Deutsch-Soziale Blätter, 23. Jg., Nr. 35, 29.4.1908, S. 482f.
79 Ebd., 26. Jg., Nr. 101, 20.12.1911, S. 1213; 28 Jg., Nr. 6, 18.1.1913, S. 61.
80 Deutsch-Soziale Blätter, 27. Jg., Nr. 49, 19.6.1912, S. 589 und Nr. 77, 25.9.1912, S. 918.
81 Die Mitgliedschaft vieler DHVler in antisemitischen Vereinen ist kein Frankfurter Spezifikum, sondern kann generell festgestellt werden, s. I. Hamel, Völkischer Verband, S. 100.
82 Frankfurter Post, 2. Jg., Nr. 8, 1.12.1897.
83 Ebd., Nr. 2, 1.6.1896; 4 Jg., Nr. 2, 1.2.1899.
84 Deutsche Volkswacht, 5. Jg., Nr. 6, 22.1.1898.
85 Frankfurter Post, 3. Jg., Nr. 13 (=12), 1.12.1898.
86 Deutsche Worte, Nr. 19, 10.9.1899.
87 Frankfurter Post, 5. Jg., Nr. 1, 1.1.1900.

Wie eng die Beziehungen zwischen dem Deutschen Verein und dem DHV in den 90er Jahren waren, zeigt auch die Wahl der Publikationsorgane, in denen der DHV seine Vereinsnachrichten und Einladungen veröffentlichte. Seit Beginn seiner Tätigkeit publizierte der DHV seine Vereinsmitteilungen in den Zeitungen des Deutschen Vereins, in der „Frankfurter Post" und den „Deutschen Worten".[88] Ab und an, vor allem aber bei größeren Veranstaltungen, die über den Frankfurter Rahmen hinaus bekannt gemacht werden sollten, veröffentlichte die Frankfurter Ortsgruppe Einladungen auch in der „Deutschen Volkswacht".[89] Seit der Jahrhundertwende griff man allerdings zunehmend auf andere, politisch neutralere Lokalzeitungen, wie den „Frankfurter Generalanzeiger" zurück, um die Vereinsmitteilungen publik zu machen.[90] 1901 hatte der DHV bereits erwogen, für die über 350 Mitglieder einen kostenlosen „Monatsplan" zu verteilen.[91]

Seit 1905 gab dann der DHV selbst für den gesamten Main-Weser-Gau regelmäßig monatlich eine Vereinszeitung heraus, die bis in die 20er Jahre erschien.[92] Spätestens seit dieser Zeit, aber wohl schon seit 1900, brauchte der mittlerweile stark angewachsene DHV nicht mehr auf die Veröffentlichungsmöglichkeiten des Deutschen Vereins zurückzugreifen. Er war selbständig und einflußreich genug, um ohne diesen Rückhalt existieren zu können.

Seit seiner Gründung 1897 organisierte der DHV in Frankfurt öffentliche Versammlungen. In diesen Veranstaltungen sprachen meist Vereinsagitatoren aus Hamburg über für Handlungsgehilfen relevante Themen. Alle diese Versammlungen hatten den Charakter von Werbeveranstaltungen mit dem Ziel, der deutschnationalen Handlungsgehilfenbewegung neue Mitglieder zu gewinnen. Regelmäßig fanden derartige Kundgebungen seit 1897 statt, in denen etwa, wie 1898, über die „Stellenlosigkeit, Selbsthilfe und Almosenpolitik im Handlungsgehilfenstande"[93] oder über die Bedeutung der neuen Gewerbeordnungsnovelle für die Handlungsgehilfen referiert wurde.[94] Bei der Veranstaltung im Februar 1899 stand ein Thema im Vordergrund, das den deutschnationalen Handlungsgehilfen besonders wichtig war und in der Folgezeit immer mehr Bedeutung gewinnen sollte, nämlich das Problem der Warenhäuser. Das Thema des Abends lautete: „Warenhäuser und Frauenarbeit im Handelsgewerbe". Zu diesem Vortrag forderte auch der Deutsche Verein seine Mitglieder zur Teilnahme auf.[95] In welche Richtung der Vortrag des Referenten Wilhelm Schack

[88] Frankfurter Post ab 2. Jg., Nr. 3, 1.7.1897 bis 5. Jg., Nr. 7, 1.7.1900; Deutsche Worte, 1. Jg. 1899 bis 2. Jg., Nr. 15, 15.4.1900.
[89] Deutsche Volkswacht, 4. Jg., Nr. 50, 30.6.1897; 5. Jg., Nr. 6, 22.1.1898; 6. Jg., Nr. 11, 8.2.1899; 7. Jg., Nr. 15, 21.2.1900; Nr. 84, 31.10.1900; Nr. 92, 28.11.1900; Nr. 100, 29.12.1900.
[90] Deutsche Handels-Wacht, Beiblatt, 9. Jg., Nr. 2, 15.1.1900, S. 44; 10 Jg., Nr. 2, 15.1.1903, S. 36.
[91] Deutsche Volkswacht, 8. Jg., Nr. 9, 2.2.1901.
[92] Die Zeitung hieß „Der D.H.V. im Main-Weser-Gau", s. das Exemplar des 22. Jg., Nr. 11, 1.11.1926, in: StA Ffm., Akten des Magistrats T 54.
[93] Frankfurter Post, 3. Jg., Nr. 2, 1.2.1898.
[94] Deutsche Volkswacht, 6. Jg., Nr. 75, 27.9.1899.
[95] Frankfurter Post, 4. Jg., Nr. 2, 1.2.1899.

ging, zeigt die anschließende Verabschiedung einer Resolution, in der der Frankfurter Magistrat und die Stadtverordnetenversammlung aufgefordert wurden, „baldigst eine staffelweise aufsteigende Umsatzsteuer einzuführen".[96]

Den Umsatz der Warenhäuser durch rigide gesetzliche Maßnahmen beschneiden wollten nicht nur die deutschnationalen Handlungsgehilfen. Auch der Deutsche Verein hatte dies in sein Programm aufgenommen und betrieb eine entsprechende Propaganda. Für die Handlungsgehilfen war es eine besonders brennende Frage, da sie als Angestellte des Einzelhandels Lohndrückerei befürchteten und ihre Hoffnung auf eine zukünftige Selbständigkeit durch die Warenhäuser zunichte gemacht sahen. Wie zentral für den DHV die Warenhausfrage war, zeigte sich auch an zwei Protestveranstaltungen, an denen sich ebenfalls der Deutsche Verein beteiligte.

Beide Protestveranstaltungen hatten primär das Ziel, über die nach ihrer Meinung schädlichen Auswirkungen der Warenhäuser zu informieren und mittels Resolutionen Druck auf den Gesetzgeber auszuüben. Sie sind als Beispiel für die politische Zusammenarbeit von DHV und Deutschem Verein um die Jahrhundertwende von Interesse.

Die erste derartige Protestveranstaltung im April 1899 wurde bereits im Zusammenhang mit dem wirtschaftspolitischen Programm des Deutschen Vereins beschrieben.[97] Sie soll hier noch einmal unter dem Aspekt ihrer Bedeutung für die Frankfurter Ortsgruppe des DHV kurz skizziert werden. Außer vom DHV und dem Deutschen Verein war die Versammlung auch von dem Handwerkerverein, den Vereinigten Detaillisten Bockenheims und den Christlich-Sozialen älterer Richtung einberufen worden.[98] Alle diese Gruppen sahen entweder ihre eigene ökonomische Position durch ein weiteres Anwachsen der Warenhäuser bedroht oder fürchteten wie die beiden politischen Organisationen, Deutscher Verein und Christlich-Soziale, Schädigungen des gesamten Volkswohls. Gefordert wurde eine progressive Umsatz- und Branchensteuer.

Aktueller Anlaß dieser Veranstaltung war die in dieser Zeit von der preußischen Regierung veranstaltete Umfrage unter den Handelskammern nach Vor- und Nachteilen einer höheren Besteuerung der Warenhäuser, die von beinahe allen Handelskammern negativ beantwortet wurde.[99] Beabsichtigt war mit der Veranstaltung vom April 1899, öffentlichen Druck auf die für die Einführung der Steuer verantwortlichen kommunalen Körperschaften auszuüben und sie von der Dringlichkeit und Notwendigkeit der Steuern zu überzeugen. Deshalb traten hier mehrere Organisatoren gemeinsam auf, um eine breitere Zustimmung signalisieren zu können, während die ein Jahr später stattfindende Protestveranstaltung zum selben Thema ausschließlich vom DHV einberufen wurde.

[96] Deutsche Volkswacht, 6. Jg., Nr. 11, 8.2.1899.
[97] Siehe Kap. 8.2.
[98] Frankfurter Post, 4. Jg., Nr. 5, 1.5.1899; Deutsche Volkswacht, 6. Jg., Nr. 33, 29.4.1899.
[99] M. Biermer, Warenhäuser, S. 610; I. Wein, Verbandsbildung, S. 73.

Als im Dezember 1900 ein weiteres Warenhaus, das Schmoller'sche, in Frankfurt eröffnet wurde, reagierte der DHV mit der Einberufung einer großen öffentlichen Protestkundgebung gegen Warenhäuser und „Ramschbazare". Die in der „Deutschen Volkswacht" veröffentlichte große Einladungsanzeige forderte die Handlungsgehilfen in ihrem eigenen Interesse dringend zur Teilnahme auf. Sie mögen bedenken, *„daß diese Riesenwaarenhäuser den Untergang unzähliger kleinbürgerlicher Existenzen bedeuten und bitteres Elend über einst glückliche Familien bringen. Diese ehemals selbständigen Existenzen werden zu Lohnsklaven der großen Ladengeschäfte, und sind, getrieben durch die Noth, die größten Lohndrücker ihrer neuen Kollegen! . . . Und zeichnen sich nicht gerade diese Großbazare durch Zahlung von Schundgehältern an ihre Angestellten aus? Beschäftigen sie nicht vornehmlich weibliche Gehilfen, weil diese ein besseres Ausbeutungsobjekt bilden?"*[100]

Zählte schon die Einladungsanzeige die Vorwürfe des DHV gegen die Warenhäuser auf, so wurde auch zugleich auf das Ziel der Protestveranstaltung hingewiesen. Nicht nur die direkt von der Zunahme der Warenhäuser betroffenen Gruppen, wie Kaufleute, Handwerker und Gewerbetreibende, galt es von deren Schädlichkeit zu überzeugen, sondern auch eine breitere Öffentlichkeit. „(D)as Publikum" müsse einsehen, wenn „gesunde Verhältnisse" im Staat nur dadurch geschaffen werden könnten, wenn dieser die kleineren und mittleren Wirtschaftsbetriebe besonders schütze und nicht — wie bislang — einer fortschreitenden Verelendung preisgebe. Dieser Ruf nach dem Staat basierte auf der Überzeugung, daß die kleinen Selbständigen ihre Lage nicht aus eigener Initiative verändern könnten. Sondergesetze, wie die bereits erwähnten Branchen- und Umsatzsteuern, sollten sie vor den kapitalkräftigeren Großbetrieben schützen.

Im Mittelpunkt der Protestveranstaltung standen zwei Vorträge. Herr Jakob Ropers aus Mannheim sprach über die „Schädlichkeit der modernen Warenhäuser" und Herr Müssig, ebenfalls aus Mannheim, hatte die für deutschnationale Handlungsgehilfen rhetorische Frage „Wer hat die sozialpolitische Führung der deutschen Handlungsgehilfen?" zum Thema seines Vortrages gewählt.[101] Der erste Redner des Abends, Jakob Ropers, durfte in Frankfurt auf besondere Aufmerksamkeit rechnen. Denn er war bis zu seinem Umzug im August 1899 aktives Mitglied der Frankfurter Ortsgruppe des DHV gewesen und hatte bei seinem Weggang eine besondere Würdigung erfahren.[102]

Die mit 600 Personen gut besuchte Veranstaltung nahm im großen und ganzen den von den Veranstaltern erhofften Verlauf.[103] Es waren zwar auch Gegner aus anderen kaufmännischen Organisationen anwesend, diese konnten sich jedoch nicht

100 Deutsche Volkswacht, 7. Jg., Nr. 92, 28.11.1900.
101 Ebd.; KP, Nr. 284, 5.12.1900, 2. Bl.
102 Frankfurter Post, 4. Jg., Nr. 9, 1.9.1899.
103 Zum Verlauf der Versammlung s. Deutsche Volkswacht, 7. Jg., Nr. 100, 29.12.1900; KP, Nr. 286, 7.12.1900, 2. Bl.

durchsetzen. Der Bericht über die Versammlung in der „Deutschen Volkswacht" verdeutlicht die antisemitische Einstellung des DHV. Obwohl der zitierten Ankündigung entsprechend der Kampf des DHV gegen die Warenhäuser rein wirtschaftlich und nicht antijüdisch sei, war beides jedoch miteinander gekoppelt. Ein Gegenredner, ein Herr KATZ, wurde nicht wegen seiner Ansichten in der Warenhausfrage angegriffen, sondern weil er Jude war. Auch seien es ausschließlich „Juden und ihre Schleppträger" gewesen, die die Versammlung zu stören versucht hätten.[104] Erst nachdem sie zum Verlassen des Versammlungssaales gezwungen worden waren, konnte die Diskussion im Sinne der Veranstalter verlaufen. Die Teilnehmer der 'freien Aussprache', die der Meinung der Referenten zustimmten, waren im wesentlichen bereits bekannte Mitglieder der antisemitischen Bewegung, nämlich der gerade zum Stadtverordneten gewählte Schneidermeister JOHANN HEINRICH HETTLER, OTTO HIRSCHEL und RUDOLF WEITZEL aus Offenbach, in dessen Druckerei zeitweilig die „Frankfurter Post" und die „Deutschen Worte" gedruckt wurden. Außerdem sprach sich noch Tapezierermeister OHLENSCHLAGER im Namen der Handwerker gegen die Warenhäuser aus. OHLENSCHLAGERS Sympathie mit der antisemitischen Partei war schon seit den 90er Jahren bekannt.[105]

In dieser Protestversammlung wurde eine Resolution verabschiedet, die wegen ihrer Zusammenfassung der gegen die Warenhäuser vorgebrachten Argumente wie auch wegen ihrer übertriebenen Formulierungen, in denen sich die Befürchtungen der Protestler widerspiegeln, hier vollständig zitiert sei: „*Wir erklären die großen Waarenhäuser, welche sämmtliche Handelszweige in sich vereinigen, für eine Aufsaugung und einen Todschlag des Mittelstandes im Handwerk, Gewerbe und im Handel. Wir erachten die Besteuerung dieser Kaufhäuser als ein unzureichendes Mittel, dem Verderben Einhalt zu thun; vielmehr verlangen wir die grundsätzliche und gesetzliche Unterdrückung einer solchen wirthschaftlich zerstörenden und staatsfeindlichen Entartung des Handels. Wir befinden uns dabei in Übereinstimmung mit den besten Überlieferungen des preußischen Rechts, dessen im preußischen Landrecht niedergelegter Grundsatz lautet: 'Nützliche Bürger dürfen nicht ohne Noth im Staate zu Grunde gerichtet werden.' Bis zur gesetzlichen Regelung der Frage fordern wir alle verständigen und anständigen Mitbürger aller Stände, sonderlich auch die Frauen auf, sich grundsätzlich von jenen Stätten des Massenmordes eines lebens- und leistungsfähigen Mittelstandes fern zu halten. Wir fordern unsere deutschen Mitbürger auf, einen festgeschlossenen Bund des städtischen Bürgerthums zur gemeinsamen Wahrung ihrer Rechte und ihres Bestehens zu bilden.*"[106]

Diese Kundgebung im Dezember 1900 war die einzige, die der DHV in dieser Form organisierte. Zwar fanden auch weiterhin öffentliche Versammlungen statt, so etwa 1901 mit dem späteren Verbandsvorsteher BECHLY über „Die Frauenarbeit im Han-

104 Deutsche Volkswacht, 7. Jg., Nr. 100, 29.12.1900.
105 Siehe Kap. 7. und 13.1.
106 Deutsche Volkswacht, 7. Jg., Nr. 100, 29.12.1900; verkürzt abgedruckt in: KP, Nr. 286, 7.12.1900, 2. Bl.

delsgewerbe“ [107], aber im Zentrum der Tätigkeit standen seit der Jahrhundertwende Verbesserungen der beruflichen Situation der Handlungsgehilfen. Für die Zeit nach 1900 kann festgestellt werden, daß die gewerkschaftliche Arbeit und Forderungen nach Reformen der sozialen Lage der Handlungsgehilfen in den Vordergrund rückten. Daß trotzdem die Beziehungen zu den antisemitischen Vereinen eng blieben [108] und weiterhin nationales und zunehmend auch völkisches Denken vermittelt wurden, sollte sich erst wieder in den letzten Jahren vor Ausbruch des 1. Weltkrieges zeigen. Im ersten Jahrzehnt des neuen Jahrhunderts wurde dagegen der Ausbau der Verbandsorganisation und die Durchsetzung kaufmännischer Standesforderungen betrieben. [109]

Besonders die Einführung des 8-Uhr-Ladenschlusses, der Kaufmannsgerichte und der obligatorischen Sonntagsruhe waren Forderungen, um deren Durchsetzung in den ersten Jahren des neuen Jahrhunderts gerungen wurde. Diese Auseinandersetzung um die Sozialgesetzgebung war nicht nur für die Frankfurter Ortsgruppe bedeutsam, sondern kennzeichnend für die Situation der Handlungsgehilfenbewegung im Reich allgemein. [110] Bis 1908, als es schließlich als letztes gelang, den 8-Uhr-Ladenschluß in Frankfurt durchzusetzen, nahm die Agitation für diese berufsständischen Forderungen einen wesentlichen Teil der Arbeit des DHV ein. [111] Hinzu kam noch, daß seit der Einführung der Kaufmannsgerichte im Jahre 1905, deren Besetzung durch Wahl erfolgte, regelmäßig Kandidaten aufzustellen und Wahlkämpfe zu organisieren waren. An der Besetzung der Kaufmannsgerichte war der DHV besonders interessiert und engagierte sich mit Flugblättern, eigenen Kandidaten und Wahlversammlungen. [112] All dies nahm die Kräfte des Verbandes weitgehend in Anspruch.

Gleichzeitig mit der Zunahme gewerkschaftlicher Belange wurde auch der organisatorische Aufbau der Frankfurter Ortsgruppe verbessert. Eine Lehrlingsabteilung wurde 1904 eingerichtet, [113] die allerdings nicht so schnell wuchs wie erhofft, denn sechs Jahre später, 1910, hatte sie noch keine 100 Mitglieder. [114]

[107] StA Ffm., Akten des Magistrats T 58 Blatt 1; am 6.3.1902 mit ALFRED ROTH, s. Deutsche Handels-Wacht, Beiblatt, 9. Jg., Nr. 5, 1.3.1902, S. 115.

[108] So sprach etwa der Generalsekretär der Deutschsozialen Partei im Januar 1906 zuerst in einer öffentlichen Versammlung des Deutschen Vereins, einige Tage später hielt er in einer Versammlung des DHV einen Vortrag, s. Deutsch-Soziale Blätter, 21. Jg., Nr. 7, 24.1.1906, S. 89f.; Nr. 9, 31.1.1906, S. 113.

[109] W. SCHACK, Wie und was wir geworden sind, S. 45; I. HAMEL, Völkischer Verband, S. 68.

[110] P. MASSING, Vorgeschichte, S. 149.

[111] G. LAUER, Ortsgruppe Frankfurt a. M., S. 15; Deutsche Handels-Wacht, Beiblatt, 11. Jg., Nr. 16, 15.8.1904, S. 308; Deutsche Handels-Wacht, 11. Jg., Nr. 19, 1.10.1904, S. 358; ebd., Beiblatt, 12. Jg., Nr. 8, 15.4.1905, S. 142; s. auch das Flugblatt in MdVAA, 18. Jg. 1908, Nr. 44, S. 342f., in dem der DHV seine Beteiligung an diesem Kampf und die damit verbundenen finanziellen Opfer herausstellte, was von der „Kaufmännischen Zeitung“ in Frankfurt als übertrieben bezeichnet wurde.

[112] G. LAUER, Ortsgruppe Frankfurt a. M., S. 15; s. etwa auch Frankfurter Nachrichten, Nr. 51, 20.2.1913, 1. Beiblatt; KP, Nr. 44, 21.2.1913. Dies läßt sich generell für den DHV feststellen, s. I. HAMEL, Völkischer Verband, S. 115 und H. SCHUON, Deutschnationale Handlungsgehilfen-Verband, S. 24f.

[113] StA Ffm., Akten des Magistrats T 54, Bl. 39f.

[114] Der Handlungslehrling vom 2.2.1910, in: StA Ffm., Akten des Magistrats T 54, Bl. 29-31, bes. Bl. 29r. Während 1906 schon 60 Lehrlinge Mitglied waren, s. Deutsche Handels-Wacht, Beibl., 13. Jg., Nr. 20, 15.10.1906, S. 403.

1907 erfolgte mit der Einrichtung einer hauptberuflich besetzten Geschäftsstelle ein weiterer organisatorischer Ausbau.[115] Dort konnten alle kaufmännischen Angestellten Rat in Rechtsfragen erhalten. Den Mitgliedern des DHV stand die Stellenvermittlung, der Rechtsschutz und eine Auskunftskartei über Geschäfte zur Verfügung.[116] Damit bot der DHV seinen Mitgliedern eine Reihe von praktischen Hilfen bei beruflichen Problemen, was mit ein wichtiger Grund für sein stetes Wachstum war.[117]

Der Ausbau der Organisation und die Beteiligung des DHV an den verschiedenen Bemühungen um berufliche Verbesserungen für die Handlungsgehilfen verdeutlichen, wie stark er sich seit 1900 als kaufmännischer Verband präsentierte. Trotzdem darf darüber nicht vergessen werden, daß weiterhin Nationalismus und Antisemitismus die Verbandsideologie prägten. Sie blieben zwar mehr im Hintergrund, manifestierten sich jedoch in Reden auf Gautagen,[118] der Teilnahme der Ortsgruppe an der Enthüllung des Frankfurter Bismarckdenkmals 1908[119] und an der von nationalen Gruppen organisierten Bismarckfeier 1910.[120]

Diese politische Ausrichtung entging auch dem Frankfurter Magistrat nicht, obgleich die Frankfurter Ortsgruppe des DHV, wie ihre Briefe zeigen, immer bemüht war, dem Magistrat gegenüber als reine Berufsvertretung der Handlungsgehilfen aufzutreten.[121] Regelmäßig lud der DHV den Magistrat zu seinen öffentlichen Veranstaltungen, Gaufesten, zur Eröffnung der Geschäftsstelle etc. ein. Dieser lehnte es jedoch stets ab, einen Vertreter zu entsenden.[122] Nur auf dem Deutschnationalen Handlungsgehilfentag von 1913, der in Frankfurt stattfand, war ein Vertreter der Stadt anwesend. Er war jedoch nicht dazu bereit, eine Grußadresse der Stadt zu übermitteln.[123] Die generelle Weigerung der Stadt, an einer Veranstaltung des DHV teilzunehmen, läßt sich ausschließlich mit der politischen Tendenz des Verbandes erklären, denn in der Regel kam der Magistrat derartigen Einladungen anderer kaufmännischer Vereinigungen nach und entsandte einen Vertreter.[124] Besonders deutlich wurde diese Haltung des Magistrats in den Jahren 1909/10, als der Verband die Stadt um Überlassung von Schulräumen zum Abhalten von kaufmännischen Fortbildungskursen bat. Nachdem im Oktober 1909 der Magistrat die Eingabe des DHV an die Schul-

115 G. Lauer, Ortsgruppe Frankfurt a. M., S. 15.

116 KP, Nr. 79, 5.4.1907. Offene Stellen in jüdischen Geschäften wurden vom Verband nicht vermittelt, s. W. Schack, Wie und was wir geworden sind, S. 55.

117 I. Hamel, Völkischer Verband, S. 68.

118 Vgl. die Rede Julius Schellins auf dem hessischen Gautag 1907 zur Frauenarbeit, in: KP, Nr. 77, 3.4.1907.

119 An der neben anderen nationalen Vereinen auch der Deutsche Verein teilnahm, s. Mittelstandszeitung, 4. Jg., Nr. 20, 16.5.1908, S. 3.

120 Deutsch-Soziale Blätter, 25. Jg., Nr. 30, 13.4.1910, S. 358.

121 StA Ffm., Akten des Magistrats T 54, Bl. 17ff.

122 Ebd., etwa Bl. 20, Bl. 41, Bl. 50; s. auch Akten des Magistrats T 58, Bl. 1.

123 Frankfurter Warte, Nr. 138, 16.6.1913 und Die Mainbrücke, Nr. 25, S. 195, beide in: StA Ffm., Akten des Magistrats T 54, Bl. 71 und Bl. 72; s. auch KP, Nr. 138, 16.6.1913.

124 StA Ffm., Akten des Magistrats T 54, Bl. 21-23.

behörde überwiesen hatte,[125] lehnte diese das Ansinnen mit der Begründung ab, der DHV sei ein politischer Verein und könne als solcher keine städtischen Räume erhalten. Gegen diese Begründung legte das Mitglied des Deutschen Vereins, der Stadtverordnete Hermann Laass, in der Stadtverordnetenversammlung vom 1. März 1910 Beschwerde ein und verwies darauf, daß der DHV kein politischer Verein sei, sondern eine reine Standesorganisation.[126] Auch der Geschäftsführer des DHV, Julius Schellin, bestritt in seinem Schreiben an den Magistrat vom 30.3.1910 den politischen Charakter des Verbandes. Laut der Satzung des DHV seien alle parteipolitischen und konfessionellen Bestrebungen ausgeschlossen.[127] Nur die nationale Ideologie des Vereins mochte Schellin in seinem Schreiben nicht leugnen: „Was wir von unseren Mitgliedern verlangen, das ist vaterländische Gesinnung. Nicht in der Hetze gegen das Vaterland und seine Einrichtungen, sondern in der Pflege der Liebe zum Vaterlande, zu unserer deutschen Heimat sehen wir neben ausgesprochen sozialpolitischer Tätigkeit unsere Kraft und Stärke."[128]

Weder Julius Schellin noch Hermann Laass konnten den an seiner Ablehnung festhaltenden Magistrat überzeugen.[129] Umso bemerkenswerter ist, daß drei Jahre später, als der DHV erneut mit dieser Bitte an den Magistrat herantrat, sie ihm diesmal ohne weiteres gewährt wurde.[130]

Wichtig für die Fragestellung nach den ideologischen Gemeinsamkeiten von DHV und Deutschem Verein ist, daß der DHV ein Berufsverband war, der nationale Gesinnung von seinen Mitgliedern forderte, zu der Antisemitismus als ein Teil gehörte. Zwar vertrat auch der Deutsche Verein ein nicht nur antijüdisches Programm, sondern strebte wirtschaftliche Reformen und nationale Veränderungen an, aber Kern und Ausgangspunkt aller Forderungen war die sogenannte 'Judenfrage'. Für den DHV war dies anders. Obwohl auch er antijüdisch eingestellt war, durchzog dies doch nicht alle seine Aktivitäten und Zielsetzungen. Auch die zahlreichen Neuanmeldungen nach 1905 im gesamten Reich verdeutlichen, daß seine Wirkung primär auf die verstärkt berufsbezogene Arbeit seit 1900 zurückzuführen war und nicht auf die Judenfeindschaft.[131] Der zunehmenden sozialpolitischen Ausrichtung entsprach der Wechsel in der Parteileitung. Nachdem Wilhelm Schack aus persönlichen Gründen

125 Ebd., Bl. 28.
126 Bericht über die Verhandlungen 1910, S. 413 und S. 416.
127 Unter „konfessionell" wurden reine Religionsstreitigkeiten verstanden. Da der Ausschluß von Juden und die Ablehnung von jeglichen vermeintlichen jüdischen Einflusses nicht religiös begründet wurde, fiel sie nach Meinung des Verbandes nicht unter diesen Begriff. Vgl. dazu auch Deutsche Volkswacht, 3. Jg., Nr. 21, 14.3.1896: Jeder wisse, „daß der Antisemitismus gar nicht daran denkt, den konfessionellen Frieden zu stören, sondern daß er einen Daseinskampf darstellt, zwischen dem werkthätigen deutschen Volke und einer gewissen orientalischen Ausbeuternation."
128 StA Ffm., Akten des Magistrats T 54, Bl. 37f.
129 StA Ffm., Magistratsbeschluß Nr. 688 vom 7.7.1910.
130 StA Ffm., Akten des Magistrats T 54, Bl. 73. Der Grund für diesen Gesinnungswandel ist unklar, ohne Kommentar wird dem Ansinnen des DHV stattgegeben.
131 I. Hamel, Völkischer Verband, S. 119.

1909 zurücktreten mußte,[132] kam es bei der Wahl des Nachfolgers zu Differenzen programmatischer Art. Es ging darum, ob der nationale Gedanke mehr in den Vordergrund gestellt werden sollte oder die gewerkschaftliche Arbeit. HANS BECHLY als Vertreter der letzteren Richtung konnte sich durchsetzen und übernahm 1911 das Amt des Vorsitzenden.[133]

Im Zusammenhang mit dieser veränderten Zielsetzung muß auch der Rechtsstreit der Hamburger Zentrale des DHV mit der Frankfurter Ortsgruppe des Centralvereins deutscher Staatsbürger jüdischen Glaubens in den Jahren 1911 und 1912 angesehen werden. Der DHV verklagte den Vorsitzenden des Centralvereins in Frankfurt, Dr. MAINZER, wegen zwei Flugblättern, in denen der Verband als eine antisemitische Organisation bezeichnet wurde, der „wildeste Judenhetze" und „roheste radauantisemitische Verhetzung" betreibe.[134] Sofern der DHV als eine ausschließlich berufsständische Organisation gelten wollte, mußte er jeden öffentlichen Hinweis auf seine antisemitische Propagandatätigkeit zu unterbinden suchen.

Daß Antisemitismus trotzdem auch weiterhin präsent war, zeigen die letzten Jahre vor dem 1. Weltkrieg. In dieser Zeit hatte er neuen Auftrieb durch die Übernahme rassistischen Gedankengutes erhalten.[135]

Im Jahre 1912 beteiligte sich seit längerer Zeit wieder einmal ein Mitglied des DHV, der Gauvorsteher JULIUS SCHELLIN, an öffentlichen Veranstaltungen des Deutschen Vereins. Der Deutsche Verein hielt im Sommer zwei Protestkundgebungen gegen die geplante Errichtung des HEINE-Denkmals ab. In beiden Versammlungen äußerte sich SCHELLIN gegen das geplante Denkmal und forderte zur Weiterarbeit im „deutschen Sinne" auf, um dessen Errichtung zu verhindern.[136]

Besonders deutlich wurde die nationalistische Einstellung des DHV auf dem im Juni 1913 in Frankfurt stattfindenden 13. Verbandstag. Neben einer Reihe von Vorträgen, die kaufmännische Themen behandelten, standen auf der Tagesordnung auch Reden, die allgemeinpolitische Fragen zum Inhalt hatten. Wie es in der Ankündigung in den „Deutsch-Sozialen Blättern" hieß, wurden in diesen Vorträgen die „großen Fragen und Angelegenheiten der Volksgesamtheit" besprochen.[137] Auch Gäste anderer nahestehender Organisationen waren anwesend, die in ihren Grußadressen ihre Verbundenheit mit dem DHV zum Ausdruck brachten. Unter anderem sprach der protestantische Pfarrer JULIUS WERNER aus Frankfurt, der, obgleich Mitglied des Deutschen Vereins,[138] sich hier als Vertreter des Bundes gegen die Frauenemanzipation

[132] A. ZIMMERMANN, Deutschnationale Handlungsgehilfen-Verband, S. 24.
[133] I. HAMEL, Völkischer Verband, S. 117ff.
[134] Zu diesem Vorgang s. Der Israelit, 53. Jg. 1912, Beil.: Frankfurter Israelit, Nr. 25, S. 2f.; Deutsch-Soziale Blätter, 27. Jg., Nr. 68, 24.8.1912, S. 804; 28. Jg., Nr. 37, 7.5.1913, S. 437.
[135] I. HAMEL, Völkischer Verband, S. 94; s. bereits die Artikelserie „Völkische Hochziele" in: Deutsche Handels-Wacht, 16. Jg., Nr. 11, 1.6.1909, S. 209-212; Nr. 12, 15.6.1909, S. 225-227.
[136] Deutsch-Soziale Blätter, 27. Jg., Nr. 50, 22.6.1912, S. 588f. und Nr. 77, 25.9.1912, S. 918f.
[137] Ebd., 28. Jg., Nr. 47, 11.6.1913, S. 556.
[138] Spätestens seit 1911 Mitglied des Deutschen Vereins, s. ebd., 26. Jg., Nr. 25, 29.3.1911, S. 289 und S. 293.

äußerte. Er griff in seiner Ansprache die Forderungen der modernen Frauenbewegung an.[139] Für die Deutschsoziale Partei sprach der Reichstagsabgeordnete Dr. FERDINAND WERNER aus Gießen. Er lobte die nationale Gesinnung des DHV, die umso wertvoller sei, „da internationale Kräfte und eine gewisse Presse in zermürbender und zersetzender Weise tätig seien".[140]

Unter den eigentlichen Vorträgen des Verbandstages war der Schlußvortrag für die nationale Stellung des DHV besonders bemerkenswert. Thema des Vortrages war „Die nationalen Aufgaben des deutschen Handels". Der Redner RICHARD DÖRING aus Hamburg führte aus, daß die Entfaltung des deutschen Wesens in der Welt nur dann möglich sei, wenn der deutsche Geist den jüdischen überwinde. Seine Ausführungen gipfelten in der Forderung: „An der Überwindung des jüdischen Geistes hat der deutsche Geist den Befähigungsnachweis darüber zu erbringen, ob er die Kraft besitzt, sich die Geltung in der Welt zu verschaffen, die ihm gebührt".[141] Mit dem Verbandstag 1913 endete die Geschichte des DHV in Frankfurt vor dem 1. Weltkrieg. Der Chronist der Frankfurter Ortsgruppe, GEORG LAUER, sollte dieses Ereignis später als ihren „stolzeste(n) Tag" bezeichnen.[142]

Versucht man abschließend, die Geschichte der Beziehung zwischen der Frankfurter Ortsgruppe des DHV und dem Deutschen Verein zusammenzufassen, so bleibt festzuhalten, daß diese mit der Entwicklung der reichsweiten propagandistischen Zusammenarbeit zwischen dem Verband und den antisemitischen Parteien korrespondierte. Deren Intensität hing von der jeweiligen Gewichtung der beiden Ziele ab, die der DHV zu repräsentieren beanspruchte, nämlich „Interessenverband" und „Gesinnungsgemeinschaft".[143] Wurde mehr der Interessenverband betont, so überwogen die sozialpolitischen Zielsetzungen des DHV. Im Vordergrund stand dann die Durchsetzung von Reformen für die Handlungsgehilfen. Unter dieser Priorität stand das erste Jahrzehnt des 20. Jahrhunderts.

Wurde dagegen mehr Gewicht auf die Gesinnungsgemeinschaft gelegt, so wurde die nationale und antisemitische Ideologie des DHV auch öffentlich deutlicher herausgestellt. Dies war vor 1900 und in den letzten Jahren vor dem 1. Weltkrieg der Fall. In den Anfangsjahren war für die stärkere Betonung der nationalen Gesinnung die Abgrenzung von der sozialdemokratischen Agitation wichtig.[144] Diese trat später mehr in den Hintergrund, um den gewerkschaftlichen Charakter des DHV hervorzu-

139 Frankfurter Warte, Nr. 138, 16.6.1913, in: StA Ffm., Akten des Magistrats T 54, Bl. 71; KP, Nr. 138, 16.6.1913; zum Antifeminismus der antisemitischen Bewegung vgl. P. PULZER, Entstehung, S. 179.

140 KP, Nr. 138, 16.6.1913.

141 Deutsche Handels-Wacht, 20. Jg., Nr. 13, 5.7.1913, S. 260; zitiert nach: I. HAMEL, Völkischer Verband, S. 94.

142 G. LAUER, Ortsgruppe Frankfurt a. M., S. 15.

143 I. HAMEL, Völkischer Verband, S. 100.

144 „Die Beantwortung der Frage, weshalb der Verband auf nationaler Grundlage beruht, führt in erster Linie zu einer Auseinandersetzung mit den sozialdemokratischen Gegnern", siehe H. SCHUON, Deutschnationale Handlungsgehilfen-Verband, S. 15.

heben.[145] Kurz vor 1914 war es die zunehmende Adaption völkischer Ideen und der für alle rechten Gruppierungen alarmierende Ausgang der Reichstagswahl von 1912, der die nationale Bewegung enger zusammenrücken ließ und Differenzen beizulegen half.[146] Wobei auch hier wieder der Wahlsieg der sozialdemokratischen Partei die entscheidende Ursache für diese erneute Bedeutung der nationalen Gesinnung innerhalb des DHV war. Nur in diesen beiden Zeiträumen manifestierte sich die Nähe des DHV zur antisemitischen Bewegung auch nach außen.

10.3. Der deutschvölkische Turnverein „Friesen“

Der Vollständigkeit halber muß noch eine weitere dem Deutschen Verein und der antisemitischen Bewegung nahestehende Gruppe genannt werden, und zwar der im Herbst 1912 gegründete deutschvölkische Turnverein „Friesen“.[147] Die „Deutsch-Sozialen Blätter“ enthielten im Oktober 1912 einen Artikel über diese Frankfurter Neugründung, der beizutreten sie Interessenten aufforderten. Besonders wurde von der Zeitung begrüßt, daß der „deutschvölkische Turnverein 'Friesen'“ erst gebildet worden war, *„nachdem sich eine große Anzahl Turnbrüder freiwillig gemeldet hatte. Der neue Verein hat gerade hierdurch einen guten Stamm, sodaß er den ihm drohenden Anfeindungen der Gegner jedes Volksthums ruhig entgegen sehen kann. Sollten in Frankfurt noch Turnfreunde sein, welche von der Gründung nichts wissen, so bitten wir diese, sich dem 'Friesen' anzuschließen.“*[148]

Die Gründung eines solchen Turnvereins läßt sich in die Geschichte der deutschgesinnten Turnerbewegung einordnen. Während der Zeit der napoleonischen Fremdherrschaft zu Beginn des 19. Jahrhunderts entstand in Deutschland die Turnbewegung, die sich von Anfang an als „eine politische Bewegung im Dienste der nationalen Erziehung“ verstand.[149] Diese nationale Aufgabe wurde ursprünglich im liberaldemokratischen Sinne interpretiert. Man strebte nach nationaler Einheit verbunden mit politischer und wirtschaftlicher Freiheit. Mit dieser ideologischen Ausrichtung waren antijüdische Ressentiments eigentlich nicht zu verbinden. Jedoch legten einige Äußerungen des 'Turnvaters' Jahn, in denen er die Juden zu den Feinden des deutschen Volkes zählte,[150] die Grundlage für eine mögliche Entwicklung zu einer judenfeindlichen Haltung innerhalb der deutschen Turnerschaft. Die Ansichten Jahns über die Juden hatten bis in die 2. Hälfte des 19. Jahrhunderts keine Konsequenzen. Seit

[145] W. Schack, Wie und was wir geworden sind, S. 27.
[146] W. Angress, Impact, bes. S. 402 und S. 409.
[147] Bereits 1897 war erfolglos versucht worden, einen nationalen Sportverein zu gründen, und zwar eine Ortsgruppe des Deutschnationalen Radfahrer-Verbandes, der in Hamburg seinen Sitz hatte, s. Frankfurter Post, Nr. 9, 1.1.1897; Antisemitisches Jahrbuch 1898, S. 201; ebd. 1899, S. 174f.
[148] Deutsch-Soziale Blätter, 27. Jg., Nr. 85, 23.10.1912, S. 1016.
[149] H.-G. John, Politik und Turnen, S. 14.
[150] Zitate in H. Becker, War Jahn „Antisemit“?, S. 126f.

den 80er Jahren dienten sie aber als Legitimation für die von einigen Turnvereinen vertretenen judenfeindlichen Ansichten.[151] Unter Bezug auf JAHN wurde der Ruf nach Ausschluß der Juden aus den Turnvereinen laut, was erstmals 1887 im 1. Wiener Turnverein mit dem sogenannten „Arierparagraphen" durchgeführt wurde.[152]

Langsam und nicht ohne Widerstand entstanden auch im Deutschen Reich sogenannte „deutsche" Turnvereine, die aus der jüdische Turner weiterhin zulassenden „Deutschen Turnerschaft" austraten und sich in dem 1889 gegründeten „Deutschen Turnerbund" zusammenschlossen.[153] Mit der Leibesertüchtigung in einem Turnverein, der nur Deutsche nichtjüdischer Abstammung als Mitglieder aufnahm, verfolgte man den Zweck, „die Verbreitung und allseitige Pflege des deutschen Turnens im Sinne Jahn's als Mittel zur Wahrung und Förderung deutschen Volkstums, zur Schaffung und Stärkung deutscher Mannhaftigkeit, allgemeiner Tüchtigkeit und des Stammesbewußtseins im deutschen Volke" zu fördern.[154] Vor allem in Berlin und Brandenburg sowie in den deutschen Ostgebieten existierten um die Jahrhundertwende „judenreine" Turnvereine. Insgesamt zählte das „Antisemitische Jahrbuch für 1898" 28 deutsche Turnvereine auf, die sich meist nach dem Begründer der Bewegung „Jahn" nannten.[155] Aber auch das Beiwort „Friesen", wie von dem Frankfurter Verein, wurde als Bezeichnung von anderen, etwa von Berliner Vereinen, gewählt.[156] Es ist unklar, ob sich diese Bezeichnung auf den norddeutschen Volksstamm der Friesen bezog oder — was wahrscheinlicher ist — an den im Befreiungskrieg 1814 gefallenen Burschenschafter FRIEDRICH FRIESEN erinnern sollte, den JAHN als Vorbild eines deutschen Turners in seiner „Turnkunst" schilderte.[157]

Verglichen mit anderen Städten erfolgte die Frankfurter Gründung des deutschvölkischen Turnvereins „Friesen" spät. Allein in Berlin gab es um 1900 sechs deutsche Turnvereine, die Juden von der Mitgliedschaft ausschlossen.[158] In Hamburg soll sich bereits 1891 ein solcher Verein konstituiert haben.[159]

Auch in Frankfurt beabsichtigte man — wie der Artikel in den „Deutsch-Sozialen Blättern" ausführte — schon seit längerem, einen deutschvölkischen Turnverein zu

[151] Vor 1880 gab es keine massive antijüdische Propaganda innerhalb der Turnerbewegung und viele Turnvereine hatten jüdische Mitglieder, vgl. H. BECKER, Antisemitismus, S. 27-30.

[152] Ebd., S. 49f.

[153] Ebd., S. 73f.

[154] Antisemitisches Monatsblatt, Oktober 1897, zitiert nach K.-G. RIQUARTS, Antisemitismus, S. 172f.

[155] H. BECKER, War Jahn „Antisemit"?, S. 131f. Nach dem 1. Weltkrieg gab es auch in Frankfurt einen deutschvölkischen Turnverein „Jahn". Dieser wurde seit 1921 geleitet von KARL TILLESSEN, der Mitglied der extrem nationalistischen Organisation „Consul" des Kapitäns EHRHARDT war und an der Ermordung des Außenministers WALTHER RATHENAU im Juni 1922 beteiligt war. TILLESSEN verwandelte den über etwa 60 Mitglieder verfügenden Sportverein in eine Saalschutztruppe, s. E. SCHÖN, Entstehung, S. 27.

[156] Antisemitisches Jahrbuch für 1899, S. 173f.; 1895 waren es 13 Turnvereine, die sich zum „Turnerbund" zählten, s. H. BECKER, Antisemitismus, S. 74.

[157] F. JAHN/E. EISELEN, Deutsche Turnkunst, S. VIf. Auch die Nationalsozialisten verwiesen auf FRIEDRICH FRIESEN als Vorbild für die deutsche „Volkseigenart", s. Beleg aus dem Jahre 1941, in: H. BERNETT, Nationalsozialistische Leibeserziehung, S. 31.

[158] Antisemitisches Jahrbuch für 1899, S. 173.

[159] H.-G. RIQUARTS, Antisemitismus, S. 172.

gründen. Da aber in Frankfurt völkische Vereine besonders „viele Anfeindungen zu erdulden“ hätten, habe man damit gewartet, bis genügend Interessenten für den neuen Verein zusammengekommen waren, um den „drohenden Anfeindungen“ standhalten zu können.[160] Dies sei erst im Laufe des Jahres 1912 der Fall gewesen, so daß erst dann der deutschvölkische Turnverein gegründet werden konnte. Mit diesen Ausführungen versuchten die „Deutsch-Sozialen Blätter“ offenbar, die im Unterschied zu anderen Städten erst spät erfolgte Gründung eines deutschvölkischen Turnvereins in Frankfurt zu erklären.

Aber trotz dieser sorgsamen Vorbereitungen scheint dem neuen Verein kein Erfolg beschieden gewesen zu sein, denn weder enthalten die Frankfurter Lokalzeitungen noch die einschlägigen antisemitischen Zeitungen eine weitere Notiz über den Turnverein „Friesen“. Dies weist darauf hin, daß er sich entweder bald wieder auflöste oder nur als kleiner Verein mit wenigen Mitgliedern einige Jahre Bestand hatte.

Bemerkenswert ist, daß sich dieser Verein nicht mehr „antisemitisch“ oder „deutsch“ nannte, sondern „deutschvölkisch“. Diese Entwicklung machte sich allenthalben in der antisemitischen Bewegung in den letzten Jahren vor dem 1. Weltkrieg bemerkbar. Es wurde nun weniger die Ausschließung der Juden betont als vielmehr der „Rassestandpunkt“ und die Förderung eines bewußten Deutschtums auf der Grundlage der gemeinsamen Abstammung. Dabei spielte schon vor dem 1. Weltkrieg die körperliche Ertüchtigung eine wichtige Rolle.

160 Deutsch-Soziale Blätter, 27. Jg., Nr. 85, 23.10.1912, S. 1016.

11. Das „judenfreie“ Hotel und Restaurant „Kölner Hof“ (1895—1914)

Eines der wenigen Beispiele, auf das in der Sekundärliteratur als Beleg für das Vorhandensein antisemitischer Bestrebungen im wilhelminischen Frankfurt hingewiesen wird, ist das „judenfreie“ Hotel und Restaurant „Kölner Hof“. Dieses direkt am Hauptbahnhof gelegene Haus, das seit Mitte der 90er Jahre jüdischen Gästen den Zutritt verwehrte, wird allerdings als bloße Kuriosität ohne Zusammenhang mit der auch in Frankfurt vorhandenen antisemitischen Bewegung gewertet.[1] Ohne diese aber hätte ein „judenfreies“ Hotel nicht existieren und den finanziellen Aufschwung erleben können, wie er bis 1914 zu verfolgen ist.

Im folgenden sollen Entwicklung und Bedeutung des „Kölner Hofs“ seit der Mitte der 90er Jahre dargestellt werden. Dabei geht es vor allem darum zu zeigen, wie der „Kölner Hof“ zu einem „judenfreien“ Hotel wurde und welche Rolle das Hotel und sein Besitzer innerhalb der antisemitischen Bewegung in Frankfurt und darüberhinaus im Reich spielten.

In einem zweiten Teil werden die unterschiedlichen Positionen in dem 1899 ausgetragenen Rechtsstreit zwischen dem Besitzer des „Kölner Hofs“, Hermann Laass, und dem Frankfurter Magistrat um das Aufstellen von antijüdischen Tafeln auf dem Bürgersteig vor dem Hotel dargelegt. An dieser Kontroverse läßt sich exemplarisch die Haltung der Frankfurter Stadtverwaltung gegenüber den Bestrebungen des Antisemitismus zeigen.

11.1. Entwicklung und Bedeutung des Hotels

Vom 19. bis 20. Februar 1895 hatte der bislang noch nicht in der antisemitischen Bewegung hervorgetretene Besitzer des Hotels „Kölner Hof“, Hermann Laass, einen in der deutschen Öffentlichkeit als Antisemiten besonders unrühmlich bekannten Gast. Hermann Ahlwardt übernachtete dort und traf sich am Abend mit Frankfurter Gesinnungsgenossen zu parteiinternen Gesprächen. Einige im Hotel wohnende jüdische Gäste zogen aus, nachdem Ahlwardts Anwesenheit bekannt geworden war, und sollen zur Meidung des „Kölner Hofs“ aufgefordert haben.[2]

Wodurch war Hermann Ahlwardt derart berüchtigt, daß jüdische Gäste eines Frankfurter Hotels nicht mit ihm unter einem Dach wohnen wollten? Hermann Ahl-

[1] Ansonsten wird in der Sekundärliteratur — sofern überhaupt — nur noch die Auseinandersetzung um das Heine-Denkmal erwähnt, s. Kap. 14. Zum „Kölner Hof“ s. P. Arnsberg, Geschichte, Bd. 1, S. 793f.; W. Wippermann, Leben in Frankfurt, Bd. 1, S. 37.

[2] Deutsche Volkswacht, Nr. 19, 9.3.1895; Dr. Wohlfarth, Bilder, S. 61.

WARDT war bis 1890 Rektor einer Berliner Gemeindeschule gewesen,[3] von der er wegen Veruntreuung von Schulgeldern verwiesen wurde. Kurze Zeit später machte er durch die Herausgabe zweier antisemitischer Broschüren von sich reden, die in ihren Angriffen und Verleumdungen weit über andere ähnliche Pamphlete hinausgingen. 1890 erschien „Der Verzweiflungskampf der arischen Völker mit dem Judentum", in dem HERMANN AHLWARDT behauptete, keine gesellschaftliche Gruppe, weder Beamte, Heer noch Regierung, sei imstande, sich gegen den unheilvollen jüdischen Einfluß zu wehren. Durch Bestechung würden jüdische Kreise selbst staatliche Ministerien in ihrem Interesse beherrschen. Im zweiten Teil des Buches führte er aus, daß der jüdische Bankier GERSON BLEICHRÖDER in einem Gerichtsprozeß einen Meineid geleistet habe und nur duch die Intervention des Reichskanzlers CAPRIVI freigesprochen worden sei. All diese Behauptungen belegte er mit einer Reihe von angeblichen „Beweisstücken", die sich aber in dem gegen ihn geführten Prozeß als unhaltbar herausstellten. HERMANN AHLWARDT mußte wegen Beleidigung und übler Nachrede für einige Monate ins Gefängnis.

Dies hielt ihn aber nicht davon ab, weitere „Enthüllungen" zu publizieren. 1892 erschien die Broschüre „Judenflinten", worin er eine jüdische Maschinenfabrik beschuldigte, dem Militär vorsätzlich mangelhafte Gewehre geliefert zu haben. Das Buch war eine Sensation und erlebte in kurzer Zeit mehrere Auflagen. AHLWARDT selbst wurde in Volksversammlungen als Retter gefeiert und sein Titel „Rektor a.D." in „Rektor aller Deutschen" uminterpretiert. Tatsächlich waren aber, wie schon im ersten Fall, seine Beweise bloße Erfindungen und AHLWARDT wurde erneut zu einer Gefängnisstrafe verurteilt.[4] Mittlerweile aber war er (1892) im pommerschen Wahlkreis Friedeberg-Arnswalde in den Reichstag gewählt worden. Aufgrund seiner parlamentarischen Immunität brauchte er die Strafe nicht anzutreten.[5]

All dies machte ihn zu einem weithin bekannten und übel beleumundeten Antisemiten, was sich durch sein unüberlegtes, mit Unterstellungen arbeitendes Auftreten im Reichstag seit 1893 noch verstärkte. Durch diese maßlose Agitation war er so sehr in Verruf geraten, daß sich selbst die Mehrheit der antisemitischen Bewegung von dem „Radauantisemiten" lossagte.[6]

Diese Vorgeschichte der Bekanntheit AHLWARDTS erklärt die Reaktion einiger jüdischer Gäste im Februar 1895, nicht mit ihm im selben Haus logieren zu wollen.

Die Anwesenheit AHLWARDTS und der Auszug der jüdischen Gäste waren allerdings nur der äußere Anlaß für die weitere Entwicklung. Obgleich das Hotel, das seit 1892 von HERMANN LAASS geführt wurde,[7] bislang keinen antisemitischen Ruf hatte, nutzten einige andere Gäste des Hauses, die der antisemitischen Bewegung nahestanden,

[3] Zu HERMANN AHLWARDT s. P. MASSING, Vorgeschichte, S. 89-93; s. auch mit teils falscher Datierung Art. „Antisemitismus" in: Encyclopaedia Judaica (1928), Bd. 2, Sp. 1022f.

[4] Trotzdem wurden auch weiterhin viele seiner „Beweise" in den Reihen der Antisemiten als erwiesen angesehen, s. Dr. WOHLFARTH, Bilder, S. 51-60; W. BUCH, 50 Jahre, S. 14-17.

[5] Vgl. auch W. KAMPMANN, Deutsche und Juden, S. 287f.; H. C. GERLACH, Agitation, S. 180-195.

[6] M. BROSZAT, Antisemitische Bewegung, S. 94; Dr. WOHLFARTH, Bilder, S. 55-60.

[7] StA Ffm., Akten des Magistrats T 1108, Bl. 43.

diese Situation zu einer antijüdischen Verlautbarung aus. Vermutlich handelte es sich dabei um dieselben Frankfurter Gesinnungsfreunde, mit denen sich AHLWARDT zu vertraulichen Besprechungen getroffen hatte. An einen der ausgezogenen Gäste richteten die „deutschen Stammgäste des Hotels zum Kölner Hof" ein Dankschreiben, in dem sie „der angenehmen Hoffnung Raum" gaben, „daß Sie (d.i. der jüdische Gast, I.S.) auch ferner einen gleichen Eifer wie bisher entfalten werden, dem Kölner Hof alle nicht deutsch — speziell koscheren — Elemente fernzuhalten."[8] Diese Reaktion einiger „deutscher" Gäste, vor allem aber die nachfolgende Propaganda der antisemitischen Partei und ihrer Zeitungen führte dazu, daß HERMANN LAASS sich im Laufe der folgenden Monate der antisemitischen Bewegung annäherte. Auf seiten der Antisemiten wurden die Ereignisse im Februar 1895 zur Frage hochgespielt, ob man sich eine derartige Behandlung von jüdischer Seite gefallen lassen dürfe.

Sofort nach dem Auszug der jüdischen Gäste und ihrer angeblichen Boykottdrohung stand die antisemitische Presse hinter AHLWARDT und dem Besitzer des „Kölner Hofs".[9] Auch der Deutsche Verein ergriff Partei: Einen Monat nach dem Ereignis, Ende März 1895, hielt er demonstrativ eine Vereinszusammenkunft im „Kölner Hof" ab.[10] Ausgehend von der Befürchtung, der „Kölner Hof" würde durch einen eventuellen Boykott finanziellen Schaden erleiden, forderte die „Deutsche Volkswacht" in einem ausführlichen Artikel alle nach Frankfurt reisenden Parteigenossen auf, im „Kölner Hof" Quartier zu nehmen: *„Es ist so weit gekommen, daß ein Gasthof verfehmt wird, wenn er einen den Juden nicht angenehmen Reichstagsabgeordneten beherbergt. An uns ist es jetzt aber für den geschädigten Gasthofbesitzer einzutreten. Wir kennen denselben nicht, derselbe aber ist Christ und Deutscher und von den Juden schwer geschädigt. Wir empfehlen seinen guten und billigen Gasthof „Zum Cölner Hof", unmittelbar am Hauptbahnhof gelegen, allen unabhängigen Deutschen, welche nach oder durch Frankfurt a. M. reisen müssen, als Absteigequartier."*[11]

Wurde HERMANN LAASS in diesem Artikel der „Deutschen Volkswacht" als der antisemitischen Bewegung fernstehend bezeichnet, so änderte sich dies bereits im Herbst 1895. Die „Deutsche Volkswacht" sah in ihm einen „wackeren, ächt deutschgesinnten Mann(e), . . . unsere(n) Freund". In seinem Lokal lagen jetzt fünf antisemitische Zeitungen aus und der von dem antisemitischen Reichstagsabgeordneten OTTO BÖCKEL gegründete Mitteldeutsche Bauernverein hielt dort Vereinssitzungen ab. Nicht zuletzt habe die Bewegung es dem Deutschen Verein und „seiner unermüdlichen Thätigkeit zu verdanken, daß wir selbst in Neu-Jerusalem am Main eine ächt deutsche Gastwirthschaft . . . besitzen".[12] Geht man von diesen Artikeln aus, so scheint es, als habe der Besitzer des „Kölner Hofs" an dem antijüdischen Ruf, den sein Hotel seit den Ereignissen im Februar 1895 hatte, nur aufgrund der Agitation

8 Dr. WOHLFARTH, Bilder, S. 61; MdVAA, 5. Jg. 1895, Nr. 40, S. 318f.
9 Etwa Deutsch-Soziale Blätter, Beil., 10. Jg., Nr. 359, 4.7.1895, S. 105.
10 Deutsche Volkswacht, Nr. 18, 6.3.1895.
11 Ebd., Nr. 19, 9.3.1895.
12 Ebd., Nr. 72, 18.9.1895.

des Deutschen Vereins festgehalten. Auch aus anderen Quellen läßt sich belegen, daß es letztlich die Antisemiten selbst waren, die den „Kölner Hof“ zu einem „judenfreien“ Hotel werden ließen.

Diese Entwicklung zu einem „judenfreien“ Hotel war, wie sich auch an den „Mitteilungen des Vereins zur Abwehr des Antisemitismus“ ablesen läßt, eine sukzessive. In dem auf AHLWARDTS Anwesenheit folgenden Monat scheint sich das Hotel in keiner Weise verändert zu haben. Im März und April wohnten weiterhin jüdische Gäste im „Kölner Hof“, die sich nicht über schlechte Behandlung beklagten.[13] In diese Zeit fiel auch ein Schreiben HERMANN LAASS' an den Verein zur Abwehr des Antisemitismus. Der Verein hatte sich, nachdem er von den Ereignissen im „Kölner Hof“ erfahren hatte, mit der Bitte um Aufklärung an ihn gewandt. In seinem Antwortschreiben wies LAASS darauf hin, daß weder sein Hotel von jüdischen Reisenden gemieden werde, noch verwehre er jemandem den Zutritt. Er „stehe auf dem Standpunkt, daß es eine große Thorheit wäre, wollte sich ein Geschäftsmann an irgend eine Partei, mag dieselbe heißen, wie sie will, hängen.“[14]

Seit Ende März aber wurde von Seiten der antisemitischen Bewegung versucht, den „Kölner Hof“ in ihrem Sinne zu verändern. Einige auswärtige „Agitatoren“ zogen in den „Kölner Hof“, um jüdische Gäste zum Auszug zu bewegen und wohl auch, um HERMANN LAASS von den Vorteilen eines „judenreinen“ Hotels zu überzeugen. Vorerst allerdings ohne Erfolg. Nachdem es zu Tätlichkeiten gegenüber anderen Gästen kam, bat LAASS die Antisemiten auszuziehen.[15] War LAASS zu diesem Zeitpunkt noch nicht auf Seiten der antisemitischen Bewegung, hatte sich die Situation einige Monate später verändert. Seit Herbst 1895 nahm das Hotel keine jüdischen Gäste mehr auf.

Faßt man diese Angaben der „Mitteilungen“ zusammen, so bleibt festzuhalten, daß nicht, wie die „Deutsche Volkswacht“ in ihrem ersten Artikel und später auch andere antisemitische Zeitungen unterstellten,[16] der Auszug einiger jüdischer Gäste und deren angebliche Boykottdrohung dazu geführt hatten, daß der Besitzer sich der antisemitischen Bewegung anschloß, sondern vielmehr die Agitation der Antisemiten selbst.[17] Deren Interesse war ein doppeltes: Zum einen war es zu einer Prestigefrage geworden, ob es gelang, den „Kölner Hof“ in den Dienst der antisemitischen Bewegung zu stellen, oder ob die AHLWARDT-Affäre nur ein kurzes Zwischenspiel ohne Folgen bleiben sollte. Zum anderen erhoffte man sich, mit einem in Frankfurt verkehrsgünstig gelegenen antijüdischen Hotel einen Versammlungsort zu schaffen, in dem sich Gesinnungsgenossen überregional treffen konnten. Aber auch HERMANN LAASS

[13] MdVAA, 5. Jg. 1895, Nr. 48, S. 382f.

[14] Ebd., Nr. 40, S. 318f.

[15] Ebd., Nr. 48, S. 382f.

[16] Beil. zur „Frankfurter Post“ in: Römerkatze, Nr. 42 (Märzkatzen) 1904 (Beil.); Römerkatze, Nr. 43, 15.4.1904.

[17] Vgl. auch MdVAA, 5. Jg. 1895, Nr. 40, S. 318f. Die Zeitung berichtete, daß sich ein „antisemitischer Agitator in dem Hotel niedergelassen“ und „den Besitzer nach und nach zu dem gemacht (habe), was er jetzt ist.“

Abb. 5 Anzeige des „Kölner Hofs“, 1899

muß es ab einem bestimmten Zeitpunkt so unrecht nicht mehr gewesen sein. Dafür spricht die Schnelligkeit, mit der er innerhalb der antisemitischen Bewegung aktiv wurde. Er mochte aber auch gemerkt haben, daß ein antisemitischer Gasthof durchaus auf Zuspruch rechnen konnte.

Nachdem zuerst die antisemitischen Zeitungen für ihn geworben hatten, begann Hermann Laass im Herbst 1895 mit eigener Werbung. Sein Hotel und das Restaurant wurden ganz in den Dienst der antisemitischen Bewegung gestellt. Von diesem Zeitpunkt an wurden jüdische oder als solche angesehene Gäste in seinem Haus nicht mehr bedient. Und das Hotel legte sich den Zusatz „judenfreies“ oder auch „judenreines“ Hotel zu, welchen es bis 1914 beibehielt.[18]

Die Annäherung an die antisemitische Partei läßt sich an den Anzeigen des Hotels in antisemitischen Parteizeitungen verfolgen. Waren die ersten Inserate seit Juli 1895 in den „Deutsch-Sozialen Blättern“ ein bloßer Hinweis auf das Hotel,[19] so waren die folgenden von November 1895 an mit der näheren Bezeichnung „Judenfreies Hotel — Restaurant Kölner Hof“ versehen.[20] Diesen Anzeigentyp behielt Laass bis 1914 bei, wobei es in späteren Jahren oft deutlich „Jüdischer Besuch verbeten“ hieß.[21] Regelmäßig waren in den regionalen antisemitischen Zeitungen[22] wie in den überre-

[18] „Judenfrei“ s. Frankfurter Post, 3. Jg., Nr. 13 (=12), 1.12.1898; MdVAA, 6. Jg. 1896, Nr. 51, S. 408; „Judenrein“ s. KP, Nr. 222, 21.9.1895; StA Ffm., Akten des Magistrats T 1108, Bl. 58.

[19] Deutsch-Soziale Blätter, Beil., 10. Jg., Nr. 359, 4.7.1895, S. 108; Nr. 361, 18.7.1895, S. 116; Nr. 366, 22.8.1895, S. 136; Nr. 373, 10.10.1895, S. 164.

[20] Erstmals Deutsche Volkswacht, Nr. 89, 16.11.1895.

[21] Deutsch-Soziale Blätter, 13. Jg., Nr. 528, 29.9.1898, S. 312; 18. Jg., Nr. 796, 19.11.1903, S. 550; 25. Jg., Nr. 1, 1.1.1910, S. 7.

[22] Vgl. z.B. Deutsche Volkswacht ab 1. Jg., Nr. 90, 20.11.1895 bis mindestens 14. Jg. 1907. In der „Frankfurter Post“ inserierte Laass ab Nr. 1, 1.5.1896 in jeder Nummer.

gionalen „Deutsch-Sozialen Blättern“ Anzeigen seines Hotels abgedruckt. Aber auch in anderen nahestehenden Publikationsorganen warb LAASS in dieser Form für sein Haus. In der Zeitung des Deutschnationalen Handlungsgehilfenverbandes, der „Deutschen Handels-Wacht“, pries er ebenfalls sein Hotel an.[23]

In seinem Haus selbst war ab Herbst 1895 alles auf antisemitische Propaganda abgestellt. Plakate wurden innerhalb des Hotels angebracht, die darauf verwiesen, daß „Jüdischer Besuch verbeten“ sei.[24] Bier wurde in Krügen mit der Aufschrift „Kauft nicht bei Juden“ ausgeschenkt.[25]

Unrühmlich bekannt wurde er auch durch die Herausgabe von besonderen antisemitischen „Eisenbahnfahrkarten“, auf denen er für sein Haus Reklame machte. Sie waren in Form und Größe wie eine Eisenbahnfahrkarte geschnitten, hatten jedoch antisemitische Aufschriften. Im Herbst 1895 wurden sie erstmals im „Kölner Hof“ selbst und im Hauptbahnhof als Empfehlungskarten verteilt.[26] Unerwünschte jüdische Gäste erhielten auf ihre Anfrage nach einem Zimmer anstelle eines Antwortschreibens ein derartiges Billett zugeschickt.[27] Diese ersten Karten waren verglichen mit den späteren noch relativ harmlos. In schwarzer Schrift auf gelbem Karton war folgende Werbung aufgedruckt:

Stets übertragbar
an alle Fremden.
Judenreines
Hotel-Restaurant
Kölner Hof
Frankfurt am Main
gegenüber dem rechten Ausgange des Hauptbahnhofes.
Zur Rückfahrt
II Cl. gültig. II. Cl.
Zimmer v.Mk.1.50 an
Pilsener Bier.
1895

[28]

23 Etwa in Deutsche Handels-Wacht, 9. Jg., Nr. 4, 15.2.1902, S. 86; 11. Jg., Nr. 1, 1.1.1904, S. 12; 12. Jg., Nr. 17, 1.9.1905 usw. Dagegen pries LAASS sein Hotel in der „Germania. Werbeblatt des Mittelstands-Bundes für Hessen-Nassau“ harmloser als „christlich-deutsches“ Haus an, s. Germania, 9. Jg., Nr. 7, Juni 1913 in: HStaA Wiesbaden, Abt. 405, Nr. 3761, Bl. 79.

24 Postkarte mit Innenansicht des Restaurants, Foto: Fotosammlung StA Ffm.

25 MdVAA, 5. Jg. 1895, Nr. 34, S. 272; Populär-wissenschaftliche Monatsblätter, 15. Jg., Nr. 11, 1.11.1895, S. 256; s. auch W. WIPPERMANN, Leben, Bd. 1, S. 37.

26 KP, Nr. 222, 21.9.1895.

27 MdVAA, 5. Jg. 1895, Nr. 48, S. 382f.

28 KP, Nr. 222, 21.9.1895. Teils lautete die erste Zeile: „Stets übertragbar an alle Christen“, s. MdVAA, 5. Jg. 1895, Nr. 48, S. 382f.

Abb. 6 Ansichtskarte vom Restaurant des „Kölner Hofes“ mit der Hinweistafel „Jüdischer Besuch verbeten“, Poststempel 1908

Gegen Ende des Jahrhunderts wurde die antisemitische Werbung deutlicher: außer dem Hinweis auf der Vorderseite „An Juden nicht übertragbar" war auch die Rückseite mit wechselnden antisemitischen Texten bedruckt. So stand etwa auf einer Reklamekarte von 1899 der bekannte Ausspruch von HEINRICH VON TREITSCHKE „Die Juden sind unser Unglück".[29]

Noch 1912 und 1913 betrieb HERMANN LAASS in dieser Form Reklame für sein Hotel. Auf der Vorderseite stand nun ausführlicher als 1895: „An Juden nicht übertragbar. Gültig für alle Züge, einschließlich D- und Luxuszüge nach Frankfurt a. M. in das Hotel Kölnerhof. Einzig judenfreies Hotel." Auch den Brauch, auf die Rückseite antisemitische Texte zu drucken, hatte LAASS beibehalten.[30]

Diese antisemitische Hotelreklame versuchte der Verein zur Abwehr des Antisemitismus 1912/13 durch die Eisenbahndirektion Frankfurt am Main und dem Ministerium der öffentlichen Arbeiten als groben Unfug unterbinden zu lassen. Beide Behörden erklärten sich aber für nicht zuständig und lehnten ein Eingreifen ab,[31] so daß diese Werbefahrkarten auch weiterhin verteilt werden konnten.[32]

HERMANN LAASS war nicht der erste, der mit diesen kleinen Karten in Form von Eisenbahnbilletts antisemitische Propaganda betrieb, aber er war bis 1914 derjenige, der sie als Werbemittel am konsequentesten einsetzte. Übernommen hatte er diese Idee wohl von den 1893 erstmals in Berlin auftauchenden „Freifahrkarten nach Jerusalem hin und nicht mehr zurück",[33] die im gesamten Reich bekannt und verbreitet waren.[34]

Freifahrtkarte
nach
Jerusalem
hin und nicht
mehr zurück
IV. Kl. (B) 0,00 M.
1
Gültig ab jeder Station 0,00 M.
2406

[35]

[29] MdVAA, 9. Jg. 1899, Nr. 27, S. 212.
[30] Ebd., 22. Jg. 1912, Nr. 21, S. 168.
[31] Ebd., 23. Jg. 1913, Nr. 13, S. 104; Deutsch-Soziale Blätter, 28. Jg., Nr. 53, 2.7.1913, S. 631.
[32] MdVAA, 23. Jg. 1913, Nr. 20, S. 160.
[33] Ebd., 3. Jg. 1893, Nr. 13, S. 136f.; s. auch die Wiedergabe einer Fahrkarte aus den Beständen der Zeitgeschichtlichen Sammlung des Bundesarchivs in Koblenz, in: F. KAHLENBERG, Jüdische Gemeinden, S. 371. Es gab davon zwei Typen, eine für die IV. Klasse und eine für die III. Klasse, wobei die erstere die zeitlich frühere ist und noch keine Rückseitenbeschriftung hat.
[34] Deutsche Volkswacht, 4. Jg., Nr. 18, 3.3.1897; Dr. WOHLFARTH, Bilder, S. 61.
[35] Orig.: Jüdisches Museum Frankfurt a. M.

Beide Typen von Werbefahrkarten müssen bei aller Ähnlichkeit unterschieden werden. Während die des „Kölner Hofs" eine Werbeplakette war, die sich ursprünglich an nichtjüdische, der antisemitischen Bewegung Nahestehende wandte, wurden die „Freifahrkarten nach Jerusalem" von Antisemiten an von ihnen als Juden angesehene Passanten verteilt. Allerdings waren die Verteiler oft dieselben und die Werbekarten des „Kölner Hofs" konnten ebenfalls an jüdische Gäste zur Abschreckung ausgegeben werden.[36]

Außer diesen Werbefahrkarten ließ HERMANN LAASS auch Postkarten drucken, auf denen sein Haus verbunden mit einer antisemitischen Illustration abgebildet war. Diese seit 1897 vertriebenen, „Gruß aus dem Kölner Hof" betitelten Postkarten zeigen z.B. den „Kölner Hof" und einen als 'typischen' Juden gezeichneten Reisenden, der einen Tritt erhält[37] oder den man demonstrativ auf eine Tafel mit der Aufschrift „Juden haben keinen Zutritt" hinweist (s. Abb.).[38] Aus späteren Jahren existiert eine Postkartenserie von drei Karten, in denen Frankfurt als die Stadt dargestellt wird, von der aus die jüdischen Bürger Deutschland beherrschten. Mit dem „Gruß aus dem Kölner Hof" sind Karikaturen und ein Gedicht verbunden, von denen jeweils ein Teil auf einer Karte steht. Inhalt des Gedichts und der dazugehörenden Zeichnung ist, daß Gott, nachdem Moses die Juden vierzig Jahre in der Wüste herumgeführt hatte, ihnen zum Lohn die Herrschaft über das deutsche Volk versprochen habe, wofür er ihnen empfahl, sich in Frankfurt niederzulassen. Folgerichtig zeigt dann die dritte Karte der Serie neben einer stilisierten Ansicht Frankfurts einen auf einem Geldsack hockenden Juden. Das Ganze ist unterschrieben mit „Neu-Jerusalem am fränkischen Jordan" und den Schlußzeilen des Gedichtes:[39]

„Was der Herr am Wüstensande
Einst versprach, hielt er auch ein:
Schon regiert im deutschen Lande
Neu-Jerusalem am Main."[40]

Auf einer anderen Postkartenart wurden jüdische Typen karikiert. Etwa unter dem Motto „Was aus einem Enterich alles werden kann", die Verwandlung einer Ente in einen Juden. Die Karte „Die fünf Frankfurter" stilisiert in Anlehnung an ein Rothschildbild fünf Juden in unschöner Weise.

Diese Postkarten wurden vom „Kölner Hof" auch über Frankfurt hinaus vertrieben und machten dessen antisemitische Ausrichtung bekannt und berüchtigt. Sie

[36] MdVAA, 5. Jg. 1895, Nr. 48, S. 382f.

[37] 1897 verbreitet, s. etwa ein Exemplar in der Fotosammlung des StAs Ffm.; vgl. auch Deutsch-Soziale Blätter, 12. Jg., Nr. 447, 11.3.1897, S. 39.

[38] Verschiedene Postkartentypen in der Fotosammlung des Jüdischen Museums Frankfurt und des StAs Ffm.

[39] Ähnliche antisemitische Postkarten gab es etwa auch für die „judenreine" Insel Borkum, s. Fotosammlung Jüdisches Museum Frankfurt.

[40] Postkarten in der Fotosammlung des StAs Ffm.

Abb. 7/8 Postkarten des „Kölner Hofes“ mit Poststempeln aus den Jahren 1897 und 1898

Abb. 9/10 Erste und dritte Folge aus einer Postkartenserie, die der „Kölner Hof" um 1900 herausgab

wurden nicht nur an Gesinnungsgenossen verschickt, sondern auch anonym an jüdische Bürger, um diese zu beleidigen.[41]

Wegen dieser „Judenhetzpostkarten" des „Kölner Hofs" kam es im Februar 1898 zu einer kurzen Debatte im Reichstag.[42] Anlaß der Debatte in der Sitzung vom 4. Februar war eine Anfrage des antisemitischen Reichstagsabgeordneten MAX LIEBERMANN VON SONNENBERG. Berliner Antisemiten hatten eine dieser Postkarten nach Frankfurt an die dortige Ortsgruppe des DHV geschickt. Gemäß den postalischen Bestimmungen, wonach Postkarten, „aus deren Inhalt die Absicht der Beleidigung oder sonst strafbare Handlung sich ergiebt",[43] von der Beförderung ausgeschlossen waren, erhielten die Absender ihre Karte wieder zurück. Nach Meinung LIEBERMANN VON SONNENBERGS sei diese Auslegung der Postordnung zu eng, denn die Adressaten hätten sich in keiner Weise durch diese Postkarte beleidigt gefühlt. Er, LIEBERMANN, plädiere für eine konkretere Fassung der Verordnung, wonach nur solche Postkarten von der Beförderung auszunehmen seien, die den Adressaten tatsächlich zu beleidigen beabsichtigen.

Auf diesen kaum praktikablen Vorschlag antwortete der Staatssekretär des Reichspostamtes. Die Postverwaltung sehe sich nicht in der Lage, alle Empfänger zu befragen, ob sie sich beleidigt fühlten. Man halte auch weiterhin daran fest, daß „nach diesen Bildern, die dort in Frankfurt a. M. zur Versendung kamen, . . . Bewohner Deutschlands" sich beleidigt fühlten und deshalb diese Postkarten prinzipiell von der Beförderung auszuschließen seien.

HERMANN LAASS jedenfalls sah seine Reklame durch die Postverordnung nicht beeinträchtigt und ließ auch weiterhin seine judenfeindlichen Werbekarten drucken. Denn bei der Menge der zu bearbeitenden Post konnte eine Weiterleitung nicht immer verhindert werden und viele Karten erreichten ihre Empfänger.[44]

Außer den Zeitungsanzeigen, den Fahrkarten sowie den Postkarten wurde mittels kleinen Zetteln, die in Eisenbahnwaggons oder auf Bahnhöfen angeklebt wurden, Werbung auch außerhalb Frankfurts für das „judenreine" Hotel betrieben. 1898 etwa hing ein Bahnbeamter ein Plakat des Hotels im Kölner Hauptbahnhof auf.[45] Und 1912/13 wurden kleine, auf der Rückseite gummierte Zettel in Waggons verschiedener Eisenbahnverbindungen angeklebt.[46]

41 Deutsche Volkswacht, 6. Jg., Nr. 69, 6.9.1899; Deutsch-Soziale Blätter, Beil., 14. Jg., Nr. 579, 28.9.1899, S. 126.

42 Stenographische Berichte IX. Legislaturperiode 1897/98, Bd. 2, S. 828f.; s. auch Im deutschen Reich, 4. Jg. 1898, Nr. 2, S. 82-85.

43 Postordnung vom 11. Juni 1892 § 14, s. Im deutschen Reich, 4. Jg. 1898, Nr. 2, S. 83; Stenographische Berichte IX. Legislaturperiode 1897/98, Bd. 2, S. 828.

44 Vgl. etwa die Antwort des Staatssekretärs des Reichspostamtes auf Beschwerden des Centralvereins der deutschen Staatsbürger jüdischen Glaubens 1898 und 1908, s. Im deutschen Reich, 4. Jg. 1898, Nr. 4, S. 228, und Deutsch-Soziale Blätter, 23. Jg., Nr. 4, 11.1.1908, S. 44.

45 B. SUCHY, Antisemitismus, S. 278.

46 MdVAA, 22. Jg. 1912, Nr. 9, S. 72; KP, Nr. 117, 22.5.1913, S. 3.

Abb. 11/12 Antisemitische Karikaturen auf Postkarten um 1900

Abb. 12

All dies machte den „Kölner Hof" im gesamten Reich, besonders innerhalb der antisemitischen Bewegung, bekannt. Noch WILLI BUCH erinnerte sich in den 30er Jahren in seinem Rückblick auf die Geschichte der antisemitischen Bewegung vor 1914 an „das große, erstklassige Hotel des Antisemiten Laaß in Frankfurt am Main, in dem Juden keine Aufnahme fanden".[47]

In geschäftlicher Hinsicht erwies sich diese politische Ausrichtung des Hotels als ein Erfolg. Das „judenfreie" Hotel „Kölner Hof" in Frankfurt zog genügend Gäste an, so daß der Besitzer erweitern konnte. Nachdem das Haus sich noch nicht ganz ein Dreivierteljahr der antisemitischen Bewegung angeschlossen hatte, im April 1896, konnte HERMANN LAASS bereits das Nachbarhaus, Scharnhorststraße 37, kaufen.[48] Anstatt bislang 60 Zimmer mit 90 Betten verfügte es nach dem Umbau über 80 Zimmer mit 120 Betten.[49] Auch im 20. Jahrhundert prosperierte das Hotel und HERMANN LAASS konnte sein Haus durch Ankauf zweier weiterer Nebenhäuser vergrößern,[50] renovieren und mit modernsten technischen Neuerungen ausstatten.

[47] W. BUCH, 50 Jahre, S. 41; s. auch Dr. WOHLFARTH, Bilder, S. 61.

[48] Deutsche Volkswacht, 3. Jg., Nr. 32, 25.4.1896; Frankfurter Post, Nr. 1, 1.5.1896.

[49] Frankfurter Post, Nr. 1, 1.5.1896. Diese Erweiterung war allerdings erst um 1900 abgeschlossen, denn bis dahin inserierte HERMANN LAASS noch mit dem Hinweis auf die geringere Bettenkapazität, s. ebd., 3. Jg., Nr. 13 (=12), 1.12.1898; Deutsch-Soziale Blätter, 14. Jg., Nr. 542, 5.1.1899, S. 4.

[50] 1903 erwarb er das Haus Gneisenaustraße 5, s. Römerkater, Beil. zur Römerkatze, Nr. 33, 1.8.1903; 1909 dann Gneisenaustraße 1, s. StA Ffm., Akten des Magistrats T 1108, Bl. 70.

1914 hatte das Hotel 140 Zimmer mit 200 Betten. Es war mit elektrischem Licht, Dampfheizung und einem Fahrstuhl ausgestattet.[51] Als 1905 die Restaurationsräume vollständig umgestaltet worden waren, feierte die antisemitische Presse den Geschäftsmann HERMANN LAASS als ein hervorragendes Beispiel für einen tüchtigen deutschen Kaufmann, der sich gegen jüdische „Ränke“ durchzusetzen verstand:

„Der 'Kölner Hofe' – wer kennt ihn nicht – im ganzen Deutschen Reich ist sein Name bei Leuten, die sich um Politik kümmern, wohl bekannt. Er ist ein beredtes Zeugnis einer Mannestat, welche vom Erfolg gekrönt wurde. Unser Laaß fing sein Geschäft klein, aber mit ehrlichem Willen, mit Fleiß, Energie und Thatkraft an, jüdische Unverschämtheit und Arroganz, jüdischen Haß hatten seinem Unternehmen, das mit irgend einem Haß gegen die Juden nichts zu tun hatte, den Untergang geschworen. Aber hier hat der deutsche Michel mal zur rechten Zeit gewacht. Mit offenen Augen, mit Mannesmut und eiserner Konsequenz hat Laaß sein Schifflein durch die Brandung gelenkt, jetzt schwimmt es sicher auf ruhigem Wasser, möge es mit schwarz-weiß-roter Flagge weitersegeln zu glücklicher Fahrt, wir Antisemiten wünschen und hoffen es, ist doch unsere Bewegung in Frankfurt eng mit der Geschichte des 'Kölner Hofes' verbunden.“[52]

Das Haus selbst wurde als ein Symbol gesehen für das, was die antisemitische Bewegung bei tatkräftiger Arbeit erreichen könnte:

„Und nun treffen wir uns dort nach dem Umbau in einem herrlichen, luftigen Lokal, das allen Anforderungen in Bezug auf Räumlichkeiten, Speise und Trank entspricht. Ja – ein Hochgefühl durchweht uns – ein solch schönes Denkmal deutscher, ehrlicher Arbeit, errungen im Kampfe. Deutsche Brüder, es geht, wenn wir wollen, das lehrt uns auch dieses Haus. Warum lassen wir es an dem Willen fehlen? Kommt helft mit – wir müssen durch.“[53]

Daß der „Kölner Hof“ eng mit der antisemitischen Bewegung in Frankfurt verbunden war, verdeutlicht die Eröffnungsfeier des neugestalteten Restaurants. Zahlreich waren die Mitglieder des Deutschen Vereins und des Deutschnationalen Handlungsgehilfenverbandes vertreten. Die Eröffnungsrede hielt der „Senior unserer Frankfurter Bewegung, 'unser alter Hettler'“, nach ihm redete für den DHV FRANZ HAX.[54]

Die finanziellen Erfolge des „Kölner Hofs“ sind nicht nur auf die besondere Werbung und die Anzeigen in antisemitischen Zeitungen zurückzuführen, sondern auch auf das Engagement des Besitzers selbst in der antisemitischen Bewegung.

Anfang des Jahres 1896 trat HERMANN LAASS dem Deutschen Verein bei,[55] in dem er von da an bis 1914, über 18 Jahre lang, ein besonders aktives Mitglied war. Schon im darauffolgenden Jahr, 1897, wurde er in den Vorstand gewählt. Von 1903 bis 1910

[51] Deutsch-Soziale Blätter, 29. Jg., Nr. 63, 8.8.1914, S. 747.
[52] Deutsche Volkswacht, 12. Jg., Nr. 55, 19.7.1905; ähnlich auch Nr. 50, 1.7.1905.
[53] Ebd., 12. Jg., Nr. 55, 19.7.1905.
[54] Ebd.
[55] Deutsche Volkswacht, 3. Jg., Nr. 7, 25.1.1896.

und noch einmal 1914 lenkte er als Vorsitzender die Politik des Deutschen Vereins.[56] 1903 stellte ihn der Deutsche Verein erfolglos als Reichstagskandidaten für Frankfurt auf.[57] Als Stadtverordneter versuchte er von 1905 bis 1910 seine politischen Ansichten in der Kommunalpolitik durchzusetzen.[58] Über Frankfurt hinaus unterstützte er zahlreiche propagandistische Bestrebungen der antisemitischen Parteien. Für Wahlfonds,[59] aber auch für die unentgeltliche Verteilung antisemitischer Bücher[60] spendete er regelmäßig eine im Vergleich zu den übrigen eingegangenen Beträgen großzügige Summe von z.B. 10 Mark. Eine ungewöhnliche Stiftung machte er 1913, als er der Zentrale der Deutschsozialen Partei für ihre Räumlichkeiten „Zimmerschmuck“ zukommen ließ.[61] Er war Mitunterzeichner einiger Aufrufe, in denen bekanntere Antisemiten zur Unterstützung verschiedener Projekte aufriefen: 1900 für die Wahl eines von den Antisemiten in Baden aufgestellten Landtagskandidaten,[62] 1904 für die Stiftung einer Ehrengabe zur Feier von LIEBERMANN VON SONNENBERGS 25jährigen politischen Kampf[63] oder etwa 1912 für einen Gedenkstein für denselben.[64] Daneben hatte HERMANN LAASS auch überregionale Parteiämter inne: 1908 war er im Vorstand des Landesverbandes Hessen der Deutschsozialen Partei.[65]

All dies führte dazu, daß nicht nur sein Hotel, sondern auch HERMANN LAASS selbst in der antisemitischen Bewegung allgemein bekannt waren und der zentral gelegene „Kölner Hof“ am Frankfurter Hauptbahnhof zu einem Treffpunkt der Partei wurde. Anhänger und Freunde der Bewegung sahen die Unterstützung von LAASS als eine Ehrensache an.

Selbst über Frankfurt reisende Wiener Antisemiten blieben für einige Stunden in Frankfurt, um dem „Kölner Hof“ und seinem Besitzer einen kurzen Besuch abzustatten.[66] Zahlreiche regionale und überregionale Parteiversammlungen fanden im „Kölner Hof“ statt. Seit 1896 war er das Vereinslokal des Deutschen Vereins.[67] Vorstandssitzungen des Landesverbandes der Deutschsozialen Partei wurden dort ebenso[68] wie solche des Hessischen Bauernverbandes abgehalten.[69] Seinen Höhe-

[56] Siehe Kap. 6.2.
[57] Siehe Kap. 9.2.
[58] Siehe Kap. 13.2.2. und 13.3.
[59] Z.B. Deutsch-Soziale Blätter, Beil., 15. Jg., Nr. 631, 20.9.1900, S. 455; 23. Jg., Nr. 16, 22.2.1908, S. 213; 26. Jg., Nr. 13, 15.2.1911, S. 151.
[60] „10,– Mark für unentgeltliche Verteilung des Stille Buches 'Der Kampf gegen das Judentum'“, s. Deutsch-Soziale Blätter, 27. Jg., Nr. 84, 19.10.1912, S. 998.
[61] Ebd., 28. Jg., Nr. 53, 2.7.1913, S. 631.
[62] Ebd., 15. Jg., Nr. 626, 17.8.1900, S. 392.
[63] Ebd., Beil., 19. Jg., Nr. 79, 1.10.1904, S. 1109.
[64] Ebd., 27. Jg., Nr. 26, 30.3.1912, S. 304; Nr. 28, 6.4.1912, S. 328.
[65] Ebd., 23. Jg., Nr. 35, 29.4.1908, S. 482 und Beil., Nr. 56, 11.7.1908, S. 777.
[66] Deutsche Volkswacht, 5. Jg., Nr. 59, 3.8.1898.
[67] Ebd., 3. Jg., Nr. 7, 25.1.1896.
[68] Vgl. z.B. Deutsch-Soziale Blätter, 23. Jg., Nr. 4, 11.1.1908, S. 46; 29. Jg., Nr. 36, 6.5.1914, S. 429.
[69] Etwa Deutsche Volkswacht, Nr. 72, 18.9.1895; Deutsche Volkswacht, 8. Jg., Nr. 38, 18.5.1901 und Nr. 83, 26.10.1901.

punkt als Versammlungslokal der antisemitischen Bewegung erreichte der „Kölner Hof" 1907 als in seinen Räumen der Parteitag der Deutschsozialen Partei tagte.[70]

Das „judenreine" Hotel „Kölner Hof" erfüllte innerhalb der Bewegung nicht zuletzt aufgrund seiner günstigen Lage als Versammlungslokal eine wichtige Funktion. Es wurde aber auch wegen seines Prosperierens als Symbol für die Stärke der Bewegung angesehen. Denn in der „verjudeten" Stadt Frankfurt ein antisemitisches Hotel unterhalten zu können, wurde als Indiz für die Resonanz, auf die die Bewegung stieß, gewertet. Dies erklärt auch, warum finanzielle Erfolge von LAASS in den antisemitischen Zeitungen geradezu enthusiastisch besprochen wurden.

Um die Bedeutung des Hauses abschließend würdigen zu können, muß der Frage nachgegangen werden, ob das „judenreine" Hotel „Kölner Hof" in Frankfurt eine einzigartige Erscheinung im Deutschen Reich war oder ob es vergleichbare Einrichtungen in anderen Städten oder Ortschaften gab.

In antisemitischen Zeitungen waren insbesondere vor der Sommerreisezeit Listen antisemitischer Bade- oder Kurorte bzw. einzelner Hotels abgedruckt. Gasthäuser oder Kurorte, die sich offen zur antisemitischen Bewegung bekannten, gab es vereinzelt seit den 80er Jahren, in den 90er Jahren begann sich dieser Trend zu verstärken.[71] So zählte eine derartige Aufstellung der „Deutsch-Sozialen Blätter" im Jahre 1912 über 95 verschiedene Orte auf, die ganz „judenfrei" waren oder in denen es einzelne „judenreine" Hotels gab.[72] Darunter waren Nordseebäder ebenso wie Ferienorte in Bayern oder Südtirol, in denen jüdische Gäste unerwünscht waren. Das bekannteste Beispiel dürfte die „judenfreie" Nordseeinsel Borkum mit ihrem antisemitischen „Borkumlied" sein. Überwiegend wurden aber einzelne Hotels, nicht ganze Ortschaften aufgeführt, wobei es sich in der Regel um Gasthäuser in kleineren Orten, meist Ferienorte, handelte. Von den größeren Städten wurde als einzige Frankfurt mit einem antisemitischen Hotel aufgezählt. Weder in Berlin noch in München oder Hamburg gab es vergleichbare „judenreine" Hotels. In einer Stadt wie Frankfurt, noch dazu direkt am Bahnhof gelegen, besaß das Hotel eine ganz andere Anziehungskraft als die meist kleineren Gasthöfe auf dem Lande. Aber der „Kölner Hof" unterschied sich nicht nur wegen seiner Lage von ähnlichen Hotels, auch die Aufmachung und die Häufigkeit seiner Werbung waren einzigartig.[73] Vermutlich war es das am längsten bestehende und finanziell erfolgreichste „judenfreie" Hotel. Mit seiner Bettenkapazität und seiner günstigen Verkehrslage konnte der „Kölner Hof" geradezu zu einem „Aushängeschild" der Bewegung werden.

70 KP, Nr. 211, 7.9.1907.

71 B. SUCHY, Antisemitismus, S. 277f.; S. DUBNOW, Weltgeschichte, Bd. 10, S. 53f. Am Rande sei erwähnt, daß es in Darmstadt einen judenfreien Friseur gab, s. H. WASSERMANN/E. G. FRANZ, Kauft nicht bei Juden, S. 132.

72 Deutsch-Soziale Blätter, Beil., 27. Jg., Nr. 54, 6.7.1912, S. 647f.; Nr. 60, 27.7.1912, S. 719f.

73 Es gab zwar auch Anzeigen anderer Gasthöfe in den antisemitischen Zeitungen, aber selten waren sie so deutlich wie die des „Kölner Hofs".

Besonders bemerkenswert ist die lange Zeitspanne, über die der „Kölner Hof" in der beschriebenen Weise existierte. Von 1895 bis 1914 wurde das Hotel von HERMANN LAASS als „judenfreies" Haus geführt. Einen Tag vor Ausbruch des 1. Weltkrieges, am 31. Juli 1914 — an dem Tag, an dem die deutsche Regierung den „Zustand drohender Kriegsgefahr" erklärte und Frankreich und Rußland ein Ultimatum stellte — entfernte HERMANN LAASS die antijüdischen Tafeln mit der Aufschrift „Jüdischer Besuch verbeten" von seinem Hotel. Auch die Versendung der Reklamekarten stoppte er am selben Tag.[74] Seit Mitte August verschwanden auch seine Anzeigen in den „Deutsch-Sozialen Blättern".[75]

Damit kam HERMANN LAASS dem am 4. August durch Kaiser WILHELM II. verkündeten sogenannten Burgfrieden zuvor und verzichtete auf parteipolitische Propaganda. Nicht zuletzt tat er dies vermutlich auch deshalb, da — so wie es aussah — mit Antisemitismus in nächster Zeit wohl kaum Geschäfte zu machen sein würden.[76] Seine Gesinnung jedenfalls scheint LAASS nicht grundlegend geändert zu haben. Nach dem Krieg engagierte er sich in der rechtsstehenden DNVP,[77] in der neben ehemaligen Angehörigen der Konservativen und der Christlichsozialen Partei auch die der früheren antisemitischen Parteien Mitglieder waren.[78] Bereits 1931 schloß er sich der NSDAP an.[79]

11.2. Der Rechtsstreit zwischen „Kölner Hof" und Frankfurter Magistrat

Von Sommer 1897 an gingen beim Frankfurter Magistrat Beschwerden über die antijüdische Propaganda des „Kölner Hofs" ein.[80] Obgleich der Besitzer des „Kölner Hofs" schon seit zwei Jahren jüdische Gäste aus seinem Haus wies, stellte HERMANN LAASS erst seit 1897 auf den vor seinem Haus auf dem Bürgersteig stehenden Tischen kleine Tafeln mit der Aufschrift „Juden ist der Aufenthalt hier nicht gestattet" auf.[81] Da die Konzession für die Benutzung des Trottoirs für Restaurationszwecke von den städtischen Behörden erteilt wurde, war erst von da an ein Vorgehen des Magistrats gegen das antisemitische Hotel überhaupt möglich. Denn solange HERMANN LAASS seine antisemitischen Schilder nur innerhalb des Hauses aufhängte, d.h. nicht öffentlich und nur in seinen eigenen Räumlichkeiten, konnte die städtische Verwaltung nichts dagegen unternehmen. Anders sah dies aus, als die antijüdischen Plakate außer-

[74] MdVAA, 25. Jg. 1915, Nr. 16, S. 68.
[75] Letzte Anzeige in: Deutsch-Soziale Blätter, 29. Jg., Nr. 64, 12.8.1914, S. 752.
[76] Vgl. auch die Vorwürfe, er sei Geschäftsantisemit, die ihm auch von nahestehenden Gruppen, wie der Mittelstandsbewegung, gemacht wurden, s. Mittelstandszeitung, 4. Jg., Nr. 33, 15.8.1908, S. 3.
[77] Frankfurter Volksblatt, Nr. 333, 6.12.1936.
[78] W. MENGES/W. TOONEN, Deutsche Parteientwicklung, S. 71; L. HERTZMAN, DNVP, S. 3 und S. 10-31; W. LIEBE, DNVP, S. 12.
[79] Frankfurter Volksblatt, Nr. 329, 2.12.1936.
[80] StA Ffm., Akten des Magistrats T 1108.
[81] Ebd., Bl. 1.

halb seines Hauses angebracht wurden. Das erklärt, warum erst von 1897 an sich Beschwerdeführer an den Magistrat wandten und die städtischen Behörden sich mit dem „judenfreien" Hotel „Kölner Hof" zu beschäftigen begannen.

Von diesem Zeitpunkt an versuchte der Magistrat zu verhindern, daß der Besitzer des Hotels auf öffentlichem Grund und Boden seine Propaganda betreiben konnte. Um dies aber durchsetzen zu können, mußte, wie die Entwicklung der Auseinandersetzung zwischen städtischen und staatlichen Behörden und dem „Kölner Hof" zeigt, der Rechtsweg beschritten werden. Zuerst allerdings schien es sich um eine einfache Verwaltungsmaßnahme zu handeln, mit der die antisemitische Agitation unterbunden werden konnte.

Die Beschwerde vom Sommer 1897 leitete der Magistrat an das Gewerbe- und Verkehrsamt weiter, das den Wirt verwarnte: Sollte dieser auch weiterhin den Bürgersteig zu antisemitischen Demonstrationen mißbrauchen, so würde man ihm die Konzession für die Nutzung des Bürgersteigs entziehen.[82]

Hermann Laass geriet durch diese Aufforderung in eine schwierige Lage. Einerseits mochte er nicht auf den Betrieb im Freien verzichten, andererseits mußte er aber auch weiterhin jüdische Gäste fernhalten, wollte er nicht seinen Ruf als „judenfreies" Hotel und Restaurant aufs Spiel setzen. Er versuchte diesem Dilemma auf geschickte Weise, wie ein Vorgang aus dem Jahre 1898 zeigt, zu entkommen. Zwar enthielt er sich jeglicher antisemitischer Propaganda auf den Tischen, wie das Gewerbe- und Verkehrsamt es von ihm verlangt hatte, aber wenn ein jüdisch aussehender Gast, in diesem Fall ein Fremder aus New York, bedient zu werden wünschte, so brachte der Kellner anstelle des Verlangten ein kleines Plakat mit der Aufschrift, daß Juden der Aufenthalt nicht gestattet sei. Da diese antisemitische Propaganda nicht mehr über die ganze Zeit ausgelegt, sondern nur im Bedarfsfalle geholt wurde, konnte Hermann Laass darauf hoffen, daß die städtischen Behörden davon keine Mitteilung erhielten. Aber der jüdische Gast aus New York, dem solches 1898 widerfuhr, war ein Vetter eines Frankfurter Rechtsanwaltes, der sich darüber beim Magistrat beschwerte.[83]

Daraufhin forderte das städtische Gewerbe- und Verkehrsamt Hermann Laass auf, zu diesem Vorgang Stellung zu nehmen. Dieser gab an, mit dem geschilderten Hergang nichts zu tun zu haben. Im Gegenteil, er habe seine Kellner angewiesen, beleidigende Äußerungen gegen Gäste prinzipiell zu unterlassen und ihnen auch untersagt, die diffamierenden Plakate auf die draußen stehenden Tische zu stellen.[84] Diese Antwort überzeugte aber die städtischen Behörden nicht. Nach einer entsprechenden Empfehlung des Gewerbe- und Verkehrsamtes beschloß der Magistrat im Herbst 1898, bis auf weiteres Hermann Laass die Konzession zur Benutzung des Gehweges nicht wieder zu erteilen.[85]

[82] Ebd., Bl. 5.
[83] Ebd., Bl. 4.
[84] Ebd., Bl. 5.
[85] Ebd., s. dagegen die falsche Wiedergabe des Anlasses bei richtiger Angabe der städtischen Begründung in W. Wippermann, Leben, Bd. 1, S. 37.

Vorläufig handelte es sich dabei nur um eine behördeninterne Anweisung, die zwar dem beschwerdeführenden Rechtsanwalt mitgeteilt wurde, nicht aber HERMANN LAASS. Erst als dieser 1899 wegen einer erneuten Verpachtung des Bürgersteigs an die Stadt herantrat und ihm dies verweigert wurde, wurde auch ihm die veränderte Situation klar und es kam zu einer rechtlichen und publizistischen Kontroverse.

Nachdem sein Gesuch im April 1899 abschlägig beschieden worden war, schrieb HERMANN LAASS an das Gewerbe- und Verkehrsamt mit der Bitte, ihm die Gründe für die Verweigerung des Trottoirs mitzuteilen.[86] Als dieses nach Rücksprache mit dem Magistrat ohne Angabe von Gründen an seiner Ablehnung festhielt,[87] wandte sich HERMANN LAASS in einem Schreiben vom 5. Mai 1899 direkt an den Magistrat: Er zahle, wie seine Nachbarn auch, pünktlich seine Steuern, mithin stünden ihm die gleichen Rechte wie diese zu. Werde ihm nun im Unterschied zu seinen Nachbarn die Konzession verweigert, so sei dies geschäftsschädigend. Diese Behandlung wolle er sich unter „keinen Umständen gefallen lassen". Sollte der Magistrat auch weiterhin an seiner Verweigerung festhalten, so möge man ihm die Gründe mitteilen, „um mich dann zur Erlangung meines Rechtes an die höhere Behörde wenden zu können".[88]

Gleichzeitig wandte sich HERMANN LAASS auch an das königliche Polizeipräsidium, dem die Verkehrspolizei zugeordnet war, um dieses von der unbegründeten Verweigerung zu unterrichten. Daraufhin schrieb das Polizeipräsidium am 18. Mai an das Gewerbe- und Verkehrsamt, daß von seiner Seite aus „das Verhalten des Gesuchstellers bis jetzt zur Klage keine Veranlassung gegeben hat und der Benutzung des Trottoirs verkehrspolizeiliche Bedenken nicht entgegenstehen". Man möge deshalb dem Polizeipräsidium angeben, warum man HERMANN LAASS die Genehmigung versage.[89]

Am 30. Mai antwortete der Magistrat HERMANN LAASS. Als Grund für die Konzessionsverweigerung führte er die oben geschilderten Vorkommnisse aus den Jahren 1897 und 1898 an. Auch fernerhin sehe sich der Magistrat nicht in der Lage, von diesem Beschluß abzurücken, „da er nicht durch seine Zustimmung zur Einräumung der Trottoirbenutzung an Sie dazu beitragen will, daß die fragliche, im städtischen Eigenthum stehende Trottoirfläche durch Sie zu Ärgerniß erregenden antisemitischen Demonstrationen Verwendung findet."[90]

Über diesen Bescheid informierte der Magistrat auch das Polizeipräsidium. In einem Schreiben legte Oberbürgermeister Dr. FRANZ ADICKES die städtische Interpretation der Rechtslage dar, aufgrund derer sich der Magistrat berechtigt sah, ohne Rücksprache mit dem Polizeipräsidium HERMANN LAASS die Genehmigung zu verweigern. Nach Meinung des Magistrats sei die Stadt Eigentümerin der Straßen und Bürgersteige, während das Polizeipräsidium nur die verkehrspolizeiliche Kontrolle über

[86] StA Ffm., Akten des Magistrats T 1108, Bl. 6.
[87] Ebd., Bl. 6f.
[88] Ebd., Bl. 12f.
[89] Ebd., Bl. 14.
[90] Mittheilungen aus den Protokollen 1899, S. 264f.

deren Nutzung ausübe. Für die Gewährung einer privaten Nutzungserlaubnis des Bürgersteigs seien die Zustimmung der Stadt, aber auch des Polizeipräsidiums nötig. Verweigere diese einer von beiden, aus welchen Gründen auch immer, so habe der andere sich dem anzuschließen.[91]

Nachdem Hermann Laass durch das Schreiben der Stadt Ende Mai die Gründe für die Verweigerung der Konzession erfahren hatte, betraute er einen Rechtsanwalt mit seiner Sache. Dieser legte beim Magistrat Widerspruch wegen der Nichteinräumung der Nutzungsrechte ein. Daraufhin ließ der Magistrat die Sachlage erneut prüfen und beauftragte einen Beamten festzustellen, ob die gegen Laass erhobenen Vorwürfe auch weiterhin den Tatsachen entsprächen. Das Ergebnis bestätigte den Magistrat darin, daß die antisemitischen Plakate — im Gegensatz zu der Behauptung von Laass — mit seinem Wissen und seiner Billigung aufgestellt worden waren und, wenn auch versteckter, immer noch angebracht würden: „*Wenn der p. Laas sich den Anschein geben will, als ob die Aufstellung von Plakaten , welche den Juden den Zutritt verbieten, auf den Tischen vor seinem Gasthause ohne sein Vorwissen geschehen sei, so verdient dies keinen Glauben; wessen man sich zu ihm versehen kann, ergibt sich daraus, dass er innerhalb seines Gasthauses und zeitweise am Fenster von der Straße aus sichtbar solche Plakate aufgestellt hält, und dass aus den Zeitungen bekannt ist, dass er mehrfach mit Israeliten, welche seine Wirthschaft in Unkenntniss seiner antisemitischen Tendenzen betraten, ärgerliche Auftritte gehabt hat.*“[92] Aus diesem Grund sah der Magistrat auch weiterhin keine Veranlassung, die Verweigerung des Nutzungsrechts zurückzunehmen.

Die Kontroverse trat nun jedoch in ein völlig neues Stadium durch das Eingreifen des Polizeipräsidiums. Nachdem der Magistrat dem Polizeipräsidium seine Auffassung der Rechtslage dargelegt hatte, reagierte am 15. Juni das Polizeipräsidium mit einem Schreiben an den Magistrat, in dem es die Kompetenz der Stadt in dieser Frage grundsätzlich bestritt und seinerseits die Verwaltungsmaßnahme der Stadt aufhob. Laut § 2 der Straßenpolizeiordnung vom 10. August 1872 benötige jeder, der ausnahmsweise die Straße zu einem „Gewerbebetrieb oder zu sonstigen Privatzwecken benutzen will“, die Zustimmung der Polizei. Nach Ansicht des Polizeipräsidiums sei deshalb die Polizeibehörde die Instanz, die allein über die Erteilung einer Erlaubnis zu entscheiden habe. Bislang wurde zwar aufgrund einer Vereinbarung aus dem Jahre 1892 auch das Gewerbe- und Verkehrsamt der Stadt gefragt. Dies sei aber eine Sonderregelung, bei der das Polizeipräsidium freiwillig seine Kompetenzen beschnitten habe. Der vorliegende Fall zeige die Problematik dieser Vereinbarung, weshalb das Polizeipräsidium sie aufkündige.

Entsprechend dieser Interpretation der Rechtslage hatte das Polizeipräsidium Hermann Laass die Benutzung des Trottoirs „unter Vorbehalt des jederzeitigen

[91] StA Ffm., Akten des Magistrats T 1108, Bl. 17f.
[92] Ebd., Bl. 23f.

Widerrufs" gewährt. Sollte es vor seinem Haus erneut zu antisemitischen Demonstrationen kommen, würde das Polizeipräsidium diese Erlaubnis unverzüglich widerrufen.[93]

Diese Rechtsauffassung des Polizeipräsidiums stand der städtischen völlig entgegen. Während die Stadt sich als Eigentümerin der Straßen und Gehwege sah und deshalb auch die Regeln der Nutzung dieses Geländes festlegen wollte, bestritt dies das Polizeipräsidium und verlangte, daß seine Meinung hinsichtlich etwaiger verkehrspolizeilicher Bedenken ebenso schwer wiege wie die der Stadt. Diese konträren Ansichten führten dazu, daß die staatlichen und städtischen Behörden in dieser Sache gegeneinander arbeiteten, bis die Rechtslage Ende des Jahres 1899 geklärt war. Bis dahin konnte LAASS mit Unterstützung des Polizeipräsidiums die städtischen Beschlüsse ignorieren. Dem Polizeipräsidium kann dabei nicht unterstellt werden, daß es aus Sympathie mit LAASS' Antisemitismus gegen die städtische Entscheidung opponierte. Vielmehr ging es in der Auseinandersetzung zwischen Polizeipräsidium und Magistrat um die Festlegung von Kompetenzen. Daß sich dies aber an dem „Kölner Hof" entzündete und HERMANN LAASS davon profitieren und die Entscheidung der Stadt als ungerechtfertigt darstellen konnte, gibt dem Streit um den „Kölner Hof" eine besondere Brisanz.

Mit Bezug auf die Entscheidung des Polizeipräsidiums nahm LAASS seinen Restaurationsbetrieb im Freien wieder auf, was er in einem Schreiben vom 17. Juni dem Gewerbe- und Verkehrsamt mitteilte.[94] Damit war Mitte Juni 1899 der Zustand erreicht, der in den früheren Jahren bestanden hatte. Das aber war es, was die Stadt diesmal verhindern wollte. LAASS sollte überhaupt keine Möglichkeit mehr haben, öffentliches Terrain für antisemitische Propaganda zu mißbrauchen. Die Androhung eines Widerrufs der Konzession hatte schon in den vergangenen Jahren wenig genützt. Auch jetzt war kaum anzunehmen, daß LAASS davon abgehen würde und jüdische Gäste, die von den Gepflogenheiten keine Ahnung hatten, bedienen würde. Eine solche Nutzung des Bürgersteigs wollte die Stadt auf keinen Fall länger dulden.

Der Magistrat hielt in seiner Antwort an das Polizeipräsidium an seiner Auffassung der Rechtslage fest, wonach die Stadt allein über die Vergabe zu bestimmen habe. Nach seiner Ansicht regele der von dem Polizeipräsidium angeführte § 2 der Polizeiordnung von 1872 nur die verkehrspolizeiliche Seite der Erteilung. Die übrigen Voraussetzungen aber beträfen ausschließlich die Eigentümerin, d.h. die Stadt.[95] Hatte der Magistrat in seiner ersten Stellungnahme Polizei und Stadt bei der Vergabe der Nutzung gleichberechtigt angesehen — wolle eine der beiden Seiten die Erlaubnis verweigern, so habe die andere dem zuzustimmen — so wurde nun, nachdem das Polizeipräsidium

[93] Ebd., Bl. 27-29. S. auch Frankfurter Zeitung, Nr. 175, 26.6.1899, Abendblatt, die diese Erlaubniserteilung fälschlich dem Regierungspräsidenten zuschrieb. Die Richtigstellung erfolgte in Nr. 177, 28.6.1899, Abendblatt.

[94] StA Ffm., Akten des Magistrats T 1108, Bl. 31.

[95] Ebd., Bl. 34f.

sich für die allein zuständige Instanz erklärt hatte, die Kompetenz der Stadt als Eigentümerin höher als die der Polizei bewertet: Die Richtlinien der Vergabe setze die Stadt fest, während die Polizeibehörde ausführendes Organ sei, das nur zu prüfen habe, ob dem verkehrspolizeiliche Sicherheitserwägungen entgegenstünden.

Mit diesen diametral entgegengesetzten Meinungen ließ sich die Kontroverse zwischen Polizeipräsidium und Magistrat nicht mehr gütlich beilegen. Das Polizeipräsidium würde die Erlaubnis, die sie LAASS erteilt hatte, nicht widerrufen und die Stadt war ihrerseits nicht bereit, LAASS die Nutzung einzuräumen. Um ihre Auffassung jedoch durchsetzen zu können, mußte die Stadt den Rechtsweg beschreiten. Bei dieser Klage der Stadt gegen HERMANN LAASS wegen Räumung des Bürgersteigs wurde zugleich geklärt, wer, Stadt oder Polizeipräsidium, das Verfügungsrecht über die Erteilung der Nutzungserlaubnis innehabe. An diesem Einzelfall sollte sich auch die prinzipielle Frage der Kompetenz klären.

Noch im Juni 1899 erhob die Stadt beim Landgericht Räumungsklage gegen HERMANN LAASS. Die Verhandlung darüber wurde jedoch erst auf Ende Oktober festgesetzt. Das bedeutete, daß HERMANN LAASS seinen Restaurationsbetrieb im Freien den ganzen Sommer über aufrechthalten konnte. Der Stadt war aber daran gelegen, dies nicht zuzulassen, weshalb sie beim Landgericht Antrag auf Erlaß einer einstweiligen Verfügung stellte, womit LAASS die weitere Benutzung des Trottoirs verboten würde.

Am 4. Juli trafen sich beide Parteien vor dem Landgericht, das zu prüfen hatte, ob ausreichende Gründe vorlagen, die eine einstweilige Verfügung rechfertigten, d.h., ob durch die Fortdauer des derzeitigen Zustandes der Rechtsanspruch der klagenden Partei beeinträchtigt würde. Die Frage des Eigentumsrechts stand in dieser Verhandlung nicht zur Debatte, sie sollte erst in der späteren Hauptversammlung entschieden werden.

Der Rechtsvertreter der Stadt führte in dem Prozeßtermin aus, die Stadt habe ein berechtigtes Interesse zu verhindern, daß ihr Eigentum zu Demonstrationszwecken benutzt werde, „die bei dem größten Theil der Bürgerschaft, auch der streng christlichen, recht unliebsame Beurteilung finden.“[96] Der Eigentümer brauche sich den derzeitigen mißliebigen Zustand nicht gefallen zu lassen, unabhängig davon, ob eine andere Behörde, wie hier das Polizeipräsidium, eine gegensätzliche Ansicht vertrete. Da der Hauptprozeß erst nach der Sommerzeit stattfinde, könne LAASS auch weiterhin städtischen Besitz trotz der Verweigerung der Eigentümerin benutzen, weshalb man um eine einstweilige Verfügung nachgekommen sei.

Dagegen führte der Rechtsanwalt von HERMANN LAASS aus, die Anordnung einer einstweiligen Verfügung würde dem Besitzer des Hotels schweren finanziellen Schaden zufügen. Auch seien die Urteile über die angeblichen antisemitischen Vorkommnisse auf dem Bürgersteig unzutreffend. HERMANN LAASS selbst bestreite seine Beteili-

96 MdVAA, 9. Jg. 1899, Nr. 27, S. 212; Frankfurter Zeitung, Nr. 183, 4.7.1899, 3. Morgenbl.

gung daran und die Stadt habe sich nicht vergewissert, ob tatsächlich Mißbrauch auf ihrem Grundstück betrieben worden sei. Die beklagte Partei bestritt die ihnen vorgeworfenen Vorkommnisse auf dem Bürgersteig und beantragte Abweisung des städtischen Antrags.[97]

Das Urteil erging zwei Tage später. Das Gericht schloß sich nicht der Argumentation der Stadt an, sondern sah die Voraussetzung für eine einstweilige Verfügung als nicht gegeben an. Der Eigentumsanspruch der Stadt werde durch die weitere Benutzung des Trottoirs nicht beseitigt. Zwar habe die Stadt „noch andere Gründe mehr ethischer Natur geltend gemacht", diese seien jedoch für die Rechtsfrage belanglos. Das Gericht lehnte daher den Antrag auf Erlaß einer einstweiligen Verfügung ab.[98]

Mit diesem Urteil aber wollte sich die Stadt nicht zufrieden geben. Das städtische Gewerbe- und Verkehrsamt wies unverzüglich den die Stadt vertretenden Rechtsanwalt an, beim Oberlandesgericht Berufung einzulegen.[99] Aber auch der Feriensenat des Oberlandesgerichtes wies am 16. August die Berufung der Stadt gegen das in erster Instanz ergangene Urteil ab. Da der Stadt kein materieller Schaden durch die Benutzung des Bürgersteigs entstünden, seien die Voraussetzungen für die Erteilung einer einstweiligen Verfügung nicht gegeben. Die endgültige Rechtslage sollte erst in der Hauptverhandlung geklärt werden.[100] In der Zwischenzeit aber konnte Hermann Laass den Bürgersteig ungestört nutzen.

Wenige Tage nach der Verkündung des ersten Urteils, am 11. Juli, wandte sich Hermann Laass an den Magistrat. In seinem Schreiben bat er den Magistrat, ihm unter denselben Auflagen wie das Polizeipräsidium die weitere Nutzung des Bürgersteigs zu erlauben. Offenbar hoffte er nun, nachdem der städtische Antrag auf einstweilige Verfügung abgelehnt worden war, die Stadt dazu bewegen zu können, ihre Räumungsklage zurückzuziehen. Hermann Laass mußte ein Interesse daran haben, den Prozeß zu verhindern. Denn sollte dieser im Sinne der Stadt ausgehen, dann würde das bedeuten, daß ihm die Nutzung des Bürgersteigs auch in Zukunft verwehrt werden würde. Ausführlich rechtfertigte deshalb Hermann Laass noch einmal seine Position und stritt seine Beteiligung an den antisemitischen Vorkommnissen ab: Seit 1892 betreibe er das Hotel und seit dieser Zeit sei er allen Verpflichtungen der Stadt gegenüber ordnungsgemäß nachgekommen. Auch liege es ihm fern, sich mit irgendeiner Behörde „in Widerspruch" zu setzen: *„Vielmehr darf ich annehmen, daß das Vorgehen des hoch-*

97 Ebd.

98 StA Ffm., Akten des Magistrats T 1108, Bl. 37-39; s. auch MdVAA, 9. Jg. 1899, Nr. 28, S. 222; Frankfurter Zeitung, Nr. 185, 6.7.1899, Abendbl.

99 StA Ffm., Akten des Magistrats T 1108, Bl. 40.

100 MdVAA, 9. Jg. 1899, Nr. 34, S. 270; Deutsch-Soziale Blätter, 14. Jg., Nr. 575, 24.8.1899, S. 105. Wie wichtig der Stadt die sofortige Räumung des Bürgersteigs war, zeigt sich auch daran, daß sie sich nach der zweiten Ablehnung der einstweiligen Verfügung noch an das Reichsgericht wandte, s. Frankfurter Post, 4. Jg., Nr. 11, 1.11.1899. Dies zog sich aber länger als die Hauptverhandlung hin, so daß sich der Antrag von selbst erledigte.

löbl. Magistrats lediglich die Verhinderung antisemitischer Demonstrationen bezweckt, wie sie nach den eingelaufenen Beschwerden vorgekommen sein sollen, da ich nun von meiner Seite aus auch nicht den geringsten Anlaß dazu gegeben, ich vielmehr von jeher verboten habe, auf dem Bürgersteig die von dem hochlöbl. Magistrat angezognen Plakate zu benutzen, da ich nochmals nach der Verwarnung seitens eines städtischen Marktbeamten dieses Aufstellen von Plakaten ganz streng untersagt habe, da ich von einer zweiten Beschwerde erst durch den Bescheid des hochlöbl. Magistrats vom 30. Mai Kenntniß erhalten habe und da ich auch für die Folge nicht das Geringste dulden werde, welches Anstoß erregen und gegen die polizeilichen Vorschriften verstoßen könnte, so ersuche ich den hochlöbl. Magistrat aus Gründen der Billigkeit unter denselben Bedingungen, wie sie mir seitens des Königl. Polizeipräsidiums vorgeschrieben sind, die Benutzung zu gestatten. Auf diese Weise würde hochlöbl. Magistrat nicht nur den beabsichtigten Zweck erreichen, sondern es würden auch die Erörterungen in der Öffentlichkeit und in den Zeitungen aufhören, welche nur dazu dienen, die Bürgerschaft zu beunruhigen."[101]

Der Magistrat leitete diesen Brief mit der Bitte um Stellungnahme an das Gewerbe- und Verkehrsamt weiter, das bereits wenige Tage später die darin enthaltenen Behauptungen LAASS' einer Kritik unterzog. Unrichtig sei die Behauptung, LAASS wolle sich mit keiner Behörde in Widerspruch setzen. In den vorangegangenen Monaten habe die Eisenbahnverwaltung gegen das Personal des „Kölner Hofs" einschreiten müssen, als dieses im Hauptbahnhof die bekannten Reklamekarten in Form von Eisenbahnbilletts verteilte. Auch nach dem Schreiben des Magistrats vom 30. Mai, in dem ihm die Gründe der Konzessionsverweigerung mitgeteilt worden waren, habe HERMANN LAASS seine antisemitischen Demonstrationen „nicht nur innerhalb seines Gasthofes, sondern auch auf der Straße fortgesetzt, indem noch danach eines seiner bekannten Plakate dicht an die Straße vorgeschoben unter dem hinaufgezogenen Scheibenfenster aufgestellt war." Gänzlich unrichtig seien nach Meinung des Gewerbe- und Verkehrsamtes die LAASSschen Ausführungen über die gegen die Stadt gerichteten Zeitungsartikel, die die Frankfurter Einwohner „beunruhigten". Zweifellos sei, „dass gerade von ihm in den antisemitischen Hetzblättern diese Agitation betrieben worden sind."[102]

Tatsächlich enthielten regionale wie überregionale antisemitische Zeitungen seit Mai 1899 Artikel, in denen der Magistrat als „Hausknecht" bzw. „Handlanger" des Judentums bezeichnet wurde.[103] Bei der Maßnahme des Magistrats handele es sich — laut diesen Zeitungen — um eine „Vergewaltigung des judenreinen Hotels",[104] mit der HERMANN LAASS „für die Bethätigung seiner deutschen Gesinnung auf pekuniä-

[101] StA Ffm., Akten des Magistrats T 1108, Bl. 43f.
[102] Ebd., Bl. 45.
[103] Deutsche Volkswacht, 6. Jg., Nr. 50, 30.6.1899; Frankfurter Post, 4. Jg., Nr. 7, 1.7.1899; Deutsche Worte, 1. Jg., Nr. 9, 2.7.1899.
[104] Deutsche Worte, 1. Jg., Nr. 2, 14.5.1899.

rem Weg" gestraft werden solle.[105] An diesem Ereignis sähe man wieder einmal, wie weit „der Einfluß Judas schon reicht".[106]

Ob allerdings, wie das städtische Gewerbe- und Verkehrsamt angab, der Abdruck dieser Artikel auf HERMANN LAASS zurückging, ist wenig wahrscheinlich. So stark, wie das Interesse der antisemitischen Bewegung seit 1895 am „Kölner Hof" war, bedurfte es dieses Anstoßes kaum. HERMANN LAASS wird vermutlich aber die Zeitungen über die Entwicklung der Auseinandersetzung informiert haben.

Aus all diesen Gründen riet das Gewerbe- und Verkehrsamt dem Magistrat, auch weiterhin an seiner Räumungsklage festzuhalten und der LAASSschen Bitte um Beilegung des Streits nicht nachzukommen.[107] Dieser Empfehlung schloß sich der Magistrat an und ließ HERMANN LAASS ein entsprechendes Schreiben zukommen.[108]

Die Hauptverhandlung über die Räumungsklage fand im November 1899 vor der Zivilkammer des Frankfurter Landgerichts statt. In der Verhandlung selbst brachten die Kontrahenten keine neuen Argumente vor. Die Stadt betonte nochmals ihre Eigentumsansprüche, wonach nur sie die Richtlinien der Vergabe festlege. Und der Rechtsanwalt von HERMANN LAASS wies erneut die Vorwürfe, sein Mandant habe sich an antisemitischer Propaganda auf dem Bürgersteig beteiligt, als unhaltbar zurück. Bereits am 9. November erging das Urteil: HERMANN LAASS wurde untersagt, ohne Einwilligung der Stadt das Trottoir zu benutzen. Das Gericht entschied, daß die Stadt alleinige Eigentümerin der Straßen und Bürgersteige sei und sich keine andere „Benutzung derselben als zu Zwecken des öffentlichen Verkehrs gefallen zu lassen" brauche.[109] Dies bedeutete, daß der Magistrat in Zukunft HERMANN LAASS die Konzession verweigern konnte, ohne auf eine etwaige entgegenstehende Meinung des Polizeipräsidiums Rücksicht nehmen zu müssen. Würde HERMANN LAASS dem zuwiderhandeln, so konnte die Stadt den Gehweg zwangsweise räumen lassen.

Mit diesem Urteil, mit dem nach Ansicht der „Deutsch-Sozialen Blätter" der Magistrat „seinen Willen oder vielmehr den der lieben Juden vorläufig erreicht" habe,[110] fand der Rechtsstreit um die Nutzung des städtischen Trottoirs durch den antisemitischen „Kölner Hof" sein Ende. Zwar legte HERMANN LAASS Berufung ein, aber auch das Oberlandesgericht als Berufungsinstanz bestätigte im Februar 1900 das Urteil.[111]Trotzdem beantragte HERMANN LAASS auch in den folgenden Jahren beim

105 Deutsch-Soziale Blätter, Beil., 14. Jg., Nr. 562, 25.5.1899, S. 54f.
106 Ebd., Nr. 568, 6.7.1899, S. 78.
107 StA Ffm., Akten des Magistrats T 1108, Bl. 45.
108 Ebd., Bl. 46.
109 Wiedergegeben in: StA Ffm., Akten des Magistrats T 1108, Bl. 47; s. auch KP, Nr. 265, 10.11.1899; MdVAA, 9. Jg. 1899, Nr. 46, S. 367.
110 Deutsch-Soziale Blätter, Beil., 14. Jg., Nr. 588, 23.11.1899, S. 158; s. auch Deutsche Worte, 1. Jg., Nr. 28, 12.11.1899.
111 StA Ffm., Akten des Magistrats T 1108, Bl. 52; s. auch Deutsche Volkswacht, 7. Jg., Nr. 13, 14.2.1900; Deutsche Worte, 2. Jg., Nr. 7, 18.2.1900; Deutsch-Soziale Blätter, 15. Jg., Nr. 601, 22.2.1900, S. 93.

Gewerbe- und Verkehrsamt die Erlaubnis zur Benutzung des Bürgersteigs, die ihm aber regelmäßig verweigert wurde.[112]

Damit wäre das Kapitel über den Rechtsstreit zwischen „Kölner Hof" und dem Frankfurter Magistrat zu Ende, hätte es nicht noch ein kurzes Nachspiel gegeben, in dem alle Vorwürfe von antisemitischer Seite gegen die Frankfurter Stadtverwaltung noch einmal auftauchten. Im Jahre 1904 wurde, wenn auch erfolglos, versucht, den Magistrat über die Stadtverordnetenversammlung zu einer anderen Haltung dem „Kölner Hof" gegenüber zu bewegen. Seit 1901 war ein Anhänger der antisemitischen Bewegung, der Schneidermeister JOHANN HEINRICH HETTLER, Mitglied der Stadtverordnetenversammlung.[113] Dieser stellte in der Stadtverordnetenversammlung vom 3. Mai 1904 den Antrag, LAASS die Benutzung des Bürgersteigs in Zukunft zu gewähren. Zur Untermauerung seines Antrags hatte HETTLER ein zweiseitiges Flugblatt drucken lassen, das er an die Stadtverordneten verteilte[114] und das auch in seiner Zeitung „Die Römerkatze" wiedergegeben wurde.[115] In diesem Flugblatt wurden noch einmal alle Argumente gegen den Magistrat zusammengefaßt, ohne auf den rechtlichen Konflikt, nämlich die Nutzung städtischen Eigentums für Zwecke, die der Magistrat strikt ablehnte, einzugehen. Nach Meinung HETTLERS handelte es sich um eine rein jüdische Interessen berücksichtigende Maßnahme des Magistrats, mit der der „Kölner Hof" für seinen Antisemitismus finanziell geschädigt werden solle. „Wer sind die treibenden Kräfte, welche den Magistrat bestimmen? Es sind dieselben, welche Herrn Laas dazu zwangen, sein Geschäft in bekannter Weise zu betreiben, indem sie öffentlich ihre Lait (!) aufforderten den Kölner Hof zu meiden . . . Es sind dies hiesige Juden."

Der „Kölner Hof" sei nach Ansicht HETTLERS 1895 allein durch das Verhalten der Juden ein antisemitisches Haus geworden. Im Laufe der Jahre habe sich der „Kölner Hof", eben weil er „judenfrei" sei, zu einem prosperierenden Unternehmen entwickelt. Schon aus Geschäftsgründen könne HERMANN LAASS die Ausschließung der Juden nun nicht mehr aufgeben. Er würde damit seine derzeitigen Gäste verlieren. Ihm deshalb die Erlaubnis zur Nutzung des Bürgersteigs zu entziehen, sei eine Ungerechtigkeit, die nicht nur HERMANN LAASS, sondern auch seine Gäste benachteilige. Den strittigen Punkt der Aufstellung von Tafeln auf dem Trottoir streifte HETTLER in seinem Flugblatt nur kurz, wobei er auch nur die Tafeln erwähnte, die zwar von außen zu sehen waren, aber innerhalb des Hauses standen. Schon vom Gesetz her sei LAASS dazu gezwungen, wenn er eine bestimmte Personengruppe von der Bewirtung ausschließe, dies durch gut sichtbare Schilder zu erkennen zu geben.

Anstelle des rechtlichen Aspektes der Auseinandersetzung betonte JOHANN HEINRICH HETTLER das Argument der Gleichbehandlung. LAASS müsse in gleicher

[112] So etwa 1900, 1901 und 1903, s. StA Ffm., Akten des Magistrats T 1108, Bl. 50f., Bl. 54 und Bl. 56f.; vgl. auch Römerkatze, Nr. 36, 4.10.1903.
[113] Siehe Kap. 13.2.1.
[114] Orig.: StA Ffm., Akten des Magistrats T 1108, Bl. 58f.
[115] Römerkatze, Nr. 43, 15.4.1904.

Weise wie die übrigen Gastwirte behandelt werden, denn es gäbe ja auch Restaurants, die mit ihren koscheren Speisen sich ausschließlich an Juden wandten. HETTLER nutzte in seinen Ausführungen dafür nicht absichtslos den Begriff „Gleichberechtigung", die LAASS durch die Anordnung des Magistrats versagt würde. Damit sollte die Assoziation geweckt werden, daß die Gleichberechtigung der Juden zu einer Unterdrückung der christlichen Einwohner geführt habe, die nun ihrerseits Rechtsgleichheit fordern müßten.

Aus all diesen Gründen beantragte JOHANN HEINRICH HETTLER, *„die Stadtverordnetenversammlung möge nach Darlegung aller dieser Verhältnisse dem Magistrat eindringlich empfehlen hier das Prinzip der Gleichberechtigung nicht zu beugen und Herrn Laas das Aufstellen von Tischen und Stühlen auf dem Fußsteig gleich seinen Nachbarn länger nicht zu verweigern, oder es Allen zu verbieten. Dem juristisch nicht zu leugnenden Recht der Stadt steht ein moralisches Recht des Herrn Laas zur Seite. Dieses lautet: 'Was dem einen Recht, ist dem andern billig.'... Zum Schluß muß ich darauf aufmerksam machen, daß, wenn Sie meinen Antrag ablehnen, die ganze christliche Welt sehen wird, wie es ist, wenn man Juden eine so große Macht einräumt, wie in Frankfurt, wo streng christliche, kirchliche, katholische Magistratsräte ... um der Juden Rache zu lieb einen christlichen Mitbürger schädigen."*

Trotz dieser HETTLERschen Mahnung sah die Stadtverordnetenversammlung keinen Anlaß, sich damit auseinanderzusetzen, sondern beschloß nach Verlesung des Antrags und HETTLERS Begründung, zur Tagesordnung überzugehen.[116]

Damit war der Versuch, für LAASS die Erlaubnis der Benutzung des Bürgersteigs über die Stadtverordnetenversammlung zu erlangen, gescheitert. Seine Ablehnung war vorauszusehen gewesen. Er sollte auch von HERMANN LAASS, der von 1905 an Stadtverordneter war, nicht wiederholt werden. Derartige Anträge wie auch die LAASSschen Gesuche an den Magistrat dienten jedoch dazu, einen angeblich jüdischen Einfluß auf die Frankfurter Stadtverwaltung zu belegen. Die antisemitischen Zeitungen nahmen dies als Aufhänger für einen Artikel, in dem sie auf den „Kölner Hof" hinwiesen und an die diesem wiederfahrene ungerechtfertigte Behandlung erinnerten.[117]

Auch nach 1904 sollte sich die Haltung des Frankfurter Magistrats gegenüber dem „Kölner Hof" nicht ändern. Zwar wurde HERMANN LAASS im Mai 1909 erlaubt, Lorbeerbäume als Zierde vor seinem Haus aufzustellen, sollte es jedoch zu antisemitischer Agitation auf dem Bürgersteig kommen, so würde diese Genehmigung ebenfalls widerrufen werden.[118] Für den Restaurantbetrieb wurde ihm auch weiterhin die Benutzung des Gehweges verboten, denn als HERMANN LAASS wenige Monate später das anliegende Haus, Gneisenaustraße 1, erwarb, wurde die seinem Vorgänger erteilte

[116] StA Ffm., Akten des Magistrats T 1108, Bl. 59; vgl. auch Römerkater, Beil. zur Römerkatze, Nr. 44, 15.5.1904.

[117] Deutsch-Soziale Blätter, 19. Jg., Nr. 42, 25.5.1904, S. 583; Deutsche Volkswacht, 11. Jg., Nr. 41, 1.6.1904.

[118] StA Ffm., Akten des Magistrats T 1108, Bl. 66f.

Erlaubnis nicht auf ihn übertragen und er mußte den Bürgersteig vor diesem Haus räumen.[119] Mit diesem Verbot von 1909 schließt die Magistratsakte. Offenbar kam Hermann Laass bis 1914 nicht mehr um Erlaubnis nach.

Faßt man abschließend die Kontroverse zusammen, so bleibt festzuhalten, daß der Magistrat eine antijüdische Nutzung öffentlichen Terrains mit allen ihm zur Verfügung stehenden Mitteln zu verhindern suchte. Gerade im Vergleich mit dem Polizeipräsidium fallen diese unterschiedlichen Einschätzungen von antisemitischer Propaganda auf. Dieses wollte einerseits andere als verkehrstechnische Gründe für die Verweigerung der Nutzungserlaubnis nicht gelten lassen, war aber andererseits bereit, im Falle einer antisemitischen Demonstration die Erlaubnis unverzüglich zu widerrufen. Aber soweit wollte es die Stadt erst gar nicht kommen lassen. Denn sie wollte nicht erst auf mögliche weitere Fälle reagieren, sondern diese prinzipiell verhindern. Der Konflikt mit dem „Kölner Hof" war der Versuch, antisemitische Agitation zu unterbinden, oder doch wenigstens nicht auf städtischem Eigentum zu dulden. Dies war vor 1914 zugleich der einzige Fall, an dem die Stadt mit Ordnungsmaßnahmen gegen den Antisemitismus überhaupt vorgehen konnte, und sie tat es konsequent. Der Rechtsstreit mit dem „Kölner Hof" kann deshalb als Beleg für die von antijüdischen Ressentiments freie Gesinnung der Stadtverwaltung und als ein Beitrag zur Abwehr des aufkommenden Antisemitismus gesehen werden. Es gab aber in der Frankfurter Bürgerschaft auch andere Stimmen, solche, die zumindest bereit waren, Antisemitismus in Kauf zu nehmen, wie der Einzug des Besitzers des „judenfreien" Hotels in die Stadtverordnetenversammlung im Jahre 1904 zeigt.

119 Ebd., Bl. 70.

12. Der Deutsche Verein nach 1900 — Niedergang und Anlehnung an die Mittelstandsbewegung

Bis zur Jahrhundertwende lassen sich die Aktivitäten und die Entwicklung des Deutschen Vereins relativ gut verfolgen. In eigenen Zeitungen wurden politische Ereignisse besprochen und Vereinsnachrichten abgedruckt. Mit der Jahrhundertwende begann sich dies grundlegend zu ändern. Die wenigen noch vorhandenen Nummern der „Frankfurter Post" und der „Deutschen Worte" vermögen kaum noch einen Eindruck von der Situation des Deutschen Vereins zu vermitteln. Schon seit Dezember 1899 erschienen in den „Deutschen Worten" keine Vereinsnachrichten mehr.[1] Im September 1900 stellte die Zeitung ihr Erscheinen ganz ein. Die „Frankfurter Post" bestand zwar noch einige Jahre länger, sie wurde aber wohl zuletzt nicht mehr regelmäßig herausgegeben.

Auch das Publikationsorgan der Deutschsozialen Partei, die „Deutsch-Sozialen Blätter", die bislang regelmäßig auf Frankfurt eingegangen waren, besprachen kaum mehr hiesige Ereignisse, da der Deutsche Verein bei der Trennung der Partei im Jahre 1900 bei der Reformpartei verblieben war und sich nicht der Deutschsozialen Partei angeschlossen hatte.[2] Aber selbst nach 1905, nachdem der Deutsche Verein zur Deutschsozialen Partei übergewechselt war,[3] veröffentlichte die Zeitung nur vereinzelt noch Artikel über Frankfurt.

Jedoch waren es nicht nur die antisemitischen Zeitungen, die nicht länger auf die Entwicklung der antisemitischen Bewegung in Frankfurt eingingen, auch die Lokalzeitungen berichteten seit der Jahrhundertwende nur noch selten über sie.

Aus diesen Gründen liegen nur wenige Quellen über den Deutschen Verein im Zeitraum von 1900 bis kurz vor Ausbruch des 1. Weltkrieges vor. Das Fehlen von Material ist nicht zufällig, sondern ein Indiz dafür, daß sich die Bewegung im Niedergehen befand. Die wenigen vorhandenen Unterlagen lassen nur diesen Schluß zu. Der Deutsche Verein mußte nach 1900 um seine weitere Existenz fürchten. So wurde im Zusammenhang mit dem Parteiwechsel 1905 erleichtert ein neuer Aufschwung für den Verein nach Jahren des Niedergangs festgestellt. Anläßlich der Generalversammlung 1906 konstatierte man, es sei zu bemerken, daß „neuer Wind" wehe, „alte, treue Kämpen, die sich durch manche Mißstände veranlaßt sahen, sich von der aktiven Mitarbeit zurückzuziehen, waren wieder zur Stelle".[4] Für das auf den Parteiwechsel fol-

[1] Ab Deutsche Worte, 1. Jg., Nr 32, 10.12.1899.

[2] Deutsch-Soziale Blätter, Beil., 15. Jg., Nr. 638, 8.11.1900, S. 538.

[3] Deutsche Volkswacht, 12. Jg., Nr. 71, 13.9.1905; MdVAA, 15. Jg. 1905, Nr. 37, S. 292.

[4] Deutsch-Soziale Blätter, 21. Jg., Nr. 6, 20.1.1906, S. 73; ähnlich auch ebd., Nr. 7, 24.1.1906, S. 89f.

gende Vereinsjahr konnte der Deutsche Verein einen Mitgliederzuwachs von über 180% verzeichnen.[5] Diese annähernde Verdreifachung der Mitgliederzahl ist nur verständlich, wenn man berücksichtigt, daß vor 1905 die Mitgliederzahl gering gewesen sein muß und sicherlich unter 100 lag. Zu Beginn des Jahres 1906 jedenfalls hoffte der Vorstand des Deutschen Vereins, eine Zahl von 200 Mitgliedern zu erreichen.[6] Möglicherweise wurde dies mit dem erheblichen Zuwachs im Jahre 1906 erzielt. Aber auch dann deutet diese Anzahl im Vergleich mit den circa 500 Mitgliedern zehn Jahre zuvor auf ein stetes Zurückgehen der Bewegung seit den 90er Jahren hin.

Der Zuwachs von Mitgliedern im Jahre 1906 war eine direkte Konsequenz aus dem Parteiwechsel und basierte nicht auf einer grundlegenden internen Veränderung des Vereins. Der Aufschwung hielt dementsprechend nicht lange an. Von 1907 bis 1912 läßt sich kein Hinweis mehr auf ein Wachsen des Vereins finden. Im Gegenteil, nicht nur in bezug auf die Mitgliederzahlen war das Vereinsleben rückläufig, auch öffentliche Kundgebungen mit auswärtigen Rednern wurden immer seltener einberufen.[7] Bereits 1900 wurden erstmals über einen längeren Zeitraum keine Veranstaltungen mehr abgehalten.[8] Sie fanden dann für einige Jahre zwar wieder etwas regelmäßiger, aber von 1907 bis 1912 nur noch sporadisch statt.

Der Niedergang der antisemitischen Bewegung seit der Jahrhundertwende war keine Frankfurter Besonderheit. Von 1900 an mehrten sich die Klagen, lokale antisemitische Organisationen stünden kurz vor der Auflösung.[9] Aber auch bei den reichsweiten Parteien, der Deutschen Reformpartei und bei der Deutschsozialen Partei, war der Elan der 90er Jahre dahin. Die Parteien konnten nur noch versuchen, den Besitzstand an Mitgliedern und Ortsgruppen einigermaßen zu wahren. Neugründungen fanden nicht mehr statt. Die Reorganisation der Deutschsozialen Partei von 1903 an muß vor diesem Hintergrund gesehen werden. Sie sollte dem drohenden Niedergang entgegenwirken.[10]

Die antisemitische Bewegung in der Zeit von der Jahrhundertwende an wird deshalb im allgemeinen in der Sekundärliteratur nur kurz und summarisch behandelt. Übereinstimmend konstatiert man den „Zerfall“ des politischen Antisemitismus.[11] An seine Stelle traten wirtschaftliche und nationale Interessenverbände, wie der oben vorgestellte DHV, in deren Programm zwar auch antisemitische Zielsetzungen, aber nur als ein Aspekt neben wirtschaftlichen und nationalistischen Forderungen enthalten waren. Von diesen mitgliederstärkeren und finanzkräftigeren Verbänden wurden die antisemitischen Parteien zunehmend abhängig.

5 Ebd., 22. Jg., Nr. 29, 10.4.1907, S. 398.
6 Ebd., 21. Jg., Nr. 6, 20.1.1906, S. 74.
7 Siehe die Tabelle in Kap. 9.1.
8 Deutsche Volkswacht, 8. Jg., Nr. 3, 12.1.1901.
9 Vgl. etwa Deutsch-Soziale Blätter, 15. Jg., Nr. 612, 10.5.1900, S. 224.
10 D. Fricke, Deutschsoziale Partei, S. 534; R. Levy, Downfall, S. 216f.
11 P. Massing, Vorgeschichte, S. 117, zusammenfassend über diesen Zeitraum bes. S. 118ff.; M. Broszat, Antisemitische Bewegung, Kap. XI, S. 110-118; W. Jochmann, Struktur (1976), S. 460; ausführlicher behandelt diese Zeit nur R. Levy, Downfall, S. 195-253.

Der Erfolg dieser berufständischen Verbände mit ihrer Verbindung von Antisemitismus und 'positiven' wirtschaftlichen Reformplänen hatte Auswirkungen auf das Selbstverständnis der Antisemiten. In ideologischen Verlautbarungen, aber auch Aktivitäten der beiden antisemitischen Parteien traten nach 1900 dezidiert antijüdische Zielsetzungen in den Hintergrund. MARTIN BROSZAT charakterisiert diesen Wandel der antisemitischen Bewegung seit der Jahrhundertwende prägnant: „Antisemitisch im eigentlichen Sinne waren im Jahrzehnt vor dem Weltkrieg weder die Deutsch-Sozialen noch die Reformpartei. — Das Verharren in bloßer Judenfeindlichkeit galt in wachsendem Maße als etwas Negatives und wurde in seiner Wirkung als schädlich erkannt. Man wollte nicht in den Verdacht kommen, nur aus Neid und Mißgunst Judengegner zu sein, sondern man gab sich Mühe, darzutun, daß die antisemitische Haltung einer idealen Überzeugung entsprungen sei und betonte deshalb die positiven sozialen und nationalen Ziele des Antisemitismus.“[12]

Diese ideologische Veränderung ist auch für den Deutschen Verein nach 1900 symptomatisch. Für seine Entwicklung war die Sammlungsbewegung vor allem des selbständigen alten Mittelstandes am folgenreichsten. Seit Anfang des Jahrhunderts begann sich eine Formierung der Handwerker und Gewerbetreibenden in einer politischen Bewegung abzuzeichnen, die ihren Höhepunkt 1904 in der Gründung der „Deutschen Mittelstandsvereinigung“ fand. Diese verstand sich als Zusammenschluß der Organisationen des alten Mittelstandes. Ziel war es, politisch tätig zu werden und eigene Kandidaten bei Wahlen aufzustellen bzw. mittelstandsfreundliche zu unterstützen.[13] Die „Deutsche Mittelstandsvereinigung“ war für die antisemitischen Parteien bedrohlich, da sie sich als die eigentliche politische Vertretung des Mittelstandes definierten. Sie mußten sich mit ihr auseinandersetzen, wollten sie nicht ihren Wählerstamm verlieren. So wandte sich etwa der Parteitag der Deutschen Reformpartei, auf dem aus Frankfurt HERMANN LAASS anwesend war, schon 1903 gegen die „neuauftauchende Mittelstandsbewegung“. Der Vorsitzende OSWALD ZIMMERMANN sprach sich scharf gegen sie aus: „Dergleichen könne dem Mittelstand nichts nützen, das Heil sei nur zu finden in der Unterstützung politischer Vereinigungen.“[14] Dieses Aufkommen einer eigenständigen Bewegung des Mittelstandes ließ die Antisemiten noch stärker als bisher ihre mittelständischen Programmforderungen herausstellen, selbst unter Zurücknahme antisemitischer Zielsetzungen. Um den Charakter einer Mittelstandspartei deutlicher zu betonen, nahm 1905 die Deutschsoziale Partei ein neues Programm an, in dem die radikalsten antisemitischen Forderungen zugunsten mittelständischer Wirtschaftsinteressen verschwanden.[15] Die antisemitische Bewegung präsentierte sich nun vollends als ein Teil der Mittelstandsbewegung, was sich besonders in den Städten bemerkbar machte.

12 M. BROSZAT, Antisemitische Bewegung, S. 116f.

13 Zur Mittelstandsvereinigung s. C. BÜRGER, Politische Mittelstandsbewegung, bes. S. 8-20; L. MÜFFELMANN, Moderne Mittelstandsbewegung, S. 93-102.

14 Deutsche Volkswacht, 10. Jg., Nr. 83, 24.10.1903.

15 Zur Bedeutung der Mittelstandsvereinigung für den politischen Antisemitismus R. LEVY, Downfall, S. 253.

Dieser Entwicklung der reichsweiten antisemitischen Parteien entsprach die des Deutschen Vereins. Auch für ihn kann seit der Jahrhundertwende eine stärkere Hinwendung zur mittelständischen Ideologie festgestellt werden, die auf Kosten genuin antisemitischer Forderungen ging. Dafür sprach etwa die Auswahl der Themen bei den öffentlichen Veranstaltungen. Seit 1903 dominierten Vorträge, die sich schon in ihrem Titel direkt an den Mittelstand wandten, während die ausschließlich antijüdischen Referate, die in den ersten Jahren des Bestehens des Deutschen Vereins überwiegend den Inhalt seiner Kundgebungen gebildet hatten, beinahe verschwanden.[16] Freilich kann die Wahl der Vortragsthemen nicht allein dem Deutschen Verein zugeschrieben werden. Die Redner waren Vorstandsmitglieder der Deutschsozialen Reformpartei bzw. der Deutschsozialen Partei und spiegelten in erster Linie die ideologische Ausrichtung der Gesamtpartei wider.

Aber auch an anderen Beispielen läßt sich eine Kooperation des Deutschen Vereins mit mittelständischen Vereinigungen nachweisen. Daß der Deutsche Verein bereit war, zugunsten mittelständischer Interessen auf seine antisemitische Grundhaltung zu verzichten, zeigte sich anläßlich der Reichstagswahl 1903. Als es zur Stichwahl zwischen dem sozialdemokratischen und dem liberalen Kandidaten kam, rief der Deutsche Verein zur Wahl des Demokraten auf, obwohl dieser Jude war.[17] Diese Option ist nur plausibel, wenn man berücksichtigt, daß die Sozialdemokraten mit ihrer These von der zwangsläufigen Auflösung des Mittelstandes für mittelständische Wähler, die durch staatliche Eingriffe ihre Position erhalten wissen wollten, unattraktiv waren.[18]

Auch die Wahl des Publikationsorgans veranschaulicht die Nähe des Deutschen Vereins zur Mittelstandsvereinigung. Seit März 1906 zeigte der Deutsche Verein seine öffentlichen Kundgebungen in der „Frankfurter Mittelstandszeitung", dem Organ der Frankfurter Mittelstandsvereinigung, an.[19] Und Hermann Laass pries ebenfalls in dieser Zeitung sein „judenfreies" Hotel und Restaurant an.[20] Beides verschwand im Laufe des folgenden Jahres wieder aus der Zeitung. Diese Entwicklung war symptomatisch für die Haltung der Mittelstandsvereinigung zur antisemitischen Bewegung. Während der Deutsche Verein sich als Teil der Mittelstandsbewegung verstand, war deren Position zum Antisemitismus ambivalent. Dies zeigte sich schon an den in der „Mittelstandszeitung" veröffentlichten Artikeln. Neben solchen, die für die antisemitische Bewegung waren,[21] erschienen auch immer wieder Stellungnahmen, die sich scharf von ihr abgrenzten.[22] Dieses unklare Verhältnis begann sich seit 1907 zuungunsten des Deutschen Vereins zu klären, was an der Aufnahme von Werbung für

16 Siehe die Übersicht in Kap. 9.1.

17 P. Pulzer, Entstehung, S. 159.

18 Zur sozialdemokratischen Beurteilung der Lage des Mittelstandes H. A. Winkler, Mittelstand, S. 26 und ders., Rückversicherte Mittelstand, S. 173.

19 Ab Mittelstandszeitung, 2. Jg., Nr. 11, 15.3.1906, z.B. Nr. 43, 27.10.1906; 3. Jg., Nr. 2, 12.1.1907; Nr. 16, 20.4.1907.

20 Ab Mittelstandszeitung, 1. Jg., Nr. 3, 3.8.1905 bis 3. Jg., Nr. 45, 9.11.1907.

21 Etwa ebd., 2. Jg., Nr. 23, 7.6.1906 und Beil., Nr. 49, 1.12.1906.

22 Etwa ebd., 1. Jg., Nr. 24, 28.12.1905; 4. Jg., Nr. 23, 6.6.1908.

jüdische Firmen abzulesen war.[23] 1908 erfolgte dann vollends die Abkehr der Frankfurter Mittelstandsorganisation von der antisemitischen Ideologie und der Anschluß an die Düsseldorfer liberale Richtung der Mittelstandsvereinigung.[24] Für den Deutschen Verein bedeutete dies, daß er seinen wichtigsten Bündnispartner verlor und nicht länger als der eigentliche politische Vertreter des Mittelstandes gelten konnte.

Diese Loslösung der Mittelstandsbewegung von dem politischen Antisemitismus war keine Frankfurter Besonderheit. Sie vollzog sich in diesem Zeitraum reichsweit und war 1909 mit der Anlehnung großer Teile der Mittelstandsbewegung an liberale Parteien abgeschlossen.[25]

Ebenso wie die Gesamtpartei mußte sich der Deutsche Verein wieder auf sich selbst besinnen, ohne daß es vorläufig gelang, sich ideologisch neu zu formieren. Die Abkehr der Mittelstandsbewegung seit 1907 hatte Folgen für die antisemitische Bewegung: sie beschleunigte den Niedergang des Deutschen Vereins noch weiter. Bis 1912 trat der Verein kaum mehr in Erscheinung.

Dieses aufgrund der Quellenlage nur im Überblick zu skizzierende Verhältnis der antisemitischen Bewegung zu mittelständischen Organisationen fand in Frankfurt bei den Stadtverordnetenwahlen seinen Niederschlag. An den Koalitionen, die der Deutsche Verein einging, manifestierte sich seine Zusammenarbeit mit mittelständischen Vereinigungen am deutlichsten. Zugleich zeigte sich daran aber auch die widersprüchliche Haltung mittelständischer Verbände zum Antisemitismus. Für den Deutschen Verein dagegen war die Anbindung an die Mittelstandsbewegung zu Anfang des 20. Jahrhunderts politisch erfolgreicher als ein selbständiges Vorgehen.

[23] Z.B. Anzeigen des Bekleidungshauses Carsch, ab 3. Jg., Nr. 46, 16.11.1907 und Fuhrländer, ab Nr. 50, 14.12.1907.

[24] Seit Oktober 1908 hieß die „Frankfurter Mittelstandszeitung" „Süd-Westdeutsche Mittelstands-Zeitung" und wurde in Düsseldorf gedruckt, ab 4. Jg., Nr. 40, 3.10.1908.

[25] R. Levy, Downfall, S. 228.

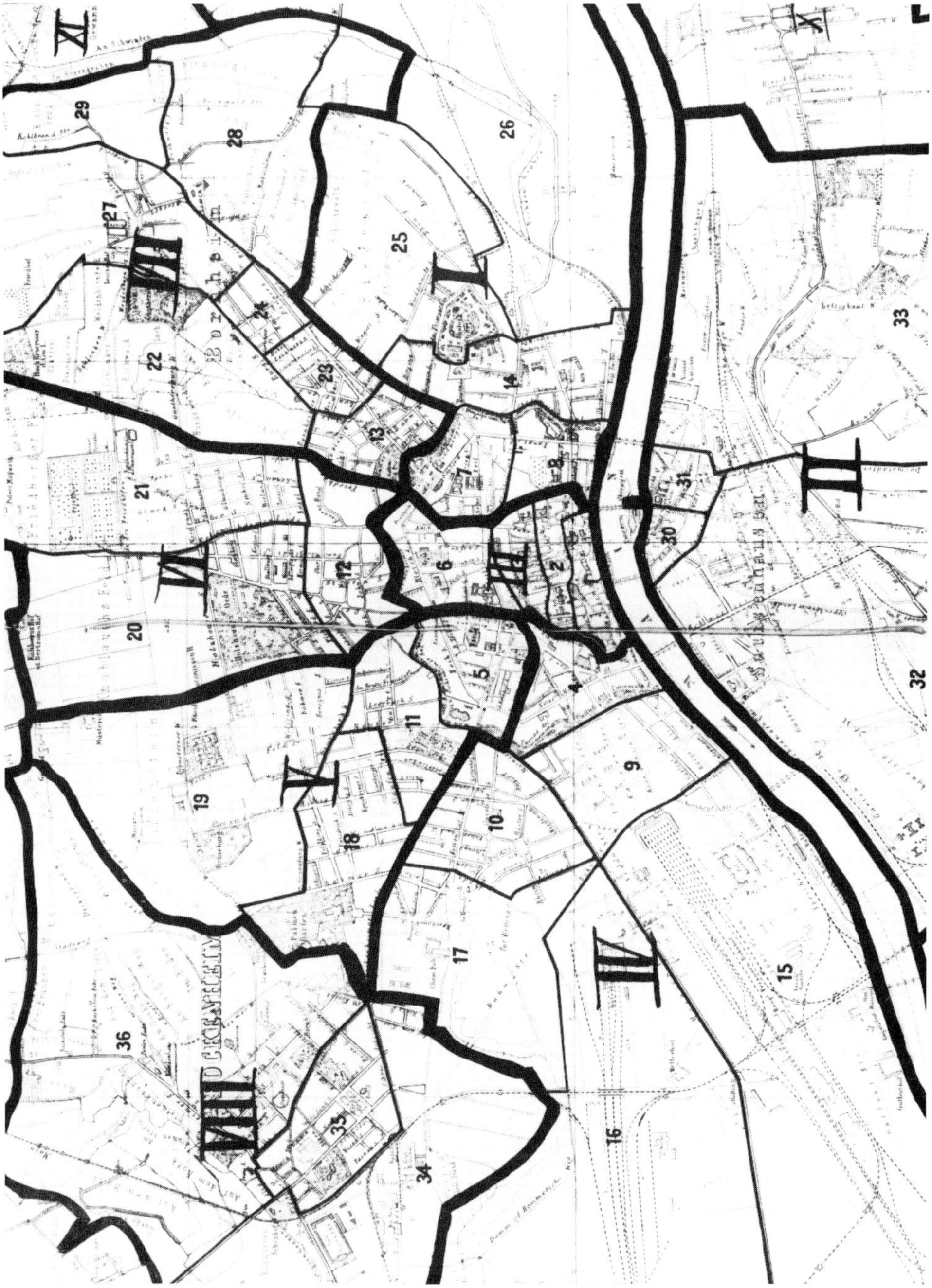

Abb. 13 Die Einteilung der Frankfurter Wahlbezirke bis 1904

13. Die Beteiligung des Deutschen Vereins an den Wahlen zur Stadtverordnetenversammlung 1896—1906

Seit 1896 kandidierten Mitglieder des Deutschen Vereins bei den Wahlen zur Stadtverordnetenversammlung. Angestrebtes Ziel war, einen deutschgesinnten, antisemitischen Stadtverordneten in das städtische Parlament delegieren zu können, der „gegenüber dem manchesterlichen Judenringe auch einmal die Interessen des werktätigen Frankfurter Mittelstandes . . . energisch“ zu vertreten wisse.[1]

Die wenigen Stimmen aber, die die antisemitischen Kandidaten in den ersten Jahren auf sich vereinigen konnten, ließen kaum auf einen Einzug in die Stadtverordnetenversammlung hoffen (Kap.13.1.). Ihre Wahlchancen erhöhten sich erst, als Mitglieder des Deutschen Vereins von mittelständischen Interessenverbänden nominiert wurden. Mit deren Hilfe wurde im Jahre 1900 JOHANN HEINRICH HETTLER gewählt (Kap.13.2.1.). Und 1904 konnte HERMANN LAASS, der als Besitzer des „judenfreien“ Hotels „Kölner Hof“ ein bekannter Antisemit war, in die Stadtverordnetenversammlung einziehen (Kap.13.2.2.). Abgeschlossen wird dieses Kapitel mit einer Analyse des Engagements der beiden Antisemiten in den Debatten der Stadtverordnetenversammlung (Kap.13.3.).[2]

Bevor auf die Beteiligung des Deutschen Vereins an den Stadtverordnetenwahlen eingegangen werden kann, müssen — soweit es für unsere Fragestellung relevant ist — Wahlverfahren und Wahlrecht Frankfurts vorgestellt werden. Nur vor diesem Hintergrund sind die Wahlergebnisse für die antisemitischen Kandidaten zu verstehen.

Wahlen zur Stadtverordnetenversammlung fanden alle zwei Jahre statt. Dabei waren jeweils ein Drittel der über 60 Stadtverordneten zu ergänzen. Gleichzeitig mit der regulären Ergänzungswahl fanden, sofern nötig, Ersatzwahlen für verstorbene oder aus anderen Gründen ausgeschiedene Stadtverordnete statt.

Die Wahl erfolgte bezirksweise, wofür das Stadtgebiet in einzelne Distrikte eingeteilt war.[3] Das kommunale Wahlrecht in Frankfurt war an den Nachweis von Grundbesitz und Einkommen gebunden, so daß nur ein geringerer Prozentsatz der Bevölkerung als bei Reichs- und Landtagswahlen wahlberechtigt war. Generell besaßen vor 1914 nur Männer das aktive und passive Wahlrecht.

[1] Frankfurter Post, 3. Jg., Nr. 13 (=12), 1.12.1898; Deutsche Volkswacht, 5. Jg., Nr. 93, 30.11.1898.

[2] Daß es im wilhelminischen Frankfurt antisemitische Stadtverordnete gab, ist weitgehend unbekannt. PAUL ARNSBERG ist der einzige, der überhaupt die Wahl eines Antisemiten, wenn auch nur in einem Satz, erwähnt. Jedoch geht er weder auf die Hintergründe der Wahl von HERMANN LAASS 1904 ein, noch auf die Wahl JOHANN HEINRICH HETTLERS oder auf andere frühere Kandidaturen, s. P. ARNSBERG, Geschichte, 1. Bd., S. 794.

[3] 1898 z.B. waren dies acht, sechs Jahre später, 1904, nach den Eingemeindungen elf Wahlbezirke, s. StA Ffm., Akten des Magistrats R 1130/VII, Bl. 93, und IX, Bl. 41.

Es war eine Persönlichkeitswahl mit direkter Wahl der Abgeordneten. Die Zahl der Stimmen, über die jeder einzelne Wähler verfügen konnte, entsprach der Anzahl der Stadtverordneten, die in seinem Bezirk neu zu wählen waren. Die Wahl selbst war eine absolute Mehrheitswahl: Nur die Kandidaten konnten in die Stadtverordnetenversammlung einziehen, für die in ihrem Bezirk mehr als die Hälfte aller Wähler votiert hatten. Wurde dies von keinem erreicht, kam es zwischen denen, die die meisten Stimmen im ersten Wahlgang erreicht hatten, zur Stichwahl. Bei der Stichwahl genügte dann die einfache Mehrheit.[4]

Die zur Wahl Stehenden wurden von den verschiedenen politischen Parteien, aber auch von kommunalen Interessenverbänden aufgestellt. Die Parteien und Vereine hatten — anders als heute — selbst für die Verteilung der Stimmzettel zu sorgen. Es gab keinen Wahlzettel mit sämtlichen Kandidaten, sondern auf den jeweils abgegebenen Stimmzetteln waren ausschließlich die Namen der Kandidaten aufgedruckt, die von einer politischen oder kommunalen Vereinigung unterstützt wurden.

Im folgenden Kapitel werden die Stadtverordnetenwahlen seit Mitte der 90er Jahre im Hinblick auf die Beteiligung des Deutschen Vereins an den Wahlkämpfen behandelt. Wichtig ist dabei, welche nichtantisemitischen Gruppierungen Kandidaten des Deutschen Vereins auf ihrem Wahlzettel mit aufführten. Diese Unterstützung zeigt das soziale Umfeld auf, aus dem der Deutsche Verein seine Stimmen erhielt und verdeutlicht noch einmal aus einem anderen Blickwinkel, aus welcher sozialen Schicht er seine Anhänger rekrutieren konnte.

13.1. Gescheiterte antisemitische Kandidaturen vor 1900

Mitglieder des Deutschen Vereins wurden erstmals bei den Stadtverordnetenwahlen im Jahre 1896 aufgestellt. Vor der Wahl äußerte sich der Deutsche Verein nicht dazu. Im Gegenteil, er begründete in seinem, in der „Frankfurter Post" vom 1.11.1896 erschienenen, Wahlaufruf seinen Verzicht auf eigene Kandidaten: Da deren Chancen sehr gering seien, beteilige er sich nicht am Wahlkampf. Der Wahlaufruf enthielt deshalb nur eine allgemein gehaltene Wahlempfehlung. Getaufte Juden und Glaubensjuden seien bislang in der Stadtverordnetenversammlung mit 24% im Verhältnis zu ihrem Bevölkerungsanteil überproportional vertreten, weshalb alle „christlichen Mitbürger" darauf achten sollten, daß „nicht wieder eine so große Zahl Juden und Judenadvokaten und Judenknechte gewählt" werde. Statt dessen sollten die christlichen Wähler für christliche Kandidaten stimmen:

„Deutsche Mitbürger, rafft Euch endlich auf und ruft den Juden ein donnerndes Halt entgegen!

[4] Zum Wahlmodus s. das Gemeinde-Verfassungsgesetz vom 25. März 1867, S. 6-8; s. auch W. KLÖTZER, Wilhelminisches Frankfurt, S. 163-165. Im Jahre 1893 besaßen das Kommunalwahlrecht nur 34% der zur Wahl des Reichstags Berechtigten. Der Zensus lag Mitte der 90er Jahre bei einem Jahreseinkommen von 1.200,— Mark, s. Sozialdemokratie und Stadtverwaltung 1906, S. 11-13.

Wählt christliche Geschäftsleute, Handwerker und Industrielle, die durch ihren Lebensgang bewiesen haben, daß sie im eigenen Haushalt etwas getaugt, denselben vorangebracht und nicht verschuldet haben. Solche Leute werden auch den Stadthaushalt am besten fördern können."[5]

Zwei Kriterien habe der „deutsche Mitbürger" bei der Abgabe seiner Stimme zu berücksichtigen: Zum einen sollte er keinen jüdischen Bürger oder den Juden nahestehenden Kandidaten wählen, d.h. keinen Demokraten oder Freisinnigen. Zum anderen sollte er bei den christlichen Kandidaten darauf sehen, ob diese ihre finanzielle Solidität in ihrem bisherigen Leben bewiesen haben. Denn eine der wichtigsten Forderungen des Deutschen Vereins war, daß die Verschuldung Frankfurts abgetragen werde. Die Ausgaben der Stadt seien strikt an die zu erwartenden Einnahmen zu binden, um den Stadthaushalt auszugleichen. Dies könnten ganz besonders solche Stadtverordnete garantieren, die dies Ziel auch privat verfolgten.

Die Gleichsetzung von Staats- und Privathaushalt war, wie David Blackbourn gezeigt hat, symptomatisch für eine mittelständische, ja kleinbürgerliche Staatsauffassung, die sich am Vorbild der Familie orientierte.[6] Sie wurde von den meisten politischen Mittelstandsorganisationen vertreten und war Teil der antisemitischen Ideologie. Auch in späteren Wahlprogrammen der Mittelstandsbewegung und der ihr angeschlossenen antisemitischen Kandidaten tauchte die Forderung nach Ausgleich des Stadthaushaltes immer wieder auf. Kein Projekt sollte in Angriff genommen werden, dessen Kosten den Stadthaushalt überstiegen und das nur realisierbar war, wenn man die Ausgaben hierfür auch zukünftigen Generationen aufbürdete. Auf lange Sicht bedeutete dies nicht nur ein Festhalten am Status quo, sondern einen Rückschritt, da unter dieser Prämisse keine städtebaulichen Modernisierungen — wie die Anlage von Wasserleitungen und Straßen für die größer werdende Stadt — durchgeführt werden konnten.

Der im Artikel in der „Frankfurter Post" betonte Verzicht auf eigene Kandidaten entsprach nicht der späteren Entwicklung. Tatsächlich hatten sich in Sachsenhausen drei Antisemiten aufstellen lassen: der Schneidermeister Johann Heinrich Hettler, der Schlossermeister Anton Kiesel und ein nicht näher bekannter Herr Saarholz. Bei der am 13. November stattfindenden Wahl machten 1104 Wahlberechtigte dieses Wahlkreises von ihrem Wahlrecht Gebrauch. Für Anton Kiesel hatten 187 gestimmt, für Johann Heinrich Hettler 180 und für Saarholz 173.[7] Gewählt wurden in Sachsenhausen ein Demokrat, ein Fortschrittler und ein Nationalliberaler mit jeweils über 700 Stimmen. Mehr Stimmen als die antisemitischen Kandidaten erhielten außerdem noch die Sozialdemokraten. Trotzdem war das Ergebnis für die Antisemiten ein Achtungserfolg.

5 Frankfurter Post, Nr. 7, 1.11.1896.

6 D. Blackbourn, Between Resignation, S. 49.

7 StA Ffm., Akten des Magistrats R 1130/VII, Bl. 40; KP, Nr. 269, 14.11.1896.

Hatte die „Frankfurter Post“ noch zu Anfang November die Aufstellung eigener Kandidaten als aussichtslos angesehen, war man in der Folgenummer der Zeitung umso erfreuter über die Höhe der auf die antisemitischen Kandidaten entfallenen Stimmen. Erst jetzt bekannte sich der Deutsche Verein zu seinen Kandidaten.[8]

Wie läßt sich diese Diskrepanz zwischen der noch Anfang November propagierten Ablehnung jeglicher Beteiligung des Deutschen Vereins an den Stadtverordnetenwahlen und dem Aufstellen eigener Kandidaten kaum vierzehn Tage später erklären? Sicherlich erfolgte die Nominierung erst nach dem Erscheinen des Wahlaufrufs am 1. November, denn in Frankfurt wurden im allgemeinen die Kandidaten erst kurz vor der Wahl benannt.[9] Es handelte sich demnach nicht um eine bewußte Irreführung der Leser der „Frankfurter Post“. Vielmehr scheint der Deutsche Verein seine Ansicht über antisemitische Kandidaturen geändert zu haben. Der Anlaß hierfür muß in der besonderen Situation in Sachsenhausen selbst gesucht werden, denn antisemitische Kandidaten standen nur hier zur Wahl. Das Bemerkenswerte in Sachsenhausen war die Unterstützung der Kandidaten des Deutschen Vereins von einer anderen politischen Partei, nämlich des Zentrums. Obwohl im Deutschen Verein selbst praktisch keine Katholiken, sondern vor allem Protestanten aktiv waren, war das Zentrum bereit, bei Wahlen für antisemitische Kandidaten einzutreten. Allerdings bedurfte es einer besonderen politischen Konstellation. Die Zentrumspartei hatte für diese Wahl in Sachsenhausen keinen eigenen Kandidaten aufgestellt. Statt dessen wies sie ihre Anhänger an, die Antisemiten zu wählen.[10] Erst nachdem diese Wahlabsprache erfolgt war, dürfte die Nominierung der Antisemiten geschehen sein.

Die Anzahl der Stimmen, die sie in Sachsenhausen erhielten, scheint aber nicht nur auf das Votum von katholischen Wählern zurückzuführen zu sein. Ein wichtiger Grund war auch das Fehlen aussichtsreicher Alternativkandidaten für Handwerker und gewerblichen Mittelstand. Im Unterschied zu allen anderen Wahlbezirken gab es in Sachsenhausen unter den zur Wahl Stehenden keinen Kandidaten der Handwerkerpartei bzw. des Kommunalvereins und des Zentrums. Diese unterstützten sich sonst gegenseitig. In Sachsenhausen standen als aussichtsreiche Kandidaten nur ein Demokrat, ein Fortschrittler und ein Nationalliberaler sowie Sozialdemokraten zur Wahl. Viele Angehörige des alten Mittelstandes, wie Handwerker und Gewerbetreibende, werden den Nationalliberalen oder die Antisemiten gewählt haben.[11]

Die Zusammensetzung der Wahlvorschläge 1896 vermag die Zahl der Stimmen für die antisemitischen Kandidaten zu erklären. Dagegen kann das Sozialprofil Sachsenhausens als kleinbürgerliche Vorstadt nicht allein ausschlaggebend gewesen sein,[12]

8 Frankfurter Post, Nr. 8, 1.12.1896; Deutsch-Soziale Blätter, Beil., 12. Jg., Nr. 431, 19.11.1896, S. 189f.

9 So wurden etwa die Kandidaten der Vereinigung für kommunale Wahlen 1904 erst in der Woche vor dem Termin am 9. November aufgestellt, vgl. Frankfurter Zeitung, Nr. 307, 4.11.1904.

10 Frankfurter Post, Nr. 8, 1.12.1896.

11 Zu den Kandidaten und dem Wahlergebnis s. KP, Nr. 269, 14.11.1896.

12 Zum Sozialprofil Sachsenhausens s. W. Klötzer, „Wahrlich eine schöne und lebendige Stadt“, S. 184-187.

denn dieses für die Antisemiten positive Ergebnis wiederholte sich in diesem Wahlbezirk nicht. Trotzdem muß die soziale Zusammensetzung Sachsenhausens insoweit berücksichtigt werden, als die Vielzahl der kleineren Handwerksbetriebe, Gastwirtschaften und Detailgeschäfte die Aufstellung eines mittelstandsfreundlichen Kandidaten nahelegte.

Der Deutsche Verein jedenfalls sah in den rund 180 Stimmen für seine Mitglieder ein günstiges Anzeichen für künftige Stadtverordnetenwahlen: „*Wir Antisemiten sind mit dem Ausfall der Wahlen völlig zufrieden. Daß wir auf einen Sieg nicht rechnen durften, weiß Jeder, der die Schwierigkeiten kennt, mit denen wir hier zu kämpfen haben. Keine Zeitung nimmt einen Wahlaufruf von uns auf, wenn derselbe nur das Wort 'Jude' oder eine Andeutung darauf durch die Worte 'christlich und deutsch' enthält. . . . Auf Wiedersehen also, ihr jüdischen und judenschützerischen Drahtzieher! Auf Wiedersehen auch, ihr deutschen Männer und Gesinnungsgenossen, haltet fernerhin fest zu unserer Fahne, werbet für unseren deutschen Verein, lest und verbreitet unsere Zeitung, die 'Frankfurter Post'. Dann werden wir das nächste Mal besser ausgerüstet sein und wohlvorbereitet. Dann muß der Sieg auch unser werden.*“[13]

Dementsprechend stellte der Deutsche Verein bei der darauffolgenden Wahl 1898 mit seinem Vorsitzenden, dem Buchdruckereibesitzer und Leutnant a.D. Adolf Wolff, erneut einen eigenen Kandidaten in Sachsenhausen auf. Diesmal bekannte er sich bereits vor der Wahl dazu.[14] Im ersten Wahlgang erreichte Adolf Wolff mit 155 Stimmen weniger als die antisemitischen Kandidaten bei der vorangegangenen Wahl und war damit weit abgeschlagen.[15] Dieses gegenüber 1896 schlechtere Ergebnis wurde von der „Frankfurter Post“ darauf zurückgeführt, daß zwei mittelständische Wählergruppen, nämlich Gärtner und Beamten, diesmal eigene Kandidaten aufgestellt hatten.[16] Auch diese zeitgenössische Wahlanalyse belegt die obige These: sofern Kandidaten zur Wahl standen, die ein ähnliches Programm wie die Antisemiten, aber ohne deren Antisemitismus vertraten, hatten die Antisemiten keine Chance. Oder anders gewendet, die Stimmen, die die Antisemiten erhielten, waren überwiegend keine, die ihnen aufgrund ihres Antisemitismus gegeben wurden. Im besten Fall wollten die Wähler damit ihr wirtschaftliches Programm unterstützen. Oft werden sie auch nur aus Protest gegenüber den etablierten Parteien die Antisemiten gewählt haben.

Nachdem Adolf Wolff im ersten Wahlgang ausgeschieden war, rief der Deutsche Verein seine Anhänger in Sachsenhausen auf, bei der Stichwahl die Kandidaten der Nationalliberalen Dönges und Zeiss zu wählen. Vor allem der Kaufmann Heinrich Wilhelm Zeiss stand laut der „Deutschen Volkswacht“ den Ansichten des Deutschen Vereins nahe.[17] Diese Einschätzung von Zeiss bezog sich wahrscheinlich auf ein Vor-

13 Frankfurter Post, Nr. 8, 1.12.1896.
14 Deutsche Volkswacht, 5. Jg., Nr. 89, 16.11.1898.
15 StA Ffm., Akten des Magistrats R 1130/VII, Bl. 113.
16 Frankfurter Post, 3. Jg., Nr. 13 (=12), 1.12.1898; Deutsche Volkswacht, 5. Jg., Nr. 93, 30.11.1898.
17 Deutsche Volkswacht, 5. Jg., Nr. 89, 16.11.1898.

kommnis aus dem Jahre 1895. Die Brüder ZEISS hatten als christliche Kaufleute in einer Anzeige ihre Aufnahme in das vom Deutschen Verein mit herausgegebene Deutschbund-Adreßbuch begrüßt.[18] Mittlerweile jedoch wollte HEINRICH WILHELM ZEISS nicht mehr mit den Antisemiten in Verbindung gebracht werden. Allerdings erst, nachdem er gewählt worden war und die antisemitischen Zeitungen dies als einen Sieg ihrer Politik feierten,[19] distanzierte er sich in einem Brief an die „Frankfurter Zeitung“ von der antisemitischen Bewegung.[20]

Außer in Sachsenhausen unterstützte der Deutsche Verein 1898 auch im dritten Bezirk, in der Altstadt, von anderen politischen Gruppierungen aufgestellte Kandidaten. Hier trat er „mit voller Kraft für den Candidat der Handwerkerpartei, Herrn Ohlenschlager“, ein.[21] Dieser hatte bereits 1896 im selben Wahlbezirk kandidiert und nur knapp die Mehrheit verfehlt.[22] Tapezierermeister WILHELM OHLENSCHLAGER war Vorsitzender des Handwerkervereins[23] und galt als ein Befürworter der Wiedereinführung von Zünften. Auch war er — wie die „Kleine Presse“ es nannte — antisemitisch angehaucht.[24] Er war zwar kein Mitglied des Deutschen Vereins, tauchte jedoch immer mal wieder im Umfeld der antisemitischen Bewegung auf.[25] Schon bei der vorangegangenen Wahl 1896 hatte sich der Deutsche Verein für ihn ausgesprochen.[26] 1898 war der Wahlausgang für OHLENSCHLAGER aber nicht so günstig wie zwei Jahre zuvor, denn er schied bereits im ersten Wahlgang aus.[27]

In den beiden Wahlen seit 1896 hatten die Kandidaten des Deutschen Vereins zu wenig Stimmen erhalten, um einen Einzug von Antisemiten in die Stadtverordnetenversammlung auf absehbare Zeit als realistisch erscheinen zu lassen. Umso überraschender mußte dann der Ausgang der Wahl im November 1900 gewesen sein. Als persönlicher Erfolg sollte sich diese Wahl für den Schneidermeister JOHANN HEINRICH HETTLER gestalten.

[18] Siehe Kap. 9.3.2.; die Anzeige erschien im Frankfurter Generalanzeiger, Nr. 276, 24.11.1895, S. 7.
[19] Frankfurter Post, 3. Jg., Nr. 13 (=12), 1.12.1898; Deutsche Volkswacht, 5. Jg., Nr. 93, 30.11.1898.
[20] Frankfurter Zeitung, Nr. 332, 1.12.1898, Abendbl.; MdVAA, 8. Jg. 1898, Nr. 51, S. 406.
[21] Deutsche Volkswacht, 5. Jg., Nr. 89, 16.11.1898.
[22] StA Ffm., Akten des Magistrats R 1130/VII, Bl. 51-53, Bl. 62 und Bl. 74-79; KP, Nr. 269, 14.11.1896; Nr. 270, 15.11.1896 und Nr. 274, 21.11.1896.
[23] Etwa AdB 1896, S. 1411; AdB 1897, S. 1427 und 1898, S. 714.
[24] KP, Nr. 270, 15.11.1896. Manchmal wurde er als „Antisemit“ bezeichnet, s. KP, Nr. 264, 8.11.1896; Frankfurter Zeitung, Nr. 314, 11.11.1896, Abendbl.
[25] Anzeigen für sein Geschäft erschienen z.B. im Reichsherold, 6. Jg., Nr. 542, 20.9.1892; Nr. 550, 14.10.1892; Nr. 557, 8.11.1892. OHLENSCHLAGER spendete Geld für Reichstagskandidaturen der Deutschsozialen Reformpartei, s. Deutsch-Soziale Blätter, 10. Jg., Nr. 350, 2.5.1895, S. 71. Als Vorsitzender des Deutschen Handwerkerbundes nahm er an dem Parteitag der Deutschsozialen Reformpartei in Kassel 1898 teil, s. Deutsch-Soziale Blätter, 13. Jg., Beil., Nr. 532, 27.10.1898, S. 167. Später scheint er sich aber von der antisemitischen Bewegung distanziert zu haben, s. Römerkatze, Nr. 42 (Märzkatzen), 1904.
[26] Frankfurter Post, Nr. 8, 1.12.1896; Deutsche Volkswacht, 5. Jg., Nr. 89, 16.11.1898.
[27] Frankfurter Zeitung, Nr. 319, 18.11.1898, 3. Morgenbl.

13.2. *Nominierung von Mitgliedern des Deutschen Vereins durch mittelständische Interessenverbände (1900–1906)*

13.2.1. *Die Stadtverordnetenwahl 1900 – Die Wahl Johann Heinrich Hettlers*

Im Jahre 1900 wurde erstmals ein Mitglied des Deutschen Vereins zum Stadtverordneten gewählt. Im 6. Bezirk, im Nordend, erhielt der Privatier und ehemalige Schneidermeister JOHANN HEINRICH HETTLER bereits im ersten Wahlgang genügend Stimmen, um in die Stadtverordnetenversammlung einziehen zu können. Mittelständische, die Interessen der Hausbesitzer berührende Themen hatten im Wahlkampf eine erhebliche Rolle gespielt. Besonders umstritten war die sogenannte Treppenverputzordnung, gegen die sich HETTLER lange vor der Wahl schon ausgesprochen hatte und die eines seiner Wahlkampfthemen werden sollte.[28]

Dabei handelte es sich um eine 1898 eingeführte baupolizeiliche Verfügung, die ein feuersicheres Verputzen der Unterseiten von Holztreppen dem Hauseigentümer zur Pflicht machte. Mit dieser Schutzmaßnahme sollte im Falle eines Brandes die längere Begehbarkeit der Treppe gesichert werden. Diese Auflage galt für Mietshäuser ab zwei Stockwerken und mit mindestens vier Mietwohnungen, die nur durch eine Holztreppe verbunden waren.[29] Da die Verordnung auch rückwirkend auf Altbauten angewandt werden sollte, verwahrten sich zahlreiche Mietshausbesitzer dagegen, denn sie sahen erhebliche Kosten auf sich zukommen. Auch die Stadtverordnetenversammlung ersuchte aus diesem Grund im Oktober 1900 den Magistrat, die unpopuläre Verordnung wenigstens nur auf Neubauten anzuwenden.[30] Nach heftiger Kritik von verschiedenster Seite[31] nahm der Magistrat Anfang November 1900 die Verfügung bis auf weiteres zurück und beschloß, vor einer endgültigen Entscheidung nochmals Sachverständige zu Rate zu ziehen.[32]

So war das Problem der Treppenverputzordnung kurz vor der am 15. November stattfindenden Wahl in der Schwebe. Fraglich war weiterhin, ob der Magistrat zu einer Zurücknahme bereit war oder auf der Durchführung der Verfügung bestehen würde. Obwohl die Stadtverordneten rechtlich nicht in der Lage waren, sie zu verhindern, da ihr Erlaß allein in der Kompetenz des Magistrats lag,[33] war die Treppenver-

[28] Bereits 1898 hatte er in einer Versammlung des Hausbesitzervereins die neue Verordnung abgelehnt, s. Frankfurter Zeitung, Nr. 321, 20.11.1898, 3. Morgenbl.; s. auch HETTLER Anfang Oktober 1900 in einer Versammlung desselben Vereins, s. KP, Nr. 235, 7.10.1900, 2. Bl.

[29] Abdruck der ursprünglichen wie der revidierten Fassung von 1901, in: Mittheilungen aus den Protokollen 1901, S. 88f.

[30] Mittheilungen aus den Protokollen 1900, S. 486f.

[31] Siehe das Gutachten von Professor MEIDINGER in der „Hausbesitzer-Zeitung", KP, Nr. 234, 6.10.1900, 2. Bl.; auch der Verein der Hausbesitzer war dagegen, s. KP, Nr. 235, 7.10.1900, 2. Bl.; ebenso die Technische Gesellschaft Bauhütte und der Bockenheimer Bezirksverein, um nur einige wenige zu nennen, s. KP, Nr. 256, 1.11.1900, 2. Bl.; Nr. 257, 2.11.1900, 2. Bl.

[32] Mittheilungen aus den Protokollen 1900, S. 496f.

[33] Etwa die Debatte in der Stadtverordnetenversammlung 1903, ebd. 1903, S. 383-385.

putzordnung im Wahlkampf ein wichtiges Thema. Diese Frage beschäftigte insbesondere Hausbesitzer, aber auch Mieter, sofern sie eine Erhöhung ihrer Mieten befürchten mußten.[34] Von daher war es verständlich, daß Kandidaten verschiedener Parteien sich gegen diese Verordnung aussprachen. Außer JOHANN HEINRICH HETTLER, der sich in seiner Wahlpropaganda dagegen wandte, erklärten auch die Kandidaten der Demokraten und der Fortschrittspartei in einer Anzeige im „Frankfurter Generalanzeiger" und in der „Kleinen Presse" am Tage vor der Wahl, daß sie gegen die Treppenverputzordnung seien und im Falle ihrer Wahl vom Magistrat deren Rücknahme verlangen würden.[35]

Aber wie das Bezirkskomitee der Hausbesitzer und Mieter, Handwerker und Gewerbetreibenden des Nordends feststellen zu müssen meinte, sei es allein HETTLER gewesen, der durch seine Agitation die Stadtverordneten dazu gedrängt habe, im Oktober 1900 gegen die Baupolizei-Verordnung zu stimmen. Auch wenn jetzt andere dies für sich in Anspruch nähmen, so solle HETTLERS Bedeutung nicht vergessen werden. Die Wähler des 6. Bezirks sollten aus „Dankbarkeit den alten ehrlichen Rufer im Streit, Herrn Heinrich Hettler, wählen".[36]

JOHANN HEINRICH HETTLER stellte in seinem Wahlkampf die „Treppenverputzordnung" in den Vordergrund. Dabei ging es ihm aber nicht nur um die bloße Verhinderung dieser Verordnung. Sie war ihm ein Beispiel für die generell mittelstandsfeindliche Politik des Magistrats und der Stadtverordnetenversammlung. Zur Unterstützung seiner Position hatte er kurz vor der Wahl die Freie Vereinigung von Hausbesitzern und Mietern gegründet. In seinem Wahlaufruf führte HETTLER als Anlaß der Bildung des neuen Vereins die strengen baupolizeilichen Verordnungen an, die die Bürger finanziell schädigten. Die Vereinigung verstand sich als eine parteiübergreifende, die eine städtische Politik anstrebte, die frei von parteipolitischen Rücksichten allein das Wohl der Bürgerschaft zum Maßstab ihres Handelns machen sollte: *„Die Wahlen dürfen nicht mehr wie bisher von politischen Cliquen allein gemacht werden, wenn wir nicht wollen, daß unsere Bürgerschaft immer mehr verarmen soll. Bürger auf! Jeder ist willkommen, der bereit ist, dieses Cliquenwesen brechen zu helfen. Politik und Religion gehört nicht ins Rathaus."*[37] Um dies durchsetzen zu können, beteiligte sich die Freie Vereinigung mit eigenen Kandidaten an der Stadtverordnetenwahl, deren aussichtsreichster JOHANN HEINRICH HETTLER selbst war.

Was bedeutete „Politik und Religion gehört nicht ins Rathaus"? Bedeutete dies HETTLERS Abkehr vom Antisemitismus? Die Forderung nach Ausschluß von religiösen Tendenzen beinhaltete nicht den Verzicht auf antijüdische Stellungnahmen. Sie

[34] Etwa der Sozialdemokrat Dr. QUARCK, der eine Mietsteigerung in Folge der Verordnung befürchtete, s. Mittheilungen aus den Protokollen 1903, S. 384.

[35] Frankfurter Generalanzeiger, Nr. 268, 15.11.1900, S. 12, in: StA Ffm., Akten des Magistrats R 1130/VIII, Bl. 36d; KP, Nr. 268, 15.11.1900, 2. Bl.

[36] Anzeige im Frankfurter Generalanzeiger, Nr. 268, 15.11.1900, S. 13, in: StA Ffm., Akten des Magistrats R 1130/VIII, Bl. 36d.

[37] Ebd.

enthielt vielmehr einen Angriff auf die Stadtverordneten jüdischer Konfession. Den Stadtverordneten wurde damit unterstellt, daß sie eine die christlichen Bürger schädigende Politik betrieben und dies ausschließlich aufgrund ihrer Abstammung. Daß dies HETTLER meinte, zeigen Ausschnitte aus seinem gedruckten Wahlprogramm. Als Stadtverordneter versprach er, sich für eine Progression der Einkommensteuer einzusetzen, was seiner Meinung nach auf erheblichen Widerstand besonders von einer Seite stoßen werde: *„Dann aber werden sich (!) viele dieser Herren, welche den alten Hettler einen Rückschrittler, Zünftler und komische Figur nennen, 'Au waih!' schreien. Ich möchte viel größere Forderungen an die Gesetzgebung stellen und an Jene, welche Freiheitsworte im Munde führen und durch Wucher und Sündengeld das Volk noch täglich betrügen . . . Denen sage ich, daß ich stolz bin, ein ehrsames Handwerk betrieben zu haben und mit Erfolg. Daß ich Schneider, aber kein Halsabschneider war, wie manche solcher Philanthropen.*"[38] Schon seine Wortwahl — wie etwa „Au waih" — verdeutlicht die antijüdische Einstellung HETTLERS.

Auch das Postulat, man wolle „keine Politik" im Rathaus betreiben, hieß nicht, daß die Kandidaten der Freien Vereinigung keine politischen Ansichten vertreten hätten. Es entsprach dem Politikverständnis dieser Gruppe, wonach Entscheidungen nicht aus dem Kräftespiel verschiedener politischer Interessen, sondern aus der „Sache" selbst hervorgehen sollten. Diese Vorstellung war ebenso Teil mittelständischer politischer Ideologien wie die der unbedingten Deckung des Staatshaushaltes,[39] die ebenfalls von HETTLER propagiert wurde.

In seinem gedruckten Programm erhob HETTLER dementsprechend als erste Forderung „Sparsamkeit". Dieses „Programm zu meiner Kandidatur zum Stadtverordneten" enthielt zusammengefaßt die politischen Zielsetzungen, für die HETTLER sich als Stadtverordneter einzusetzen versprach.[40] Abgesehen von der Forderung nach mehr Sparsamkeit erläuterte er seinen Standpunkt in der Frage der sogenannten „Wohnungsnot", dem Fehlen kleiner, billiger Wohnungen. Die Schuld dafür müsse zum einen in den baupolizeilichen Auflagen und den Schwierigkeiten der Kreditbeschaffung für Hauseigentümer gesehen werden, zum anderen aber auch in der städtischen „Verwaltungsunfähigkeit", die durch das Einreißen von vielen Häusern in der Altstadt kleine Wohnungen vernichtet habe. Deshalb müsse sich die Stadt am Bau neuer Wohnhäuser finanziell beteiligen. Dies solle sie laut HETTLER aber erst dann, wenn die Stadtkasse ausgeglichen sei. Um die Schulden der Stadt abzutragen, propagierte HETTLER die Einführung einer progressiven Einkommen- und Erbschaftssteuer.[41]

Die letzte Forderung HETTLERS fällt etwas aus dem Rahmen seines mittelständischen „Sparprogramms", nämlich die Einführung des allgemeinen, gleichen Stimmrechts. Dies wollte er aber erst dann durchgesetzt sehen, wenn die Arbeiter auch die

38 StA Ffm., Akten des Magistrats R 1130/VIII, ad Bl. 42.
39 D. BLACKBOURN, Between Resignation, S. 49.
40 StA Ffm., Akten des Magistrats R 1130/VIII, ad Bl. 42.
41 Dieser Punkt entsprach dem Programm der Deutschsozialen Reformpartei von 1895, s. R. LEVY, Downfall, S. 239.

Wichtigkeit der höheren Stände für die Gesamtgesellschaft ebenso erkannt hätten wie die oberen Klassen die der Arbeiter. Das allgemeine Wahlrecht sei außerdem mit der Wahlpflicht zu koppeln.[42]

Fassen wir HETTLERS Wahlprogramm zusammen, so kann festgehalten werden, daß der ehemalige Schneidermeister ein mittelständisches Reformprogramm vertrat, mit dem antisemitische Einstellungen zwar verflochten waren, aber nur am Rande thematisiert wurden. Das Schwergewicht lag auf den Forderungen nach Sparsamkeit. Außerdem trat er ein für die Beschaffung billiger Wohnungen, Progression der Einkommensteuer und allgemeines Wahlrecht. Diese Vorschläge dürften vor allem in den mittelständischen Kreisen der Handwerker, unteren Beamten und Angestellten sowie kleineren Gewerbetreibenden auf Zustimmung gestoßen sein. Daß HETTLER sich auch in der antisemitischen Bewegung engagierte, wurde dabei kaum deutlich, wenn es auch von den Lokalzeitungen — besonders von der „Kleinen Presse" — nicht vergessen wurde.[43]

HETTLERS Kandidatur fand Unterstützung bei verschiedenen mittelständischen Verbänden, während sich der Deutsche Verein vor der Wahl zu HETTLER nicht offiziell äußerte. Für HETTLERS Wahl im 6. Bezirk sprachen sich einige kommunale Vereine aus, neben dem bereits genannten Bezirkskomitee der Hausbesitzer und Mieter, Handwerker und Gewerbetreibende auch die Handwerkerpartei und natürlich die von HETTLER selbst gegründete Freie Vereinigung von Hausbesitzern und Mietern.[44] Aber auch zwei Parteien beabsichtigten JOHANN HEINRICH HETTLER mit auf ihren Stimmzettel für den 6. Bezirk zu nehmen, nämlich das Zentrum und die Nationalliberalen.

Während das Wahlkomitee der Frankfurter Katholiken HETTLER ohne Widerspruch unterstützen konnte,[45] gab es wegen der vorgesehenen Aufstellung HETTLERS in der nationalliberalen Partei Auseinandersetzungen. Die Bezirksversammlung des nationalliberalen Vereins hatte ihn mit großer Mehrheit im Nordend aufgestellt. Zur Begründung wurde aufgeführt, daß HETTLER ein national gesinnter Mann sei, weshalb ihn auch die Nationalliberalen unterstützen könnten. Man war sich des Antisemitismus von HETTLER bewußt, was jedoch mit dem Hinweis, er sei ein „ziemlich harmloser Antisemit" abgetan wurde.[46] Dieser Entscheidung des Bezirkskomitees widersprach der sogenannte große Wahlausschuß der Partei. Er wollte unter keinen Umständen diesen Beschluß akzeptieren und verlangte seine Zurücknahme. Auch die nationalliberale Fraktion der Stadtverordnetenversammlung hatte bei der Aufrechterhaltung dieser Kandidatur die Rückgabe ihres Mandats und einen geschlossenen Austritt aus der Partei angedroht.[47] Aufgrund dieses breiten Widerstandes wurde die

[42] Ebenfalls im Programm der Deutschsozialen Reformpartei enthalten, s. Kap. 8.3.
[43] KP, Nr. 262, 8.11.1900, 2. Bl.; Nr. 265, 15.11.1900, 2. Bl.
[44] KP, Nr. 266, 13.11.1900, 2. Bl. u. Nr. 267, 14.11.1900, 2. Bl.
[45] KP, Nr. 264, 10.11.1900; Nr. 270, 17.11.1900, 2. Bl.
[46] KP, Nr. 262, 8.11.1900, 2. Bl.
[47] KP, Nr. 263, 9.11.1900, 2. Bl.

Unterstützung HETTLERS fallengelassen. Sein Name tauchte nicht auf den Stimmzetteln der Nationalliberalen Partei auf.[48]

Dieser Vorgang ist im Hinblick auf die Popularität HETTLERS von besonderem Interesse. Während lokale Organisationen im Nordend HETTLERS Kandidatur auch in Kenntnis seines Antisemitismus für gerechtfertigt hielten, wurde dies außerhalb der engen Grenzen des Stadtbezirks für unverständlich und mit den Prinzipien der Partei unvereinbar angesehen. HETTLERS Bekanntheitsgrad und sein Engagement in seinem Wohnbezirk standen den Verbänden und politischen Vereinen vor Augen, als sie JOHANN HEINRICH HETTLER in ihre Wahlvorschläge mit aufnahmen. Sein Antisemitismus interessierte sie nicht oder nur am Rande.

Bei der Wahl konnte JOHANN HEINRICH HETTLER von den im Nordend abgegebenen 1554 Stimmen 846 auf sich ziehen. Damit war er bereits im ersten Wahlgang in die Stadtverordnetenversammlung gewählt.[49]

Trotz der schon zuvor bekannten Unterstützung HETTLERS durch lokale mittelständische Organisationen und das Zentrum war sein Wahlsieg im Nordend überraschend, denn dieser Wahlausgang wich von den früheren Ergebnissen in diesem Stadtteil auffällig ab: 1898 und auch wieder 1902 wurden zwei Freisinnige und ein Nationalliberaler gewählt,[50] während bei der dazwischenliegenden Wahl 1900 ein Freisinniger, ein Zentrumsmann und HETTLER als Kandidat der Handwerkerpartei für das Nordend in die Stadtverordnetenversammlung einzogen.

Schon zwei Tage nach der Wahl versuchte die „Kleine Presse", HETTLERS Wahlsieg zu analysieren: „*Hier trat eine Gährung zu Tage, die gewiß Beachtung verdient. Nicht nach Parteien stimmte man hier ab, sondern die Mehrzahl der Wähler kam an die Urne, um ihre Mißstimmung über dies und jenes Ausdruck zu geben. Der Zündstoff, der sich im Laufe der Zeiten, insbesondere während der letzten Wochen und Monate angesammelt hatte, kam hier zur Entladung. Die Sünden des Magistrats wurden an Unschuldigen heimgesucht und brachten ein Ergebniß, das man allgemein für kaum möglich gehalten hätte . . . Möge dies eine Mahnung und Warnung für zukünftige Zeiten sein!*"[51] Nach Meinung der Zeitung hatte man im Nordend nur aus Protest HETTLER gewählt. Aus Ärger über die Politik des Magistrats hätten viele Wähler ihre Stimme nicht den traditionellen Parteien, sondern einem Außenseiter gegeben. Es handelte sich demnach nicht um ein Vertrauensvotum, das HETTLER mit dieser Wahl erteilt worden sein, sondern um eine Absage an die anderen Parteien. Man habe HETTLER aus Verärgerung über das Verhalten der anderen Parteien gewählt.

Diese Analyse der „Kleinen Presse" erklärt auch, warum HETTLERS Antisemitismus bei den Wählern des Nordends keine ablehnende Reaktion hervorrief. Wenn es den Wählern primär um eine Kritik an den sie bislang vertretenden politischen Par-

[48] KP, Nr. 265, 11.11.1900.
[49] StA Ffm., Akten des Magistrats R 1130/VIII, Bl. 42; KP, Nr. 270, 17.11.1900, 2. Bl.
[50] StA Ffm., Akten des Magistrats R 1130/IX, Bl. 5.
[51] KP, Nr. 270, 17.11.1900, 2. Bl.

teien ging, dann spielten Äußerungen und Programm des Gegenkandidaten nur eine geringe Rolle. Insofern bedeutet die Wahl HETTLERS nicht unbedingt eine Zustimmung der Wähler zu seinem Konzept und sie war kein Indikator für eine wachsende antisemitische Neigung unter der Frankfurter Bevölkerung. Aber sie war ein Hinweis auf die wachsende Bereitschaft, antisemitische Parolen in Kauf zu nehmen. Zumindest eine bestimmte Wählerschicht, vor allem mittelständisch orientierte Wähler, nahmen an dem Antisemitismus keinen Anstoß, sondern sah ihn als unbedeutend, als Antisemitismus „harmlosen Typs" an. Dies wies über die Wahl von 1900 hinaus. 1904 konnte man schon weiter gehen und einen Antisemiten weniger harmlosen Rufs erfolgreich aufstellen, nämlich HERMANN LAASS, den Besitzer des „Kölner Hofs".

Der Deutsche Verein jedenfalls, der sich vor der Wahl zurückgehalten und keine Werbung für HETTLER betrieben hatte, feierte den Sieg HETTLERS, „unser(es) Parteigenossen", als seinen eigenen: *„Endlich haben die Stadtverordneten-Wahlen in Frankfurt einmal den Beweis erbracht, daß man die Herrschaft der jüdisch-demokratisch-freisinnigen Mehrheit im Römer als eine Tyrannei erkannt hat, und daß die Bürgerschaft bestrebt ist, ihrer Fesseln sich zu entledigen . . . Ganz besonders erfreulich ist die Thatsache, daß zum ersten Mal ein Antisemit, sogar ein 'bekannter Antisemit', wie sich die löbl. 'Frkft. Ztg.' ausdrückt, unser alter Freund Hettler nämlich, mit erdrückender Mehrheit gewählt wurde. Mit ihm zieht ein furchtloser Parteigenosse in die Rathsstube, der erste Hecht im Karpfenteich! Wir sind von dem nunmehr 70jährigen Manne mit dem Herzen eines Jünglings überzeugt, daß er sein Banner hochhalten und getreulich das halten wird, was er versprochen hat. Der Segen seiner Vaterstadt begleitet ihn zu seinem Werke."*[52]

Der Deutsche Verein selbst hatte bei diesen Stadtverordnetenwahlen keine eigenen Kandidaten aufgestellt, nachdem er bei den Wahlen von 1896 und 1898 keinen Bewerber im Stadtparlament hatte plazieren können. Der Wahlsieg HETTLERS jedoch gab ihm wieder neue Hoffnung. Für die Zukunft versprach er sich von diesem Ergebnis das Beste: *„Schon ist eine gewaltige Bresche in das moderne Zion geschossen, warten wir noch zwei Jahre und hoffen, daß dann vollendet wird, was heuer begonnen wurde, auf daß die Bezeichnung Neu-Jerusalem Lüge gestraft wird und das alte, ehrsame Frankfurt a. M. wieder zu seinem Rechte kommt."*[53]

13.2.2. Die Wahl von Hermann Laaß 1904 — Der Deutsche Verein und die Vereinigung für kommunale Wahlen

Der Besitzer des „judenfreien" Hotels „Kölner Hof", HERMANN LAASS, wurde im Jahre 1904 mit Unterstützung der Vereinigung für kommunale Wahlen im 4. Bezirk (südwestliche Innenstadt, Bahnhofsviertel) in die Stadtverordnetenversammlung gewählt.

[52] Deutsche Volkswacht, 7. Jg., Nr. 93, 1.12.1900; ähnlich auch Deutsch-Soziale Blätter, Beil., 15. Jg., Nr. 642, 6.12.1900, S. 586.
[53] Deutsche Volkswacht, 7. Jg., Nr. 93, 1.12.1900.

Bereits bei der vorangegangenen Wahl hatte er in diesem Bezirk kandidiert und über 20% der abgegebenen Stimmen erhalten.

Nachdem der Wahlsieg von JOHANN HEINRICH HETTLER im Jahre 1900 gezeigt hatte, daß ein erfolgreiches Abschneiden eines Antisemiten möglich war, stellte der Deutsche Verein im 4. Bezirk mit dem Telegraphenassistenten HERMANN BORNEMANN und dem Gastwirt HERMANN LAASS eigene Kandidaten auf.[54]

Im ersten Wahlgang entfielen auf HERMANN LAASS von 1600 abgegebenen Stimmen 386 und auf HERMANN BORNEMANN 169 Stimmen.[55] Dieses unterschiedliche Ergebnis für die beiden Kandidaten des Deutschen Vereins erklärt sich daraus, daß HERMANN LAASS, nicht aber BORNEMANN von der Freien Vereinigung der Hausbesitzer und Mieter unterstützt wurde, die HETTLER 1900 gegründet hatte. Die Namen von LAASS und BORNEMANN standen zusammen nur auf dem Stimmzettel des Deutschen Vereins, der von 169 Wählern in die Wahlurne gelegt worden war. Die 217 Stimmen, die HERMANN LAASS mehr als BORNEMANN erreichte, kamen von solchen Wählern, die für die Kandidaten der Freien Vereinigung votiert hatten.[56]

Auch das Ergebnis von HERMANN LAASS genügte nicht, um in die Stichwahl zu kommen,[57] und beide Kandidaten des Deutschen Vereins schieden nach dem ersten Wahlgang aus. Gewählt wurden in der Stichwahl ein Nationalliberaler und ein Zentrumsmann. Bereits dieses Ergebnis deutet eine beginnende Unzufriedenheit der Wähler des vierten Bezirks mit ihren langjährigen Vertretern an; denn seit den 90er Jahren galt dieser Bezirk als Hochburg der Nationalliberalen.[58] Zwei Jahre später, 1904, sollten die Nationalliberalen keinen einzigen Kandidaten mehr im Bahnhofsviertel durchbringen.

Bei früheren Wahlen hatten Antisemiten im Bahnhofsviertel keine Stimmen erhalten. Was könnte den Meinungsumschwung einer breiteren Wählerschicht ausgelöst haben? Und was könnte den Deutschen Verein 1902 veranlaßt haben, eigene Kandidaten aufzustellen? Der Wahlkampf des Deutschen Vereins zeigt, womit er sich Resonanz erhoffte. Der Deutsche Verein warb vor der Wahl mit einem Flugblatt für seine Kandidaten: mit LAASS und BORNEMANN würden Vertreter der Bürgerschaft in die Stadtverordnetenversammlung einziehen, *„die sich nicht scheuen, ein offenes Wort am richtigen Platz zu sagen und deren ganzes Leben und Verhalten die Gewähr bietet, daß sie die Herrscher-, Durchbruchs- und Steuerpläne eines leider wieder auf zwölf Jahre gewählten Oberbürgermeisters nicht mitmachen.“*[59] Vor allem gegen Oberbürgermei-

[54] KP, Nr. 261, 6.11.1902.

[55] StA Ffm., Akten des Magistrats R 1130/VIII, Bl. 103; Deutsche Volkswacht, 9. Jg., Nr. 90, 15.11.1902; KP, Nr. 283, 3.12.1902.

[56] KP, Nr. 268, 14.11.1902.

[57] Die Behauptung der „Deutschen Volkswacht“, daß HERMANN LAASS, um in die Stichwahl zu kommen, „nur 50 Stimmen fehlten“, ist falsch. Das war aber wohl nicht nur ein Druckfehler, sondern sollte das Ergebnis aufwerten. Tatsächlich fehlten LAASS noch 150 Stimmen, s. Deutsche Volkswacht, 9. Jg., Nr. 90, 15.11.1902.

[58] StA Ffm., Akten des Magistrats R 1130/IX, Bl. 5; KP, Nr. 283, 3.12.1902 und Nr. 285, 5.12.1902.

[59] Zitiert nach KP, Nr. 261, 6.11.1902.

ster FRANZ ADICKES richtete sich die Agitation des antisemitischen Vereins. Ihm wurde vorgeworfen, gegen die Interessen der Bürgerschaft seine Vorstellungen durchzusetzen. Oberbürgermeister ADICKES befürwortete die Modernisierung der Stadt, was sich um die Jahrhundertwende besonders in städtebaulicher Hinsicht bemerkbar machte. Für die Anlage neuer Straßen wurden seit den 90er Jahren im alten Stadtkern zahlreiche Häuser abgerissen. Weitere umfangreiche Straßendurchbrüche standen 1902 kurz vor der Realisierung.[60] Die Antisemiten hatten sich schon vor der Wahl in ihren Zeitungen als Gegner dieser Projekte zu erkennen gegeben. Bereits zu Anfang des Jahres 1902 wurde ADICKES wegen dieser Pläne als der an „Durchbruchsmanie" leidende Oberbürgermeister charakterisiert.[61] Auch das Wahlflugblatt des Deutschen Vereins nahm mit dem Hinweis, daß seine Kandidaten den „Durchbruchspläne(n)" nicht zustimmen würden, darauf Bezug.

Bei vielen, insbesondere mittelständischen Kreisen, die mit der allgemeinen Modernisierung nicht Schritt halten konnten, mögen diese Eingriffe in das historische Stadtbild auf Widerstand gestoßen sein und zu einer Unzufriedenheit mit der städtischen Verwaltung geführt haben. Seit Anfang des 20. Jahrhunderts begann sich diese Opposition gegen Magistrat und Stadtverwaltung zu artikulieren. Die Wahl solcher Kandidaten für die Stadtverordnetenversammlung, die nicht den etablierten Parteien angehörten, war ein Moment dieser Kritik. Denn nicht nur im 4. Bezirk, auch in Bornheim erhielt erstmals ein antisemitischer Kandidat mit Unterstützung der Handwerkerpartei eine größere Anzahl Stimmen: der Ingenieur GEORG KÄMMER erzielte 299 Stimmen.[62] GEORG KÄMMER schied zwar schon im ersten Wahlgang aus, aber auch dieses Beispiel zeigt, daß antisemitische Kandidaturen aussichtsreicher geworden waren als vor vier oder sechs Jahren.

Die Wahl von 1902 bedeutete dennoch insgesamt einen Sieg für die die Mehrheit der Stadtverordneten stellenden bürgerlichen Linken, aber sie wurden zunehmend von den Sozialdemokraten und auf der rechten Seite von den konservativen mittelständischen Interessengruppen bedrängt. Symptomatisch dafür war, daß bei der Wahl 1902 in besonders vielen Bezirken die Entscheidung erst in der Stichwahl fiel.[63] Für die antisemitische „Deutsche Volkswacht" hatte dementsprechend die Wahl von 1902 Signalwirkung: „Man sieht, daß auch in Neujerusalem am Main ein anderer Wind zu wehen beginnt, und die Bürgerschaft nicht mehr gewillt ist, sich in das Löb Sonnemann'sche Judenjoch einspannen zu lassen."[64] Der Erfolg für den Deutschen Verein sollte aber erst kommen, als seine Kandidaten 1904 mit mittelständischen Verbänden auf einer gemeinsamen Wahlliste standen.

[60] O. SCHILLING, Innere Stadterweiterung, S. 104-125.
[61] Deutsche Volkswacht, 9. Jg., Nr. 3, 8.1.1902.
[62] Ebd., Nr. 90, 15.11.1902.
[63] KP, Nr. 268, 14.11.1902. Von 11 Wahlbezirken konnten nur in dreien die Stadtverordneten bereits in der Hauptwahl gewählt werden, darunter waren zwei neueingemeindete Gebiete mit nur einem Delegierten, s. StA Ffm., Akten des Magistrats R 1130/VIII, Bl. 100-103. Vgl. dagegen etwa das Ergebnis von 1896, wo nur in drei von acht Bezirken Stichwahlen nötig waren, s. KP, Nr. 269, 14.11.1896.
[64] Deutsche Volkswacht, 9. Jg., Nr. 90, 15.11.1902.

Die Beweggründe des an sich schwachen Deutschen Vereins, ein Bündnis einzugehen, lassen sich aus seinen Erfahrungen mit den vorangegangenen Wahlen ableiten. Die Wahl HETTLERS 1900 dürfte dem Deutschen Verein gezeigt haben, daß er nur dann auf einen Sieg rechnen konnte, wenn er sich mit anderen verbündete und seinen Antisemitismus zugunsten mittelständischer Reformforderungen zurückstellte. Als Teil einer mittelständischen Bewegung waren die Chancen des Deutschen Vereins höher denn als antisemitischer Verein allein. Er jedenfalls konnte durch ein Bündnis auf keinen Fall verlieren.

Anders sieht dies mit seinen Koalitionspartnern aus. Diese nahmen vermutlich ebenfalls an, daß ein antisemitischer Kandidat auf ihrem Wahlzettel Stimmen einbringe und keine potentiellen Wähler abschrecke. Wie das Ergebnis zeigen sollte, konnten sie darüber beruhigt sein.

Welche Gruppen waren es, die sich 1904 zu einem Bündnis zusammenschlossen, das sich „Vereinigung für kommunale Wahlen“ nannte? Die Vereinigung für kommunale Wahlen bestand in ihrem Kern aus drei Vereinen, denen noch einige kleinere Interessenverbände angehörten. Hauptträger waren die Frankfurter Mittelstandsvereinigung, die Freie evangelische Volksvereinigung und das Zentralkomitee der Frankfurter Katholiken.[65]

Unter der Bezeichnung „Zentralkomitee der Frankfurter Katholiken“ trat bei der Wahl 1904 die Zentrumspartei auf. Diese in Frankfurt schwache Partei fand sich mit einem weiteren christlich orientierten Verband zusammen, der Freien evangelischen Volksvereinigung. Die Freie evangelische Volksvereinigung war eine neu gegründete Verbindung orthodoxer Protestanten. Im Frühjahr 1904 war sie erstmals öffentlich hervorgetreten.[66] Soweit es im Wahlkampf deutlich wurde, wollte die Vereinigung dem protestantischen Glauben in Frankfurt eine breitere, institutionell verankerte Basis schaffen. Aus diesem Grund etwa wünschte sie die Wiedereinführung von Konfessionsschulen in Frankfurt.[67]

Die dritte Gruppe, die Frankfurter Mittelstandsvereinigung, war ebenfalls eine Neugründung des Jahres 1904.[68] Zweck des Verbandes war „die Wahrnehmung der Berufs- und Standesinteressen des deutschen Mittelstandes, vornehmlich bei den politischen und Gemeindewahlen, sei es innerhalb der bestehenden Parteien, sei es erforderlichenfalls neben diesen.“[69] Als politisch ausgerichtete Standesorganisation unterstützte sie bei Wahlen mittelstandsfreundliche Kandidaten anderer Parteien bzw. nominierte eigene Kandidaten.

[65] Frankfurter Neueste Nachrichten vom 4.11.1904, in: StA Ffm., Akten des Magistrats R 1130/IX, Bl. 82a; KP, Nr. 262, 6.11.1904, 5. Bl., und Nr. 269, 15.11.1904.

[66] Frankfurter Zeitung, Nr. 306, 3.11.1904.

[67] Siehe das Flugblatt der Freien evangelischen Volksvereinigung „Nach der Wahl“, in: StA Ffm., Akten des Magistrats R 1130/IX, Bl. 80.

[68] HStaA Wiesbaden, Best. 405, Nr. 3761, Bl. 13. Zur politischen Zielsetzung der Mittelstandsbewegung und ihrem Verhältnis zum Antisemitismus s. Kap. 12.

[69] § 1 der Satzung der Deutschen Mittelstandsvereinigung, in: HStaA Wiesbaden, Best. 405, Nr. 3761, Bl. 8-10, bes. Bl. 9.

Auch die anderen Gruppierungen, die sich in der Vereinigung für kommunale Wahlen zusammengeschlossen hatten, waren mittelständische Organisationen. Überwiegend handelte es sich dabei um Berufsverbände. Diese scheinen zum Teil nur sehr kleine Vereine gewesen zu sein, die nur in einzelnen Stadtteilen eine Rolle gespielt haben dürften. Es handelte sich dabei um die Gastwirteinnung, den Zentralverband der gewerblichen Genossenschaften, außerdem um die bereits bei vorangegangenen Wahlen erwähnte Handwerkerpartei, die in Innungsausschuß, Vereinigte gewerbliche Korporationen und Handwerkerverein aufgeteilt war. Außer diesen Standesorganisationen gehörte auch noch die im Jahre 1900 von HETTLER gegründete Freie Vereinigung von Hausbesitzern und Mietern der Koalition an.[70]

Obwohl ein Abkommen mit dem Deutschen Verein bestand und die Vereinigung für kommunale Wahlen auf ihrer Kandidatenliste zwei Antisemiten führte, wurde der Deutsche Verein in offiziellen Verlautbarungen des Bündnisses nicht erwähnt. Dies geschah allein aus wahltaktischen Gründen. Die „Frankfurter Zeitung" kritisierte die Vereinigung für kommunale Wahlen wegen dieses Wahlmanövers: Sie treibe antisemitische Politik, scheue sich aber, „offen und ehrlich die Allianz mit den Antisemiten, mit dem Deutschen Verein, einzugestehen".[71] Nicht der Deutsche Verein war es, der sich nicht zu dem Bündnis bekannte, sondern die übrigen Gruppen wollten nicht zu eng mit ihm und seinem Antisemitismus in Verbindung gebracht werden. Offenbar war man sich in den Reihen der Vereinigung für kommunale Wahlen darüber im klaren, daß ein allzu offenes Bekenntnis zum Antisemitismus ihren Wahlaussichten abträglich sein könnte. Vielleicht waren auch die Positionen innerhalb des Wahlbündnisses in dieser Frage zu unterschiedlich, als daß eine eindeutige Aussage möglich gewesen wäre. Jedenfalls versuchte man mit der Nominierung von zwei Juden ein Gegengewicht zu den antisemitischen Kandidaten zu schaffen. Einer der beiden vorgeschlagenen Kandidaten verzichtete aber, nachdem er von der Aufstellung LAASS' gehört hatte, auf seine Aufnahme in die Wahlliste der Vereinigung.[72] Dieses Lavieren der mittelständischen Vereine zeigt, wie gespalten ihr Verhältnis zum Antisemitismus war. Auf der einen Seite erhofften sie sich damit wenigstens in zwei Bezirken Stimmen, auf der anderen Seite mußten sie befürchten, daß sie das Stimmen kosten könnte.

Bei der Bekanntgabe der Kandidaten wurde deshalb die Nominierung von LAASS eigens begründet, während auf die von GEORG KÄMMER nicht eingegangen wurde. Dies konnte wohl schon deshalb unterbleiben, weil seine Wahlaussichten im 6. Bezirk im Unterschied zu denen von LAASS gering waren.[73]

[70] Zur Zusammensetzung der Vereinigung für kommunale Wahlen s. KP, Nr. 260, 5.11.1904; Nr. 269, 15.11.1904; Frankfurter Zeitung, Nr. 306, 3.11.1904; Nr. 307, 4.11.1904; Nr. 309, 6.11.1904; Frankfurter Neueste Nachrichten vom 4.11.1904, in: StA Ffm., Akten des Magistrats R 1130/IX, Bl. 82a.

[71] Frankfurter Zeitung, Nr. 311, 8.11.1904, Abendbl.; ähnlich auch KP, Nr. 268, 13.11.1904, Bl. 5.

[72] Frankfurter Zeitung, Nr. 306, 3.11.1904; Nr. 307, 4.11.1904; Neueste Nachrichten vom 4.11.1904, in: StA Ffm., Akten des Magistrats R 1130/IX, Bl. 82a.

[73] Obwohl auch KÄMMER sich öffentlich als Antisemit bezeichnete, s. KP, Nr. 263, 8.11.1904, erwähnen die Frankfurter Lokalzeitungen in ihrer Kritik der antisemitischen Tendenzen der Vereinigung nur selten

Im Namen der Mittelstandsvereinigung und des Innungsausschusses erläuterte der Tapezierermeister OHLENSCHLAGER die Aufstellung von HERMANN LAASS: Die Vereinigung wolle damit keinen Antisemitismus treiben, aber die 4500 Stimmen, die HERMANN LAASS bei der Reichstagswahl 1903 erhalten hatte,[74] müßten ebenso berücksichtigt werden wie das Unrecht, das ihm mit der Entziehung der Konzession durch den Magistrat zugefügt worden war. Außerdem habe man auch Juden in die Liste aufgenommen, weshalb der Vorwurf des Antisemitismus ungerechtfertigt sei: „so gut wir Semiten aufstellen, so gut auch Antisemiten."[75]

LAASS' Aufstellung scheint von mehreren Gruppen innerhalb der Vereinigung für kommunale Wahlen betrieben worden zu sein. Er war nicht nur Mitglied des Deutschen Vereins, sondern auch der Freien evangelischen Volksvereinigung, die ihn ebenfalls als ihren Kandidaten ansah.[76] Seine Aufstellung traf in der Vereinigung für kommunale Wahlen auf breite Zustimmung, wie die Reaktion nach der Nennung seines Namens bei der Bekanntgabe der Kandidaten zeigt: Stürmischen Beifall soll es gegeben haben, während sich die Versammlung die Aufzählung der übrigen Kandidaten ohne derartige Kundgebungen anhörte.[77]

Was waren die politischen Gemeinsamkeiten, unter denen sich diese mittelständischen Vereine zu einem Bündnis zusammenfanden? Welche kommunalpolitischen Themen sprach die Vereinigung für kommunale Wahlen in ihrem Wahlkampf an?

Eine wichtige Forderung war die der Wiedereinführung von Konfessionsschulen.[78] Der Widerstand gegen die in Frankfurt seit den 70er Jahren allgemein bestehenden Simultanschulen hielt besonders die ansonsten kontroverse Freie evangelische Volksvereinigung und das Wahlkomitee der Frankfurter Katholiken zusammen. Die Errichtung von Konfessionsschulen wurde für notwendig angesehen, da ihrer Meinung nach die Auswirkung des Frankfurter Simultanschulsystems bereits deutlich genug an der Abkehr breiter Bevölkerungsschichten vom christlichen Glauben festzustellen sei.[79]

Der Ruf nach Konfessionsschulen war nicht die einzige Forderung, die von der Vereinigung für kommunale Wahlen im Wahlkampf geltend gemacht wurde. Besonders die mittelständischen Interessenverbände scheinen diesen Wunsch nur mitgetragen zu haben, denn sie führten ihn in ihren eigenen Wahlkundgebungen lediglich am Rande an. Ihre Zielsetzungen waren meist allgemeiner gehalten und resultierten aus einer grundsätzlichen Opposition gegen die Politik des Magistrats.

GEORG KÄMMER, während sie die Kandidatur von LAASS regelmäßig als Beispiel anführen. Dieser war durch sein Hotel und den Rechtsstreit mit dem Magistrat als Antisemit zu einer Symbolfigur geworden, s. Frankfurter Zeitung, Nr. 307, 4.11.1904; Nr. 311, 8.11.1904, Abendblatt; KP, Nr. 261, 5.11.1904; Nr. 279, 27.11.1904.

74 Siehe Kap. 9.2.
75 Frankfurter Zeitung, Nr. 307, 4.11.1904.
76 StA Ffm., Akten des Magistrats R 1130/IX, Bl. 80.
77 Frankfurter Zeitung, Nr. 307, 4.11.1904.
78 Ebd., Nr. 306, 3.11.1904 und Nr. 307, 4.11.1904; KP, Nr. 269, 15.11.1904.
79 StA Ffm., Akten des Magistrats R 1130/IX, Bl. 80.

Auch 1904 standen dabei wieder dieselben Ansichten im Vordergrund, wie sie seit Mitte der 90er Jahre von mittelständischen Gruppierungen vertreten wurden. Die in den „Frankfurter Neueste Nachrichten“ paraphrasiert wiedergegebene Rede WILHELM OHLENSCHLAGERS anläßlich der Bekanntgabe der Kandidaten verdeutlicht die Position der Mittelstandsbewegung: „Politik gehöre nicht ins Rathaus. Bei den Stadtverordnetenwahlen hatten alle politischen Gesichtspunkte auszuscheiden und nur die wirtschaftlichen Momente und Fragen in den Vordergrund zu treten.“[80] Dies war beinahe wörtlich identisch mit dem Wahlaufruf der Freien Vereinigung von Hausbesitzern und Mietern im Jahre 1900,[81] in deren Vorstand OHLENSCHLAGER auch tätig war[82] und die sich 1904 dem Wahlbündnis angeschlossen hatte. Aber diese Übereinstimmungen resultierten nicht nur aus der engen Zusammenarbeit, sondern waren Ausdruck ihrer gemeinsamen politischen Ideologie, die eine Verbindung erst ermöglichte. Man verfocht eine angeblich nur an Sachfragen orientierte Politik, die frei von parteipolitischen Wertungen sein sollte.

Von den politischen Gegnern griff WILHELM OHLENSCHLAGER in seiner Wahlrede besonders die Nationalliberalen an. Dies ist umso bemerkenswerter, als Handwerkerpartei und Mittelstandsvereine bei den Stadtverordnetenwahlen bislang die Kandidaten der Nationalliberalen unterstützten, sofern sie keine eigenen aufgestellt hatten. Noch bei der letzten Wahl gab es ein Wahlbündnis zwischen Handwerkerpartei, Nationalliberalen und Zentrum.[83] OHLENSCHLAGER warf den Nationalliberalen vor, durch ihre Absicht, diesmal mit den Demokraten zu paktieren, den Mittelstand verraten zu haben. In der Tat hatten bei der Wahl 1904 Demokraten und Nationalliberale ursprünglich vorgehabt, eine gemeinsame Kandidatenliste zu erstellen.[84] Dies scheiterte zwar, war aber offenbar der Anlaß für die Koalition mittelständischer Vereine. Der Mittelstand sah bisher seine Interessen von den Nationalliberalen in ausreichender Form vertreten. Als sich diese aber den Demokraten zuwandten, war eine weitere Unterstützung dieser Partei für ihn nicht mehr möglich. Da aber auch keine andere Partei in Frankfurt — abgesehen von dem schwachen und religiös gebundenen Zentrum — in Frage kam, besannen sich die Mittelstandsorganisationen auf sich selbst und nominierten eigene Kandidaten.

Was aber waren die von OHLENSCHLAGER angesprochenen „wirtschaftlichen Momente und Fragen“, die bei der Wahl den Ausschlag geben sollten? WILHELM OHLENSCHLAGER scheint dies nicht ausgeführt zu haben. Konkreter äußerte sich dazu die Mittelstandsvereinigung in einem Zeitungsartikel. Die „Frankfurter Neuesten Nachrichten“ druckten unter dem Titel „Der Sturm auf das Rathaus“ Stellungnahmen der verschiedenen zur Wahl stehenden Gruppen ab, darunter auch eine der Mit-

80 Frankfurter Neueste Nachrichten vom 4.11.1904, in: StA Ffm., Akten des Magistrats R 1130/IX, Bl. 82a.
81 Vgl. Kap. 13.2.1.
82 KP, Nr. 269, 15.11.1904.
83 KP, Nr. 252, 26.10.1902.
84 Frankfurter Zeitung, Nr. 314, 11.11.1904.

telstandsvereinigung. Deren Hauptforderung lautete: Sparen. Alle unnötigen Ausgaben sollten vermieden werden, wobei unter 'unnötigen Ausgaben' Projekte wie Anlage neuer Straßen, Bau der Festhalle u.ä.m. verstanden wurden, die nicht unmittelbar der Wirtschaftskraft des selbständigen Mittelstandes zugute zu kommen versprachen. Dem Magistrat und der Mehrheit der Stadtverordnetenversammlung warf die Mittelstandsvereinigung einen vollständigen „Mangel an Sparsamkeitssinn" vor. Ihrer Meinung nach sollte in der Kommunalpolitik der nächsten Jahre folgendes beachtet werden:„Mit der Anlage neuer Straßenzüge ist nur nach Erfordernis, im Innern der Stadt für die nächsten Jahre überhaupt nicht, vorzugehen. Überhaupt soll darauf hingearbeitet werden, daß sich die Stadtkasse erst wieder erholt, wie das unter Oberbürgermeister Miquel der Fall war." Hier artikulierte sich erneut das mittelständische Ideal eines ausgeglichenen Verhältnisses zwischen städtischen Einnahmen und Ausgaben. Aus diesem Blickwinkel wurden dann die „neuen Millionenpläne" des Oberbürgermeisters kritisiert. Hinzu kam noch die Erbitterung über die neuen Steuererhöhungen, die von den Stadtverordneten gebilligt worden waren.[85]

Diese Kritik der Vereinigung für kommunale Wahlen entsprach weitgehend dem, wogegen sich der Deutsche Verein wandte. Der Deutsche Verein hatte bereits im Oktober 1904 anläßlich einer Veranstaltung mit dem Reichstagsabgeordneten Friedrich Raab begonnen, die Stadtverordnetenwahlen vorzubereiten, ohne dabei aber die Aufstellung eigener Kandidaten zu thematisieren. Der Redner entwickelte im Hinblick auf die Frankfurter Situation die politischen Zielsetzungen der Deutschsozialen Partei, die gemäß dem Vortragstitel „Die Forderungen des Mittelstandes bei den Stadtverordnetenwahlen" die Interessen des Mittelstandes vertreten sollten. Außer der Erweiterung des Wahlrechts wünschte er Maßnahmen zur Stärkung des Handwerks. Als einzige konkrete wirtschaftspolitische Forderung erwähnte Raab die Einführung der Umsatzsteuer für Warenhäuser.[86]

Der Deutsche Verein selbst hatte sich schon in der Oktobernummer der „Frankfurter Post" zur bevorstehenden Stadtverordnetenwahl geäußert, ließ es dabei aber offen, ob er sich daran beteiligen werde.[87] Die „Frankfurter Post" zählte nur einige Themen auf, auf die man im Wahlkampf das Schwergewicht legen sollte und die konkreter als bei Friedrich Raab auf Frankfurt bezogen waren. Der Streit um Konfessions- oder Simultanschulen wurde als eine Ablenkungsstrategie der Gegner angesehen, die damit weit wichtigere Fragen ausklammern wollten. Auch Friedrich Raab sollte dies 14 Tage später wiederholen. In seinem Vortrag charakterisierte er die Debatte um das Schulwesen als „Popanz der Schulfrage".[88] Das hinderte aber den Kandidaten des Deutschen Vereins nicht, nach seiner Nominierung eine der Position

[85] Frankfurter Neueste Nachrichten, Nr. 257 vom 1.11.1904, in: StA Ffm., Akten des Magistrats R 1130/IX, Bl. 82a. Die „Frankfurter Neuesten Nachrichten" standen den Bestrebungen der Mittelstandsvereinigung nahe und spiegelten auch in ihren eigenen Artikeln deren Kritik an der Stadtverwaltung wider.
[86] KP, Nr. 244, 16.10.1904, 4. Bl.
[87] Frankfurter Post, 9. Jg., Nr. 10, 1.10.1904.
[88] KP, Nr. 244, 16.10.1904, 3. Bl.

der Vereinigung für kommunale Wahlen entsprechende Erklärung abzugeben. HERMANN LAASS gab sich als Gegner der Simultanschulen zu erkennen, denn er wollte nicht, daß „christliche Kinder von jüdischen Lehrern unterrichtet werden".[89]

Ebenso wie die Mittelstandsvereinigung forderte auch der Deutsche Verein strikte Sparmaßnahmen und den Verzicht auf neue städtische Unternehmungen, die den Stadthaushalt belasteten. Zu diesen Projekten, die es durch eine mittelständische Opposition innerhalb der Stadtverordnetenversammlung zu verhindern galt, zählte der Deutsche Verein die „Friedhofs-Erweiterung, Akademie etc.etc., die wieder viele Millionen verschlinge."[90] Seine Anhänger rief er zur Wahl der Kandidaten der Mittelstandsgruppen auf, die allein fähig seien, sich gegen diese Pläne zu wehren. Über die Aufstellung eigener Kandidaten äußerte sich der Deutsche Verein in diesem Artikel nicht. Er sah seine Aufgabe vielmehr darin, die Wähler im bevorstehenden Wahlkampf über die Gefahr, die ihnen von den Verbündeten liberalen und sozialdemokratischen Parteien drohe, aufzuklären.

Noch Anfang November wurde in einem Artikel der „Frankfurter Post", der nur als Wiederabdruck der „Deutschen Volkswacht" vorhanden ist,[91] die Wahl der Kandidaten der Mittelstandsvereinigung und der ihr angeschlossenen Verbände befürwortet, aber nichts über die Aufstellung eigener Kandidaten innerhalb des Bündnisses geschrieben.

Ob diese Zurückhaltung bereits aus wahltaktischen Überlegungen erfolgte oder ob zu diesem Zeitpunkt die Vereinbarung mit der Vereinigung für kommunale Wahlen noch nicht abgeschlossen war, muß mangels Quellen offen bleiben. Auf jeden Fall wurden in der Versammlung am 3. November für die am 9. November stattfindende Stadtverordnetenwahl die bereits erwähnten zwei Mitglieder des Deutschen Vereins als Kandidaten aufgestellt. Im 4. Bezirk (Bahnhofsgegend) stand der Hotelier HERMANN LAASS zur Wahl und im 6. Bezirk (Nordend) der Ingenieur GEORG KÄMMER. Im 4. Bezirk stellte die Vereinigung für kommunale Wahlen insgesamt vier Kandidaten auf. Außer dem Antisemiten LAASS, der sich auch der Freien evangelischen Volksvereinigung verpflichtet fühlte, waren dies zwei weitere Mitglieder der Freien evangelischen Volksvereinigung, Prof. ERNST TROMMERSHAUSEN und J. REICHERT, sowie für das Zentrum, der Buchdrucker GERHARD HEIL.[92] Im 6. Bezirk kandidierten für die Handwerkerpartei der Antisemit KÄMMER, für die Freie evangelische Volksvereinigung Herr VOLK und für das Zentrum der Weißbinder VOLL.[93]

In beiden Bezirken konnte keiner der aufgestellten Kandidaten im ersten Wahlgang die erforderliche Stimmenzahl auf sich vereinigen, so daß eine Stichwahl nötig wurde.

89 KP, Nr. 263, 8.11.1904.
90 Frankfurter Post, 9. Jg., Nr. 10, 1.10.1904.
91 Deutsche Volkswacht, 11. Jg., Nr. 85, 2.11.1904.
92 Frankfurter Neueste Nachrichten vom 4.11.1904 und vom 10.11.1904, in: StA Ffm., Akten des Magistrats R 1130/IX, Bl. 82a, s. auch das Flugblatt „Nach der Wahl", ebd., Bl. 80.
93 Frankfurter Zeitung, Nr. 311, 8.11.1904, Abendblatt; StA Ffm., Akten des Magistrats R 1130/IX, Bl. 80; Frankfurter Neueste Nachrichten, Nr. 265, 10.11.1904, in: ebd., Bl. 82; KP, Nr. 263, 8.11.1904.

Aber bereits jetzt zeigte sich, daß die Wahlaussichten für die Vereinigung für kommunale Wahlen im 4. Bezirk erfolgversprechend waren. Ihre Kandidaten hatten mit Abstand die meisten Stimmen erhalten. HERMANN LAASS erzielte sogar das beste Wahlresultat, mit dem er nur knapp die benötigte Mehrheit für den Einzug in die Stadtverordnetenversammlung verfehlte. Von den 1738 abgegebenen Stimmen erreichte LAASS 866 Stimmen, die drei anderen Kandidaten der Vereinigung für kommunale Wahlen folgten mit 849 Stimmen für REICHERT, 826 für HEIL und 715 für Prof. TROMMERSHAUSEN. Weit abgeschlagen erhielt der Kandidat der nationalliberalen Partei nur 469 Stimmen und die Sozialdemokraten etwas über 400 Stimmen.[94]

Im 6. Bezirk sah es weniger gut für die Vereinigung für kommunale Wahlen aus. Von ihren drei Kandidaten erreichte GEORG KÄMMER 774 Stimmen, 765 VOLL und 762 das Mitglied der Freien evangelischen Volksvereinigung VOLK. Dagegen erhielten die Demokraten HELFF und FEHL 1020 bzw. 1021 Stimmen. Besser als die Kandidaten der Vereinigung schnitt auch der Nationalliberale mit 1011 Stimmen ab.[95] Trotzdem kamen sie damit noch in die Stichwahl.

Vor der am 29. November stattfindenden Stichwahl hielt die Vereinigung für kommunale Wahlen erneut eine Wahlversammlung ab. In dieser Veranstaltung wurde die Vereinigung mit antisemitischer Propaganda aus ihren eigenen Reihen konfrontiert, was sie bislang trotz der Nominierung von Antisemiten vermeiden konnte. HERMANN LAASS legte nun, nach seinem Erfolg im ersten Wahlgang, ein offenes Bekenntnis zum Antisemitismus ab und gab als Stichwahlparole die Aufforderung aus: „Gegen die Freisinn-Demokraten und Juden!" Der Vorsitzende rief LAASS wegen dieser Äußerung „zur Ordnung", ohne aber weitere antijüdische Stellungnahmen verhindern zu können. Das Mitglied des Deutschen Vereins und des DHV FRANZ HAX meldete sich daraufhin zu Wort und schloß sich HERMANN LAASS' Angriff gegen die Juden an.[96]

Hatte die Vereinigung für kommunale Wahlen bislang versucht, antisemitische Tendenzen zu unterbinden, mußten ihr jetzt, vor einem in greifbare Nähe gerückten Wahlsieg, diese Äußerungen umso problematischer erscheinen. Sie konnte nur versuchen, sie als überzogen hinzustellen und LAASS „zur Ordnung" zu rufen. Aber im Unterschied zum ersten Wahlgang waren antijüdische Proklamationen nun nicht mehr zu unterdrücken. Daß die bisherige Zurückhaltung aus rein taktischen Gründen erfolgte, zeigt auch die Vorbemerkung JOHANN HEINRICH HETTLERS zu seinem Wahlflugblatt zur Stichwahl. Bisher habe er sich an diesem Wahlkampf nicht beteiligt, um nicht als Antisemit den Erfolg der Mittelstandsbewegung zu gefährden.[97] Kein einziger Artikel zur Stadtverordnetenwahl findet sich vor der Wahl in seiner Zeitung

[94] Zum Wahlergebnis s. Frankfurter Neueste Nachrichten, Nr. 265, 10.11.1904, in: StA Ffm., Akten des Magistrats R 1130/IX, Bl. 82 und Bl. 55.
[95] Frankfurter Neueste Nachrichten, Nr. 265, 10.11.1904, in: StA Ffm., Akten des Magistrats R 1130/IX, Bl. 82 und Bl. 57.
[96] KP, Nr. 279, 27.11.1904, 5. Bl.
[97] Römerkatze vom 22.11.1904.

„Römerkatze", während er in dem Wahlkampf des Jahres 1902 schon frühzeitig Wahlaufrufe veröffentlichte.[98] Erst nach dem LAASS'schen Erfolg vom 9. November 1904 änderte sich dies. Dieses Verhalten HETTLERS korrespondiert mit dem von LAASS' und belegt erneut die obige These, daß die Mittelstandsvereinigung und die übrigen angeschlossenen Vereine zwar bereit waren, Mitglieder des Deutschen Vereins als Kandidaten zu nominieren, aber nur mit der Auflage, daß sie keine antisemitische Propaganda betrieben. Nach dem guten Abschneiden von HERMANN LAASS und auch dem von KÄMMER im 6. Bezirk — immerhin erhielt er von den dortigen Kandidaten der Vereinigung die meisten Stimmen — fühlten sich die Antisemiten offenbar nicht mehr an diese Vereinbarung gebunden. Nachdem er seine Zurückhaltung aufgegeben hatte, schlug JOHANN HEINRICH HETTLER in seinem Flugblatt zur Stichwahl deutlich antijüdische Töne an. Sich bei den Wählern des 4. Bezirks für ihre Stimmabgabe zu Gunsten von HERMANN LAASS bedankend, forderte er diese auf, auch bei der Stichwahl LAASS und die übrigen Kandidaten der Vereinigung für kommunale Wahlen zu wählen: *„Ihr habt dadurch aufs energischste erklärt, daß man zwar nicht Judenfresser zu sein braucht, jedoch daß auch Mannesstolze in Euch wohnt, welche diesen Heißspornen des Judenthums laut zuruft: Bis hierher und nicht weiter. Ehemalige Soldaten, Veteranen, Beamte, Euer Kaiser verlangt, daß Ihr in aufrechter Haltung und ungekrümmten Rückens zu ihm steht. Ihr habt recht, wenn Ihr Euch vor dem Juden nicht katzenbuckeln wollt und darum Laaß Eure Stimme gebt. Bismarck sagte einst: Wir Deutschen fürchten Gott und sonst nichts auf dieser Welt. Viele Frankfurter, zu denen Ihr nicht gehört, fürchten Gott nicht, aber sehr die Juden."*[99]

Das Ergebnis der Stichwahl entsprach der Stimmenverteilung in der Hauptwahl. Im 4. Bezirk schnitt die Vereinigung für kommunale Wahlen am besten ab. Alle vier aufgestellten Kandidaten wurden gewählt. HERMANN LAASS hatte mit 1373 von nunmehr 2094 abgegebenen Stimmen von allen Kandidaten im 4. Bezirk sogar die meisten Stimmen erhalten. Damit war er neben HETTLER der zweite Antisemit in der Stadtverordnetenversammlung, während der Ingenieur GEORG KÄMMER im 6. Bezirk in der Stichwahl unterlag.[100]

Insgesamt wurden von den Kandidaten der Vereinigung für kommunale Wahlen sieben in die Stadtverordnetenversammlung gewählt. Die Stimmengewinne der Vereinigung gingen vor allem zu Lasten der Nationalliberalen, die neun Sitze einbüßten, während die Demokraten und die Fortschrittspartei ihre Mandate behaupten konnten und die Sozialdemokraten zwei Sitze dazugewannen.[101] Daß die Wahlgewinne der Vereinigung auf Kosten der Nationalliberalen erzielt wurden, korrespondiert mit der

[98] Römerkater, Beil. zur Römerkatze, Nr. 15, 15.5.1902; Römerkatze, Nr. 20, 2.10.1902; Nr. 21, 18.10.1902; Nr. 22, 1.11.1902; Nr. 23, 1.12.1902.
[99] Römerkatze vom 22. November 1904.
[100] StA Ffm., Akten des Magistrats R 1130/IX, Bl. 87 = Anzeige-Blatt der städtischen Behörden zu Frankfurt am Main, Nr. 97, 1.12.1904; s. auch KP, Nr. 282, 1.12.1904, 2. Bl.; Deutsche Volkswacht, 11. Jg., Nr. 94, 3.12.1904.
[101] MdVAA, 14. Jg. 1904, Nr. 49, S. 390.

scharfen Kritik, die WILHELM OHLENSCHLAGER Anfang November an den Nationalliberalen übte. Er artikulierte damit einen vornehmlich unter den Angehörigen des Mittelstandes verbreiteten Unmut über die beabsichtigte Bündnispolitik der Nationalliberalen, die mit den bürgerlichen Linken zu koalieren bereit waren. Viele Wähler des Mittelstandes, die bislang für sie gestimmt hatten, votierten nun für die Kandidaten der Vereinigung.

Ihren Sieg feierte die Vereinigung für kommunale Wahlen mit einer Veranstaltung, in der ihre Kandidaten und „die Vorsitzenden der verschiedenen verbündeten Parteien" Ansprachen hielten.[102] Zu letzteren zählte der in der Frankfurter antisemitischen Bewegung, aber auch darüber hinaus bekannte Landtagsabgeordnete OTTO HIRSCHEL, „der als geborener Frankfurter sich des antisemitischen Sieges in seiner Vaterstadt erfreute".[103] Nach den vorliegenden Quellen scheint besonders die Wahl von HERMANN LAASS begeistert aufgenommen worden zu sein. Unter Heilrufen wurde er von seinen Anhängern durch den Saal getragen. Anschließend hielt HERMANN LAASS eine programmatische Rede, deren Inhalt nur mit allgemeinen Bemerkungen in den Zeitungen wiedergegeben wurde. Er versprach, nach bestem Vermögen die Interessen seiner Wähler und des 4. Bezirks in der Stadtverordnetenversammlung zu vertreten, „unbeirrt der Gunst von rechts oder links, ohne stete Hetzereien gegen die Juden, aber wenn nötig auch mit einem ernsten Wort gegen dieselben." Seine Ansprache schloß er mit dem Mahnruf: „Hinaus mit der Judenpresse aus jedem deutschen Hause!"[104]

Voller Freude über den Wahlsieg seines Vorsitzenden war der Deutsche Verein. Um dieses Ereignis bekannt zu machen, schickte er Telegramme an antisemitische Parteiführer in Wien, Berlin und in Dresden.[105] Der Verein führte dieses Wahlergebnis vornehmlich auf seine Werbearbeit für LAASS zurück. Agitiert hatte der Deutsche Verein ausschließlich im 4. Bezirk, und wenn das Resultat in diesem Stadtteil für die Vereinigung so ausgezeichnet war, „so darf dieser Erfolg lediglich auf die Tätigkeit des Deutschen Vereins zurückgeführt werden".[106]

Und auch JOHANN HEINRICH HETTLER begründete das gute Abschneiden der Kandidaten der Vereinigung für kommunale Wahlen mit der Werbetätigkeit des Deutschen Vereins und mit ihrem eindeutigen Bekenntnis zum Antisemitismus: Die Mittelstandsvereinigung wollte keinen Antisemitismus aufkommen lassen. Aber das sei ein Fehler gewesen, denn an ihrem Erfolg sei nach Meinung HETTLERS allein der Antisemitismus schuld. „In allen Versammlungen war der deutsche Verein, der an die deutschsoziale Reformpartei angeschlossen ist, die treibende Kraft, und den größten Erfolg ohne Kompromis haben die Antisemiten gehabt. Ein bischen (!) Antisemit muß ein

[102] Deutsche Volkswacht, 11. Jg., Nr. 94, 3.12.1904.
[103] Ebd.
[104] Ebd., Nr. 96, 10.12.1904.
[105] Ebd., Nr. 94, 3.12.1904.
[106] Ebd., Nr. 96, 10.12.1904.

jeder anständige Mensch sein, schrieb Laaß in seinem Flugblatt."[107] Den Wahlsieg im wesentlichen auf die Agitation des Deutschen Vereins zurückzuführen, war sicherlich übertrieben. Nichts spricht dafür, daß sich der Deutsche Verein im Wahlkampf besonders engagiert hätte. Im Gegenteil: auf Geheiß seiner Bündnispartner mußte er sich zurückhalten. Diese nachträgliche Betonung der Rolle des Deutschen Vereins und seines Antisemitismus für den Wahlausgang dürfte gerade darin begründet sein. Im Nachhinein wurde diese Strategie der Vereinigung für kommunale Wahlen als unnötig kritisiert.

Auch die Freie evangelische Volksvereinigung setzte sich in ihrem Flugblatt „Nach der Wahl" mit dem ihr vorgeworfenen Antisemitismus auseinander. Veranlaßt wurde diese Stellungnahme durch die Nominierung von HERMANN LAASS und dessen Einzug in die Stadtverordnetenversammlung mit Hilfe der Vereinigung für kommunale Wahlen.

„Wir identifizieren uns natürlich nicht mit der politisch-antisemitischen Partei und bedauern auch die auf diesem Gebiete so leicht vorkommenden Überschreitungen der Anstandsgrenze ... Aber wir lassen uns keineswegs das Recht unserer Kritik und unserer Meinung über Wert oder Unwert des jüdischen Elements im Allgemeinen in unserem Volke nehmen.

Objektiv urteilende Israeliten werden nicht leugnen, daß die christliche Lebensauffassung gerade von der unter jüdischem Einfluß befindlichen Presse schwer bekämpft und vielfach geradezu verhöhnt wird und sie werden den Vertretern des Christentums das Recht der Notwehr nicht absprechen.

Wir wünschen aufs entschiedenste religiösen Frieden und es fällt uns gar nicht ein, das Judentum in der Ausübung seiner Religion zu stören. Darum empfinden wir es aber auch je länger je unerträglicher, daß das Judentum mit seinem nicht geringen Schwergewicht auf Seiten derer, welche das Christentum und seine Betätigung im Volksleben zu unterdrücken suchen, eine hervorragende Rolle spielt. Wir wollen keine jüdische Bevormundung, wir wollen auch kein Regiment, welches aus Rücksicht auf das Judentum aufhört ein christliches zu sein."[108]

Die Freie evangelische Volksvereinigung zählte nicht zur politischen antisemitischen Bewegung. Sie verfolgte andere Zielsetzungen. Am ehesten ließ sie sich mit der Position der Christlichsozialen unter ADOLF STOECKER in den 80er Jahren vergleichen. Aber schon die Wortwahl im obigen Zitat zeigt die — wahrscheinlich nicht einmal bewußte — Durchdringung mit Schlagworten, die auch von den Antisemiten benutzt wurden. Die Gratwanderung, die die Vereinigung zwischen dem Zusammengehen mit antisemitischen Gruppen und der Zurückweisung von offener antisemitischer Propaganda betrieb, verlangte eine, schon sprachlich schwer zu leistende, Absicherung nach beiden Seiten.

[107] Römerkatze, Nr. 53, 15.12.1904. Das Wahlflugblatt von HERMANN LAASS ist leider nicht mehr existent.
[108] StA Ffm., Akten des Magistrats R 1130/IX, Bl. 80; s. auch MdVAA, 15. Jg. 1905, Nr. 1, S. 3f.

Da hatten es die antisemitische Partei und ihre Anhänger leichter. Voller Freude über den Wahlerfolg von LAASS, „unseres bewährten Parteimannes“, sahen sie die Chancen ihrer Bewegung in Frankfurt insgesamt wachsen.[109] Selbst ein Gedicht, „Gruß an Frankfurt“ betitelt, wurde aus Anlaß des LAASS'schen „Sieges über die Juden“ verfaßt.[110] Man bedauerte nur, daß der „eifrige und tüchtige Parteigenosse“ GEORG KÄMMER in der Stichwahl unterlegen war. Bei der Siegesfeier der Vereinigung gelobte er aber „nicht nachzulassen, bis auch sein Bezirk dem Laaß'schen gefolgt sein wird.“[111]

Zuerst versuchte er die Stichwahl im sechsten Bezirk anzufechten. Da anstelle der vorgeschriebenen zwei Wahlurnen nur eine verwendet worden war, sei es zu längeren Wartezeiten im Wahllokal gekommen, was viele Wähler von einer Abgabe ihrer Stimme abgehalten habe. Aus diesem Grund müsse die Wahl wiederholt werden. Mit seiner Beschwerde hatte KÄMMER jedoch keinen Erfolg und das Wahlergebnis behielt seine Gültigkeit.[112]

Wie eng die Wahlaussichten des Deutschen Vereins mit denen der Vereinigung für kommunale Wahlen verbunden waren, illustrieren auch die folgenden Wahlen, bei denen sie keinen Kandidaten mehr durchbringen konnten.

Nach dem Erfolg von HERMANN LAASS 1904 kandidierten 1906 erneut zwei Mitglieder des Deutschen Vereins.[113] Wieder kam es zu einem Wahlbündnis zwischen Mittelstandsvereinigung, Freier evangelischer Volksvereinigung, Zentrum und Deutschem Verein.[114] Wie versprochen, hatte sich im 6. Bezirk erneut GEORG KÄMMER aufstellen lassen.[115] Im 7. Bezirk, in Bornheim, stand der Postassistent JULIUS REINMUTH zur Wahl. Dieser war Mitglied des Deutschen Vereins,[116] trat aber — wie LAASS 1904 — auch als Kandidat der Freien evangelischen Volksvereinigung an.[117]

[109] Deutsche Volkswacht, 11. Jg., Nr. 94, 3.12.1904. Auch über Frankfurt hinaus fand der Wahlausgang Beachtung. Vgl. etwa die Aufmerksamkeit, mit der die Stadtverordnetenwahl in den „Deutsch-Sozialen Blättern“ verfolgt wurde, ebd., 19. Jg., Nr. 91, 12.11.1904, S. 1273; Nr. 92, 15.11.1904, S. 1288f.; Nr. 96, 30.11.1904, S. 1339.

[110] Deutsche Volkswacht, 11. Jg., Nr. 98, 17.12.1904.

[111] Ebd., Nr. 94, 3.12.1904.

[112] StA Ffm., Akten des Magistrats R 1130/IX, Bl. 91, Bl. 92f. und Bl. 98. Siehe auch Deutsche Volkswacht, 12. Jg., Nr. 4, 14.1.1905 und Nr. 10, 4.2.1905.

[113] P. ARNSBERG, Geschichte, Bd. 1, S. 794, behauptet unter Bezug auf das „Frankfurter Israelitische Familienblatt“ vom 20.12.1906, daß sich 1906 „zahlreiche“ antisemitische Kandidaten zur Wahl gestellt hätten. Nach den amtlichen Unterlagen waren es ebenso wie in den vorangegangenen Wahlen nur zwei. PAUL ARNSBERGS Quellenangabe ist falsch. An dem von ihm angegebenen Datum erschien das „Frankfurter Israelitische Familienblatt“ nicht. Er muß wohl eine Notiz im „Frankfurter Israelitischen Familienblatt“, 4. Jg., Nr. 48 vom 14.12.1906 mißverstanden haben, wonach die „antisemitische Mittelstandspartei“ bei den Stadtverordnetenwahlen sieben Sitze verlor.

[114] KP, Nr. 270, 17.11.1906.

[115] Ebd. und Nr. 273, 21.11.1906; Nr. 279, 29.11.1906, 2. Bl.

[116] Deutsch-Soziale Blätter, 21. Jg., Nr. 6, 20.1.1906, S. 73f.

[117] KP, Nr. 273, 21.11.1906, 3. Bl.

Wiederum scheute die Vereinigung für kommunale Wahlen davor zurück, sich offen zum Deutschen Verein zu bekennen. Dieser durfte die Wahlaufrufe nicht mitunterzeichnen. Erst kurz vor der Wahl betrieb der Deutsche Verein eine eigenständige Werbung. Mit Flugblättern und kleinen Klebezetteln auf Laternenpfählen wurde Reklame für Georg Kämmer gemacht. „Geheime" Beamtenzirkulare sollten unter Hinweis auf Laass' Befürwortung einer Erhöhung der Beamtengehälter in der Stadtverordnetenversammlung 1905[118] diese Wählergruppe für die antisemitischen Kandidaten einnehmen.[119] Trotz dieser Werbekampagne erlebte Georg Kämmer eine Wahlniederlage und schied schon im ersten Wahlgang aus.[120] Im 7. Bezirk gelang es zwar Julius Reinmuth, in die Stichwahl zu kommen, aber ebenfalls ohne Erfolg.[121] Das Abschneiden der beiden Mitglieder des Deutschen Vereins entsprach dem der übrigen Kandidaten der Vereinigung für kommunale Wahlen. Nicht einem einzigen gelang der Einzug in die Stadtverordnetenversammlung.[122] Die Zeiten für eine selbständige Mittelstandsbewegung waren vorbei, die Wahlerfolge der Jahre 1900 und 1904 sollten sich nicht wiederholen.

Für die Wahl 1908 wurde kein antisemitischer Kandidat mehr nominiert. Innerhalb der Mittelstandsvereinigung, die unter der Führung von Wilhelm Ohlenschlager in den vergangenen Jahren die Antisemiten unterstützte, hatten mittlerweile politische Veränderungen stattgefunden, die die Vereinigung vom Antisemitismus abrücken ließ.[123] Kurz vor der Stadtverordnetenwahl 1908 kam es zu internen Auseinandersetzungen über das Verhältnis zur Deutschsozialen Partei, die zur Spaltung der Mittelstandsvereinigung in Frankfurt führte. Die Mehrheit lehnte eine Zusammenarbeit mit antisemitischen Vereinen ab.[124] Auch in den nächsten Jahren entwickelte sich die Frankfurter Mittelstandsbewegung unter Ablehnung antisemitischer Bestrebungen immer mehr zu einer rein wirtschaftlichen Interessenvertretung, deren Kandidaten nun auch von den Liberalen, ihren früheren Gegnern, gewählt werden konnten.[125]

1910 hatten sich im Vergleich zu den ersten Wahlen des 20. Jahrhunderts die politischen Konstellationen vollständig verändert. Um das Vorrücken der Sozialdemokraten aufzuhalten, trafen die bürgerlichen Parteien, denen sich auch Teile der Mittelstandsbewegung anschlossen, ein Abkommen. Damit entfielen für den Deutschen

118 Siehe Kap. 13.3.
119 Bericht über den Wahlkampf des Deutschen Vereins in: KP, Nr. 279, 29.11.1906, 2. Bl.
120 StA Ffm., Akten des Magistrats R 1130/X, Bl. 106.
121 Ebd., Bl. 107 und Bl. 126.
122 Frankfurter Israelitisches Familienblatt, 4. Jg., Nr. 48, 14.12.1906; Deutsche Volkswacht, 13. Jg., Nr. 98, 15.12.1906; MdVAA, 16. Jg. 1906, Nr. 48, S. 373; Nr. 50, S. 388 und Nr. 51, S. 398.
123 Vgl. dazu einen Artikel in der Mittelstandszeitung, 3. Jg., Nr. 33, 15.8.1908, in der die Vereinigung bereits einige Monate vor der Wahl sich von Laass distanzierte und ihn als „Geschäftsantisemiten" kritisierte.
124 MdVAA, 18. Jg. 1908, Nr. 47, S. 364.
125 Ebd., 20. Jg. 1910, Nr. 49, S. 387.

Verein seine früheren Bündnispartner und er wagte nicht, selbständig vorzugehen. HERMANN LAASS sah nach Ablauf seiner Amtszeit 1910 keine Chancen mehr für seine Wiederwahl und verzichtete auf eine erneute Kandidatur.[126]

An dem Wahlkampf des Jahres 1910 beteiligte sich der Deutsche Verein mit einem Wahlaufruf. Gemeinsam mit der Frankfurter Ortsgruppe der Christlichsozialen Partei und der Konservativen Vereinigung für Frankfurt/Main und Umgegend verfaßte er eine Erklärung, die die Wahl von Kandidaten empfahl, „die Gewähr für monarchische, deutschnationale, christliche und soziale Gesinnung bieten".[127] Man hatte keine eigenen Kandidaten aufgestellt, sondern unterstützte einzelne, die von anderen Parteien nominiert worden waren. Darunter befand sich wiederum der Ingenieur GEORG KÄMMER. Dieser war aber nicht mehr vom Deutschen Verein aufgestellt worden, aus dem er Ende des Jahres 1906 ausgetreten war,[128] sondern von der Mittelstandsvereinigung.[129] Diese hatte ihn selbst gegen internen Widerstand nominiert, denn wie seine Zuschrift an die „Frankfurter Zeitung" zeigte, behielt er auch weiterhin seine antijüdische Einstellung bei.[130] Da auch die übrigen Parteien eine Unterstützung KÄMMERS im Unterschied zu anderen Kandidaten der Mittelstandsvereinigung ablehnten, waren seine Wahlchancen gering und er schied bereits im ersten Wahlgang aus.[131]

Mit dem Wahlaufruf 1910 endete die Beteiligung des Deutschen Vereins an den Stadtverordnetenwahlen. Erst wieder in den 20er Jahren wurden Kandidaten von antisemitischen, völkischen Parteien aufgestellt — mit erheblich mehr Erfolg.[132]

13.3. Die beiden Antisemiten in der Stadtverordnetenversammlung 1901—1910

Zwei Mitgliedern des Deutschen Vereins gelang es, in die Stadtverordnetenversammlung gewählt zu werden. Der Privatier und ehemalige Schneidermeister JOHANN HEINRICH HETTLER gehörte dem Parlament als Abgeordneter für das Nordend von Januar 1901 bis Ende 1906 an. Der Hotelier HERMANN LAASS vertrat die südwestliche Innenstadt von 1905 bis 1910 in der Stadtverordnetenversammlung. Ihre Wahl war von mittelständischen Interessengruppen unterstützt worden. Innerhalb der Stadtverordnetenversammlung bildeten die Abgeordneten der Mittelstandsgruppen mit denen des Zentrums und der Nationalliberalen die Opposition auf der rechten Seite gegen die Mehrheitsfraktion von Demokraten und Fortschrittlern. Links von diesen standen die Abgeordneten der Sozialdemokraten.[133]

126 Ebd.
127 Deutsch-Soziale Blätter, 25. Jg., Nr. 92, 16.11.1910, S. 1109; s. auch KP, Nr. 265, 11.11.1910, 2. Bl.
128 KP, Nr. 262, 8.11.1910.
129 KP, Nr. 256, 1.11.1910 und Nr. 261, 7.11.1910.
130 KP, Nr. 260, 5.11.1910.
131 StA Ffm., Akten des Magistrats R 1130/XI b, Bl. 124f.; KP, Nr. 267, 14.11.1910.
132 B. KÖHLER, Nationalsozialisten, S. 441f.
133 W. KLÖTZER, Wilhelminisches Frankfurt, S. 164.

Mit dem Einzug der beiden Antisemiten in die Stadtverordnetenversammlung, die sich in ihrem Wahlkampf gegen die bisherige Politik der Stadtverordnetenmehrheit ausgesprochen hatten, war die Erwartung verbunden, daß sie die Interessen des Mittelstandes vertreten würden. Der Deutsche Verein hoffte insbesondere, daß die Anwesenheit der antisemitischen Mandatsträger zu einem Rückgang des Einflusses der Juden in der Stadtverordnetenversammlung führen werde. In diesem Sinne wurde Johann Heinrich Hettler als „der erste Hecht im Karpfenteich" apostrophiert.[134] Und Hermann Laass hatte nach seinem Wahlsieg gelobt, tatkräftig die Interessen seiner Wähler und des 4. Bezirks zu vertreten. Ohne „Hetzereien" gegen die Juden, aber, wenn es nötig wäre, „auch mit einem ernsten Wort gegen dieselben".[135]

Im folgenden soll der Frage nachgegangen werden, wie sich die beiden Antisemiten in einer demokratischen Versammlung verhielten, deren Mehrheit von Abgeordneten gebildet wurde, die von ihnen als 'Juden' oder 'Judengenossen' beschimpft wurden. Griffen sie diese mit antijüdischen Parolen an oder waren sie im Gegenteil mit derartigen Äußerungen eher zurückhaltend? Ferner gilt es zu prüfen, bei welchen Punkten der Tagesordnung sie sich engagierten und welche Anträge sie selbst einbrachten. Ohne auf jede Wortmeldung der beiden Abgeordneten einzugehen, soll ein Eindruck von ihrer Beteiligung an den Debatten der Stadtverordnetensitzungen vermittelt werden.

Johann Heinrich Hettler und Hermann Laass schlossen sich nach ihrem Wahlsieg der Fraktion „Freie Vereinigung der Frankfurter Stadtverordneten" an, zu der die Stadtverordneten der Mittelstandsgruppen, des Zentrums und seit 1904 die der Freien evangelischen Volksvereinigung gehörten.[136] Hettler trat allerdings schon sehr bald, im Frühjahr 1901, wieder aus ihr aus.[137] Auch Laass gehörte der Freien Vereinigung der Frankfurter Stadtverordneten nur von 1905 bis 1908 an.[138] Ihre restliche Mandatszeit waren beide fraktionslos und galten als sogenannte Wilde.

Obgleich sie zwei Jahre lang gemeinsam Stadtverordnete waren, arbeiteten Laass und Hettler in aller Regel nicht zusammen. Nur einmal vertraten sie dieselbe Position, nämlich im Jahre 1905 bei der Verteidigung der Anfechtungsklage ihres Parteigenossen Georg Kämmer gegen die Wahl im 6. Bezirk. Beide waren sie mit Kämmer der Ansicht, daß das Ergebnis der Wahl ein anderes gewesen wäre, wenn die vorgeschriebene zweite Urne mitbenutzt worden wäre.[139] Ansonsten waren — sofern beide sich überhaupt zu einem Tagesordnungspunkt äußerten — ihre Ansichten kontrovers und sie griffen sich gegenseitig an. Besonders auffällig war dies bei der Debatte über die Anhebung der unteren Beamtengehälter Anfang Dezember 1905. Nachdem

[134] Deutsche Volkswacht, 7. Jg., Nr. 93, 1.12.1900.
[135] Ebd., 11. Jg., Nr. 96, 10.12.1904.
[136] Sonne, 11. Jg., Nr. 74, 28.3.1901, in: StA Ffm., S 3/R 4935.
[137] Ebd.
[138] MdVAA, 18. Jg. 1908, Nr. 49, S. 382.
[139] Mittheilungen aus den Protokollen 1905, S. 375; s. auch oben Kap. 13.2.2.

Hermann Laass sich für ihre Erhöhung ausgesprochen hatte, warf Hettler ihm öffentlich vor, ihm vor der Debatte privat das Gegenteil zugesichert zu haben. Laass verteidigte sich unter Berufung auf das Programm der Deutschsozialen Partei, die eine Anhebung der Lehrer- und Beamtengehälter forderte. Aus diesem Grund habe er keine andere Position als die Befürwortung des Antrags einnehmen können.[140]

Hettlers Ablehnung resultierte allein aus seinem starren Festhalten an der Sparsamkeitsforderung, die er in seinem Wahlprogramm 1900 zur Leitlinie seines Handelns erhoben hatte. Viele seiner Beiträge in den Sitzungen der Stadtverordnetenversammlung während der sechs Jahre seiner Zugehörigkeit lassen sich darauf zurückführen. Immer wieder mahnte er zur Sparsamkeit und lehnte Projekte ab, die die Stadt Geld kosteten. Dabei konnte es sich um die Anlage von Spielplätzen,[141] die Restaurierung der Gerbermühle,[142] den Ankauf von Kunstgegenständen für städtische Museen[143] oder generell um den Haushaltsplan[144] handeln. In all diesen Debatten verhielt er sich gemäß seiner immer wieder zitierten Handlungsmaxime: „Erst das Notwendige, dann das Nützliche und zuletzt das Angenehme."[145]

Überblickt man Hettlers Beteiligung an den Debatten der Stadtverordnetenversammlung fällt, vor allem im Unterschied zu Hermann Laass, die Häufigkeit seiner Wortmeldungen auf. Seine zahlreichen Beiträge lassen sich — abgesehen von seiner Forderung nach mehr Sparsamkeit — nur schwer auf eine klare politische Linie bringen. Er sprach langatmig, teils wirr und ging schnell zu Unterstellungen und Beschimpfungen über. Schon im Ton seiner Rede unterschied er sich von den übrigen Stadtverordneten. Häufig richtete er gedruckte Eingaben an die Stadtverordnetenversammlung, mit denen er aber fast nie Erfolg hatte. Inhaltlich engagierte sich Hettler, abgesehen von seinen Stellungnahmen zum Finanzgebaren der Stadt, als Sprecher der von ihm gegründeten Freien Vereinigung von Hausbesitzern und Mietern besonders bei Tagesordnungspunkten, die das Bauwesen betrafen. Auch dabei hielt er an dem Standpunkt fest, den er in seinem Wahlprogramm vertreten hatte: einerseits dürften keine neuen städtischen Ausgaben entstehen, andererseits seien weitere finanzielle und baupolizeiliche Auflagen für die mittelständischen Mietshausbesitzer zu vermeiden. Von Interesse waren für ihn Grundstücksankäufe,[146] Überlegungen zum Bau kleinerer Wohnungen,[147] Diskussionen über das Anbringen von Wassermessern,[148]

[140] Mittelstandszeitung, Beil., 1. Jg., Nr. 21, 7.12.1905; KP, Nr. 282, 2.12.1905; Nr. 288, 9.12.1905; Nr. 247, 21.10.1906, 3. Bl. Die Mittheilungen aus den Protokollen 1905, S. 711, geben diese Kontroverse nicht wörtlich, sondern nur zusammenfassend in einer Stellungnahme von Laass in der darauffolgenden Sitzung wieder.

[141] Mittheilungen aus den Protokollen 1901, S. 346.

[142] Ebd. 1902, S. 531 und 1903, S. 76.

[143] Ebd. 1904, S. 324, S. 341 und S. 491.

[144] Ebd. 1902, S. 60.

[145] Römerkatze, Nr. 18, 4.8.1902; Römerkater, Beil. zur Römerkatze, Nr. 81, 16.10.1906.

[146] Mittheilungen aus den Protokollen 1901, S. 48; 1902, S. 267; 1904, S. 507 und S. 608; 1905, S. 409.

[147] Vgl. z.B. ebd. 1901, S. 81, S. 336f., S. 356; 1903, S. 398.

[148] Ebd. 1902, S. 82, S. 174, S. 177; 1906, S. 328.

Straßenerneuerungen und -veränderungen[149] und natürlich die bereits erwähnte Treppenverputzordnung, für deren Zurücknahme sich HETTLER im Wahlkampf besonders eingesetzt hatte. Sie stand bis 1904 noch einige Male zur Diskussion, wobei auch HETTLER das Wort ergriff. Seine Position unterschied sich aber nicht von der Mehrheit der Stadtverordneten, die, weil die Magistratsverordnung selbst nicht abzuschaffen war, für ihre Anwendung ausschließlich auf Neubauten plädierten.[150] HETTLER brachte aus eigener Initiative nur zwei unbedeutende Anträge zu dieser Sache ein.[151]

Explizit antijüdische Stellungnahmen enthielten HETTLERS Wortmeldungen aber nur selten. In dieser Richtung eindeutig war nur die Begründung seines Antrages, HERMANN LAASS die Benutzung des Trottoirs vor seinem Haus zu gewähren, aus dem Jahr 1904. Während der Antrag selbst neutral formuliert war,[152] war die Begründung durchsetzt mit antisemitischen Formulierungen. Seiner Meinung nach ging die Verweigerung des Magistrats ausschließlich auf jüdischen Einfluß zurück. Nur jüdische Bürger hätten ein Interesse daran, HERMANN LAASS wegen seiner antisemitischen Gesinnung finanziell zu schädigen.[153]

Daß nur wenige antisemitische Äußerungen HETTLERS in den Sitzungen der Stadtverordneten bekannt sind, läßt sich nicht darauf zurückführen, daß diese bei der Zusammenfassung seiner Beiträge in den gedruckten amtlichen Protokollen entfielen. Auch die von HETTLER herausgegebene Zeitung „Die Römerkatze. Organ für städtische Angelegenheiten" bestätigt seine Zurückhaltung in bezug auf antijüdische Verlautbarungen in der Stadtverordnetenversammlung. „Die Römerkatze" mit der Beilage „Römerkater" erschien im Mai 1901 bis zu HETTLERS Ausscheiden aus der Stadtverordnetenversammlung Ende 1906 in unregelmäßigen Abständen.[154] Sie wandte sich an den alten, selbständigen Mittelstand. Besonders angesprochen wurden von der Zeitung, dem Publikationsorgan der Freien Vereinigung von Hausbesitzern und Mietern, die Mietshausbesitzer. „Die Römerkatze" wollte „unparteiisch, unpolitisch und bürgerlich-social — das ist mittelständisch" über neue kommunale Entwicklungen berichten.[155] In ihr veröffentlichte HETTLER seine Eingaben an die Stadtverordnetenversammlung, kommentierte die Politik der Stadtverwaltung und besprach aus seiner Sicht den Verlauf der Sitzungen der Stadtverordnetenversammlung. Bis auf wenige Ausnahmen schrieb er die Artikel selbst. Der Stil der Zeitung war durchweg polemisch und häufig stark antisemitisch. Wiederholt bezeichnete sich HETTLER als Antisemit.[156]

149 Ebd. 1902, S. 289, S. 421; 1904, S. 184, S. 195, S. 208, S. 584; 1905, S. 169; 1906, S. 222, S. 284f., S. 409.
150 Ebd. 1903, S. 383-385.
151 In der ersten Anfrage bat HETTLER den Magistrat, die Stadtverordnetenversammlung über den Stand des Rechtsstreits zu informieren, s. ebd. 1903, S. 343. In der zweiten Anfrage wünschte er, daß bei der Durchführung der Verordnung Härten vermieden werden, s. ebd. 1904, S. 147.
152 Ebd. 1904, S. 253f.
153 StA Ffm., Akten des Magistrats T 1108, Bl. 58, und Römerkatze, Nr. 43, 15.4.1904; s. auch oben Kap. 11.2.
154 Danach veröffentlichte HETTLER die Zeitung aus besonderen Anlässen noch viermal bis 1911.
155 Römerkatze, Nr. 1, 4.5.1901.
156 Vgl. etwa ebd., Nr. 15, 15.5.1902; Römerkater, Beil. zur Römerkatze, Nr. 81, 16.10.1906.

Nur die Artikel, nicht aber die ebenfalls in dieser Zeitung abgedrucken Anträge HETTLERS an die Stadtverordnetenversammlung waren antijüdisch. Während er bei der Formulierung seiner Eingaben derartige Angriffe vermied, kommentierte HETTLER sie in seiner Zeitung oft mit antisemitischen Unterstellungen. Zur Illustration kann sein Antrag aus dem Jahre 1902 dienen, in dem er die Verwendung der Jügelschen Stiftungsgelder für eine Akademie, wie es die Stadtverordnetenmehrheit wünschte, ablehnte. Er begründete seine Ablehnung des Projektes in der Stadtverordnetensitzung damit, daß eine derartige Nutzung der Gelder nicht der Absicht des Erblassers entspräche.[157] Diese sachliche Begründung kontrastiert scharf mit seiner Rechtfertigung der Eingabe in der „Römerkatze". Man wolle mit diesem Geld eine Art Universität errichten, die ausschließlich Juden zugute komme. „Diese Akademie würde bald aussehen, wie das Innere des Gerichtsgebäudes, in welchem man glauben kann, daß es eine Wandelhalle im Tempel Salomons sei. Könnten die edlen Stifter den Unfug dann sehen, sie würden sich im Grabe umwenden!"[158] Statt das Geld für die Gründung einer Hochschule auszugeben, sollte ein Altersheim gebaut werden.

Obwohl HETTLER sich offenbar den parlamentarischen Spielregeln anpaßte und auf antisemitische Äußerungen verzichtete, unterschied sich sein Verhalten insgesamt deutlich von dem anderer Stadtverordneter. Es war weniger der von ihm vertretene Standpunkt, der ihn zu einer auffallenden Erscheinung unter den Stadtverordneten werden ließ, sondern der Ton seiner Reden, die ihm den Ruf eines „streitbaren Jubelgreises" einbrachten.[159] Seine unorthodoxen Meinungsäußerungen — nach dem Motto „Heraus mit dem Wort, wenn's wahr ist"[160] — führten wiederholt zu Konflikten. Ein jüngerer Stadtverordneter, der von dem über 70jährigen HETTLER in der Finanzkommission häufig mit „Lausbub" tituliert worden war, weigerte sich, weiterhin an den Sitzungen der Kommission teilzunehmen.[161] HETTLER griff auch sonst zu ungewöhnlichen Mitteln, um seine Ansichten durchzusetzen. Als die Stadtverordnetenversammlung im Mai 1901 dem Vertrag der Stadt mit der Hellerhofgesellschaft über den Bau kleinerer Wohnungen zustimmte, wandte sich HETTLER in einem offenen Schreiben direkt an die Regierung in Wiesbaden. Diese möge dem Abkommen ihre Zustimmung versagen, da die Stadtverordneten nicht zum Vorteil der Stadt, sondern aus bloßem Eigeninteresse gehandelt hätten. Die Stadtverordneten hätten nur deshalb für den Vertrag votiert, da einige von ihnen Aktien der Gesellschaft besäßen.[162]

Gegen diese Behauptung stellte der Stadtverordnete Dr. BERTHOLD GEIGER den Antrag, das Verhalten HETTLERS durch die Versammlung öffentlich zu mißbilligen. In der darüber geführten Debatte äußerten einige Stadtverordnete, der Antrag sei der

157 Römerkatze, Nr. 15, 15.5.1902.
158 Ebd.
159 Zeitungsausschnitt in: StA Ffm., S 2/2795.
160 Römerkatze, Nr. 30, 1.6.1903 und Nr. 32, 15.7.1903.
161 StA Ffm., Akten der Stadtverordnetenversammlung 86, Bl. 193.
162 Ebd., Bl. 190.

Mühe nicht wert, da niemand HETTLER ernst nehme.[163] Daß dies wohl der weit verbreiteten Meinung der Stadtverordneten entsprach und HETTLER deshalb darauf besonders aggressiv reagierte — er wollte aus Ärger darüber seine Ämter niederlegen[164] —, zeigt auch ein Vorfall aus dem folgenden Jahr. Anläßlich der Oberbürgermeisterwahl, in der HETTLER gegen die Mehrheit der Stadtverordneten den damaligen Bürgermeister ADOLF VARRENTRAPP favorisierte, glaubte er zu hören, wie der Stadtverordnete KARL FUNCK zu einem Kollegen sagte, daß HETTLER nicht ernst zu nehmen sei. Dies erboste HETTLER so sehr, daß er einen wütenden Brief an FUNCK schrieb, der ihn daraufhin wegen Beleidigung verklagte.[165]

Das Verhalten HETTLERS führte dazu, daß er von der Mehrzahl der Stadtverordneten wie auch von den Lokalzeitungen[166] als bloße Kuriosität angesehen wurde, auf dessen Meinungsäußerungen keine inhaltliche Reaktion erfolgte. Viele seiner Eingaben an die Stadtverordnetenversammlung wurden ignoriert. Sie standen nicht zur Diskussion, ja sie wurden nicht einmal zur bloßen Kenntnisnahme verlesen.[167]

Im Herbst des Jahres 1902 war HETTLER über seine Mißerfolge so enttäuscht, daß er erklärte, den Stadtverordnetensitzungen fernzubleiben, bis die Wahlen im November 1902 gezeigt hätten, ob die Bürgerschaft die Kandidaten des Mittelstandes auch weiterhin unterstütze. Von der demokratisch-fortschrittlichen Mehrheit der Stadtverordneten fühlte er sich zurückgesetzt und nicht verstanden.[168] Eine kurze Zeit blieb er dann tatsächlich fern, um erst nach den Wahlen wieder zu erscheinen.[169] Zwar blieben die Mehrheitsverhältnisse unverändert, aber einige Kandidaten der Handwerkerpartei und ihr angeschlossener Korporationen, des Zentrums sowie der Nationalliberalen konnten in die Stadtverordnetenversammlung einziehen.[170] Dies genügte HETTLER, um seine Politik bestätigt zu sehen, und er nahm sein Mandat wieder auf. Aber auch danach veränderte sich weder sein Verhalten noch seine Position innerhalb der Stadtverordnetenversammlung. Mit Ablauf seiner Amtszeit 1906 verzichtete er aufgrund seines Alters auf eine erneute Kandidatur,[171] die wohl auch kaum, wie die Wahlergebnisse von 1906 zeigen, erfolgreich gewesen wäre.

163 Mittheilungen aus den Protokollen 1901, S. 355f.

164 Ebd., S. 389, und StA Ffm., Akten der Stadtverordnetenversammlung 86, Bl. 189.

165 Etwa HETTLERS Darstellung des Prozesses in: Römerkater, Beil. zur Römerkatze, Nr. 81, 16.10.1906.

166 Vgl. z.B. KP, Nr. 280, 29.11.1902, oder Zeitungsartikel in: StA Ffm., S 2/2795; Sonne, 11. Jg., Nr. 74, 28.3.1901, in: StA Ffm., S 3/R 4935. S. auch die Charakterisierung HETTLERS als „Self mademan und Krakeler erster Ordnung" in: A. BÜTSCHLI, Goetheplatz-Erinnerungen, S. 141.

167 Etwa seine Eingaben gegen die Universität in: Römerkatze, Nr. 15, 15.5.1902 und Nr. 48, 1.9.1904, sowie seine Denkschrift zur Simultanschulfrage, in der er entweder Simultanschulen für alle, d.h. Schließung der Schulen der jüdischen Gemeinden, oder Konfessionsschulen für alle forderte, in: ebd., Nr. 57, 1.4.1905.

168 KP, Nr. 246, 19.10.1902, 3. Bl.

169 An den Sitzungen vom 21.10. an nahm er nicht teil, wieder anwesend war er in der Sitzung vom 23.12.1902, s. Mittheilungen aus den Protokollen 1902, S. 556-660.

170 StA Ffm., Akten des Magistrats R 1130/IX, Bl. 5.

171 Siehe auch sein Resümee in Römerkater, Beil. zur Römerkatze, Nr. 81, 16.10.1906.

Faßt man die Beteiligung HETTLERS an den Debatten der Stadtverordnetenversammlung abschließend zusammen, so bleibt festzuhalten, daß er keine antisemitische Politik verfolgte. Vielmehr stellte er die Interessen der Hausbesitzer und seine Forderungen nach Sparsamkeit in den Vordergrund. Obwohl er Mitglied des Deutschen Vereins war, sah er sich nicht als dessen Delegierter an. Programmatische Zielsetzungen der Partei wie die Erhöhung der Beamtengehälter wurden von ihm unter dem Gesichtspunkt der Sparsamkeit abgelehnt. Zwar verstand er sich selbst als Antisemit, aber in seinen Beiträgen in der Stadtverordnetenversammlung vermied er — abgesehen von seinem Antrag zugunsten von HERMANN LAASS 1904 — antijüdische Verlautbarungen. Schon von sich aus verzichtete er auf derartige Äußerungen, wohl wissend, daß sie auf kein Verständnis bei den übrigen Stadtverordneten stoßen würden. In vielen Zügen entsprach dieses Verhalten von JOHANN HEINRICH HETTLER dem von HERMANN LAASS.

HERMANN LAASS war 1904 nicht nur als Vertreter des Deutschen Vereins, sondern auch der Freien evangelischen Volksvereinigung in die Stadtverordnetenversammlung gewählt worden. Zugunsten der evangelischen Volksvereinigung äußerte er sich in Debatten über das Schulwesen oder über kirchliche Angelegenheiten nicht. Er unterzeichnete nur mit allen übrigen Abgeordneten der Freien Vereinigung der Frankfurter Stadtverordneten die Eingaben der Fraktion, die sich auf das Schulwesen bezogen.[172]

HERMANN LAASS sah sich ausschließlich als Vertreter des Deutschen Vereins und der Deutschsozialen Partei, wie er 1905 auf einen Zwischenruf bestätigte.[173] Trotzdem enthielt auch er sich wie HETTLER aller antijüdischen Verunglimpfungen, jedoch vertrat er im Unterschied zu jenem in Sachfragen die Position der antisemitischen Partei.[174] Zu offenen antijüdischen Schimpfereien ließ er sich zwar nicht herab, aber manche seiner Beiträge enthielten unausgesprochen Angriffe gegen die Juden. So forderte er im April 1905 in einem Antrag, mit dem er für Beamte und Lehrer höhere Gehälter verlangte, von diesen gleichsam als Gegenleistung, beim „deutschen“ Kaufmann und nicht im Warenhaus einzukaufen.[175] Im Sinne der antisemitischen Partei war seine Rede zur Fleischnot 1905,[176] die in der „Deutschen Volkswacht“ zustimmend besprochen wurde.[177] Seiner Meinung nach handelte es sich nicht um eine Fleischnot, sondern um eine bloße Fleischverteuerung, an der ausschließlich die Viehhändler schuld seien. Um darin eine antijüdische Spitze zu sehen, muß man berücksichtigen, daß viele Viehhändler, besonders in Hessen, Juden waren.[178]

172 Mittheilungen aus den Protokollen 1905, S. 737.
173 Mittelstandszeitung, Nr. 21, 7.12.1905, 2. Beil.
174 Etwa die Forderung nach Erhöhung der Gehälter für untere Beamte 1905 und 1906, s. Mittheilungen aus den Protokollen 1905, S. 262, S. 701, S. 711; 1906, S. 58.
175 Abdruck seiner Rede in: Deutsche Volkswacht, 12. Jg., Nr. 34, 3.5.1905. Die Mittheilungen aus den Protokollen enthalten diesen Passus nicht.
176 Mittheilungen aus den Protokollen 1905, S. 459.
177 Deutsche Volkswacht, 12. Jg., Nr. 66, 26.8.1904.
178 B. SUCHY, Zwischen Geborgenheit und Gefährdung, S. 154; D. PEAL, Antisemitism (1987), S. 136.

Eine Debatte desselben Jahres über die Schornsteinreinigung nutzte LAASS aus, um gegen die Warenhäuser zu agitieren. Die Stadtverordnetenmehrheit beabsichtigte, eine Verordnung über die Schornsteinreinigung zu verabschieden, wonach diese regelmäßig durchgeführt werden sollte, um den Ausbruch eines Feuers zu vermeiden. LAASS meinte dagegen, man möge erst gegen die Warenhäuser vorgehen, denn die Gefahren, die durch nicht ordnungsgemäß gereinigte Schornsteine entstünden, seien gering im Verhältnis zur Feuergefährlichkeit der Warenhäuser.[179] Und 1906 forderte er anläßlich der Heimarbeiterausstellung eine Veröffentlichung der Namen der Arbeitgeber.[180] Dies beantragte er deshalb, weil er unter ihnen viele Juden vermutete.[181] Und selbst diese indirekten antijüdischen Angriffe enthielten die LAASS'schen Reden nur in den ersten beiden Jahren seiner Stadtverordnetentätigkeit. In späteren Jahren kam selbst dies nicht mehr vor.

Während seiner Zeit als Abgeordneter setzte sich LAASS einmal auch für den Deutschnationalen Handlungsgehilfenverband ein, der dem Deutschen Verein nahestand.[182] Erfolglos befürwortete er die Überlassung von städtischen Räumen an den DHV, die dem Verband unter Hinweis auf seinen politischen Charakter verweigert worden waren. Seiner Ansicht nach stünden sie dem DHV genauso zu, wie den Turnvereinen, denen städtische Räume zur Verfügung gestellt würden, obwohl sie ebenso national gesinnt seien wie der DHV.[183]

Wie weit LAASS mit der Verleugnung seiner antisemitischen Gesinnung aus taktischen Gründen zu gehen bereit war, zeigte sich bereits im ersten Jahr seiner Mandatszeit. Die städtischen Bühnen hatten Vorstellungen gegeben, deren Erlös den notleidenden und verfolgten Juden in Rußland zugute kommen sollte. LAASS stellte nun den Antrag, man möge auch Geld für die sich in Not befindenden Deutschen sammeln. In der Begründung seines Antrags begrüßte LAASS die Hilfsaktion für die bedrängten russischen Juden: über deren Notwendigkeit „sei gewiß kein Wort zu verlieren, denn jeden Tag träfen schlimme Nachrichten ein“. Er wolle nur, daß dabei auch an die „notleidenden und vertriebenen Deutschen“ gedacht werde. Generell befürworteten die Stadtverordneten diesen Antrag, wenn sie sich auch nicht in der Lage sahen, ihm zu entsprechen, da über eine Sonderveranstaltung der städtischen Bühnen die Theater-Aktien-Gesellschaft zu beschließen hatte.[184]

Verglichen mit der Erwartung, die die antisemitische Partei mit LAASS' Einzug in die Stadtverordnetenversammlung verbunden hatte, und mit der Position, die LAASS als langjähriger Vorsitzender des Deutschen Vereins in der Frankfurter antisemiti-

179 Mittheilungen aus den Protokollen 1905, S. 380.
180 Ebd. 1906, S. 88.
181 Siehe dazu den Artikel in: Römerkatze, Junge Märzkatzen von 1906.
182 Siehe Kap. 10.2.
183 Bericht über die Verhandlungen 1910, S. 413.
184 Mittheilungen aus den Protokollen 1905, S. 776f.; vgl. im Unterschied dazu die Hetzartikel von JOHANN HEINRICH HETTLER über die Geldsammlungen für die russischen Juden, s. Römerkatze, Nr. 70, 21.12.1905; Nr. 71, 31.1.1906.

schen Bewegung inne hatte, waren seine Beiträge sehr dürftig. Unter diesem Gesichtspunkt war seine Tätigkeit als Stadtverordneter erfolglos. An den Debatten beteiligte HERMANN LAASS sich selten. Im vorletzten Jahr seines Mandats 1909 meldete er sich nur noch vier Mal zu Wort.[185] Viele seiner Beiträge standen in Zusammenhang mit seiner Zugehörigkeit zum Organisationsausschuß, als dessen Mitglied er dem Plenum Bericht erstattete.[186] Ansonsten beteiligte er sich nur noch dann, wenn ein Thema zur Debatte stand, das ihn ganz persönlich interessierte: nämlich die Pflasterung und Beleuchtung des Bahnhofsvorplatzes, an dem sein Hotel lag.[187]

Zwar war LAASS' Auftreten in der Stadtverordnetenversammlung weniger spektakulär als das HETTLERS, durchsetzen konnte er sich aber ebensowenig. 1910 verzichtete er auf eine Wiederwahl, die nach der Annäherung der Mittelstandsbewegung an die Liberalen auch unwahrscheinlich gewesen wäre.

Insgesamt muß die Tätigkeit von JOHANN HEINRICH HETTLER und HERMANN LAASS in der Stadtverordnetenversammlung als erfolglos angesehen werden. Selbst ihre Anhänger scheinen darüber enttäuscht gewesen zu sein: Nur im ersten Jahr der Mandatszeit von LAASS besprach die „Deutsche Volkswacht" zustimmend dessen Stellungnahmen,[188] in den späteren Jahren wurde er nicht wieder erwähnt. Die mangelnde Resonanz, auf die beide mit ihren politischen Ansichten in der Stadtverordnetenversammlung stießen, läßt sich zum Teil auf ihre Minderheitsposition zurückführen, aber auch ihre Unfähigkeit, mit anderen eine Fraktion zu bilden, mag eine Rolle gespielt haben. Beinahe alle Diskussionsbeiträge und Eingaben von LAASS und HETTLER verhallten ohne Wirkung, bzw. wurden einer heftigen Kritik unterzogen. Sie waren Außenseiter in der Stadtverordnetenversammlung — allerdings in harmloserer Form als die nationalsozialistischen Stadtverordneten der 20er Jahre.

Im Unterschied zu diesen stellten HETTLER und LAASS die kommunale Selbstverwaltung nicht in Frage. Sie waren bereit mitzuarbeiten und paßten sich, soweit es ihnen bei ihrer geringen politischen Erfahrung möglich war, den parlamentarischen Gepflogenheiten an. Aus diesem Grund vermieden sie in ihren Reden auch weitgehend antijüdische Angriffe. Gänzlich anders verhielten sich die Stadtverordneten der NSDAP in den 20er Jahren, deren Ziel die Zerstörung der parlamentarischen Demokratie war. Sie betrieben in den Sitzungen der Stadtverordneten ausschließlich Agitation und versuchten einen geordneten Ablauf zu verhindern.[189] Diese unterschiedliche Bewertung der parlamentarischen Arbeit zeigt den grundsätzlichen Wandel vom politischen Antisemitismus der wilhelminischen Zeit zu dem der Weimarer Republik.

185 Bericht über die Verhandlungen 1909, S. 40.

186 Seit 1905 war er Mitglied des Organisationsausschusses, s. Deutsche Volkswacht, 12. Jg., Nr. 3, 11.1.1905.

187 Mittheilungen aus den Protokollen 1906, S. 199 und S. 247; 1907, S. 150; Bericht über die Verhandlungen 1908, S. 427; 1909, S. 426 und S. 1424; 1910, S. 133f.

188 So etwa Deutsche Volkswacht, 12. Jg., Nr. 34, 3.4.1905 und Nr. 66, 26.8.1905.

189 B. KÖHLER, Nationalsozialisten, S. 441-449.

Der Grund für diese Gesinnungsänderung kann u.a. auch in den Erfahrungen gesehen werden, die die antisemitische Bewegung des Kaiserreichs machte. Die Erfolglosigkeit des politischen Antisemitismus in den parlamentarischen Gremien vor 1914 kann nicht nur am Beispiel Frankfurts festgestellt werden, sondern galt auch für die Antisemiten im Reichstag.[190] Der amerikanische Historiker RICHARD S. LEVY kommt in seiner Untersuchung über den Antisemitismus vor 1914 deshalb zu dem Schluß, daß es letztlich das Scheitern des parlamentarischen Antisemitismus vor 1914 war, was die antisemitische Bewegung der Weimarer Zeit veranlaßte, die Arbeit der Parlamente zu boykottieren. Versuchten die antisemitischen Parteien vor 1914 ihre politischen Ziele über die Parlamente durchzusetzen, so sahen die völkischen Parteien der 20er Jahre dies von vornherein als aussichtslos an.[191]

190 W. JOCHMANN, Struktur (1976), S. 461.
191 R. LEVY, Downfall, S. 260ff.

14. Der Kampf des Deutschen Vereins gegen die Errichtung eines Denkmals für Heinrich Heine 1912/13

Am 13. Dezember 1913 enthüllte Oberbürgermeister GEORG VOIGT in der Friedberger Anlage ein Denkmal für den Dichter HEINRICH HEINE. Obgleich seit den 80er Jahren verschiedene deutsche Städte beabsichtigten, HEINE ein Denkmal zu setzen, war das Frankfurter das erste öffentliche Heine-Denkmal in Deutschland. Alle früheren Unternehmungen waren an der Ablehnung deutschnationaler und antisemitischer Gruppen gescheitert. Gegen das geplante Denkmal gab es auch in Frankfurt Widerstand, den der Deutsche Verein organisierte. Mit öffentlichen Protestkundgebungen und Flugblattaktionen versuchte er es zu verhindern. Während die Befürworter des Denkmals HEINES Lyrik neben die GOETHES stellten, ging es den Gegnern nicht um die dichterische Begabung HEINES. Ihr Widerstand gründete in HEINES jüdischer Abstammung und in der Kritik, die dieser in einigen seiner Gedichte an Deutschland und an den Hohenzollern geübt hatte. In einem Heine-Denkmal sahen die Antisemiten einen „Stein des Anstoßes“,[1] an dem sich die Macht der Juden sinnfällig zeige. Diese Ansichten des Deutschen Vereins waren nicht originell. Seit Beginn der Kontroversen um ein Denkmal für HEINRICH HEINE in den 80er Jahren wurden sie in zahlreichen Broschüren und Zeitungsartikeln verbreitet.

Die Argumentation und die Vehemenz, mit der gegen das Frankfurter Monument polemisiert wurde, lassen sich nur vor dem Hintergrund der früheren gescheiterten Versuche zur Errichtung eines Denkmals erklären. In einem ersten Teil wird deshalb kurz die Geschichte der Heine-Denkmäler in Deutschland referiert (14.1.), bevor auf den Widerstand des Deutschen Vereins eingegangen wird (14.2.).

14.1. Geschichte der Heine-Denkmäler in Deutschland

Mehr als dreißig Jahre nach dem Tod HEINRICH HEINES 1856 in Paris kam erstmals 1887 der Gedanke in Deutschland auf, ihm ein Denkmal zu setzen. In seiner Geburtsstadt Düsseldorf bildete sich ein Ausschuß, der für ein Heine-Denkmal Geld sammelte.[2] Dieses Projekt steht am Anfang einer publizistischen Kontroverse um die Frage, ob eine deutsche Stadt dem Verfasser kritischer, gegen Preußen und das Hohenzollernhaus gerichteter Gedichte ein Denkmal setzen dürfe.

[1] Der Begriff stammt von PAUL ARNSBERG, Stein des Anstoßes, S. 144.

[2] K. HOTZ (Hrsg.), Heinrich Heine, S. 169; R. KAHN, Kampf, S. 20. Irrtümlich datierte PAUL ARNSBERG, in: Geschichte, Bd. 1, S. 794 und in: Stein des Anstoßes, S. 150, die ersten Denkmalspläne in das Jahr 1892.

Daß es Widerstand gegen die Denkmalspläne geben würde, war aufgrund der Wirkungsgeschichte HEINRICH HEINES zu erwarten gewesen. Schon zu HEINES Lebzeiten waren seine Leser in bewundernde Anhänger und unversöhnliche Gegner geschieden. Anders als gegen Ende des Jahrhunderts stand jedoch die Dichtung HEINES, nicht seine Person im Vordergrund. In der 1. Hälfte des 19. Jahrhunderts wandte sich die Kritik an HEINE gegen den unbequemen, politisch nicht eindeutig einzuordnenden Dichter. Dagegen wurde in der zweiten Hälfte des 19. Jahrhunderts die Ablehnung HEINES mit dessen jüdischer Abstammung und seinen kritischen Äußerungen über Deutschland begründet. Seit RICHARD WAGNERS „Das Judenthum in der Musik" aus dem Jahre 1850 und vor allem seit dem Erscheinen des dritten Bandes von HEINRICH VON TREITSCHKES „Deutsche Geschichte im Neunzehnten Jahrhundert" im Jahre 1885 waren Argumente für eine Gegnerschaft gegen HEINE aus rassischen Gründen vorgegeben. HEINRICH HEINE wurde als Beispiel dafür angeführt, daß kein künstlerisches Genie aus dem Judentum hervorgehen könne.[3]

Waren diese Veröffentlichungen an ein gebildetes Publikum adressiert, änderte sich dies mit den Denkmalsdebatten der späten 80er Jahre. Auf wenige Schlagworte reduziert wurden diese Ansichten durch zahlreiche Artikel in antisemitischen Zeitungen, Flugschriften und kleinen Broschüren verbreitet. HEINES Dichtung wurde in Ausdruck und Form ausschließlich auf die jüdische Abstammung des Autors zurückgeführt, aus der sich seine Kritik an Deutschland erklären lasse. Nur der „vaterlandslose" Jude vermöge über sein Herkunftsland zu spotten. Ziel dieser Publikationen war, wie es ausdrücklich formuliert wurde, ein Heine-Denkmal in Deutschland zu verhindern.

An der Kampagne gegen das Heine-Denkmal in Düsseldorf beteiligte sich auch der dortige Deutschsoziale Verein. 1888 brachte er eine Schmähschrift unter dem Titel „Heinrich Heine, der Schmutzfink im deutschen Dichterwald" heraus.[4] Und ein Flugblatt wurde im selben Jahr verteilt, in dem HEINE mit einem Schwein verglichen wurde. Wollte man ihm schon ein Denkmal, ein „Schandbild" setzen, dann sollte dies in einem „Schweinekoben" aufgestellt werden.[5]

Nicht nur die Antisemiten in Düsseldorf wehrten sich gegen die Aufstellung eines Heine-Denkmals in ihrer Stadt, sondern im gesamten Reich wurde die Frage in antisemitischen Publikationen erörtert.[6] Bereits 1887, kurz nachdem die ersten Gerüchte über die Düsseldorfer Pläne bekannt wurden, druckten die antisemitischen Zeitungen, selbst regionale wie der hessische „Reichsherold", Angriffe gegen HEINE ab.[7]

[3] E. GALLEY, Heinrich Heine, S. 8f.; R. KAHN, Kampf, S. 12-17.

[4] K. HOTZ (Hrsg.), Heinrich Heine, S. 169; vgl. auch R. KAHN, Kampf, S. 33, der als Verfasser der Schrift Dr. KÖNIG aus Witten angibt.

[5] Abdruck des Flugblattes bei B. SUCHY, Antisemitismus, S. 272.

[6] Die Antisemiten waren nicht die einzigen, die sich gegen das Denkmal aussprachen. Auch von konservativ-christlicher Seite wurde gegen den Plan protestiert, s. R. KAHN, Kampf, S. 23. In akademischen Kreisen gab es ebenfalls Widerstand. Der national gesinnte Verein deutscher Studenten verfaßte 1887/88 einen entsprechenden Aufruf, s. Deutsch-Soziale Blätter, Beil., 29. Jg., Nr. 49, 20.6.1914, S. 587f.; s. auch R. KAHN, Kampf, S. 22.

[7] Reichsherold, 1. Jg., Nr. 59, 23.12.1887; 2. Jg., Nr. 81, 9.3.1888 und Nr. 85, 23.3.1888.

Tenor dieser Artikel war die Mahnung, daß es mit Deutschland schon weit gekommen sein müsse, wenn eine deutsche Stadt dem „Schmäher des deutschen Vaterlandes, dem Schmutzdichter Heine ein Denkmal“ setze.[8] Es sei nicht nur eine lokale Frage, die die Düsseldorfer zu entscheiden hätten, sondern eine nationale, in der das gesamte deutsche Volk Stellung zu beziehen habe. Denn ein Denkmal für HEINE werde den militärischen Sieg über Frankreich 1871 moralisch entwerten: *„Sollen wir einen Menschen verherrlichen, der in schamlosem Cynismus unser deutsches Vaterland, deutsche Fürsten und deutschen Glauben geschmäht, die Zukunft Deutschlands mit einem Nachtstuhl verglichen hat? Nein, und tausendmal nein! Gerade jetzt, wo die deutsche Einheit einen so herrlichen, unvergleichbaren Sieg errungen hat, wo der nationale Gedanke vor ganz Europa so hell aufleuchtet, daß unsere Feinde von seinem Glanze geblendet wurden, wie durch einen grellen Blitz, da ist es unsere doppelte Pflicht, ein Ansinnen zurückzuweisen, das die schlimmsten Zeiten deutscher Selbsterniedrigung überbietet!“*[9]

Auch von außerhalb des Deutschen Reiches erreichten den Düsseldorfer Stadtrat Protestnoten. Aus Graz wurde eine mit angeblich 500 Unterschriften versehene Eingabe nach Düsseldorf geschickt.[10]

Die Gegner begründeten ihre Ablehnung HEINES mit dessen „schmachvoller Besudelung des Hohenzollernhauses“ in dem Gedicht „Schloßlegende“. Da dieses Gedicht immer wieder — auch im Frankfurter Denkmalstreit — als Beleg dafür angeführt wurde, daß die Errichtung eines Heine-Denkmals undeutsch sei und einer Majestätsbeleidigung gleichkomme,[11] soll es an dieser Stelle vollständig zitiert werden:

Schloßlegende

Zu Berlin im alten Schlosse,
Sehen wir, aus Stein gemetzt,
Wie ein Weib mit einem Rosse,
Sodomitisch sich ergötzt.

Und es heißt: daß jene Dame
Die erlauchte Mutter ward
Unsres Fürstenstamms; der Same
Schlug fürwahr nicht aus der Art.

Ja, sie hatten alle wenig
Von der menschlichen Natur!
Und an jedem Preußenkönig
Merkte man die Pferdespur.

8 Ebd., 1. Jg., Nr. 59, 23.12.1887.
9 Ebd., 2. Jg., Nr. 81, 9.3.1888.
10 Ebd., Nr. 107, 8.6.1888.
11 Vgl. etwa Deutsch-Soziale Blätter, 23. Jg., Nr. 42, 23.5.1908, S. 574f.; Nr. 59, 22.7.1908, S. 814f.

Stets brutal zugleich und blöde,
Stallgedanken, jammervoll,
Ein Gewieher ihre Rede,
Eine Bestie jeder Zoll.

Du allein, du des Geschlechtes
Letzter Sprößling, fühlst und denkst
Wie ein Mensch, und hast ein echtes
Christenherz, und bist kein Hengst.[12]

Unter Bezug auf dieses Gedicht forderte die Eingabe aus Graz, den Plan eines Heine-Denkmals fallen zu lassen. Der Brief schloß mit einer eindringlichen Mahnung: „*Soweit darf Deutschland sich nicht erniedrigen, dass es den Verhöhner und Begeiferer seines erlachten (!) und geliebten Kaiserhauses mit den höchsten Ehren bedächte! Weg also mit dem Gedanken an ein Heine-Denkmal, welches ein Schandmal Deutschlands würde! Bei dem Andenken Kaiser Wilhelms beschwören wir Euch!*"[13]

Aus Österreich erhielt Düsseldorf aber nicht nur Kritik, sondern auch Unterstützung. Kaiserin ELISABETH war eine Bewunderin der HEINEschen Lyrik und begrüßte den Plan, dem Dichter in seiner Geburtsstadt ein Denkmal zu setzen. Sie war bereit, eine Heine-Plastik aus eigenen Mitteln zu finanzieren. Da mittlerweile auch ein Platz für das Denkmal von der Stadtverordnetenversammlung gebilligt worden war, hätte der Realisierung eigentlich nichts mehr im Wege stehen müssen.[14]

Schon bald wurde aber deutlich, daß die Widerstände gegen das Denkmal zu stark waren, um eine Ausführung des Plans zu ermöglichen. Die entscheidende Gegnerschaft ging aber nicht von den Antisemiten, die am lautesten protestiert hatten, aus, sondern kam aus Berlin. Bereits 1888 wurde der Stadt Düsseldorf mitgeteilt, daß das Kaiserhaus und die Reichsregierung ein Heine-Denkmal mißbilligten.[15] Obwohl das Düsseldorfer Denkmalskomitee weiter an seinem Projekt festhielt und durch ein Immediatgesuch den Kaiser umzustimmen versuchte,[16] war damit das Schicksal des Düsseldorfer Denkmals besiegelt. 1893 zog der Magistrat den bereits zugesicherten Platz für das Denkmal zurück. Als Begründung wurde angeführt, daß in der Zwischenzeit auf dem vorgesehenen Platz ein Kriegerdenkmal errichtet worden war, neben dem ein Denkmal für HEINRICH HEINE unmöglich stehen könne.[17]

[12] H. HEINE, Sämtliche Schriften, Bd. 11, S. 270. Das Gedicht spielt auf FRIEDRICH WILHELM IV. an. 1847 wurde es erstmals veröffentlicht. HEINE selbst hat es später überarbeitet und neutralisiert, ebd., Bd. 12, S. 83. Außer diesem Gedicht wurden als deutschfeindlich vor allem die Gedichte „Atta Troll" und „Deutschland. Ein Wintermärchen" interpretiert.

[13] Reichsherold, 2. Jg., Nr. 107, 8.6.1888.

[14] R. KAHN, Kampf, S. 28f.; P. ARNSBERG, Heinrich Heine, S. 649f. S. auch Reichsherold, 1. Jg., Nr. 59, 23.12.1887; 2. Jg., Nr. 138, 25.9.1888.

[15] R. KAHN, Kampf, S. 30.

[16] Reichsherold, 2. Jg., Nr. 138, 25.9.1888.

[17] R. KAHN, Kampf, S. 30.

Nachdem der Denkmalsplan in Düsseldorf sich 1893 endgültig zerschlagen hatte, wurde er im selben Jahr in Mainz erwogen. Sofort erschienen wieder zahllose Angriffe gegen dieses Projekt in den antisemitischen Zeitungen.[18] Da die Mainzer Stadtverordneten 1893 zu keinem Entschluß gelangen konnten, regte man an, eine Umfrage bei berühmten Zeitgenossen nach deren Meinung zur Errichtung eines Denkmals für Heinrich Heine zu veranstalten. Wie nicht anders zu erwarten, waren die zusammengetragenen Ansichten völlig konträr, woraufhin das Mainzer Stadtparlament das Denkmal 1894 ablehnte.[19]

Damit fanden die Denkmalspläne vorläufig ihr Ende. Erst zehn Jahre später sollte erneut der Versuch unternommen werden, ein öffentliches Denkmal für Heinrich Heine zu errichten.

Anläßlich seines fünfzigsten Todestages 1906 erschienen in verschiedenen Zeitungen Aufrufe zur Errichtung eines Denkmals für Heinrich Heine. Im Unterschied zu den 80er und 90er Jahren waren dies keine lokalen Unternehmungen, sondern die Aufrufe wandten sich an das gesamte deutsche Volk. Geld wurde gesammelt und schließlich als Ort für das Denkmal Hamburg bestimmt. Trotz der reichsweiten Unterstützung des Projektes scheiterte es auch diesmal.

Von Anfang an waren die Unternehmungen des Denkmal-Fonds von heftigen Protesten der Gegner begleitet, die ihrerseits von den Befürwortern des Denkmals in Zeitungsartikeln angegriffen wurden. Diese publizistische Kontroverse führte zu einer Polarisierung in der Denkmalsdebatte, die es dem Hamburger Senat angeraten sein ließ, das Projekt nicht zu unterstützen.[20] Damit fanden die Bestrebungen des Jahres 1906 schon bald ihr Ende. Der Ausschuß für den Heine-Denkmal-Fonds blieb aber weiterhin bestehen und sammelte Geld, ohne sich auf einen Platz für das Denkmal festzulegen.[21]

Eine der antisemitischen Schriften gegen das Hamburger Denkmalsprojekt 1906 verdient besondere Beachtung, denn auf ihr fußten alle späteren antisemitischen Publikationen gegen Heine. Es handelt sich um die Schrift des Literaturwissenschaftlers Adolf Bartels „Heinrich Heine. Auch ein Denkmal".[22] Da Adolf Bartels bereits als Verfasser literaturgeschichtlicher Werke ausgewiesen war, erhielten die Argumente der Antisemiten gegen Heine durch ihn eine wissenschaftliche Legitimation. Der Literaturwissenschaftler befaßte sich mit dem Werk Heines nur unter dem

18 Ebd., S. 32. Der Deutsche Verein in Frankfurt rühmte sich einige Jahre später, „sein Möglichstes dazu beigetragen zu haben, daß das Heinedenkmal nicht nach Mainz gekommen ist", s. Frankfurter Post, 3. Jg., Nr. 9 (=8), 1.8.1898.

19 R. Kahn, Kampf, S. 35f.

20 Ebd., S. 42-47.

21 Mitteilungen der Freien literarischen Gesellschaft, 2. Jg., Nr. 3, Oktober 1909.

22 Dresden und Leipzig 1906. Als Reaktion auf die heftige Kritik, die sein Buch erhielt, veröffentlichte Adolf Bartels 1907 noch eine zweite Schrift „Heine-Genossen. Zur Charakteristik der deutschen Presse und der deutschen Parteien". Vgl. auch seine späteren Artikel in Deutsch-Soziale Blätter, Beil., 27. Jg., Nr. 56, 13.7.1912 und Nr. 92, 16.11.1912. Zu Adolf Bartels und seinen Veröffentlichungen s. C. Bürger (Hrsg.), Antisemiten-Spiegel, S. 286-294.

Aspekt, Belege für Charaktermängel des Dichters zu finden. Dabei kam er zu dem Schluß, daß HEINE ein Opportunist, maßlos eitel und rachsüchtig gewesen sei u.ä.m. Vor allem aber behauptete ADOLF BARTELS, diese sittlichen und moralischen Unzulänglichkeiten HEINES seien allein bedingt durch dessen Rassenzugehörigkeit. HEINE sei ein typischer Jude, in dem besonders deutlich alle negativen Eigenschaften der jüdischen Rasse zum Tragen gekommen seien.[23] Die gesamte Dichtung HEINES, besonders seinen Stil, führte BARTELS auf die jüdische Abstammung des Dichters zurück. Nur unter diesem Aspekt konnte ADOLF BARTELS einer Heine-Lektüre Interesse abgewinnen: „Wirklich brauchbar sind Heines Werke für uns Deutsche heute nur noch zum gründlichen Studium des Judentums, aber ich fürchte, an diesem Studium wird das Judentum selbst nicht allzu viele Freude haben."[24] Die Idee, HEINE ein Denkmal zu setzen, ginge ausschließlich auf jüdischen Einfluß zurück. Die Deutschen, sofern sie sich als solche fühlten, müßten es ablehnen. Falls HEINE trotzdem ein öffentliches Denkmal erhielte, drohte ADOLF BARTELS mit dem Widerstand national gesinnter Kreise: Sollte HEINRICH HEINE ein Denkmal errichtet werden, *„so kann niemand dafür stehen, daß das Denkmal nicht eines Tages (ich spreche hier natürlich nur bildlich) in die Luft fliegt — und vielleicht noch verschiedenes mit ... Wenn nun aber wirklich das deutsche Volk, der zur Zeit maßgebende Teil desselben, Heine ein Denkmal setzen, das heißt, den Kotau vor dem Judentum, den dieses verlangt, machen wollte? Nun, dann würden wir Nationalen einen starken Anstoß erhalten, in unserem guten Kampfe um Gesundung und Reinigung des Deutschtums erst recht fortzufahren, die Kraft und den Willen, das ist bereits bewiesen, haben wir ja und vor allem auch das Vertrauen, daß Gott seine lieben Deutschen zuletzt nicht verlassen wird."*[25]

Erst sieben Jahre später, mit der Enthüllung des Denkmals in Frankfurt, wagte es eine Stadtverwaltung, sich über derartige Drohungen hinwegzusetzen.

Bevor die Errichtung eines Erinnerungs-Monuments für HEINRICH HEINE in Frankfurt erwogen wurde, gab es, auf Privatgelände aufgestellt, aber allgemein zugänglich, einige wenige Heine-Plastiken. Die Geschichte eines dieser Denkmäler spiegelt exemplarisch die Auseinandersetzung seit den 80er Jahren wider.

Über die Entwicklung der Ereignisse enttäuscht, stellte Kaiserin ELISABETH von Österreich ein Heine-Denkmal in ihrem Schloß Achilleion auf Korfu auf. Aber auch dort sollte es nicht lange bleiben. Zehn Jahre nach dem Tod der Kaiserin 1898 erwarb WILHELM II. das Schloß. Der neue Eigentümer ließ das Denkmal unverzüglich entfernen. 1909 wurde es von dem Sohn des Hamburger Heine-Verlegers JULIUS CAMPE erworben, der es der Stadt Hamburg anbot. Der Hamburger Senat hatte bereits 1906 abgelehnt, einen Platz für ein Heine-Denkmal zur Verfügung zu stellen, und tat dies auch 1909. JULIUS CAMPE ließ daraufhin das Heine-Denkmal der Kaiserin ELISABETH

[23] A. BARTELS, Heinrich Heine, bes. S. 287, S. 361.
[24] Ebd., S. 371.
[25] Ebd., S. 375.

auf der Terrasse eines Kaffeehauses in Hamburg aufstellen.[26] Bis zur Enthüllung des Frankfurter Denkmals 1913 gab es außerdem noch in Chemnitz und Halle Erinnerungsbüsten für HEINE, deren Aufstellung auf private Initiativen zurückging. Diese waren wie das Hamburger Denkmal öffentlich zugänglich, standen aber im Unterschied zum Frankfurter Denkmal auf privaten, nichtöffentlichen Grundstücken.[27]

14.2. Die Agitation des Deutschen Vereins gegen die Errichtung des Heine-Denkmals in Frankfurt[28]

Ein Heine-Denkmal in Frankfurt am Main aufzustellen, wurde erstmals 1908 erwogen. Der Varietékünstler DANNY GÜRTLER bot der Stadt im März dieses Jahres ein Heine-Denkmal zum Geschenk an. Obgleich es einzelne Stimmen gab, die die Annahme dieses Angebots empfahlen,[29] überwogen doch die kritischen Stellungnahmen. Dies hatte allerdings nichts mit einer prinzipiellen Gegnerschaft gegen ein Denkmal für HEINRICH HEINE zu tun, sondern war in der Person DANNY GÜRTLERS begründet. Die „Kleine Presse" etwa befürchtete, daß GÜRTLER primär Reklame für sich selbst machen wolle und es ihm weniger um eine Ehrung HEINES zu tun sei.[30] Mit der Bitte um Informationen über die Person des Spenders schrieb der Magistrat an andere Städte. Die Antworten, die man erhielt, ließen es der Stadt nicht angeraten erscheinen, dem Vorschlag des Künstlers zuzustimmen. In Köln war DANNY GÜRTLER in einen Theaterskandal verwickelt. Aus Breslau wurde dem Magistrat mitgeteilt, daß die Wohnung GÜRTLERS nach „Heine-Postkarten und Hetären-Liederbüchern" durchsucht worden war und er selbst wegen „extemporierter, sozialistischer und religionsfeindlicher Ansprachen" Auftrittsverbot erhalten hatte.[31] Daraufhin teilte die Stadt DANNY GÜRTLER die endgültige Ablehnung seines Angebots mit.[32]

Die Idee, HEINE in Frankfurt ein Denkmal zu setzen, blieb aber weiterhin präsent. Die „Kleine Presse" hatte schon, kaum war das Angebot GÜRTLERS im März 1908 publik, in ihrem Kommentar diesen Vorschlag unterbreitet. Mit einem Frankfurter Heine-Denkmal sollte nicht der Bezug des Dichters zur Stadt, wo er nur kurze Zeit gelebt hatte, betont werden, sondern es sollte ein nationales Denkmal für HEINE wer-

26 R. KAHN, Kampf, S. 40 und S. 47f.

27 Deutsch-Soziale Blätter, Beil., 27. Jg., Nr. 56, 13.7.1912, S. 676f.; Nr. 61, 31.7.1912, S. 725.

28 Die Auseinandersetzung um das Heine-Denkmal 1912/13 fand als Beispiel für das Vorhandensein antisemitischer Bestrebungen im wilhelminischen Frankfurt auch in der Sekundärliteratur ihren Niederschlag, s. P. ARNSBERG, Stein des Anstoßes; ders., Heinrich Heine als linksintellektuelles „Anti"-Symbol; s. auch die knappe Zusammenfassung in: ders., Geschichte, Bd. 1, S. 794-796; W. WIPPERMANN, Leben, Bd. 1, S. 37; „Früher wohnten wir", S. 24.

29 Schreiben des Auktionators PAUL GRÖDEL an die Stadtverordnetenversammlung vom 7.4.1908, in: StA Ffm., Akten des Magistrats S 2673.

30 P. ARNSBERG, Stein des Anstoßes, S. 152.

31 Ebd., S. 151f.; die Quelle dazu in: StA Ffm., Akten des Magistrats S 2673.

32 StA Ffm., Akten des Magistrats S 2673.

den. In Frankfurt könne dieses Denkmal stehen, da die Stadt „als historische Hauptstadt des deutsches Volkes“ anzusehen sei.[33]

Diese Überlegungen der „Kleinen Presse“ gingen auf das seit 1906 propagierte Nationaldenkmal für HEINRICH HEINE zurück. Noch 1909 wurde für ein solches Denkmal in Frankfurt geworben. Im Oktober dieses Jahres veranstaltete die Freie literarische Gesellschaft eine Heine-Feier, deren Erlös dem nationalen Heine-Denkmal-Fonds zugute kam. Wo das Denkmal im Deutschen Reich aufgestellt werden sollte, blieb unbestimmt.[34]

Obwohl bei der Veranstaltung der Freien literarischen Gesellschaft 1909 noch von keinem lokalen Heine-Denkmal in Frankfurt die Rede war, ging von dieser Gesellschaft ein Jahr später die Anregung dazu aus.[35] Dazu mag beigetragen haben, daß die Errichtung eines Nationaldenkmals in absehbarer Zeit nicht realisierbar erschien. Beinahe dieselben Personen, die den Aufruf des Frankfurter Ausschusses für den Heine-Denkmal-Fonds unterzeichnet hatten, bildeten auch 1910 das Komitee zur Errichtung eines Heine-Monuments in Frankfurt am Main.[36] Im Unterschied zu den früheren Plänen beabsichtigte das Frankfurter Komitee, kein Nationaldenkmal für HEINE zu errichten, sondern es handelte sich nur um ein auf Frankfurt bezogenes Unternehmen. Das für das Denkmal benötigte Geld wurde durch Spenden von hiesigen Bürgern aufgebracht, während die Stadt den Platz dafür zur Verfügung stellen sollte. Das Komitee wandte sich im Juni 1910 an den Magistrat mit der Bitte um Zuweisung eines öffentlichen Platzes für das Heine-Denkmal. Bereits wenige Tage später erklärte sich der Magistrat grundsätzlich dazu bereit.[37]

Damit trat das Frankfurter Denkmalsprojekt in ein ernstzunehmendes Stadium. Bislang hatte man, wie das Komitee dem Magistrat erklärte, die Öffentlichkeit davon nicht unterrichtet. Auch weiterhin wurde der Plan kaum publik gemacht. Nur kurze Notizen über sein Voranschreiten erschienen 1911 in den Lokalzeitungen.[38] Vermutlich aufgrund der negativen Erfahrungen in anderen Städten wurde das Unternehmen unter weitgehendem Ausschluß der Öffentlichkeit weiter verfolgt. Dies funktionierte so gut, daß selbst die Antisemiten, die sonst bei diesem Thema sehr hellhörig waren, erst 1912 bemerkten, daß die Errichtung eines Heine-Denkmals in Frankfurt in greifbare Nähe gerückt war. Noch im Mai 1911 hielt die Berliner „Deutsche Tageszeitung“

33 Zeitungsausschnitt aus der Kleinen Presse vom 28.3.1908, in: StA Ffm., Akten des Magistrats S 2673.

34 Mitteilungen der Freien literarischen Gesellschaft, 2. Jg., Nr. 3, Oktober 1909. PAUL ARNSBERG, Stein des Anstoßes, S. 154 und Geschichte, Bd. 1, S. 795, stellt die Feier zeitlich in einen späteren Zusammenhang und behauptet, daß sie „in überhitzter Atmosphäre“ stattfand. 1909 war aber ein Frankfurter Heine-Denkmal noch nicht geplant.

35 Vgl. auch KP, Nr. 108, 10.5.1913.

36 StA Ffm., Akten des Magistrats S 2673. Da die Antisemiten immer wieder den Vorwurf erhoben, daß es vornehmlich Juden seien, die sich für ein Heine-Denkmal einsetzten, mag ein Blick auf die konfessionelle Zusammensetzung des Komitees angezeigt sein: Von den dreizehn Unterzeichnern waren weniger als die Hälfte israelitischer Konfession.

37 StA Ffm., Akten des Magistrats S 2673.

38 Vgl. etwa Frankfurter Zeitung, Nr. 109, 20.4.1911, Abendbl.

die Mitteilung, der Frankfurter Magistrat habe sich bereit erklärt, einen Platz für das Denkmal zur Verfügung zu stellen, für unglaubwürdig: „*Man braucht ihr* (der Nachricht, I.S.) *nicht ohne weiteres Glauben zu schenken: die Juden haben es im Aussenden von Versuchsballons zu großer Meisterschaft gebracht und sehr oft den guten Deutschen Dinge, an deren Durchführung ihnen lag, 'suggeriert'. Zwar das Komitee und die 18.000 Mark werden da sein — aber ist wirklich auch schon der Platz von der Stadt Frankfurt a.M. gestiftet?*"[39] Mit den bisherigen fehlgeschlagenen Versuchen, Heine ein Denkmal zu setzen, glaubten sich selbst die heftigsten Gegner vorerst beruhigen zu können.

Ein erstes Protestschreiben ging im September 1911 bei der Stadtverwaltung ein. Der Verfasser war ein in Frankfurt ansässiger Versicherungsbeamter und Lehrer der Gabelsberger Stenographie, Wilhelm Bohrmann.[40] Ideologisch stand er dem Deutschen Verein nahe, aber als Mitglied trat er nicht in Erscheinung. Auch Bohrmann hielt die Realisierung eines öffentlichen Heine-Denkmals in Frankfurt letztlich nicht für möglich. Er wandte sich in „der festen Überzeugung" an den Oberbürgermeister, der Magistrat werde dem Plan des Komitees nicht zustimmen. Denn einem „Gesinnungslumpen" wie Heinrich Heine dürfe kein Denkmal gesetzt werden, „am allerwenigsten in unserer Kaiserstadt".[41]

Im Juli 1912, nachdem der Magistrat bereits den Standort für das Denkmal benannt hatte,[42] schrieb Wilhelm Bohrmann erneut an ihn. In dem zweiten Protestbrief heißt es, daß Heine „mit Recht der Mistfink im deutschen Dichterwald" genannt würde.[43] Heine habe sich „Preußen und seinem Königshause gegenüber als ein Gesinnungslump erwiesen". Ihm ein Denkmal setzen zu wollen, beleidige „jeden patriotisch denkenden & fühlenden Mann auf das tiefste".[44]

Neben diesen privaten Protestschreiben gab es den organisierten Widerstand des Deutschen Vereins, der entsprechende Resolutionen und Flugblätter der Stadtverwaltung zukommen ließ. Der agitatorische Kampf des Deutschen Vereins gegen die Errichtung des Denkmals begann erst im Juni 1912 mit öffentlichen Protestversammlungen. Die bemerkenswert spät einsetzende Propaganda des Deutschen Vereins läßt sich im wesentlichen durch die weitgehende Geheimhaltung des Projektes erklären. Möglicherweise kamen noch interne Probleme des Deutschen Vereins (Schwäche des Vereins, kaum Mitglieder) hinzu.

Daß es auf Seiten des Deutschen Vereins prinzipiell ein Interesse gab, das Heine-Denkmal zu verhindern, kann nicht angezweifelt werden. Schon 1894 will er gegen

39 Aus: Zeitfragen. Montagsbeilage der Deutschen Tageszeitung vom 8. Mai 1911, in: StA Ffm., Akten des Magistrats S 2673.
40 AdB 1911, I. Teil, S. 45.
41 Schreiben vom 15.9.1911, in: StA Ffm., Akten des Magistrats S 2673.
42 Beschluß des Magistrats vom 28.6.1912, in: StA Ffm., Akten des Magistrats S 2673.
43 Diese Zuschreibung stammt aus der Düsseldorfer Denkmalsdebatte Ende der 80er Jahre. Damals erschien die Schrift „Heinrich Heine, ein Schmutzfink im deutschen Dichterwalde", die der Düsseldorfer Deutschsoziale Verein herausgab, s. Kap. 14.1.
44 Schreiben vom 6.7.1912, in: StA Ffm., Akten des Magistrats S 2673.

Abb. 14 Dr. Ferdinand Werner,
Aufnahme nach 1930

das geplante Mainzer Heine-Denkmal agitiert haben.[45] In Frankfurt selbst hatte er Vorträge über HEINRICH HEINE organisiert. Auf dem achten Stiftungsfest des Deutschen Vereins 1899 referierte ein Herr A. KÖNIG über die Bedeutung HEINRICH HEINES für die deutsche Literatur.[46] Eine öffentliche Protestveranstaltung fand bereits 1906 aus Anlaß der Aufrufe für ein nationales Heine-Denkmal statt. Der Generalsekretär der Deutschsozialen Partei, JOHANN HENNINGSEN aus Hamburg, sprach über „Die Heinrich Heine-Verehrung, ein Zeichen sittlichen und nationalen Niederganges".[47]

Gegen das Heine-Denkmal in Frankfurt fing der Deutsche Verein erst spät, aber dafür umso forcierter mit seiner Propaganda an. Ihren „Anti-Heine-Feldzug"[48] begannen die Frankfurter Antisemiten mit einer öffentlichen Versammlung am 14. Juni 1912, in der der antisemitische Reichstagsabgeordnete Dr. FERDINAND WERNER sprach. Der 1876 im hessischen Kreis Biedenkopf geborene Dr. WERNER war Obergymnasiallehrer an der Realschule in Butzbach und Reichstagsabgeordneter der Deutschsozialen Partei für den Wahlkreis Gießen.[49] Er sollte auch bei der weiteren

[45] Frankfurter Post, 3. Jg., Nr. 9 (=8), 1.8.1898.
[46] Ebd., 4. Jg., Nr. 2, 1.2.1899.
[47] Mittelstandszeitung, 2. Jg., Nr. 11, 15.3.1906 und Nr. 12, 22.3.1906; KP, Nr. 67, 21.3.1906 und Nr. 68, 22.3.1906; MdVAA, 16. Jg. 1906, Nr. 13, S. 103.
[48] Jüdische Presse, 43. Jg., Nr. 25, 21.6.1912, S. 242f.
[49] Zu seiner Person E. SCHMAHL, Antisemitische Bauernbewegung, S. 126f.; J.-P. JATHO, Dr. Ferdinand Werner; H. G. RUPPEL/B. GROSS, Hessische Abgeordnete, S. 267; M. SCHWARZ. MdR, S. 787; Das deutsche Führerlexikon, S. 523f. sowie die kurze Biographie aus dem Jahre 1933 von K. ESSELBORN, Ministerpräsident.

Agitation des Deutschen Vereins gegen das Heine-Denkmal eine maßgebliche Rolle spielen. In Vorträgen und in Zeitungsartikeln griff er 1912 und 1913 den Frankfurter Magistrat wegen dessen Zustimmung zur Errichtung des Denkmals an.

Dr. Ferdinand Werner schlug in seiner ersten Frankfurter Protestveranstaltung die bereits aus den früheren Kontroversen bekannten Töne an. Der Titel seiner Rede „Das Heine-Denkmal in Frankfurt am Main, ein Zeichen jüdischer Herrschaft" gibt die Ansicht des Redners ausreichend wieder. Auch die Zeitungsberichte, selbst der in den „Deutsch-Sozialen Blättern", gehen auf den Inhalt des Vortrags nur kurz ein. Die „Frankfurter Zeitung" faßte den länger als zwei Stunden dauernden Vortrag abwertend zusammen: „Was er (Dr. Werner, I.S.) sagte, bewegte sich auf unglaublich niedrigem Niveau und war, gelinde gesagt, der Appell eines Ignoranten an Gleichgesinnte. Nach Herrn Dr. Werner ist Heinrich Heine alias Bückeburg, der Inbegriff von 'Rohheit, Niedertracht und Gemeinheit', seine Lyrik ist konventionell, verlogen, frivol, zynisch und entbehrt der Naturanschauung. Wir verzichten darauf, die Beweisführung des Redners auch nur entfernt anzudeuten."[50]

Die Verunglimpfungen Heinrich Heines durch den Vortragenden wurden von der Versammlung nicht widerspruchslos hingenommen. Hatte es schon während der Rede häufiger Störungen gegeben, so zeigte sich bei der anschließenden Diskussion, daß nicht nur Gegner, sondern viele Befürworter des Denkmals anwesend waren. Anstelle der freien Aussprache gab es tumultartige Szenen zwischen beiden Gruppen. In Lärm und Schlägerei ging die Versammlung unter. Nach Auflösung der Veranstaltung kam es zu einer Art 'Sängerwettstreit'. Während die Deutschsozialen „Deutschland, Deutschland über alles" anstimmten, intonierten anwesende Sozialdemokraten die Arbeitermarseillaise und die Heine-Freunde sangen siebenmal hintereinander die „Loreley" mit ihrer zum Anlaß passenden Anfangszeile „Ich weiß nicht, was soll es bedeuten".[51]

Der stürmische Verlauf der ersten Anti-Heine-Versammlung im Juni 1912 zeigt, daß die Gegner des Denkmals in Frankfurt weit mehr als früher in anderen Städten ihrerseits von den Befürwortern angegriffen wurden. Diese waren ebenso wie die Antisemiten bereit, ihre Ansichten öffentlich zu vertreten.

Die Veranstaltung war kein Erfolg für den Deutschen Verein, was auch von diesem gesehen, aber uminterpretiert wurde: An der Sprengung der Versammlung durch Heine-Freunde sehe man, daß man die richtige Strategie verfolge. Eine an die Auflösung der Veranstaltung anschließende Sitzung im „Kölner Hof" von etwa 100 Mitgliedern und Freunden des Deutschen Vereins verabschiedete eine entsprechende Erklärung, in der sie noch einmal ihren Protest gegen das Denkmal zum Ausdruck brachten: *„Die heut(ig)e Nachversammlung dankt dem Herrn Reichstagsabgeordneten Dr. Werner für seine mannhaften Ausführungen zur Heinefrage und erhebt nach der*

[50] Frankfurter Zeitung, Nr. 164, 15.6.1912, 3. Morgenbl.

[51] Zum Verlauf der Veranstaltung s. Frankfurter Zeitung, Nr. 164, 15.6.1912, 3. Morgenbl. und Abendbl.; Der Israelit, 53. Jg. 1912, Beil.: Frankfurter Israelit, Nr. 25, S. 2; Deutsch-Soziale Blätter, 27. Jg., Nr. 50, 22.6.1912, S. 588f.

durch die Anhänger Heinrich Heines vorsätzlich gestörten Volksversammlung einmütigen Protest gegen die Errichtung eines Heine-Denkmals auf Frankfurter und deutschem Boden. Daß wir mit unserer Stellungnahme auf dem rechten Wege sind, hat uns der Verlauf der Versammlung und das Verhalten der Freunde Heines zur Genüge bewiesen."[52]

Kurz danach veröffentlichte Dr. WERNER einen Artikel in den „Deutsch-Sozialen Blättern", in dem er die Notwendigkeit des Kampfes gegen den Denkmalsplan aus antisemitischer Sicht erläuterte. Weder in Frankfurt noch anderswo dürfe ein Denkmal für HEINRICH HEINE aufgestellt werden, denn HEINE sei „gleich verworfen als Mensch, wie als Dichter und Journalist, der das Land, in dem er geboren wurde, unser heiliges Vaterland über und über besudelt hat".[53]

Ein zweiter Artikel von Dr. FERDINAND WERNER erschien wenige Nummern später in den „Deutsch-Sozialen-Blättern". Diesmal setzte er sich, wie die rhetorisch fragende Überschrift „Ein Heinedenkmal in Frankfurt?" ankündigte, ausschließlich mit dem Frankfurter Denkmalsvorhaben auseinander. Der Inhalt entsprach seiner Rede und wiederholte nur die seit den 80er Jahren bekannten und seit dem Buch von Professor ADOLF BARTELS aus dem Jahre 1906 auch für wissenschaftlich abgesichert geltenden Ansichten der Heinegegner. Die Bewertung der Dichtung HEINRICH HEINES von „literarisch erfahrenen, ernsten und vaterlandstreuen Männer(n)" wurde von Dr. WERNER mit dem Satz zusammengefaßt: „*Wie Heines Volk ist Heines Dichtung nur ein 'Ferment' der 'Dekomposition', jedes wahrhaften Gefühls fast gänzlich bar, dabei aber jeder Selbstzersetzung und jeder Niedrigkeit fähig. Nirgends ein Gedicht, das man ernsthaft neben die großen lyrischen Offenbarungen aus der reinen Tiefe des germanischen Geistes stellen könnte!*" Und diesem „jüdischen Poeten" beabsichtige die Stadt Frankfurt ein Denkmal zu setzen. „*Wirklich? Nimmt die stolze Kaiserstadt am Mainstrom ein Ding an, das andere deutsche Städte nicht mochten? Weiß der hochlöbliche Magistrat in Goethes Geburtsstadt, daß Heine aus des Kaisers Achilleion auf Korfu herausbefördert worden ist?*"[54]

Längst waren von Seiten der Stadt die Entscheidungen zugunsten des Denkmals gefallen. Am 28. Juni 1912 hatte der Magistrat beschlossen, für die Aufstellung des Heine-Denkmals einen städtischen Platz zur Verfügung zu stellen. Vorgesehen war, das Denkmal im Ostend — dem Stadtteil mit dem höchsten Prozentsatz jüdischer Einwohner[55] — zwischen Friedberger Anlage und Neuer Zeil aufzustellen.[56] Nun mußte das Komitee zur Errichtung eines Heine-Monuments nur noch den ausführenden Künstler bestimmen, was bald mit dem Bildhauer GEORG KOLBE erfolgte.

Doch der Deutsche Verein gab sich noch nicht geschlagen. Im August 1912 verteilte er ein Flugblatt — an die „Bürger Frankfurts" tituliert — das ebenfalls von Dr. WERNER

52 Deutsch-Soziale Blätter, 27. Jg., Nr. 50, 22.6.1912, S. 588f.
53 Ebd., Nr. 51, 26.6.1912, S. 605f.
54 Ebd., Nr. 54, 6.7.1912, S. 641.
55 ST. LOWENSTEIN, Jewish Residential, S. 484f.
56 Schreiben des Komitees vom 13.7.1912 mit dem Beschluß des Magistrats vom 28.6.1912, in: StA Ffm., Akten des Magistrats S 2673.

verfaßt worden war.[57] Dieses Flugblatt wurde auch dem Magistrat zugestellt, der es ohne Kommentar, nur mit einem Eingangsvermerk versehen, ablegte.[58] In dem zweiseitigen Aufruf wurden alle Argumente der antisemitischen Partei gegen HEINE zusammengefaßt und auf den konkreten politischen Zweck hin interpretiert. Danach werde der Plan zur Errichtung des Heine-Denkmals in Frankfurt ausschließlich von Juden betrieben. Er könne nicht im Interesse der deutschen Bevölkerung sein. Mit Recht hätten deshalb alle übrigen Städte, wo bisher ein Heine-Denkmal zur Debatte stand, dieses abgelehnt. Das Flugblatt beginnt mit der im Fettdruck gesetzten Warnung:

„Bürger Frankfurts!
Jüdischer Größenwahn will deutsch-christliches Empfinden in den Staub zwingen und unsere alte Kaiserstadt, von deren deutscher Vergangenheit noch tausend Erinnerungen reden, soll mit dem
Bückeburg-Heine-Denkmal
'beehrt' werden, das andere Städte mit Entrüstung abgewiesen haben.
Bürger Frankfurts!
wenn deutsches und sittliches Empfinden noch stark genug in euch ist, dann wird auch auf Frankfurts Boden kein Denkmal für Heine stehen!"

In dreizehn Punkten wurde die „Wahrheit über Heine" dem Frankfurter Bürger nahegebracht. Die einzelnen Argumente entsprachen den schon vielfach zitierten. Dr. WERNER dürfte sie ähnlich schon in seiner Rede im Juni aufgeführt haben und hatte sie auch in seinem Artikel in den „Deutsch-Sozialen-Blättern" entwickelt. Nach der Aufzählung aller Vorwürfe, die die Antisemiten gegen HEINE erhoben, faßte der Autor die Bedeutung HEINES als eines „Sängers der Dirnen und der Niedrigkeit" zusammen. Ihm ein öffentliches Denkmal zu setzen, bedeute, daß „dem Judentum ein Siegeszeichen entsteht, dem Judentum, das an Frankfurts glorreicher Vergangenheit keinen Anteil hat".

Das Besondere dieses Flugblattes lag nicht in der abfälligen Charakterisierung HEINES, sondern in der Kritik an der Frankfurter Stadtverwaltung. Nachdem der Magistrat im Juni 1912 den Platz für das Denkmal zur Verfügung gestellt hatte, richtete sich der Angriff vornehmlich gegen ihn. Im Vergleich Frankfurts mit anderen Städten, die ein Heine-Monument abgelehnt hatten, sollte die Position des Frankfurter Magistrats als unhaltbar charakterisiert und zugleich die Agitation des Deutschen Vereins gegen das Denkmal gerechtfertigt werden. Nur noch eine Möglichkeit sah Dr. WERNER und mit ihm der Deutsche Verein, die Entscheidung des Magistrats rückgängig zu machen, nämlich durch öffentlichen Druck. Diesen zu erzeugen, beabsichtigte das Flugblatt, das alle deutschen Bürger Frankfurts zum Widerstand aufrief: „Bürger! Wir rufen euch auf zum flammenden Protest."

57 Deutsch-Soziale Blätter, 27. Jg., Nr. 73, 11.9.1912, S. 870f.
58 StA Ffm., Akten des Magistrats S 2673.

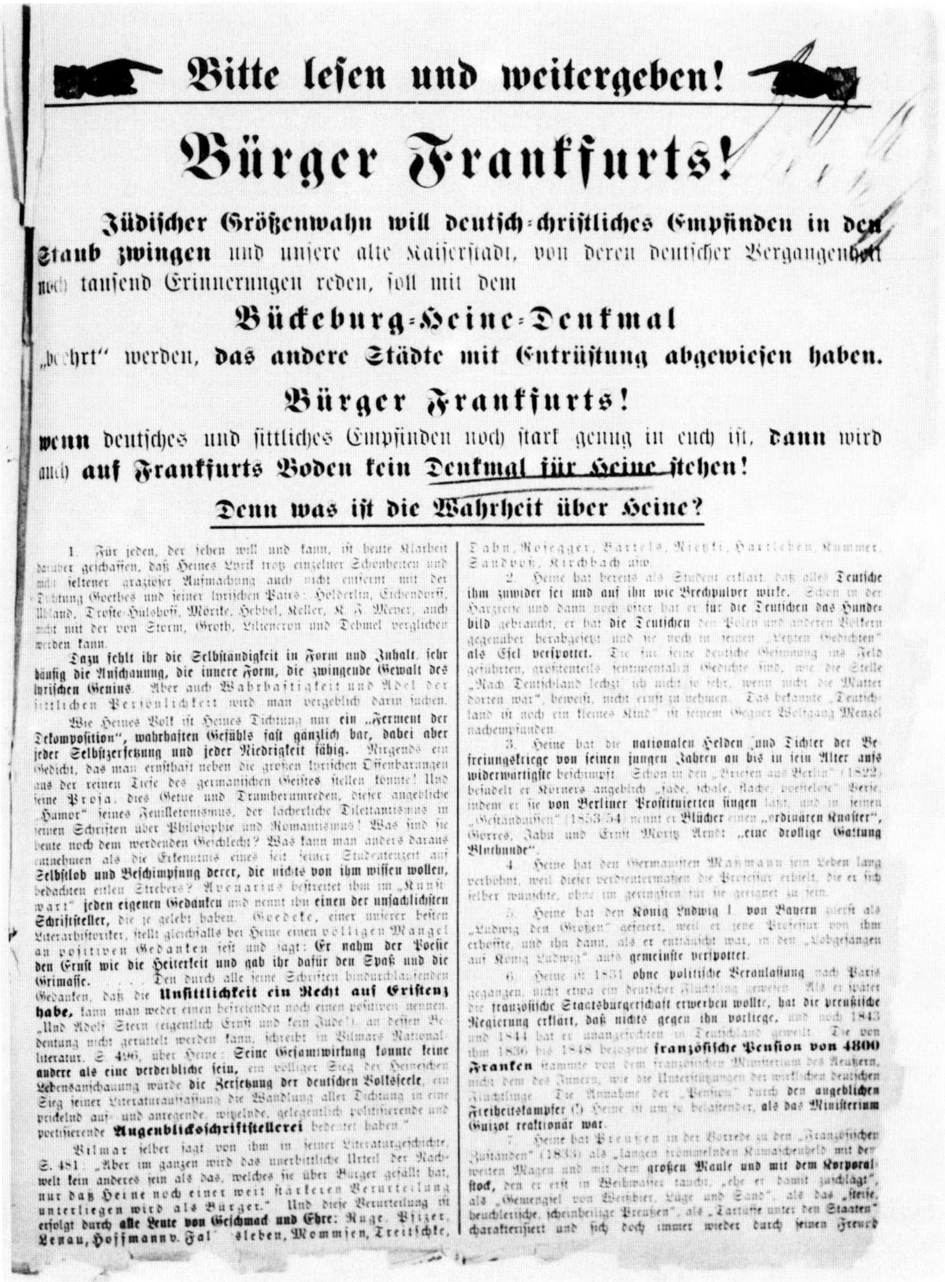

Bitte lesen und weitergeben!

Bürger Frankfurts!

Jüdischer Größenwahn will deutsch-christliches Empfinden in den Staub zwingen und unsere alte Kaiserstadt, von deren deutscher Vergangenheit noch tausend Erinnerungen reden, soll mit dem

Bückeburg-Heine-Denkmal

„geehrt“ werden, **das andere Städte mit Entrüstung abgewiesen haben.**

Bürger Frankfurts!

wenn deutsches und sittliches Empfinden noch stark genug in euch ist, **dann** wird auch **auf Frankfurts Boden kein Denkmal für Heine stehen!**

Denn was ist die Wahrheit über Heine?

1. Für jeden, der sehen will und kann, ist heute Klarheit darüber geschaffen, daß Heines Lyrik trotz einzelner Schönheiten und mit seltener graziöser Aufmachung auch nicht entfernt mit der Dichtung Goethes und seiner lyrischen Pairs: Hölderlin, Eichendorff, Uhland, Droste-Hülshoff, Mörike, Hebbel, Keller, K. F. Meyer, auch nicht mit der von Storm, Groth, Liliencron und Dehmel verglichen werden kann.

Dazu fehlt ihr die Selbständigkeit in Form und Inhalt, sehr häufig die Anschauung, die innere Form, die zwingende Gewalt des lyrischen Genius. Aber auch Wahrhaftigkeit und Adel der sittlichen Persönlichkeit wird man vergeblich darin suchen.

Wie Heines Volk ist Heines Dichtung nur **ein „Ferment der Dekomposition“, wahrhaften Gefühls fast gänzlich bar, dabei aber jeder Selbstzersetzung und jeder Niedrigkeit fähig.** Nirgends ein Gedicht, das man ernsthaft neben die großen lyrischen Offenbarungen aus der reinen Tiefe des germanischen Geistes stellen könnte! Und seine Prosa, dies Getue und Drumherumreden, dieser angebliche „Humor“ seines Feuilletonismus, der lächerliche Dilettantismus in seinen Schriften über Philosophie und Romantismus! Was sind sie heute noch dem werdenden Geschlecht? Was kann man anders daraus entnehmen als die Erkenntnis eines seit seiner Studentenzeit auf **Selbstlob und Beschimpfung derer, die nichts von ihm wissen wollen,** bedachten eitlen Strebers? Avenarius bestreitet ihm im „Kunstwart“ **jeden eigenen Gedanken** und nennt ihn **einen der unsachlichsten Schriftsteller,** die je gelebt haben. Goedeke, einer unserer besten Literarhistoriker, stellt gleichfalls bei Heine einen völligen Mangel an positiven Gedanken fest und sagt: **Er nahm der Poesie den Ernst wie die Heiterkeit und gab ihr dafür den Spaß und die Grimasse.** . . . Den durch alle seine Schriften hindurchlaufenden Gedanken, daß die **Unsittlichkeit ein Recht auf Existenz habe,** kann man weder einen befreienden noch einen positiven nennen. „Und Adolf Stern (eigentlich Ernst und kein Jude!), an dessen Bedeutung nicht gerüttelt werden kann, schreibt in Vilmars Nationalliteratur, S. 496, über Heine: **Seine Gesamtwirkung konnte keine andere als eine verderbliche sein,** ein völliger Sieg der Heineschen Lebensanschauung würde **die Zersetzung der deutschen Volksseele,** ein Sieg seiner Literaturauffassung die Wandlung aller Dichtung in eine prickelnd auf- und anregende, witzelnde, gelegentlich politisierende und poetisierende **Augenblicksschriftstellerei** bedeutet haben.“

Vilmar selber sagt von ihm in seiner Literaturgeschichte, S. 481: „Aber im ganzen wird das unerbittliche Urteil der Nachwelt kein anderes sein als das, welches sie über Bürger gefällt hat, nur daß Heine noch einer weit stärkeren Verurteilung unterliegen wird als Bürger.“ Und diese Verurteilung ist erfolgt durch **alle Leute von Geschmack und Ehre:** Ruge, Pfizer, **Lenau, Hoffmann v. Fal' sleben, Mommsen, Treitschke,** Dahn, Rosegger, Bartels, Riehl, Hartleben, Kummer, Sandvoß, Kirchbach usw.

2. Heine hat bereits als Student erklärt, daß alles **Deutsche ihm zuwider sei und auf ihn wie Brechpulver wirke.** Schon in der Harzreise und dann noch öfter hat er **für die Deutschen das Hundebild** gebraucht, er hat **die Deutschen** den Polen und anderen Völkern gegenüber herabgesetzt und sie noch in seinen „Letzten Gedichten“ **als Esel verspottet.** Die für seine deutsche Gesinnung ins Feld geführten, größtenteils sentimentalen Gedichte sind, wie die Stelle „Nach Deutschland lechzt' ich nicht so sehr, wenn nicht die Mutter dorten wär“, beweist, nicht ernst zu nehmen. Das bekannte „Deutschland ist noch ein kleines Kind“ ist seinem Gegner Wolfgang Menzel nachempfunden.

3. Heine hat die **nationalen Helden und Dichter der Befreiungskriege von seinen jungen Jahren an bis in sein Alter aufs widerwärtigste** beschimpft. Schon in den „Briefen aus Berlin“ (1822) besudelt er Körners angeblich „fade, schale, flache, poesielose“ Verse, indem er sie **von Berliner Prostituierten singen** läßt, und in seinen „Geständnissen“ (1853/54) nennt er **Blücher** einen **„ordinären Knaster“,** Görres, Jahn und Ernst Moritz Arndt: **„eine drollige Gattung Bluthunde“.**

4. Heine hat den Germanisten Maßmann sein Leben lang verhöhnt, weil dieser verdientermaßen die Professur erhielt, die er sich selber wünschte, ohne im geringsten für sie geeignet zu sein.

5. Heine hat den **König Ludwig I. von Bayern** zuerst als „Ludwig den Großen“ gefeiert, weil er jene Professur von ihm erhoffte, und ihn dann, als er enttäuscht war, in den „Lobgesängen auf König Ludwig“ aufs **gemeinste verspottet.**

6. Heine ist 1831 **ohne politische Veranlassung** nach Paris gegangen, nicht etwa ein deutscher Flüchtling gewesen. Als er später die **französische Staatsbürgerschaft erwerben wollte, hat die preußische Regierung erklärt, daß nichts gegen ihn vorliege,** und noch 1843 und 1844 hat er unangefochten in Deutschland geweilt. Die von ihm 1836 bis 1848 bezogene **französische Pension von 4800 Franken** stammte von dem französischen Ministerium des Äußern, nicht dem des Innern, wie die Unterstützungen der wirklichen deutschen Flüchtlinge. Die Annahme der „Pension“ durch **den angeblichen Freiheitskämpfer (!)** Heine ist um so belastender, **als das Ministerium Guizot reaktionär war.**

7. Heine hat Preußen in der Vorrede zu den „Französischen Zuständen“ (1833) als „langen frömmelnden Kamaschenheld **mit dem** weiten Magen und mit dem **großen Maule und mit dem Korporalstock,** den er erst in Weihwasser taucht, „ehe er damit zuschlägt“, als „Gemengsel von Weißbier, Lüge und Sand“, als das **„steife, heuchlerische, scheinheilige Preußen“,** als **„Tartuffe unter den Staaten“ charakterisiert und sich doch immer wieder durch seinen Freund**

Abb. 15a

Abb. 15a/b Flugblatt des Deutschen Vereins gegen die Errichtung des Heine-Denkmals, August 1912

Varnhagen um eine Anstellung in **Preußen oder, so noch 1838, um ein Gehalt von ihm bemüht.** . . . Er hat auch Hamburg, die Stadt, die ihm gleich Frankfurt jetzt ein Denkmal setzen soll, verhöhnt und beschimpft. Aber auch **unser Frankfurt** ist seiner echt **jüdischen Schmähsucht** mehrfach verfallen, wie er denn überhaupt fast alle deutschen Städte, in denen er einmal wohnte, nicht unbesudelt ließ. **Denn Heine ist kein Satiriker, sondern ein Pamphletist.**

8. Heine hat **Friedrich den Großen** der **Sodomiterei** bezichtigt, **Friedrich Wilhelm III.** einen **„trockenen Taps, einen Duckmäuser"** genannt, **Friedrich Wilhelm IV.** als **Trunkenbold** und **Impotenten** hingestellt, den späteren Kaiser **Wilhelm** mit den übrigen Prinzen von Preußen aus dem Brandenburger Tor hinauswerfen lassen wollen und die **Hohenzollern samt und sonders mit Pferden** verglichen

In der **„Schloßlegende"** führt er den Stammbaum des Hohenzollernhauses auf ein sodomitisches Verhältnis zwischen einem Weib und **einem Rosse** zurück:

„Und es heißt, daß jene Dame
Die erlauchte Mutter ward
Unsres Fürstenstamms. Der Same
Schlug fürwahr nicht aus der Art.

Ja fürwahr, sie hatten wenig
Von der **menschlichen** Natur!
Und **an jedem Preußenkönig**
Merkte man die Pferdespur.

Das **Brutale** in der **Rede**,
Das **Gelächter** ein **Gewiehr**,
Stallgedanken — und **das öde**
Fressen — jeder Zoll ein Tier (!!).

Es wird unsern Kaiser und König, **der das Denkmal des Verfassers dieser Abscheulichkeit aus Korfu hinauswerfen ließ,** mit besonderer „Freude" erfüllen, daß der hohe Magistrat von Frankfurt ihn zur **Osthafeneinweihung** einlud und gleichzeitig dem **Hohenzollernbeschmutzer** Heine einen öffentlichen Platz überlassen haben soll!

9. Heine hat **Frankreich** als das Mutterland der Zivilisation und der Freiheit hingestellt und von **dem „Entsetzlichen" geredet, wenn es verloren ginge** „durch Leichtsinn und Verrat" und „die potsdamische Junkerschaft schnarrte wieder durch die Straßen von Paris und **schmutzige Teutonenstiefel** befleckten wieder den heiligen Boden der Boulevards und der Palais-Royal röche wieder nach Juchten". **„In der Schlacht bei Waterloo siegte, nach Heine,** die schlechte Sache verjährten Vorrechts, triumphierten der servile Knechtssinn und die Lüge, und es waren die Interessen der Freiheit, Gleichheit, der Brüderlichkeit, der Wahrheit und der Vernunft, **es war die Menschheit, welche die Schlacht bei Waterloo verlor."**

So urteilt Heine über die Zeit vor 100 Jahren. Er, der in jenen gewaltigen Kämpfen deshalb nicht mit zu tun brauchte, weil **seine Eltern sein Geburtsdatum fälschten, um ihn dem Dienste zu entziehen,** wie Heine selber am 3. November 1851 an René Taillandier schrieb.

10. Heine verlegt in „Deutschland, ein Wintermärchen" die **Zukunft Deutschlands in einen Nachtstuhl (!!):**

„Doch dieser deutsche Zukunftsduft
Mocht' alles überragen,
Was meine Nase je geahnt . . .
Ich konnt' es länger nicht ertragen."

Kommentar überflüssig.

11. Heine feiert in den „Geständnissen" (1853/54) **Napoleon III., den Dezembermann, als seinen legitimen Souverän,** da er, Heine, in dem später von Preußen „okkupierten" Großherzogtum Berg, das de jure Napoleon als Nachfolger seines verstorbenen Bruders François gehöre, geboren sei. **Heine hatte ja als Jude kein Vaterland** in unserem Sinne. Wedekind, ein Göttinger Studiengenosse Heines, schrieb darüber (siehe Strodtmann, Dichterprofile, S. 256): „Mit Bedauern sah ich Heine seit seiner Uebersiedelung nach Frankreich sich mehr und mehr von Deutschland abwenden; **seine jüdische Abstammung trug wohl viel dazu bei — — er hatte doch so recht kein Vaterland."**

12. Für Heine ist **das Christentum eine Ideenwanze** (so sagt er in einem Brief an Dr. Imanuel Wohlwill), die schon vor 1800 Jahren zertreten worden, **deren Gestank aber seit dieser Zeit den armen Juden die Luft verpestet.** (O, diese jüdische Toleranz!) Mit Bedauern denken er und Börne (ein Sprößling der Frankfurter Judengasse, eigentlich Baruch geheißen, der Deutschland ein **verfluchtes Land** genannt hat), an das bißchen Geld, was sie für ihre „Taufe" ausgeben mußten, mit Haß und Hohn überschüttet der Neuprotestant Heine seine und die katholische Konfession, **immer im Herzen Jude** und von jahwebeseelter Gesinnung gegenüber den Nichtjuden!

13. Heine hat **alle seine literarischen Fehden mit persönlichen Gemeinheiten geführt,** hat kaum einen seiner deutschen Dichterkollegen (Goethe, A. W. Schlegel, L. Uhland und die Schwaben, Platen, N. Lenau, Ferd. Freiligrath, Herwegh) unbeschmutzt oder doch unverleumdet gelassen. Den Musiker Meyerbeer den er erst zum Himmel erhob, hat er verspottet, nachdem, wie durch kürzlich entdeckte Briefe von ihm feststeht, **Meyerbeer** seinem Stammesgenossen **nichts mehr für Reklame bezahlte!** Denn das ist das Allerschlimmste in Heines trübem Bilde: **Er war ein Revolverjournalist und Erpresser übelster Art,** wie aus seinen Briefen unwiderleglich hervorgeht. So hat er seinen Oheim Salomon, Liszt und seine Verwandten in raffiniertester Weise „gepreßt"!

Deutsche Bürger Frankfurts!

Nun kennt Ihr, wie Rosegger trotz des Wutgeschreis der Judenzeitungen von sich sagte, **Heine gut genug,**

Heine, den Sänger der Dirnen und der Niedrigkeit!

Nun wißt ihr, was in Wahrheit an ihm ist! Wollt ihr dulden, daß auf öffentlichem Platze im Heinedenkmal **dem Judentum ein Siegeszeichen entsteht, dem Judentum, das an Frankfurts glorreicher Vergangenheit keinen Anteil hat?**

Hat Uhland ein Denkmal in Frankfurt, haben die vielen andern Dichter, die größer sind als Heine, hier ein solches?

Bürger! Wir rufen euch auf zum flammenden Protest.

Und auch du Arbeitsmann, laß dir nicht von deinem sozialdemokratischen „Führer" vorreden, **der Jude Heine sei der Vorkämpfer des Volkes.**

In „Lutezia" (Ausg. von Elster Bd. 6, S. 239) spricht er von **„blödsinnigem Gleichheitstaumel" der Proletarier.** In den „Geständnissen" (Elster 6, 41 ff.) redet er von **„der rohen Plebs"**, von **„Schmierlappen von Schustern und Schneidern"**, von der **„großen rohen Masse, die die einen das Volk, die andern den Pöbel nennen"**. Ebenda sagt er:

„Die reinliche sensitive Natur des Dichters sträubt sich **gegen jede persönliche Berührung mit dem Volke"** . . . . **„ich würde meine Hand waschen, wenn mich das souveräne Volk mit seinem Händedruck beehrt hätte!"**

Und ferner (S. 43): „Seine Majestät das Volk ist ebenfalls nicht sehr intelligent, es ist **vielleicht dümmer als die andern, es ist fast so bestialisch dumm wie seine Günstlinge."**

Nicht wahr, ein herrlicher „Volksmann" spricht so?

Bürger heraus! Wir wollen nicht ungestraft unsere heiligsten Gefühle von **jüdischen Fremdlingen** mit Füßen treten lassen! Ueberlegt euch nur den Inhalt obiger Schandverse! Wird der Magistrat nun doch das Unerhörte wirklich geschehen lassen?

Das Heinedenkmal ist eine Herausforderung des Judentums an das christliche und monarchische Deutschland.

Stolzes Frankfurt, gedenke Deiner deutschen Vergangenheit! **Beuge dich nicht vor Juden und Judengenossen!**

Der deutsche Verein, Frankfurt a. M.

NB. Anfang September findet eine **große Protestversammlung** statt, zu der wir alle deutschen und christlichen Männer und Frauen Frankfurts schon heute einladen. Man beachte die Plakatsäulen anfangs September! **D. V.**

Abb. 15b

Interessant ist, daß nur eine gegnerische Gruppe, die Arbeiter, explizit angesprochen wurden. Diese sollten sich von der Ansicht lösen, „der Jude Heine sei der Vorkämpfer des Volkes". Zur Widerlegung wurden einige aus dem Zusammenhang gerissene Stellen aus HEINES Werken angeführt. Man hoffte damit die sozialdemokratisch organisierte Arbeiterschaft, von denen einige als Heinefreunde in der letzten Veranstaltung des Deutschen Vereins aufgetreten waren, zu überzeugen. An die bürgerlichen Heineverehrer wandte sich der Deutsche Verein nicht, weil man es für aussichtslos ansah. Denn diese Gruppierung wurde als jüdisch und somit als parteilich abgestempelt.

Das Flugblatt gipfelte in einer eindringlichen Aufforderung an die Frankfurter Bürger, gegen das angeblich ausschließlich von jüdischer Seite propagierte Heine-Denkmal zu protestieren:

„Bürger heraus! Wir wollen nicht ungestraft unsere heiligsten Gefühle von jüdischen Fremdlingen mit Füßen treten lassen. Überlegt euch nur den Inhalt obiger Schandverse! Wird der Magistrat nun doch das Unerhörte wirklich geschehen lassen?

Das Heinedenkmal ist eine Herausforderung des Judentums an das christliche und monarchische Deutschland!

Stolzes Frankfurt, gedenke Deiner deutschen Vergangenheit! Beuge dich nicht vor Juden und Judengenossen!

Der deutsche Verein,
Frankfurt a. M."

In einem Nachtrag wurde eine „große Protestveranstaltung" des Deutschen Vereins für September angekündigt, zu der „alle deutschen und christlichen Männer und Frauen Frankfurts" eingeladen wurden.[59]

Am 13. September fand diese zweite Veranstaltung des Deutschen Vereins gegen das Heine-Denkmal statt. Redner des Abends war erneut Dr. FERDINAND WERNER, dessen Vortrag unter dem verkürzten Schlagwort des August-Flugblattes stand: „Das Heine-Denkmal — eine Herausforderung des christlichen und monarchischen Deutschlands". Nach der letzten stürmischen Kundgebung verbot man diesmal allen „nicht deutsch-völkische(n) und christlich-nationale(n) Männer(n) und Frauen" den Zutritt.[60]

Zu dieser Veranstaltung hatte der Deutsche Verein auch den Magistrat und die Mitglieder der Stadtverordnetenversammlung eingeladen. Er versprach, ihnen besondere Plätze zu reservieren, und hoffte, „durch das Erscheinen der verehrl. Mitglieder des Magistrats beehrt zu werden".[61] Wie nicht anders zu erwarten, folgte kein Mitglied aus beiden Gremien der Einladung.

[59] Flugblatt in: StA Ffm., Akten des Magistrats S 2673.
[60] Deutsch-Soziale Blätter, 27. Jg., Nr. 77, 25.9.1912, S. 918f.
[61] Schreiben des Deutschen Vereins vom 5.9.1912, in: StA Ffm., Akten des Magistrats S 2673; s. auch die Einladung an die Stadtverordneten, in: Bericht über die Verhandlungen 1912, S. 1077.

Die Versammlung war mit angeblich 1500 Zuhörern sehr gut besucht, darunter befanden sich auch trotz des Zutrittsverbots „200 bis 300 Juden und Sozialdemokraten".[62] In seiner mehrstündigen Rede brachte Dr. FERDINAND WERNER keine neuen Argumente gegen HEINE vor. Nachdem er HEINES Charakter besprochen hatte, dem er den seit BARTELS immer wieder erhobenen Vorwurf der Bestechlichkeit machte, ging er auf den Dichter HEINE ein. An HEINES Dichtung sehe man, daß dieser die deutsche Sprache nicht beherrscht habe, auch sei sein Humor „niedrig". Das „Weib" habe kein Dichter so tief wie HEINE „herabgewürdigt", über Frankfurt habe er sich ausschließlich in abfälliger Weise geäußert u.ä.m.[63]

In der an die Rede anschließenden Debatte meldeten sich auch einige Befürworter des Denkmals zu Wort, die alle von dem Berichterstatter als Juden angesehen wurden. Sie konnten kaum zu Wort kommen, sondern wurden als „nicht deutsch-völkisch und christlich-national" aus dem Saal geworfen. Ansonsten gestaltete sich die Aussprache zu einer Werbeveranstaltung für den Deutschen Verein, dem beizutreten die Anwesenden aufgefordert wurden. Die Versammlung nahm zum Schluß eine Resolution an, die der Vorsitzende des Deutschen Vereins, JULIUS REINMUTH, einbrachte. Sie war an den Magistrat adressiert und faßte das Ergebnis der Protestveranstaltung zusammen: *„Die heute im 'Bürgersaale' in Frankfurt versammelten 1500 deutschen Männer und Frauen erheben gegen die geplante Aufstellung eines Heinedenkmals in Frankfurt lebhaften Einspruch und bitten den Magistrat, dem jüdischen Beschimpfer der Hohenzollern, des Deutschtums und Christentums keinen öffentlichen Platz in Frankfurt gewähren zu wollen."*[64]

Beim Herausgehen aus dem Versammlungslokal wurde noch an jeden Besucher ein Flugblatt der „Staatsbürgerzeitung" verteilt mit einem ebenfalls von Dr. WERNER stammenden Text, „Bausteine zum Heinedenkmal, dem Frankfurter Magistrat von Dr. Werner gewidmet" betitelt. Dieser Artikel wurde wenig später auch in den „Deutsch-Sozialen-Blättern" abgedruckt.[65] Inhaltlich entsprach der Artikel dem August-Flugblatt des Deutschen Vereins. Nur in den Schlußsätzen führte Dr. WERNER ein neues Argument gegen ein Heine-Denkmal an. Bei der derzeitigen politischen Lage Deutschlands, die dem Autor einen baldigen Kriegsausbruch möglich erscheinen ließ, könne kein öffentliches Denkmal für HEINE, „den jüdischen Volksfeind", errichtet werden: *„In einer Zeit, in der der Blick sich zurücklenkt auf die gewaltigen Kämpfe vor 100 Jahren, die sich — wer weiß in wie kurzer Frist? — um Sein oder Nichtsein unseres Reiches und Vaterlandes wiederholen können, wo alles zur nationalen Selbstbesinnung und Opferwilligkeit drängt, ist auf öffentlichem Platze ein Denkmal für Heine, den jüdischen Volksfeind, eine bare Unmöglichkeit."*[66]

62 Deutsch-Soziale Blätter, 27. Jg., Nr. 77, 25.9.1912, S. 918.
63 Zum Inhalt der Rede vgl. ebd. Der Bericht bezieht sich auf den „Frankfurter Generalanzeiger".
64 Deutsch-Soziale Blätter, 27. Jg., Nr. 77, 25.9.1912, S. 918f.; s. auch das Schreiben des Deutschen Vereins an den Magistrat vom 20.9.1912, in: StA Ffm., Akten des Magistrats S 2673.
65 Deutsch-Soziale Blätter, 27. Jg., Beil., Nr. 78, 28.9.1912, S. 930-933.
66 Ebd., S. 933.

Mit dieser zweiten Protestversammlung des Deutschen Vereins im September 1912 fanden die Kundgebungen gegen das Heine-Denkmal vorläufig ihr Ende. Erst zur Einweihung im Dezember 1913 hielt der Verein wieder eine Versammlung ab. Auch die antisemitischen Zeitungen veröffentlichten, abgesehen von einer Besprechung des Denkmalsentwurfes[67] keine Artikel mehr dazu. Dies läßt sich darauf zurückführen, daß den Antisemiten mittlerweile deutlich geworden sein muß, daß der Frankfurter Magistrat trotz ihres Protestes an der Aufstellung des Heine-Denkmals auf städtischem Grund festhielt. Das Thema wurde bis zur Einweihung des Denkmals nicht mehr aufgenommen, da man es als zwecklos ansah, weiterhin dagegen anzukämpfen. Um zu zeigen, daß man sich trotzdem nicht damit abfand, meldeten sich die Antisemiten kurz vor der für Dezember 1913 geplanten Einweihung wieder zu Wort.

In einer Broschüre hatte Dr. FERDINAND WERNER nochmals alle Argumente gegen das Denkmal zusammengestellt. Da mittlerweile auch in Hamburg die Errichtung eines Heine-Denkmals erörtert wurde, wandte sich Dr. WERNER mit seinem „letzten Mahnwort" sowohl an den Hamburger Senat wie auch an den Frankfurter Magistrat. Die inhaltliche Aussage seiner Streitschrift war bereits im Titel enthalten: „Fort mit der Schmach eines öffentlichen Heinedenkmals".[68] Anhand der üblichen Belegstellen aus HEINES Werken und aus der gegen HEINE gerichteten Sekundärliteratur entwickelte er diese These. Die Publikation endete mit dem nach Meinung der Antisemiten schwerwiegendsten Argument gegen das Denkmal: *„Und es liegt kein Grund vor, einem durch und durch französisch gesinnten Manne aus nichtdeutschem Stamme, der alles Deutsche, wie keiner vor ihm und nach ihm, mit Schmutz beworfen hat, ein öffentliches deutsches Denkmal zu setzen. Oder, ihr hochverehrten Herren im Hamburger Senat und im Frankfurter Magistrat, sind wir wirklich schon so weit?"*[69]

Als es „so weit" war, am 12. Dezember 1913, einen Tag vor der Einweihung des Denkmals, kam Dr. WERNER auf Einladung des Deutschen Vereins zu einer dritten und letzten Protestkundgebung nach Frankfurt.[70] Zu der mit etwa 1000 Personen gut besuchten Veranstaltung im Kompostellhof[71] waren die meisten Zuhörer, wie die „Frankfurter Zeitung" vermutete, aus schierer Sensationslust gekommen.[72] Der Vorsitzende des Deutschen Vereins, HERMANN LAASS, leitete die Kundgebung mit den prophetischen Worten ein: Nun müsse man sich leider mit dem Denkmal abfinden, gegen das niemand mit Gewalt vorgehen solle. Aber er wollte die Hoffnung nicht aufgeben, daß eine zukünftige städtische Verwaltung „die Schmach, die man dem deutschen Volk angetan habe, wieder entfernt".[73] Zwanzig Jahre später sollte HERMANN LAASS — mittlerweile zum ehrenamtlichen Ratsherrn ernannt — dies noch erleben.

[67] Ebd., 28. Jg., Nr. 41, 21.5.1913, S. 485.
[68] Als soeben erschienen in den Deutsch-Sozialen Blättern, 28. Jg., Nr. 99, 10.12.1913, S. 1180, angezeigt.
[69] F. WERNER, Fort mit der Schmach, S. 95.
[70] Vgl. auch die Ankündigung der Veranstaltung, in: Deutsch-Soziale Blätter, 28. Jg., Nr. 99, 10.12.1913, S. 1181.
[71] Ebd., 29. Jg., Nr. 11, 7.2.1914, S. 126.
[72] Frankfurter Zeitung, Nr. 345, 13.12.1913, 3. Morgenbl.
[73] Ebd.

Nach den einführenden Worten sprach Dr. WERNER als Hauptredner der letzten Protestveranstaltung des Deutschen Vereins über „Die Schmach des Heine-Denkmals", ohne dabei etwas neues vorzubringen. Bevor er die Diskussion eröffnete, wies HERMANN LAASS auf die Folgen hin, die die Errichtung des öffentlichen Heine-Denkmals nach sich ziehen werde: Das Verhalten des Magistrats sei gegen das Hohenzollernhaus gerichtet. Wahrscheinlich werde der Kaiser die Stadt niemals mehr betreten.[74]

Die Frankfurter Lokalzeitung „Sonne" konnte sich eine Protestkundgebung am letzten Abend vor der Denkmalsenthüllung, als alles schon längst entschieden und kein anderer Beschluß mehr herbeizuführen war, nur dadurch erklären, daß die Antisemiten mit ihren Hetzreden beabsichtigten, ihre Anhänger zu Handgreiflichkeiten aufzustacheln. Ein „paar Heißsporne" sollten durch die aufrührerischen Reden dazu gebracht werden, daß sie „das Kunstwerk auf irgend eine Weise durch Besudeln mit ätzenden Säuren oder sonstwie verschandulierten! Anders läßt sich für vernunftbegabte Menschen nun einmal dieser 'letzte Protest' des Radauantisemitismus nicht gut erklären."[75]

Auch mit einem zweiten Flugblatt protestierte der Deutsche Verein noch einmal gegen die Errichtung des Heine-Denkmals. Dabei handelte es sich um eine unter bestimmten Schlagwörtern, wie HEINE über das Judentum, über das deutsche Vaterland usw., geordnete Zusammenstellung von Zitaten aus HEINES Werken. Anonym wurde dieses Flugblatt „Zur Einweihung des Heine-Denkmals. Gewidmet all Denen, die es angeht" auch dem Magistrat zugeschickt. Der unbekannte Absender hatte mit Schreibmaschine auf das Flugblatt getippt: „Es ist eine Schmach für die Stadt Frankfurt/M., soweit die deutschen & christlichen Mitbürger in Frage kommen, daß diesem Schweinehund ein Denkmal gesetzt wird. So etwas ist auch nur in dem durch & durch verjudeten Frankfurt möglich."[76]

An HEINES Geburtstag, am 13. Dezember, wurde das Denkmal in der Friedberger Anlage feierlich enthüllt. Oberbürgermeister VOIGT sprach in seiner Einweihungsrede die Hoffnung aus, daß das Denkmal „in der treuen Obhut jedes Frankfurter Bürgers" stehen möge und sich an ihm der Spruch Goethes erfülle: „Die Kunst versöhnt der Sitten Widerstreit".[77] Damit war das erste öffentliche Heine-Denkmal in Deutschland enthüllt.[78] Die von der „Sonne" befürchteten Aktionen einzelner Antisemiten am Tage der Einweihung waren ausgeblieben.

Nur eine Protestkarte wurde von einem Frankfurter „national ges(innten) Bürger" aus Anlaß der Denkmalsenthüllung an den Magistrat geschickt: *„Der heutige Tag in*

[74] Ebd. Berichte über die Veranstaltung in: Frankfurter Nachrichten, Nr. 345, 13.12.1913; Frankfurter Zeitung, Nr. 345, 13.12.1913, 3. Morgenblatt; KP, Nr. 292, 13.12.1913; Frankfurter Generalanzeiger, Nr. 292, 13.12.1913 und Sonne, Nr. 245, 13.12.1913, in: StA Ffm., Akten des Magistrats S 2673.

[75] Sonne, Nr. 245, 13.12.1913, in: StA Ffm., Akten des Magistrats S 2673.

[76] StA Ffm., Akten des Magistrats S 2673.

[77] Manuskript der Rede des Oberbürgermeisters in: StA Ffm., Akten des Magistrats S 2673.

[78] Es sollte nicht das einzige bleiben. Für Frühjahr 1914 war die Enthüllung eines Heine-Denkmals in Hamburg geplant, s. Die Kunst, 29. Jg. 1914, S. 190.

Abb. 16 Oberbürgermeister Voigt spricht zur Enthüllung des Heine-Denkmals, 13.12.1913

der Geschichte Frankfurts ist und bleibt eine Schmach u. Schande des Magistrats, u. für das Judentum eine Macht und Siegesfrage ... Diesem Manne wird heute feierlich ein Denkmal geweiht, hoffentlich bleibt es aber nicht lange stehen. Entweder ist der ganze Magistrat einschl. des Oberbürgermeisters jüdisch durchsetzt u. antinational bis auf die Knochen, oder aber hat sich vom Judentum bestechen lassen."[79]

Im Unterschied zu anderen Städten hatte sich die Frankfurter Stadtverwaltung nicht von den antisemitischen Protesten abhalten lassen, für das Heine-Denkmal, dessen Kosten durch Spenden von Frankfurter Bürgern zusammengekommen waren, einen öffentlichen Platz zur Verfügung zu stellen. Aber ganz unberücksichtigt blieben auch in Frankfurt nicht die Debatten der vergangenen Jahrzehnte um die Errichtung eines Heine-Denkmals. Das zeigt die Wahl des Aufstellungsortes in dem zu einem hohen Prozentsatz von Juden bewohnten Ostend und die Widmung des Denkmals nur dem „Dichter Heinrich Heine", nicht umfassender „Heinrich Heine".[80]

Der Deutsche Verein äußerte sich nach der Aufstellung des Denkmals nicht mehr dazu, aber die Kritik verstummte überregional noch nicht. Selbst das christlichsoziale

[79] StA Ffm., Akten des Magistrats S 2673.

[80] Dies war bereits vor der Enthüllung von der sozialdemokratischen „Volksstimme" bemängelt worden, s. Volksstimme, Nr. 276, 25.11.1913, in: StA Ffm., Akten des Magistrats S 2673; Zitat auch in P. Arnsberg, Stein des Anstoßes, S. 157; s. ähnlich auch in Sonne, Nr. 245, 13.12.1913, in: StA Ffm., Akten des Magistrats S 2673. Die Widmung des Denkmals nur dem Dichter Heine wurde im anerkennenden Sinne auch von der antisemitischen „Deutschen Tageszeitung", Nr. 637 vom 16.12.1913 vermerkt, in: StA Ffm., Akten des Magistrats S 2673.

Abb. 17 Das Heine-Denkmal nach seiner Enthüllung am 13.12.1913

Blatt „Das Volk“ schlug vor, Frankfurt zu boykottieren. Man müsse sich fragen, ob unter diesen Umständen deutsch gesinnte Männer noch bereit seien, Frankfurt als Tagungsort zu wählen.[81] Und die antisemitische Zeitung „Deutsche Reform“ aus Dresden veröffentlichte im Februar 1914 einen Artikel zum Frankfurter Heine-Denkmal. Frankfurt könne danach „nur mehr im statistischen Sinne als deutsche Stadt gerechnet werden. Sonst gilt sie als neues Jerusalem.“ Deshalb verwundere es nicht, daß man hier HEINRICH HEINE ein Denkmal gesetzt habe: „Das Heine-Denkmal wurzelt in denselben Motiven, die den Frankfurter Universitätsplan entstehen und reifen ließen. Das Judenthum wollte ein sichtbares Hoheitszeichen seiner Macht aufrichten.“[82]

Mit der Einweihung des Denkmals war die Auseinandersetzung um das Frankfurter Heine-Denkmal vorläufig zu ihrem Ende gekommen, aber die Geschichte des Denkmals hatte damit nicht ihren Abschluß gefunden. Die zwanziger Jahre überstand es, abgesehen von einer Hakenkreuzschmiererei 1923,[83] unangefochten. Erst unter den Nationalsozialisten erwachten erneut Widerstände. Diesmal hatten sie erheblich mehr Aussicht auf Erfolg. Im April 1933 ging bei dem Frankfurter Oberbürgermeister brieflich die Aufforderung ein, das Monument zu entfernen. Schreiber dieses Briefes war der hessische Staatspräsident und Minister für Kultus und Bildungswesen, Prof. Dr. FERDINAND WERNER. Es war derselbe, der als Redner des Deutschen Vereins in den öffentlichen Kundgebungen gegen die Errichtung des Denkmals 1912/13 polemisiert hatte. Der damalige Reichstagsabgeordnete der Deutschsozialen Partei war unter den Nationalsozialisten, wenn auch nur für kurze Zeit, hessischer Staatspräsident. In seinem Schreiben an den Frankfurter Oberbürgermeister Dr. KREBS vergaß er nicht, auf seine frühere erfolglose Propagandatätigkeit hinzuweisen: „Beseitigen Sie, bitte, das Heinedenkmal, gegen dessen Frankfurter Erstellung ich in stürmischen Versammlungen vor 20 Jahren vergebens kämpfte.“[84]

Das war nicht mehr nötig. Ende April war das Denkmal gewaltsam von seinem Sockel heruntergestoßen worden.[85] Die Plastik selbst war dabei nur leicht beschädigt worden und wurde im Keller des Völkerkundemuseums deponiert. Das „in Schutzhaft“ genommene Heine-Denkmal konnte aber erstaunlicherweise schon bald wieder der Öffentlichkeit zugänglich gemacht werden. Als „Frühlingslied“ ohne direkten Bezug zu HEINRICH HEINE fand es eine Aufstellung im Garten des Städelmuseums.[86] Seit 1947 steht das Denkmal in der Taunusanlage und ist wieder HEINRICH HEINE gewidmet, aber im Unterschied zu früher nun nicht mehr nur „dem Dichter“.[87]

81 MdVAA, 23. Jg. 1913, Nr. 27, S. 222.

82 StA Ffm., Akten des Magistrats S 2673. P. ARNSBERG, Stein des Anstoßes, S. 145, zitiert diese Stelle auch, schreibt sie allerdings einer namentlich nicht genannten Zeitung aus Halle an der Saale zu.

83 StA Ffm., Akten des Magistrats S 2673.

84 Abschrift des Schreibens vom 10.4.1933, in: ebd.

85 P. ARNSBERG, Stein des Anstoßes, S. 146; s. auch den Augenzeugenbericht von: VALENTIN SENGER, Kaiserhofstraße, S. 61-64.

86 Quellen dazu StA Ffm., Akten des Magistrats S 2673.

87 Zur Geschichte des Heine-Denkmals ab 1933 P. ARNSBERG, Stein des Anstoßes, S. 144-147, S. 157, S. 160-165; ders., Geschichte, Bd. 1, S. 796.

15. Der Deutsche Verein in den letzten Jahren seiner Existenz

Die Auseinandersetzung um das Heine-Denkmal 1912/13 war das herausragende Ereignis in der Geschichte des Deutschen Vereins während der letzten Jahre seines Bestehens. Sie beeinflußte auch die interne Entwicklung des Vereins, denn die Agitation gegen das Denkmal führte zu einem neuen Erstarken der Bewegung nach der Stagnation seit Anfang des 20. Jahrhunderts.

Vor dem Jahre 1912 trat der Deutsche Verein kaum mehr an die Öffentlichkeit.[1] Seine Aktivitäten hatte er beinahe vollständig eingestellt, vielleicht befand er sich sogar schon kurz vor der Auflösung. Dies entsprach der Situation der Bewegung im Reich. Insgesamt war die Deutschsoziale Partei ebenso wie die Deutsche Reformpartei deutlich im Niedergehen begriffen, was sich etwa an rückläufigen Mitgliederzahlen bemerkbar machte. Der hessische Landesverband der Deutschsozialen Partei erwog deshalb 1910 die Möglichkeit seiner Auflösung.[2] Erst infolge der Ereignisse von 1912 begann sich der Deutsche Verein wieder neu zu beleben. Diese Annahme legt der Kommentar über die erste Protestveranstaltung gegen das Heine-Denkmal im Juni 1912 in den „Deutsch-Sozialen Blättern" nahe: „Der Deutsche Verein trat am 14.d.M. seit langer Zeit wieder einmal in die Öffentlichkeit, um seinen Gegnern zu zeigen, daß der Antisemitismus in unserer Judenmetropole noch nicht gestorben, sondern vielmehr im Wachsen begriffen ist."[3]

Den Niedergang seit 1907 belegt auch die Anzahl der öffentlichen Veranstaltungen. Verglichen mit den regelmäßig stattfindenden Versammlungen in den 90er Jahren und noch zu Anfang des 20. Jahrhunderts nahmen sie bis 1912 deutlich ab. Erst von da an bis 1914 wurden wieder häufiger Versammlungen vom Deutschen Verein organisiert. Einschließlich der Protestkundgebungen gegen das Heine-Denkmal fanden 1912 drei Veranstaltungen statt, 1913 sogar vier und bis April 1914 nochmal zwei. Mit April 1914 endete die Öffentlichkeitsarbeit des Deutschen Vereins.[4] Die drei Anti-Heine-Veranstaltungen waren in der Geschichte der antisemitischen Bewegung in Frankfurt vor 1914 mit bis zu 1500 Zuhörern die am besten besuchten. Die Aktualität des Themas trug zu diesem Zulauf bei. Selbst wenn es nicht nur Gesinnungsgenossen waren, die diese Kundgebungen besuchten, so dürfte auch diese Resonanz dem Verein neuen Auftrieb gegeben haben.

Die verstärkten Aktivitäten des Vereins seit 1912 führten nach Jahren der Stagnation zur Aufnahme neuer Mitglieder. Nach 1907 verfügte der Verein vermutlich über

1 Vgl. auch seine Beteiligung an den Reichstagswahlkämpfen 1907 und 1912, s. Kap. 9.2.
2 R. Levy, Downfall, S. 250f.
3 Deutsch-Soziale Blätter, 27. Jg., Nr. 50, 22.6.1912, S. 588f.
4 Siehe die Tabelle in Kap. 9.1.

rund 200 Mitglieder,[5] bis 1912 scheint dies aber wieder rückläufig gewesen zu sein. Ein Hinweis darauf gibt die Anzahl der Gesinnungsgenossen, die sich nach der Versammlung mit Ferdinand Werner im Juni 1912 im „Kölner Hof“ trafen: circa 100 Mitglieder und Freunde sollen zusammengekommen sein.[6] Die Mitgliederzahl selbst dürfte zu diesem Zeitpunkt unter 100 gelegen haben. Daß es mit dem Verein in personeller Hinsicht nicht zum Besten stand, belegte auch die Generalversammlung im März 1912, in der „dringend“ um „rege Mitarbeit und Werbung neuer Mitglieder“ gebeten wurde.[7] Neuaufnahmen wurden in den „Deutsch-Sozialen Blättern“, der einzigen Quelle, die wir dafür haben, nur im Zusammenhang mit Berichten über herausragende Ereignisse im Deutschen Verein mitgeteilt. Aber auch diese spärlichen Angaben genügen, um das Wachstum des Vereins nach 1912 zu veranschaulichen. Im Jahre 1912 konnten mindestens 21 neue Mitglieder aufgenommen werden.[8] Vermutlich waren es sogar noch einige mehr. Der Deutsche Verein jedenfalls war damit zufrieden. Dies brachte sein Vorsitzender, Julius Reinmuth, in der Generalversammlung 1913 deutlich zum Ausdruck: „Er stellte an Hand der Mitgliederliste fest, daß seit vorigem Jahr ein erfreulicher Zugang an Mitgliedern und Förderern zu verzeichnen sei . . . Auch im neuen Jahr ist rege Beteiligung aller Parteifreunde erwünscht. Heil.“[9]

Auch im folgenden Jahr hielt diese Tendenz an. Im November 1913, nach der Veranstaltung mit Johann Henningsen über die ’Judenfrage‘, traten sogar 19 Personen dem Verein bei. Und einen Monat später waren es nochmals acht.[10] Im letzten Jahr meldeten sich im Januar und April jeweils dreizehn Personen beim Deutschen Verein als Mitglied neu an.[11] Addiert man diese Zahlen zusammen, ergibt sich, daß der Mitgliederstand des Deutschen Vereins von Februar 1912 bis April 1914 um mindestens 74 Personen zunahm, was für den kleinen Verein, der 1911 höchstens 100 Mitglieder hatte, relativ viel war.

In vielen Verlautbarungen des Deutschen Vereins spiegelt sich eine gewisse Euphorie über den neuerlichen Aufschwung wider: „Nicht nur wurden unsere Reihen gestärkt, sondern wir haben auch nach außen hin unserm Namen Ansehen verschafft. Es steht zu hoffen, daß die Arbeit, die bisher geleistet wurde, nicht erlahmen wird und in diesem Sinne: Heil!“[12] 1914 wurde festgestellt, daß „wir, wie anderswo, so auch in Frankfurt, rüstig vorankommen“.[13] Das Wiederaufleben war nicht nur ein Phänomen des Frankfurter Vereins, sondern galt für die Bewegung insgesamt. So konnte auch der Verbandstag der Deutschsozialen Partei für Hessen-Nassau 1913

[5] Deutsch-Soziale Blätter, 22. Jg., Nr. 29, 10.4.1907, S. 398.
[6] Ebd., 27. Jg., Nr. 50, 22.6.1912, S. 588f.
[7] Ebd., Nr. 26, 30.3.1912, S. 301.
[8] Ebd., Nr. 15, 21.2.1912, S. 174; Nr. 32, 20.4.1912, S. 374 und Nr. 86, 26.10.1912, S. 1020f.
[9] Ebd., 28. Jg., Nr. 35, 30.5.1913, S. 414.
[10] Ebd., 29. Jg., Nr. 11, 7.2.1914, S. 126.
[11] Ebd. und Nr. 32 (=34), 29.4.1914, S. 406f.
[12] Ebd., 27. Jg., Nr. 86, 26.10.1912, S. 1020f.
[13] Ebd., 29. Jg., Nr. 11, 7.2.1914, S. 126.

erleichtert konstatieren: „Es geht wieder vorwärts zu neuer Arbeit und zu neuen Erfolgen".[14]

Dieser allgemeine Aufschwung der antisemitischen Bewegung im Reich sieht die Sekundärliteratur vornehmlich bedingt durch den Ausgang der Reichstagswahlen 1912, der zu einer Formierung der rechtsstehenden, nationalen Gruppen führte. Im Januar 1912 fanden Reichstagswahlen statt, die unter der Bezeichnung „Judenwahlen" bekannt geworden sind.[15] Dieser Begriff rührte von dem Wahlslogan der Rechtsparteien her, die „gegen Juden und Judengenossen" anzutreten versprachen.[16] Das Wahlergebnis allerdings erteilte dieser Politik eine deutliche Absage. Erstmals gelang es den Sozialdemokraten, die meisten Mandate zu erobern.[17] Die Deutschsoziale Partei und die Deutsche Reformpartei belegten im neuen Reichstag anstatt bislang 17 nur mehr sechs Sitze.[18] Bereits im Umkreis des Wahlkampfes, vor allem aber nach ihrer Niederlage kam es im gesamten Deutschen Reich zu einer erneuten Mobilisierung antisemitischer Kräfte. So stellte einer der führenden Antisemiten dieser Zeit, Graf Ernst von Reventlow, in seinem Rückblick aus dem Jahre 1930 mit Bezug auf die Bedeutung der Wahlen von 1912 für die antisemitische Bewegung zusammenfassend fest: „Tot war der 'Antisemitismus' keineswegs. Er nahm im Gegenteil gerade in jenen Jahren und bis zum Kriege außerordentlich zu. Immer weiteren Kreisen ging gerade damals ein Licht über die ungeheure Machtstellung der Juden in Deutschland auf, die sie sich auf allen Gebieten des deutschen Lebens erschlichen hatten."[19]

Hatte es in dem vorangegangenen Jahrzehnt den Anschein, als habe der politische Antisemitismus ausgespielt und sei zu einem Teil der Mittelstandsbewegung geworden, so kann von diesem Zeitpunkt an wieder eine stärkere Hinwendung zum Antisemitismus konstatiert werden. Nicht nur, daß die 'Judenfrage' wieder aktuell wurde, gleichzeitig kann auch eine „systematization of antisemitism" festgestellt werden,[20] die die unterschiedlichen, zersplitterten Gruppen ideologisch enger zusammenschloß. Diese Entwicklung ging aber nicht auf die Deutschsoziale oder die Reformpartei zurück, sondern der überkommene parteipolitische Antisemitismus profitierte nur von einer allgemeinen Zunahme antijüdischer Einstellungen in den letzten Jahren vor dem Krieg. Langfristig gesehen kam sie ihnen nur am Rande zugute. Erfolgreicher und zukunftsweisender als der Parteiantisemitismus waren die kleinen neugegründeten radikalen Zirkel, die sich einer völkischen Ideologie verschrieben hatten.

Von daher muß die erneute Präsenz des Deutschen Vereins seit 1912 als ein Phänomen angesehen werden, das generell für die antisemitische Bewegung im Deutschen

[14] Ebd., 28. Jg., Nr. 37, 7.5.1913, S. 438.

[15] Es handelt sich dabei um eine zeitgenössische Bezeichnung, W. Jochmann, Struktur (1976), S. 464 Anm. 255.

[16] W. Angress, Impact, S. 367.

[17] K. E. Born, Reichsgründung, S. 249.

[18] W. Angress, Impact, S. 382.

[19] Graf E. Reventlow, Deutscher Sozialismus. Civitas Dei Germanica. Weimar 1930, S. 111, zitiert nach: B. Suchy, The Verein zur Abwehr (II), S. 70.

[20] W. Angress, Impact, S. 409.

Reich galt. Erleichtert wurde sein Wiederaufleben zusätzlich durch die lokale Auseinandersetzung um die Errichtung des HEINE-Denkmals in Frankfurt, was für den Deutschen Verein Anlaß war, verstärkt an die Öffentlichkeit zu treten. Diese beiden Momente, die allgemeine Entwicklung und als lokaler Auslöser der Kampf um das HEINE-Denkmal, waren für den Aufschwung der antisemitischen Bewegung in Frankfurt im Jahre 1912 ausschlaggebend.

Fraglich ist, ob dies auch mit einer gegenüber den 90er Jahren veränderten ideologischen Ausrichtung des Deutschen Vereins einherging, wie sie sich in Ansätzen für die Parteiantisemiten reichsweit feststellen läßt. Sie partizipierten an dem „Aufbruch des völkischen Antisemitismus" nach 1912 und adaptierten das neue völkische Denken.[21]

Der Begriff „völkisch" wurde zur Eindeutschung des Wortes „national" als Selbstbezeichnung von Organisationen benutzt, die einen rassisch begründeten Nationalismus vertraten. Er tauchte in radikalen nationalen Kreisen vor dem 1. Weltkrieg auf, nach 1918 sollte der Begriff dann zum programmatischen Schlagwort werden.[22]

Die Rezeption rassisch-völkischer Theoretiker hatte in Deutschland um 1900 eingesetzt. Die Werke des GRAFEN GOBINEAU, PAUL DE LAGARDES oder das Buch von HOUSTON STEWART CHAMBERLAIN „Grundlagen des neunzehnten Jahrhunderts" aus dem Jahre 1899 fanden nun Leser, die die darin entwickelten Vorstellungen in ihr politisches Denken einbezogen.[23] Langsam flossen sozialdarwinistische und völkische Ideen in die Ideologie nationaler und antisemitischer Vereine und Verbände ein und formten die antisemitische Bewegung zur völkischen Bewegung um, was in den letzten Friedensjahren deutlich zu werden begann:[24] „Jetzt war man von der bloß antisemitischen zur völkischen Bewegung durchgedrungen. Jetzt hatte man das wissenschaftliche Rüstzeug, um durch geistige, weltanschauliche Vertiefung des völkischen Gedankens die Voraussetzungen für eine völkische Politik zu schaffen."[25] An die Stelle des Antisemitismus, der sich als 'negative' Ideologie primär gegen die soziale und wirtschaftliche Stellung der Juden richtete, traten nun zunehmend 'positive' Ideologien deutschvölkischer Bestrebungen, deren antijüdische Zielsetzungen sich in einem überbetonten rassischen Selbstbewußtsein widerspiegelten. Nicht mehr „Wirtschaftsneid oder Haß gegen die angeblich überlegene jüdische Intelligenz" standen

21 U. LOHALM, Völkischer Radikalismus, S. 27, S. 66-71.

22 M. BROSZAT, Völkische Ideologie, S. 56; zur Begriffsentwicklung H. BECKER, Antisemitismus, S. 21ff.

23 I. HAMEL, Völkischer Verband, S. 70f.; s. auch die Erinnerungen von HEINRICH CLASS, Wider den Strom, S. 87.

24 P. MASSING, Vorgeschichte, Kap. VI und VII, bezeichnet schon den politischen Antisemitismus seit den 80er Jahren in Abgrenzung zum christlich-konservativen Antisemitismus eines STOECKERS als „völkische Bewegung". Methodisch ist diese Ausdehnung des Begriffs „völkisch" bedenklich, da sich die völkische Bewegung, wie die Zitate im Text belegen, als Weiterentwicklung der antisemitischen Bewegung verstand. Im folgenden wird deshalb die Bezeichnung „völkische Bewegung" in ihrem ursprünglichen Sinne nur für die Bewegung in den letzten Jahren vor 1914 verwendet.

25 M. GERSTENHAUER, Völkischer Gedanke, S. 41.

im Vordergrund,[26] sondern die Idee einer in ihrer Gesamtheit der jüdischen überlegenen arischen Rasse.

Diese programmatische Veränderung gilt in Ansätzen auch für die alten antisemitischen Parteien. Am sinnfälligsten wurde die Aufnahme völkischer Gedanken in die politische antisemitische Bewegung an der Änderung des Parteinamens. Im März 1914 schlossen sich Deutschsoziale und Deutsche Reformpartei zum zweitenmal in ihrer Geschichte zu einer Partei zusammen, die sich Deutschvölkische Partei nannte.[27] Ein halbes Jahr später, schon während des Krieges, änderten auch die „Deutsch-Sozialen Blätter“ ihren Titel in „Deutschvölkische Blätter“ um.[28] Der neue Parteiname sollte diese Wandlung des Parteiantisemitismus zum Ausdruck bringen: „Der Antisemitismus aus sozialen und wirtschaftlichen Motiven, der in den Begriffen 'deutschsozial' und 'deutsche Reform' noch durchschimmerte, war in einem rassisch begründeten deutschvölkischen Denken aufgegangen.“[29]

An einigen Beispielen kann die Adaption des völkischen Gedankenguts auch für den Frankfurter Deutschen Verein nachgewiesen werden. Jedoch scheint die Ortsgruppe die radikale völkische Weltanschauung nur durch ihre prominentesten Vertretern rezipiert zu haben. Eine grundlegende weltanschauliche Umorientierung läßt sich aus den wenigen Quellen nicht ablesen. Vielmehr scheint man neben der Aufnahme der neuen Ideologie weiterhin an der wirtschaftlich und sozial begründeten Judenfeindschaft festzuhalten.

Erstmals für 1910 ist ein parteiinterner Vortrag über einen völkischen Schriftsteller belegt. Bezeichnenderweise wurde dieser von einem erst kürzlich von Hamburg nach Frankfurt gezogenen Mitglied den hiesigen Parteigenossen vorgestellt. Im April 1910 sprach Dr. phil. Ernst Hunkel im Deutschen Verein über „Paul (de) Lagarde und seine deutschen Schriften“, wobei er besonders auf Lagardes Ansichten zur Religion einging.[30]

Der 1891 verstorbene Orientalist Paul de Lagarde, dessen eigentlicher Name Paul Anton Bötticher war, galt neben dem „Rembrandtdeutschen“ Julius Langbehn und Houston Stewart Chamberlain als „Klassiker des völkischen Denkens“.[31] In seinen Werken propagierte er eine Erneuerung des christlichen Glaubens auf der Grundlage des deutschen Volkstums. Die Zielrichtung war dabei eminent antijüdisch, denn das Christentum sollte von seiner „paulinisch-jüdischen Verfälschung“ befreit werden. Ein vom Volksgeist geprägter „Deutscher Glaube“ sollte sich daraus entwickeln.[32]

26 W. Buch, 50 Jahre, S. 59.
27 Lexikon zur Geschichte der Parteien, S. 101; R. Levy, Downfall, S. 253.
28 Ab 29. Jg., Nr. 83, 17.10.1914.
29 U. Lohalm, Völkischer Radikalismus, S. 69.
30 Deutsch-Soziale Blätter, 25. Jg., Nr. 34, 27.4.1910, S. 406.
31 H. Greive, Geschichte, S. 72.
32 Zu Paul de Lagarde und seinen Schriften s. ausführlich F. Stern, Kulturpessimismus, S. 25-123; s. auch W. Kampmann, Deutsche und Juden, S. 302-308; H. Greive, Geschichte, S. 72-75; W. Braatz, Antisemitismus, S. 22-25.

Obwohl die Schriften Lagardes schon zu seinen Lebzeiten vorlagen, setzte ihre Rezeption in nationalen und antisemitischen Gruppen erst im Laufe des 20. Jahrhunderts ein. Für die Frankfurter Mitglieder des Deutschen Vereins scheint das, was Dr. Hunkel ihnen 1910 über Lagarde vortrug, noch neu gewesen zu sein, wenn sie es auch für hochaktuell hielten, wie dem Bericht in den „Deutsch-Sozialen Blättern" zu entnehmen ist. Es sei ein Thema gewesen, das „heutzutage überall die Geister" wachrufe. Man bat deshalb Dr. Hunkel um einen zweiten Vortrag, der Lagardes staatspolitische Überlegungen zum Inhalt haben sollte.[33] Ob Dr. Hunkel dieses Referat noch hielt, bevor er im September Frankfurt wieder verließ, ist unklar.

Nach den Quellen wurde erst ein Jahr später, im April 1911, wieder über ein die völkische Bewegung besonders interessierendes Thema gesprochen. Dr. Ferdinand Werner hielt einen Vortrag über „Die Notwendigkeit nationaler Volkserziehung". Zugkräftig war dies im Jahre 1911 nicht. Der für die öffentliche Veranstaltung gemietete Saal war nur mäßig besetzt.[34]

Diese ausschließliche Betonung völkisch-nationaler Fragen war ein einmaliger Vorgang in Frankfurt. Dr. Ferdinand Werner, der um die Aufnahme völkischen Denkens in das Programm der Deutschsozialen Partei besonders bemüht war,[35] wird sein Referat auch nicht speziell für Frankfurt entworfen, sondern bereits andernorts gehalten haben. Aber auch Dr. Werner sollte bis 1914 in Frankfurt nur noch über die 'Judenfrage' und über das Heine-Denkmal sprechen.

Neben dem Heine-Denkmal standen in den öffentlichen Versammlungen des Vereins nach 1912 vor allem wieder antisemitische Vorträge im Zentrum. Im Oktober 1912 sprach Dr. Ferdinand Werner über das Thema „Von der Judenbefreiung zur Judenweltherrschaft" und im November 1913 referierte Johann Henningsen aus Hamburg „Über die Judenfrage", derselbe sprach zwei Monate später, im Januar 1914, über „Die Judenfrage und Zabern". Außerdem behandelten zwei von den insgesamt neun Veranstaltungen, wie schon in den vorangegangenen Jahren, das Warenhausproblem.[36]

Ebenso wie in den 90er Jahren dominierte in der letzten Phase der Existenz des Deutschen Vereins erneut die 'Judenfrage', während zu Beginn des 20. Jahrhunderts die Vorträge meist um Fragen kreisten, die die ökonomische Situation des Mittelstandes berührten. Dies entsprach der damaligen Politik der antisemitischen Partei, sich als Teil der Mittelstandsbewegung zu präsentieren. Nach 1912 gewann dagegen der Antisemitismus wieder neue Bedeutung. In erster Linie ging diese inhaltliche Gewichtung der öffentlichen Versammlungen auf den Vorstand der Deutschsozialen Partei zurück, dem die Redner angehörten. Den Deutschen Verein betraf dies nur als Organisator.

33 Deutsch-Soziale Blätter, 25. Jg., Nr. 34, 27.4.1910, S. 406.
34 KP, Nr. 97, 26.4.1911.
35 U. Lohalm, Völkischer Radikalismus, S. 68f.
36 Vgl. Tabelle in Kap. 9.1.

Aber auch für den Deutschen Verein selbst kann eine erneute Hinwendung zur 'Judenfrage' festgestellt werden. Gleich in der ersten Monatsversammlung nach den Reichstagswahlen 1912 forderte der Vorsitzende des Deutschen Vereins, Oberpostassistent JULIUS REINMUTH, eine deutlichere Herausstellung der antisemitischen Punkte des Programms als in den vergangenen Jahren. Trotz des Wahlausganges sei die Lage der Deutschsozialen Partei „keineswegs entmutigend". Der „gemeinsame Mittelpunkt in dem Rotblock", d.h. von Sozialdemokraten und Liberalen, „sei das Judentum". Diese politische Bedeutung der Juden „müsse von der Rechten mehr erkannt und bei der Agitation gewürdigt werden. Auch unsere Partei müsse wieder mehr wie je das Schwergewicht hierauf legen."[37]

In diesem Sinne wurde auch an dem parteiinternen Vortrag von JOHANN HENNINGSEN über Judentum und Antisemitismus wenige Monate später bekräftigt, daß in Frankfurt „der Wille zur stärkeren Betonung der Judenfrage" vorhanden sei.[38]

Daß der Deutsche Verein sich intern weiterhin, wie 1910 mit dem Vortrag über PAUL DE LAGARDE begonnen, mit der neueren ideologischen Entwicklung innerhalb der antisemitischen und nationalen Kreise auseinandersetzte, zeigt die Monatsversammlung im September 1912. Lehrer DERN aus Neu-Isenburg besprach die als Reaktion auf den Ausgang der Reichstagswahl 1912 verfaßte Schrift „Wenn ich der Kaiser wär".[39]

Das Buch war unter dem Pseudonym DANIEL FRYMANN erschienen, hinter dem sich der Vorsitzende des Alldeutschen Verbandes, HEINRICH CLASS, verbarg. CLASS stellte in seinem „Kaiserbuch" ein antisemitisches Programm auf, das auf der Rassentheorie gründete. Er ging von der These aus, daß die deutsche Politik seit BISMARCKS Sturz verfehlt und daß dies jüdischem Einfluß zuzuschreiben sei. Deshalb müsse jede angestrebte Veränderung sich zuerst gegen die Juden richten. Zur 'Lösung der Judenfrage' unterbreitete HEINRICH CLASS einen umfangreichen Kanon gesetzlicher Restriktionen, dessen einzelne Forderungen nicht neu waren. Sie gingen jedoch in ihrer Zusammenstellung zu einer politischen Handlungsanweisung mit einem „ruthless tone in the name of 'objectivity'"[40] über bisherige Veröffentlichungen hinaus. Das Buch erlebte bis 1914 fünf Auflagen. Weit über den engen Kreis der antisemitischen und nationalistischen Organisationen wurde es ernst genommen und diskutiert.[41]

Die Besprechung des CLASS'schen Buches in der Septemberveranstaltung des Frankfurter Deutschen Vereins war mithin nicht ungewöhnlich, sondern entsprach der reichsweiten Beachtung, die das Werk erfuhr. Zwei Gesichtspunkte hob der Referent im Deutschen Verein in seiner lobenden Besprechung besonders hervor, das Buch

[37] Deutsch-Soziale Blätter, 27. Jg., Nr. 15, 21.2.1912, S. 174.
[38] Ebd., Nr. 32, 20.4.1912, S. 374.
[39] Ebd., Nr. 75, 18.9.1912, S. 895.
[40] R. LEVY, Downfall, S. 261.
[41] Zu HEINRICH CLASS und seiner Schrift s. P. MASSING, Vorgeschichte, S. 252f.; W. JOCHMANN, Struktur (1976), S. 464f.; U. LOHALM, Völkischer Radikalismus, S. 38ff.; R. LEVY, Downfall, S. 261f.; W. ANGRESS, Impact, S. 396f.

decke „die Schäden unserer äußeren Politik" und „den zersetzenden Einfluß des Judentums in unserem Volkstum" auf. Für die weitere politische Arbeit des Deutschen Vereins zog er den Schluß, trotz des Wahlausganges nicht aufzugeben: „Uns Deutschsoziale geht vor allem die Mahnung des Buches an, auf unserem Posten auszuharren; denn unsere Gedanken müssen Allgemeingut des Volkes werden, wenn die Zukunft des Deutschtums sichergestellt werden soll."[42] Konkrete Handlungsanweisungen konnte die kleine Ortsgruppe kaum der mit Blick auf die Reichspolitik geschriebenen Schrift entnehmen. Aber auch die Beurteilung des „Kaiserbuchs" zeigt, daß der Deutsche Verein der 'Judenfrage' mehr Bedeutung zumaß als in den Jahren zuvor.

Zu fragen bleibt, ob diese Einschätzung mit einer rassisch-völkischen Ausrichtung des Vereins einherging. Dies würde sich etwa am ausschließlichen Gebrauch der Begriffe „germanisch" oder „deutsch" anstelle von „christlich" äußern. Soweit die Quellen darüber Auskunft geben, kann dies nur zum Teil für den Deutschen Verein festgestellt werden. Wie in den 90er Jahren auch wurden die Begriffe nebeneinander verwendet. So hieß es etwa im Flugblatt des Vereins vom August 1912, daß „alle deutschen und christlichen Männer und Frauen" zur Protestkundgebung eingeladen seien.[43] Neu hinzu kam entsprechend der Tendenz der Partei das Wort „deutsch-völkisch". Aber auch dieses wurde nicht allein, sondern abschwächend in Verbindung mit „christlich-national" benutzt. Zur Volksversammlung mit Amtsgerichtsrat LATTMANN wurden alle „deutsch-völkischen, christlich-nationalen Männer und Frauen Frankfurts" zur Teilnahme aufgefordert, während Juden der Zutritt verboten war.[44] Und JULIUS WERNER konnte in der Mitgliederversammlung im September 1912, nach dem Vortrag über das Buch von HEINRICH CLASS über die Frauenfrage „vom christlichen und nationalen Standpunkt" sprechen.[45] Insgesamt kann deshalb festgehalten werden, daß der Deutsche Verein nach 1912 zwar wieder zur Betonung des Antisemitismus anstelle der Mittelstandsideologie neigte. Jedoch wurden nur am Rande die neuen Theorien rezipiert und eher schlagwortartig einige ihrer zentralen Begriffe in den Publikationen des Vereins angeführt.

Die geringe Aufnahme der völkisch-rassistischen Ideologie hing nicht zuletzt mit der Altersstruktur der Mitglieder des Deutschen Vereins zusammen. Die meisten — soweit ihre Namen als besonders Engagierte in den Quellen wiedergegeben werden — waren im Zeitraum nach 1912 zum großen Teil schon seit längerer Zeit Mitglied. HERMANN LAASS etwa war 1896 dem Deutschen Verein beigetreten, AUGUST HLINETZKY und HEINRICH SONNTAG 1904. RICHARD VON DER HEID hatte schon 1895 die Petition um Übersetzung des Schulchan Aruch unterschrieben. Auch diejenigen, deren Namen erst nach 1912 in Verbindung mit dem Deutschen Verein erwähnt wur-

42 Deutsch-Soziale Blätter, 27. Jg., Nr. 75, 18.9.1912, S. 895.
43 StA Ffm., Akten des Magistrats S 2673.
44 Deutsch-Soziale Blätter, 28. Jg., Nr. 15, 19.2.1913, S. 173 und Nr. 20, 18.3.1913, S. 230.
45 Ebd., 27. Jg., Nr. 75, 18.9.1912, S. 895.

den, waren nicht mehr jung. Möglicherweise waren auch sie schon länger im Deutschen Verein aktiv, ohne daß ihr Name bislang genannt wurde. Der älteste war der 1860 geborene Pfarrer JULIUS WERNER, 1864 wurde Lehrer PFANNKUCH geboren, 1866 RICHARD VON DER HEID und HERMANN LAASS. Der Vorsitzende des Deutschen Vereins in den Jahren 1911 bis 1913, JULIUS REINMUTH, war 1873 geboren. Soweit bekannt, waren die jüngsten der 1876 geborene Lehrer HEINRICH SONNTAG und der 1887 geborene Geschäftsführer AUGUST HLINETZKY. Aber auch diese waren schon seit acht Jahren Mitglied des Deutschen Vereins.[46]

Die Altersstruktur des Vereins weist daraufhin, daß die aktivsten Mitglieder ihre politische Prägung zu einer Zeit erfahren hatten, in der völkische Gedanken noch nicht rezipiert wurden. Ihre Judenfeindschaft baute eher auf Argumenten auf, die wirtschaftliche, kulturelle und religiöse Gegensätze zwischen Juden und Deutschen betrafen und ließ sich noch nicht der Rassentheorie zuordnen. Ein Aufgehen des Deutschen Vereins in ein „rassisch begründetes deutschvölkisches Denken“[47] kann deshalb für die letzten Jahre vor Ausbruch des 1. Weltkrieges nicht konstatiert werden.

Für diese Position der Frankfurter Antisemiten sprach auch ihr weiteres Festhalten an den alten politischen Bündnispartnern. Noch nach der Wahl 1912 setzte man auf ein Zusammengehen mit der Konservativen und der Christlichsozialen Partei. Der Vorsitzende JULIUS REINMUTH befürwortete in seiner Besprechung des Wahlergebnisses einen „Zusammenschluß aller rechtsstehenden Parteien zu einem Schutz- und Trutzbündnis“.[48] Dieser Vorschlag wurde wohl nicht nur vom Deutschen Verein, sondern auch von anderen Ortsgruppen unterbreitet, denn 1913 wurde die Möglichkeit auf dem Verbandstag für Hessen-Nassau diskutiert und als unpraktikabel verworfen. Die Zeitströmung sei für antisemitische Bestrebungen gegenwärtig sehr günstig, weshalb Deutschsoziale, Konservative und andere Organisationen weiterhin für sich bestehen und nur bei Wahlen gemeinsam vorgehen sollten.[49] Mittlerweile wurde nämlich eine Zusammenarbeit aller antisemitischen und völkischen Gruppen angestrebt. Ansatzweise gelang diese Zusammenfassung im Oktober 1913 auf dem sogenannten „Deutschen Tag“ in Eisenach, wo eine Deutsch-völkische Vereinigung gegründet wurde. Ihr schlossen sich außer den beiden antisemitischen Parteien der Reichshammerbund, der Verband gegen die Überhebung des Judentums, Deutschvölkischer Schriftstellerverband, Deutscher Turnerbund, Germanenorden, Deutscher Kulturbund u.a.m. an. Die Vereinigung war kein formaler Zusammenschluß oder eine neue Partei, sondern sollte nur der Koordination von Aktionen der einzelnen Verbände dienen.[50] Dieses offene Bekenntnis der Partei zu einem radikalen Antisemitismus auf der Grundlage der Rassentheorie machte ein gleichzeitiges Zusammen-

46 Zu den einzelnen Mitgliedern s. Anhang II.
47 U. LOHALM, Völkischer Radikalismus, S. 69.
48 Deutsch-Soziale Blätter, 27. Jg., Nr. 15, 21.2.1912, S. 174.
49 Ebd., 28. Jg., Nr. 37, 7.5.1913, S. 483.
50 W. JOCHMANN, Struktur (1976), S. 470ff.; M. GERSTENHAUER, Völkische Gedanken, S. 41-44.

gehen mit der Konservativen und der Christlichsozialen Partei, wie es der Deutsche Verein 1912 vorgeschlagen hatte, unmöglich.

Wie wenig eindeutig die ideologische Ausrichtung des Deutschen Vereins nach 1912 war, zeigt auch der Vorschlag des Vorstandes, den Verein umzubenennen. Der Vorsitzende JULIUS REINMUTH beabsichtigte im Frühjahr 1913 den Deutschen Verein in einen Deutschnationalen Volksverein zu überführen.[51] Was diese Veränderung konkret bedeutet hätte, ist unklar. Obwohl der Vorstand dieser Idee zustimmte, kam es nicht zur Ausführung und der Deutsche Verein behielt seine alte Bezeichnung bei. Weiterhin blieb er Ortsgruppe der Deutschsozialen Partei und ab Ende März 1914 der Deutschvölkischen Partei. Unter diesem Namen fusionierte am 22. März 1914 die Deutschsoziale und die Reformpartei.[52] Über die bevorstehende Verbindung informierte Generalsekretär JOHANN HENNINGSEN aus Hamburg die Frankfurter Parteimitglieder in der Monatsversammlung am 16. März. Der Deutsche Verein befürwortete dies mit dem Argument, „daß es zu begrüßen sei, wenn eine möglichst einheitliche Schlachtlinie der judengegnerischen Parteien hergestellt würde".[53]

Dies war die letzte Monatsversammlung des Deutschen Vereins, über die in den „Deutsch-Sozialen-Blättern" berichtet wurde. Danach wurde der Verein nur noch einmal anläßlich seiner letzten öffentlichen Kundgebung im April 1914 erwähnt. Wiederum war JOHANN HENNINGSEN, jetzt Generalsekretär der Deutschvölkischen Partei, nach Frankfurt gekommen, um am 17. April über „Die Warenhäuser, eine wirtschaftliche, soziale und kulturelle Gefahr" zu sprechen. Ähnlich wie in früheren Veranstaltungen gegen Warenhäuser warnte der Redner vor dem Einkauf in diesen Läden, die langfristig für das gesamte „Volks- und Wirtschaftsleben eine verheerende Wirkung" hätten.[54] Mit dem Kommentar über diese Versammlung enden die Quellen über die Tätigkeit des Deutschen Vereins, was aber nicht bedeuten muß, daß der Verein im Frühjahr 1914 eingegangen war.[55] Aber in welcher Form und bis wann er weiterexistierte, läßt sich nicht mehr nachvollziehen. Bis Herbst 1914 organisierte er keine öffentlichen Veranstaltungen mehr und hielt auch keine Monatsversammlungen mehr ab, über die ein Bericht in den „Deutsch-Sozialen Blättern" lohnte.

Im Spätsommer 1914 verschwand dann auch die einzige deutlich antijüdische Werbung aus dem Stadtbild. Am 31. Juli entfernte der seit Februar 1914 als Nachfolger REINMUTHS erneut zum Vorsitzenden des Deutschen Vereins gewählte HERMANN LAASS die Schilder an seinem Haus, die Juden den Zutritt verboten.[56] Darin wurde das Ende des organisierten Antisemitismus in Frankfurt am sinnfälligsten. Wann genau sich jedoch der Deutsche Verein auflöste, ist ungewiß.

51 Deutsch-Soziale Blätter, 28. Jg., Nr. 35, 30.5.1913, S. 414.
52 R. LEVY, Downfall, S. 253.
53 Deutsch-Soziale Blätter, 29. Jg., Nr. 25, 28.3.1914, S. 293.
54 Ebd., Nr. 32 (=34), 29.4.1914, S. 406f.
55 Daß der Deutsche Verein in der Vereinstafel der „Deutsch-Sozialen Blätter" vom März 1914 nicht aufgezählt wurde, dürfte ein Versehen sein, denn im April 1914 sprach die Zeitung wieder von „unserer Ortsgruppe" in Frankfurt, in: ebd., 29. Jg., Nr. 25, 28.3.1914, S. 304 und Nr. 32 (=34), 29.4.1914, S. 406f.
56 MdVAA, 25. Jg. 1915, Nr. 16, S. 68.

Auch nach der Verkündung des „Burgfriedens" durch Kaiser Wilhelm II. am 4. August 1914, der innenpolitische Kontroversen für die Dauer des Krieges untersagte, konnte die Deutschvölkische Partei bis 1918 weiter existieren. Jedoch durfte sie keine antisemitische Propaganda betreiben und ihr Publikationsorgan, die „Deutschvölkischen Blätter", wurden zwischen 1915 und 1917 verboten.[57] Erst nach Ende des Krieges löste sich die Deutschvölkische Partei auf. Ihre Mitglieder schlossen sich der neugegründeten Deutschnationalen Volkspartei (DNVP) oder radikalen völkischen Organisationen, wie dem Deutschen (später: Deutschvölkischen) Schutz- und Trutzbund an.[58]

Spätestens zu diesem Zeitpunkt konnte es auch den Deutschen Verein als Ortsgruppe der Deutschvölkischen Partei nicht mehr geben. Vermutlich war der Deutsche Verein aber schon in der Zwischenzeit eingegangen. Die Adreßbücher der Stadt Frankfurt am Main zählten ihn nur noch bis 1916 unter dem Vorsitz des Postassistenten Julius Reinmuth auf.[59] Nach dem Krieg gingen auch die Mitglieder des Vereins, wie für die Partei allgemein festzustellen war, zur DNVP oder zum Deutschen Schutz- und Trutzbund — sofern sie sich überhaupt noch politisch betätigten. Julius Reinmuth etwa, der von 1911 bis 1913 Vorsitzender des Deutschen Vereins war, schloß sich dem Deutschen Schutz- und Trutzbund an, dessen Flugblätter er im Juli 1919 an der Hauptwache verteilte.[60] Soweit bekannt, wechselten die meisten ehemaligen Mitglieder des Deutschen Vereins zu der weniger radikalen, eher konservativen DNVP über. Hermann Laass, Julius Schellin, Heinrich Sonntag und August Hlinetzky waren von 1918 an Mitglied der Frankfurter Ortsgruppe der DNVP. Im Laufe der 20er Jahre entwickelte sich die DNVP zu einer offen antisemitischen Partei, deren Verhältnis zu den Nationalsozialisten bis zum Anschluß der Partei 1933 ambivalent blieb.[61] Viele Mitglieder der DNVP wechselten aber schon vor 1933 zur NSDAP über. In Frankfurt wurde etwa von den ehemaligen Mitgliedern des Deutschen Vereins Hermann Laass im Jahre 1931 Mitglied der NSDAP.[62]

[57] Lexikon zur Geschichte der Parteien, S. 101.

[58] I. Hamel, Völkischer Verband, S. 121; zur DNVP s. L. Hertzman, DNVP, und W. Liebe, Deutschnationale Volkspartei; zum Deutschvölkischen Schutz- und Trutzbund s. U. Lohalm, Völkischer Radikalismus, und A. Roth, Kampfzeit.

[59] AdB 1915, IV. Teil, S. 118 und 1916, IV. Teil, S. 119.

[60] HStaA Wiesbaden, Abt. 405, Nr. 5825.

[61] L. Hertzman, DNVP, S. 126f.; W. Menges/W. Toonen, Deutsche Parteientwicklung, S. 71.

[62] Frankfurter Volksblatt, Nr. 329, 2.12.1936.

Zusammenfassung

Die Geschichte der Frankfurter antisemitischen Bewegung vor 1914 läßt sich in zwei Abschnitte unterteilen, die der Entwicklung der Bewegung im Reich entsprechen. Die ersten antisemitischen Vereine entstanden Ende der 70er/Anfang der 80er Jahre. Sie gingen überwiegend im Laufe des Jahrzehnts wieder ein. Einen zweiten Höhepunkt erlebten die antisemitischen Vereinsgründungen in den 90er Jahren.

Erste erfolglose Ansätze zu einer antisemitischen Vereinsgründung lassen sich in Frankfurt 1880/81 im Umkreis der Unterschriftenaktion für die sogenannte „Antisemitenpetition" feststellen. Eine eigentlich antisemitische Organisation in Frankfurt konnte sich erst im Oktober 1882 mit dem Deutschen Reformverein ausbilden. Dieser Verein zählte sich zur Deutschen Reformpartei, deren Sitz in Dresden war. Mit seiner geringen Mitgliederzahl hatte er keinen Bestand. Im folgenden Jahr löste sich der Deutsche Reformverein wieder auf.

Erst dem Deutschen Verein, während der zweiten antisemitischen Welle in den 90er Jahren gegründet, gelang es, sich fest zu etablieren. Mit wechselndem Erfolg existierte er bis 1914. Er kann als *die* antisemitische Organisation im wilhelminischen Frankfurt angesehen werden. Obwohl sich der Verein bereits im Spätsommer 1891 formiert hatte, dauerte es noch drei Jahre, bis er sich 1894 so weit konsolidierte, daß er an die Öffentlichkeit treten konnte. In den ersten Jahren hatte der Deutsche Verein den stärksten Mitgliederzustrom. 1895 erreichte er mit rund 500 Mitgliedern seinen besten Stand, dem er sich bis 1914 nicht wieder annähern sollte. Von der Mitte der 90er Jahre bis 1900 datierte die eigentliche Hochphase des antisemitischen Deutschen Vereins, was sich nicht nur an den Mitgliederzahlen ablesen läßt: regelmäßige Vereinsversammlungen sowie Volksversammlungen mit auswärtigen Rednern fanden statt. Zeitweise konnten zwei eigene Zeitungen herausgegeben werden. Weihnachtsflugblätter wurden verteilt und gemeinsam mit dem Deutschbund das Frankfurter Deutschbund-Adreßbuch herausgegeben. Für eine Petition an das preußische Herrenhaus um Übersetzung eines hebräischen Religionsbuches wurden Unterschriften gesammelt.

Nach den ersten relativ aktiven Jahren setzte dann seit der Jahrhundertwende eine rückläufige Phase ein, in der der Deutsche Verein immer seltener an die Öffentlichkeit trat. Da die lokalen antisemitischen Zeitungen eingegangen waren und überregionale nur selten über den Deutschen Verein berichteten, läßt sich seine Entwicklung in diesem Zeitraum kaum verfolgen. Das herausragende Ereignis in dieser Zeit war die Nominierung von eigenen Kandidaten für die Stadtverordnetenwahlen.

Mit dem Jahr 1912 begann der letzte Abschnitt in der Existenz des Deutschen Vereins. In den zwei Jahren bis zum Ausbruch des Weltkrieges erlebte er einen neuen Aufschwung. Vor allem mit seiner Agitation gegen das HEINE-Denkmal gewann er eine stärkere öffentliche Präsenz als in den zehn Jahren zuvor.

Die Geschichte des Deutschen Vereins läßt sich demnach grob in drei Phasen unterteilen:

1) in den Zeitraum des Aufbruchs der antisemitischen Bewegung vom Zeitpunkt der Konsolidierung des Vereins 1894 bis zur Jahrhundertwende,
2) in eine anschließende rückläufige Phase bis 1912 und
3) in die Zeitspanne des erneuten Erstarkens des Vereins von 1912 an.

Diese drei Abschnitte sind nicht nur rein zeitliche Einteilungen, sondern sie entsprechen jeweils bestimmten programmatischen Ausrichtungen des Deutschen Vereins. Während im ersten Zeitraum antisemitische Programmpunkte im Vordergrund der Propaganda standen, insbesondere „Aufklärung" über die Gefahr, die ihrer Meinung nach von den jüdischen Mitbürgern ausging, und eine Einschränkung des jüdischen Einflusses auf Wirtschaft, Kultur und Politik gefordert wurde (s. etwa Deutschbund-Adreßbuch, Petition, Themen der Veranstaltungen), traten diese nach 1900 zurück. An ihre Stelle rückten mittelständische Wirtschaftsforderungen. Das hieß aber nicht, daß der Deutsche Verein nun vollständig neue ideologische Grundsätze verfocht. Auch die mittelständischen Wirtschaftsforderungen wie Schutz der kleinen Gewerbetreibenden vor Kaufhäusern und Filialgeschäften, Befähigungsnachweis und obligatorische Innungen für das Handwerk u.ä.m. waren bereits seit den 90er Jahren Teil des Programms und wurden auch schon in den 80er Jahren von den Reformvereinen erhoben. Was nach 1900 geschah, war nur eine Veränderung in der programmatischen Gewichtung. In diesem Zeitraum präsentierte der Deutsche Verein sich als Teil der Mittelstandsbewegung unter Zurückstellung der antijüdischen Propaganda. Dies wurde besonders an den für die Stadtverordnetenwahlen eingegangenen Koalitionen deutlich. Der Deutsche Verein verband sich mit der Mittelstandsbewegung und anderen wirtschaftlichen und konfessionellen Verbänden gegen die Sozialdemokratie und die liberalen Parteien. Seine Bündnispartner verlor der Deutsche Verein im Jahre 1908, als diese nicht länger mit einer antisemitischen Organisation koalieren wollten. Damit scheiterte die Politik der Anbindung an die Mittelstandsbewegung und der Verein befand sich bis 1912, ohne daß er sich ideologisch neu zu orientieren vermocht hätte, kurz vor der Auflösung.

Mit der Auseinandersetzung um das Heine-Denkmal 1912 begann eine neue kurzfristige Renaissance. In diesen letzten Jahren rückte wieder die 'Judenfrage' ins Zentrum.

Bis auf geringe Abweichungen korrespondierte die Entwicklung der antisemitischen Bewegung in Frankfurt mit der im Reich allgemein. Auch das Wiedererstarken des Deutschen Vereins entsprach der allgemeinen Tendenz, obwohl hierbei zu vermuten ist, daß dies alleine wohl nicht dazu genügt hätte. Erst in Verbindung mit seinem Kampf gegen die Errichtung des Heine-Denkmals gelang dem Deutschen Verein ein neuer Aufschwung.

Dies war aber in der Geschichte des Deutschen Vereins der einzige Fall, bei dem lokale Begebenheiten für seine Entwicklung wichtig waren. Weder für den Deutschen Reformverein der 80er Jahre noch für den Deutschen Verein ließen sich Hinweise darauf finden, daß Gründung, Konsolidierung oder spezifische programmatische Gewichtung auf besondere Frankfurter Ereignisse zurückgeführt werden können. Der Deutsche Verein war Teil der Bewegung im Reich. Durch sie wurde er ideologisch geprägt und im zeitlichen Verlauf seiner Entwicklung bestimmt. Lokale Besonderheiten spielten dabei praktisch keine Rolle.

Selbst die wenigen feststellbaren zeitlichen Abweichungen belegen die These von der Unselbständigkeit der Frankfurter antisemitischen Bewegung. Während im allgemeinen unter Hinweis auf Hellmut von Gerlach der Höhepunkt des politischen Antisemitismus in das Jahr 1893 datiert wird, wurde der Deutsche Verein erst von 1894 an aktiv, um dann in den ersten Jahren seiner Existenz am erfolgreichsten zu sein. Diese zeitliche Verschiebung läßt sich auf den Erfolg der antisemitischen Parteien bei den Reichstagswahlen 1893 zurückführen, der auch den wenigen Frankfurter Anhängern Hoffnung gab und sie zu verstärkten Aktivitäten anhielt.

Auch das Wechseln des Deutschen Vereins von der einen antisemitischen Partei zur anderen brachte keine wahrnehmbaren Veränderungen mit sich. Bis 1900 war er eine lokale Organisation der Deutschsozialen Reformpartei. Als sich diese 1900 aufspaltete, zählte er sich zur radikaleren Deutschen Reformpartei. 1905 trennte er sich von ihr und ging zur Deutschsozialen Partei über, die den Konservativen zuneigte.

Für beide Parteien war die Frankfurter Ortsgruppe nur eine lokale Organisation neben vielen anderen, die ihre Redner während einer süddeutschen Agitationsreise aufsuchten. Besonders hervorgehoben wurde von der Parteipresse in Frankfurt nur das „judenfreie" Hotel „Kölner Hof". Der Deutsche Verein fand dagegen dieselbe Beachtung wie andere Ortsgruppen auch.

Exemplarisch läßt sich am Frankfurter Deutschen Verein die lokale Organisation des politischen Antisemitismus vor 1914 nachzeichnen. In der sozialen Zusammensetzung seiner Anhänger unterschied sich der Deutsche Verein nicht von den Trägerschichten der Bewegung im Reich. Neben einer kleinen Gruppe von Akademikern (Lehrern, Pfarrern) waren es vor allem mittelständische Selbständige und untere Beamte, die seinen Mitgliederstamm bildeten. Es war eine Bewegung, die beinahe ausschließlich Angehörige der protestantischen Konfession anzog. Katholiken ließen sich nur wenige in seinen Reihen finden.

Zum Abschluß bleibt noch nach der Wirkung des Deutschen Vereins während der zwanzig Jahre seines Bestehens zu fragen.

Seine Aktivitäten erschöpften sich über viele Jahre im Veranstalten öffentlicher Kundgebungen mit auswärtigen Rednern. Zu diesen Werbetätigkeiten für den politischen Antisemitismus kamen als eigentliche Propaganda in Frankfurt noch die Herausgabe von Weihnachtsflugblättern sowie des Deutschbund-Adreßbuches von 1895 hinzu. Einfluß auf die städtische Politik versuchte er durch die Aufstellung von Kandidaten für die Stadtverordnetenwahlen und durch seinen Widerstand gegen die Errichtung des HEINE-Denkmals zu nehmen.

Von seinen programmatischen Forderungen konnte er keine einzige durchsetzen. Weder gelang es ihm, die Frankfurter Öffentlichkeit von der nach seiner Meinung erheblichen Bedeutung der 'Judenfrage' zu überzeugen, noch konnte er einen Boykott jüdischer Geschäfte organisieren oder eine breite Käuferschicht vom Einkauf im Warenhaus abhalten. Auch wurden weiterhin jüdische Mitbürger zu Stadtverordneten gewählt, jüdische Rechtsanwälte aufgesucht und die vom Deutschen Verein bekämpften liberalen Zeitungen gelesen. In den Debatten des städtischen Parlaments vermochten die beiden antisemitischen Stadtverordneten keinen einzigen ihrer Reformvorschläge einzubringen. Antijüdische Absichten trauten sie sich nicht einmal mehr zu äußern.

Von einem ereignisgeschichtlichen Blickwinkel aus muß die antisemitische Bewegung in Frankfurt als wirkungslos beurteilt werden. Über den engen Kreis ihrer Anhänger hinaus stieß sie kaum auf Resonanz. Die Stadtverwaltung versuchte, soweit es ihr wie im Fall des „Kölner Hofs" möglich war, mit allen ihr zur Verfügung stehenden Mitteln antisemitische Bestrebungen zu unterbinden. Im Unterschied etwa zu den ländlichen Gegenden Nordhessens oder Sachsens blieb der politische Antisemitismus in Frankfurt vor 1914 eine Randerscheinung. Als eigenständige politische Kraft konnte er sich nicht etablieren. Nur in Verbindung mit mittelständischen Organisationen gelang es ihm zu Anfang des 20. Jahrhunderts, breitere Unterstützung zu finden. Die Tatsache, daß Frankfurt die Großstadt mit dem höchsten Anteil jüdischer Bevölkerung im Deutschen Reich war, scheint die antisemitische Bewegung eher behindert zu haben, als daß es sie begünstigte. Unter den nichtjüdischen Einwohnern war die Bereitschaft vorhanden, sich gegen das Aufkommen der antijüdischen Agitation zur Wehr zu setzen. Als Beispiel sei an die unmittelbar auf das Erscheinen des Deutschbund-Adreßbuches 1895 einsetzende öffentliche Kritik oder an die Auseinandersetzungen während der Kundgebungen des Deutschen Vereins gegen das HEINE-Denkmal 1912/13 erinnert.

An den Stadtverordnetenwahlen zu Anfang des 20. Jahrhunderts zeigte sich jedoch, daß es auch in Frankfurt Bevölkerungsgruppen gab, die bereit waren, Antisemitismus zumindest in Kauf zu nehmen. Als Teil einer mittelständischen Protestideologie gegen die in Frankfurt die politische Mehrheit stellenden bürgerlichen Liberalen war der Antisemitismus einige Jahre lang virulent. Bis zum Ausbruch des 1. Weltkrieges verschwand er aber wieder weitgehend von der öffentlichen politischen Bühne der Stadt.

Von den Zeitgenossen wurde der Deutsche Verein als unbedeutend eingestuft, dessen Anhänger, wenn sie — wie die beiden Stadtverordneten — politische Mandate innehatten, an der Praktikabilität gerade ihrer antijüdischen Forderungen zweifelten. Und sie konnten bemerken, daß der Verein, wenn es politisch opportun erschien, seinen Antisemitismus zugunsten anderer Zielsetzungen zurückstellte. Die Frankfurter Öffentlichkeit nahm die antisemitische Bewegung nicht ernst. Die Lokalzeitungen berichteten über den Deutschen Verein, von dessen Auftreten sie keine politischen Veränderungen erwarteten, nur beiläufig.

Die insgesamt festzustellende Erfolglosigkeit des politischen Antisemitismus vor 1914 beruhigte seine Gegner darüber, daß es ihm nicht gelingen würde, sich durchzusetzen. Seine Nachfolger jedoch zogen daraus den Schluß, daß sie zur Verwirklichung ihrer Absichten andere, radikalere Wege gehen müßten. Nach dem Krieg, unter veränderten gesellschaftlichen und politischen Bedingungen, sollten diese divergierenden Einschätzungen Bedeutung gewinnen.

Anhang

I. Programm der Deutschsozialen Reformpartei von 1895

(abgedruckt in: F. SPECHT/P. SCHWABE, Reichstagswahlen, S. 416-422)

I. Leitsätze

Die fortschreitende Zersetzung aller gesellschaftlichen und wirtschaftlichen Ordnung beunruhigt die weitesten Kreise des Volkes, bedroht den Arbeiter- und Mittelstand in Stadt und Land in seinem bescheidenen Besitz und vermehrt täglich die Schar der Besitzlosen. Die alten Parteien stehen dieser durch einen falschen wirtschaftlichen Liberalismus hervorgerufenen und noch immer steigenden Gefahr ohne Verständnis und darum ratlos gegenüber, die Sozialdemokratie hält diese Entwicklung für unvermeidlich und naturnotwendig; ihnen gegenüber verlangt die Deutsch-soziale Reformpartei durchgreifende Abhilfe auf gesetzgeberischem Gebiete unter besonderer Berücksichtigung der schaffenden Stände. Dem kapitalistischen Faustrecht stellt sie die wirtschaftliche Neuordnung, der sozialen Revolution die soziale Reform gegenüber.

Träger der Zersetzung ist das stammfremde Judenvolk, das in unserem wirtschaftlichen, politischen und gesellschaftlichen Leben, in der Rechtspflege und in der Presse unserem Volkstum seinen zersetzenden Geist aufgedrängt und damit den Anlaß zu der antisemitischen Strömung gegeben hat. Deutschen Geist und deutsche Eigenart wollen wir bewahren vor jedem schädlichen Fremdstoff, deutsche Arbeit schützen gegen Ausnützung und Ausbeutung. Darum erscheint uns der Kampf gegen den jüdischen Geist, gegen die wachsende Verjudung auf allen Gebieten des Lebens als eine wirtschaftliche, politische und sittliche Notwendigkeit.

Unsere Partei stellt sich auf den Boden christlicher Weltanschauung. So entspricht es der geschichtlichen Entwicklung unseres Volkstums, in dem sich deutscher und christlicher Geist innig und unauflöslich verbunden hat. Wir gehen aus von der einheitlichen Grundlage aller christlichen Einzelbekenntnisse und wollen Zwistigkeiten zwischen ihnen vermieden sehen.

Die Deutsch-soziale Reformpartei wendet sich an das gesamte deutsche Volk ohne Unterschied des Standes und des Bekenntnisses, sie will es allen zum Bewußtsein bringen, daß sie als Söhne eines Stammes zusammengehören im Kampf um die wirtschaftliche und sittliche Wiedergeburt des Deutschtums. Unabhängig nach oben und unten, nach rechts wie links wollen wir das große Ziel der nationalen Wiedergeburt fest ins Auge fassen und geraden Weges darauf losgehen. Neben der sittlichen Erneuerung unseres Volkslebens sehen wir die nationale Wiedergeburt in erster Linie darin, daß der schaffenden Arbeit die ihr gebührende Stellung eingeräumt wird. Zur Zeit ist sie in ihren Rechten beeinträchtigt durch ein Übergreifen des beweglichen Kapitals. Diesem Kapitalismus gegenüber betrachten wir es als unsere Hauptaufgabe, die Gemeinschaft der Interessen an der schaffenden Arbeit den einzelnen Berufsständen zum klaren Verständnis zu bringen und sie davon zu überzeugen, daß jede einzelne Gruppe ihren Interessen am wirksamsten dient durch Zusammengehen mit den anderen. Unser Ziel muß sein, die scheinbaren Interessengegensätze zur Versöhnung zu bringen, und so aus allen Gruppen der schaffenden Arbeit eine eng zusammenhängende Streitmacht gegen den gemeinsamen Feind zu bilden.

In der Ansammlung von Riesenvermögen in einzelnen Händen, in der Zersetzung aller ständischen und beruflichen Gliederungen, in der Verarmung des Arbeiter- und Zertrümmerung des Mittelstandes erblicken wir die Hauptgefahren der Gegenwart. Von unten herauf muß wieder aufgebaut, der bedrohte Mittelstand gestützt werden. Staatlich gesicherte, lebenskräftige Organisationen sind zu schaffen, in denen die arbeitenden Berufsklassen unseres Volkes sich zusammenschließen zur Wahrung ihrer Interessen nach außen und zur Erziehung nach innen.

Unser Ziel ist daher: durchgreifende Organisation der deutschen Arbeit auf nationaler Grundlage und Umbildung unserer Rechtszustände im Sinne einer Verdrängung der kapitalistischen Auswüchse des gegenwärtigen Rechts durch deutsch-nationale Rechts-Anschauungen, damit ein deutsches, lebendiges und soziales Recht die Bürgschaft werde für eine glückliche Zukunft unseres Volkes.

Wir sind bereit, für die Erhaltung der nationalen Wehrkraft, beruhend auf dem Grundsatz der allgemeinen Wehrpflicht, die Opfer zu bringen, die zum Schutz und zur Verteidigung unseres Vaterlandes notwendig sind.

Im Interesse der Wohlfahrt und Unabhängigkeit des Reiches halten wir weise Sparsamkeit im Reichshaushalte für geboten. Die Aufbringung der für den Staat erforderlichen Mittel soll unter Schonung der wirtschaftlich Schwachen und unter stärkerer Heranziehung des Großkapitals erfolgen.

Für die Erhaltung und Förderung deutschen Lebens im Auslande sind wir gewillt, mit ganzem Herzen einzutreten.

Wir halten fest an der politischen Einigung Deutschlands unter einem machtvollen Kaisertum, wollen aber den bundesstaatlichen Charakter der Reichsverfassung gewahrt und die berechtigte Eigenart der einzelnen Stämme erhalten wissen. Die bestehenden Volksrechte sollen nicht gekürzt, ihr organischer Ausbau soll gefördert werden, soweit es zum Heile der Gesamtheit erforderlich ist.

II. Forderungen

Die Deutsch-soziale Reformpartei steht auf deutsch-nationalem, monarchischem und christlichem Boden. Sie fordert im einzelnen:

1. Erhaltung des allgemeinen, gleichen und direkten Reichstagswahlrechts mit geheimer, gesetzlich nach Möglichkeit geschützter Abstimmung. Erweiterung des Wahlrechts zur Wahlpflicht, Tagegelder und freie Eisenbahnfahrten für die Abgeordneten.

2. Freiheit in Rede und Schrift, soweit sie nicht gegen Recht und Sitte verstoßen; Sicherung der Vereins- und Versammlungsfreiheit für alle Staatsbürger.
3. Volle Glaubens- und Gewissensfreiheit, Selbständigkeit der christlichen Kirchen in innerkirchlichen Angelegenheiten.
4. Wahrung des christlichen, nationalen und praktischen Gesichtspunktes in der Jugend-Erziehung, gemeinsamen Unterbau für das gesamte Schulwesen, fachmännische Schulaufsicht, Unentgeltlichkeit des Unterrichts und der Lehrmittel für die Volksschulen, Ausscheidung des jüdischen Elements aus christlich-deutschen Schulen.
5. Beseitigung des herrschenden Bureaukratismus, Besetzung der höheren Verwaltungsstellen durch sach- und fachkundige Beamte.
6. Schaffung eines in deutschen Rechtsanschauungen wurzelnden bürgerlichen Gesetzbuches, Herabsetzung der Gerichtskosten und Anwaltsgebühren, Beseitigung des Anwaltszwanges. Einführung der Berufung für alle Strafsachen, Einführung der bedingten Verurteilung, Entschädigung der schuldlos Verurteilten und Untersuchungsgefangenen, Einschränkung der Eidesleistungen und Vereidigung nach erfolgter Aussage, Einführung der konfessionellen Eidesformel, Prüfung des Irrenrechtes und Entmündigungsverfahrens, Verweisung der Preßvergehen zur Aburteilung vor die Schwurgerichte.
7. Volle Durchführung der allgemeinen Wehrpflicht, möglichste Sparsamkeit bei der Heeresverwaltung, Einkäufe der Heeresbedürfnisse beim Produzenten.
8. Ein gerechtes Verhältnis zwischen direkten und indirekten Steuern; keine weitere Vermehrung derjenigen indirekten Steuern, welche die unteren Schichten treffen; insbesondere Eintreten für
a) stufenweise aufsteigende (progressive) Einkommen-, Kapitalrenten- und Erbschaftssteuer unter Schaffung geeigneter Schutzmaßregeln gegen falsche Einkommen-Deklarationen und Vermögensangabe;
b) rationelle Neugestaltung der Börsensteuer, besondere Heranziehung ausländischer Werte;
c) Luxus- und Aufwandsteuern;
d) Wehrsteuer.
9. Ausreichende Schutzzölle zum Besten der deutschen Arbeit und Erzeugung.
10. Staatliche Beaufsichtigung des Börsenwesens, Verbot der den Frieden gefährdenden Spekulationen sowie aller Spiel- (Differenz-) Geschäfte; Bekämpfung der Ringbildungen.
11. Schaffung einer wirklich nationalen Reichsbank zur Unterstützung und Befruchtung der dem Handwerk, der Landwirtschaft und dem Kleingewerbe dienenden Institute. Aufhebung der Notenausgabe durch Privatbanken; internationale Regelung der Währungsfrage; Abtragung der Staatsschulden.
12. Schutz der Landwirtschaft gegen ausländische Konkurrenz, gegen Wucher und Güterschlächterei; staatliche Regelung der Getreideeinfuhr oder schleunige, ebenso wirkende Maßnahmen zur Erzielung stetiger Verkaufspreise für das Getreide, bei

denen der deutsche Landwirt sein Auskommen findet und die übrigen Klassen der Bevölkerung nicht durch den Kornwucher der Börse überteuert werden; Regelung des Getreidehandels auf genossenschaftlicher Grundlage; Unpfändbarkeit eines zur Erhaltung einer Familie nötigen Mindestbesitzes, Herabminderung der Gerichtskosten und Stempelabgaben; Ablösung der Grundschulden.

13. Schaffung zeitgemäßer obligatorischer Innungen für das Handwerk mit Befähigungsnachweis, Beseitigung der zügellosen Gewerbefreiheit, Errichtung von Handwerkerkammern, staatliche Mitwirkung zur Gründung von Genossenschaften, Verbesserung des Submissionswesens, Aufhebung der Zuchthausarbeit für Private, Sicherung der Forderungen für Bauhandwerker; ausschließliche Berücksichtigung von Handwerksmeistern bei Vergebung staatlicher Lieferungen und Arbeiten, die in (den) Bereich des handwerksmäßigen Betriebes gehören.

14. Verschärfung der Konkursordnung und strafrechtliche Verfolgung des unlauteren Wettbewerbes, Führung des vollen Namens des Geschäftsinhabers in dessen Firma, Verbot des Hausierhandels für Ausländer, Beschränkung des Hausierhandels auf arbeitsunfähige Personen, auf die Bewohner armer, unwirtlicher Gegenden, denen der hergebrachte Gewerbebetrieb im bisherigen Umfange gestattet sein soll, und auf den Vertrieb selbstgefertigter Waaren; Beschränkung des Abzahlungshandels sowie Verbot der Schwindelausverkäufe und Wanderlager, Bekämpfung des Filialwesens, Verbot der Konsumvereine, soweit sie zu gewerbsmäßigen Handelsbetrieben ausarten, Verbot der Teilnahme von Staatsbeamten und Offizieren an Konsumvereinen (Waarenhäusern); Erweiterung des Wuchergesetzes auf vollen Schadensersatz an die Bewucherten, Besserung der sozialen Lage der Handlungsgehilfen.

15. Vereinfachung der Zwangsversteigerungsgesetze und Heranziehung der Gesamtheit zu ihren Lasten, Regelung des Arbeitsnachweises durch Staat und Gemeinde, Maximalarbeitstag nach Eigenart der einzelnen Betriebe, Sonntagsruhe von mindestens 36 Stunden für alle Industriearbeiter, Beschränkung der Nachtarbeit sowie der Frauen- und Kinderarbeit, Verbot derselben in Betrieben, wo Gefahren für die Gesundheit oder Sittlichkeit bestehen, Reichsarbeitsamt und Einigungsämter für Lohn- und andere Streitigkeiten, Koalitionsrecht der Arbeiter, Ausgestaltung der staatlichen Betriebe zu Musteranstalten in sozialer Hinsicht, Förderung von Produktivgenossenschaften, Verbesserung der Fabrikaufsicht, auch durch Anstellung weiblicher Fabrikinspektoren, Fürsorge für gesunde Arbeiterwohnungen.

16. Regelung bezw. Aufbesserung der Anstellungs- und Gehaltsverhältnisse des Beamten- und Lehrerstandes. Erhebungen über die Lage der Subaltern- und Unterbeamten mit Hilfe parlamentarischer Kommissionen, möglichst volle Sonntagsruhe auch für alle Angestellten öffentlicher Verkehrsanstalten.

17. Zur Verhinderung gemeingefährlicher Einwanderung Herstellung eines deutschen Reichsbürgerrechtes, Verbot der Verwendung nicht-europäischer Arbeiter, Sperrung der Reichsgrenze gegen den Zuzug slavischer Arbeiter.

18. Erhaltung und Erwerbung von Handels- und Ackerbaukolonien, Errichtung überseeischer Strafansiedelungen für rückfällige Verbrecher, Beförderung der inneren

Kolonisation zur Stärkung des Deutschtums, kräftigen Schutz der Deutschen im Auslande, Verbesserung des Konsulatswesens, Schaffung eines Reichsauswanderungsgesetzes mit dem Hauptziele einer nationalen Regelung der deutschen Auswanderung.
19. Aufhebung der Gleichberechtigung der in Deutschland lebenden Juden und Stellung derselben unter ein besonderes Fremdenrecht, namentlich Ausschluß der Juden aus allen amtlichen und einflußreichen Stellungen, Aufstellung und dauernde Führung einer Statistik über die in Deutschland lebenden Personen jüdischen Stammes, Verbot der Einwanderung fremder Juden, Schächtverbot, wissenschaftliche Prüfung der jüdischen Religionsvorschriften bezüglich ihres Inhaltes und ihrer Verbindlichkeit.

II. Kurzbiographien von Mitgliedern des Deutschen Vereins

Die folgende Zusammenstellung listet in alphabetischer Reihenfolge die Mitglieder des Deutschen Vereins auf, die im Text häufiger erwähnt werden. Die 20 Biographien sind in ihrem Umfang sehr unterschiedlich. Manche sind relativ ausführlich, andere dagegen eher knapp. Die umfangreicheren Lebensbeschreibungen stammen meist von solchen Personen, die innerhalb der antisemitischen Bewegung eine größere Rolle spielten als andere, denn ihr Wirken spiegelt sich über längere Zeit in den Parteizeitungen wider.

In den Kurzbiographien wird über den zeitlichen Rahmen und den lokalen Bezug der Untersuchung hinausgegangen und — soweit von Interesse — auch das weitere Schicksal einzelner Personen nach 1914 und ihre Aktivitäten andernorts vorgestellt. Frankfurt und der Deutsche Verein nahmen manchmal nur einen kurzen Abschnitt in der Lebensgeschichte ein, während Wichtigeres später und in anderen Städten geschah.

Bornemann, Hermann

Telegraphenassistent; evangelisch; geb. am 31.5.1842 in Oldau/Kreis Celle. Seit 1875 lebte er in Frankfurt. Er war von 1900 bis 1903 Vorsitzender des Deutschen Vereins. 1902 kandidierte Bornemann im 4. Bezirk für die Stadtverordnetenversammlung.

Hax, Franz

Handlungsgehilfe, später Versicherungsagent; katholisch; geb. am 19.12.1872 in Bonn. Seit 1889 in Frankfurt ansässig. Im November 1894 bezeichnete Hax sich als Anhänger der Zentrumspartei. Seit 1896 bis mindestens 1908 engagierte er sich in der antisemitischen Bewegung. 1897 besuchte er den Parteitag der Hessischen Deutschsozialen Partei in Friedberg. Von 1897 bis 1901 war er Vorsitzender der Frankfurter Ortsgruppe des DHV und von 1898 bis 1900 Gauvorsteher des Main-Weser-Gaus des DHV. Spätestens seit 1905 war Hax als Versicherungsagent tätig.

von der Heid, Richard

Gastwirt, Lebensmittelhändler; evangelisch; geb. am 5.9.1866 in Münzenberg. Unterzeichnete im September 1895 als einer der ersten die Petition des Deutschen Vereins an das preußische Herrenhaus.

Vermutlich war er von da an Mitglied des Vereins. Im Jahre 1912 wurde er zum Kassierer des Deutschen Vereins gewählt.

Hettler, Johann Heinrich

Schneidermeister; evangelisch; geb. am 17.2.1830 in Frankfurt a. M.; seit den 50er Jahren bis 1890 Inhaber einer Herrenschneiderei; seit 1890/91 Privatier. Spätestens seit 1896 Mitglied des Deutschen Vereins. 1896 und 1898 kandidierte er für den Deutschen Verein bei den Stadtverordnetenwahlen. 1898 wurde Hettler als Kandidat für die Reichstagswahl vom Deutschen Verein vorgeschlagen. Beteiligte sich 1898 an der Herausgabe der unregelmäßig erscheinenden Zeitschrift „Der Komet. Flugblatt für kommunale Interessen in Frankfurt am Main". Im Herbst 1900 gründete Hettler die Freie Vereinigung von Hausbesitzern und Mietern. Im November 1900 wurde er im 6. Bezirk (Nordend) in die Stadtverordnetenversammlung gewählt. Von 1901 bis 1906 Stadtverordneter. Seit Mai 1901 gab er die Zeitung „Die Römerkatze. Organ für städtische Angelegenheiten" mit der Beilage „Der Römerkater" heraus. Hettler starb am 20.3.1913 in Frankfurt.

Hirschel, Otto

Architekt, Redakteur, Reichstags- und Landtagsabgeordneter, Zeitungsverleger; evangelisch; geb. am 2.7.1862 in Frankfurt a. M.; 1886 Mitglied des Conservativen Vereins für Frankfurt a. M. und Umgegend. Seit Oktober 1888 engagierte Hirschel sich in der antisemitischen Bewegung. 1890 wurde er Schriftführer des von Otto Böckel gegründeten Mitteldeutschen Bauernvereins (später: Hessischer Bauernbund). Unternahm seit Sommer 1890 Agitationsreisen, zuerst zusammen mit Otto Böckel, später auch mit anderen antisemitischen Rednern. Im September 1891 gründete er zusammen mit Otto Werner den Deutschen Verein in Frankfurt. Von September 1894 bis 1907 gab er die „Deutsche Volkswacht" heraus, die zuerst in Offenbach, ab 1904 in Friedberg erschien. Am 1.10.1894 übersiedelte er von Frankfurt nach Offenbach. 1893—1898 vertrat er den Wahlkreis Erbach-Bensheim (Odenwald) für die Deutsche Reformpartei im Reichstag. Von 1894 bis 1897 Vorsitzender des Deutschen Vereins in Frankfurt a. M., von 1896 bis 1898 erster Vorsitzender des Landesverbandes der Deutschsozialen Reformpartei für das Großherzogtum Hessen und Nassau. 1898 gründete er zusammen mit Leutnant a.D. Adolf Wolff in Offenbach die Hessische Druckerei und Verlagsanstalt, in der die „Frankfurter Post" und die „Deutsche Volkswacht" erschienen. 1902—1908 war er Landtagsabgeordneter des Bauernbundes für den Bezirk Allendorf-Grünberg (Oberhessen). 1903/1904 Vorsitzender des Landesverbandes der Deutschen Reformpartei für Südwestdeutschland. Seit März 1904, seit dem Übergang des Hessischen Bauernbundes in den Bund der Landwirte (BdL), war Hirschel für den BdL tätig. 18.3.1904 zog er von Offenbach nach Friedberg/Wetterau. 1905 gründete er als Ergänzung zum BdL die Vereinigten Landwirte Frankfurt a. M. und Umgegend. Im Juli 1908 Verurteilung wegen Unterschlagung. Seit 1910 war er Hauptschriftleiter der „Neuen Tageszeitung" in Friedberg, die aus der „Deutschen Volkswacht" hervorgegangen war. Otto Hirschel starb am 22.9.1919 in Friedberg.

Hlinetzky, August

Geschäftsführer, Bürohilfsarbeiter; geb. am 5.6.1877 in Frankfurt. Seit 1904 Mitglied des Deutschen Vereins; 1912 Beisitzer im Vorstand des Vereins. Von 1905—1915 war er Geschäftsführer des Vereins der Flaschenbierhändler; seit 1919 bei der Stadt als Bürohilfsarbeiter angestellt. 1918—1928 Mitglied der DNVP; seit 1933 in der Beamtenfachschaft der NSDAP. 1934 wurde er wegen Unterschlagung aus dem städtischen Dienst entlassen. 1938 war er SA-Rottenführer.

Hunkel, Ernst

Dr. phil., Redakteur, Schriftsteller; geb. am 10.8.1885 in Lindenfels, Kreis Bensheim. Übersiedelte im Februar 1910 von Hamburg nach Frankfurt. Von Februar bis September 1910 war er Schriftleiter des Deutschen Vereins. Am 29.9.1910 meldete er sich nach Berlin ab. Vom 1.10.1910 bis 1.9.1919 Redakteur der Zeitschrift des deutschen Ostmarkenvereins, „Die Ostmark". Nach 1910 war er im Vorstand des Deutschvölkischen Schriftsteller-Verbandes. Von 1912 bis 1919 leitete HUNKEL die Presseabteilung des Deutschen Ostmarkenvereins. 1917 gab er die Monatsschrift „Neues Leben" heraus. Von 1919 bis 1924 stand er der Genossenschaft „Deutsch-Ordens-Land", Freilandsiedlung Donnershag bei Sontra in Hessen, vor. 1926 war er Hauptschriftleiter der Wochenschrift „Das freie Volk" (Ffm.), 1928 Hauptschriftleiter der Selbsthilfe der Arbeit e.V. (Ffm., Lampertheim). Im Jahre 1930 Bundesvorsteher der Selbsthilfe der Arbeit e.V. und Hauptschriftleiter des „Freien Volkes auf freiem Grund". 1934 gab HUNKEL die Zeitung „Frei Deutschland" (Ffm.) heraus.

KÄMMER, GEORG

Ingenieur; evangelisch; geb. am 11.6.1857 in Herzberg/Sachsen. Seit 1893 Inhaber der Firma Centralbureau für automatische Waagen. Von 1897 bis 1906 war er Mitglied des Deutschen Vereins, dessen zweiter Vorsitzender er im Jahre 1898 war. 1897, 1898 und 1899 besuchte er als Delegierter Frankfurts die Parteitage der Deutschsozialen Reformpartei. Kandidierte in den Jahren 1902, 1904 und 1906 erfolglos für den Deutschen Verein bei den Stadtverordnetenwahlen. Ende 1906 trat KÄMMER aus dem Deutschen Verein aus. 1910 wurde er von der Mittelstandsvereinigung für die Stadtverordnetenwahlen aufgestellt.

KIESEL, ANTON (oder: KIESSEL)

Schlossermeister; evangelisch; geb. am 24.6.1840 in Frankfurt. 1883 war er Mitglied des Conservativen Vereins für Frankfurt am Main und Umgegend, seit 1896 Mitglied des Deutschen Vereins. Im November 1896 wurde er vom Deutschen Verein für die Stadtverordnetenwahl nominiert. Verfaßte 1896 das Lied „Michels Erwachen", das er dem Deutschen Verein widmete. KIESEL starb am 18.7.1913 in Frankfurt am Main.

LAASS, HERMANN

Gastwirt; evangelisch, am 25.12.1866 in Köselitz (Anhalt) geboren. Seit 1892 in Frankfurt, wo er das am Bahnhof gelegene Hotel und Restaurant „Kölner Hof" übernahm. Im Sommer 1895 begann LAASS im „Kölner Hof" mit antijüdischer Propaganda, erstmals bezeichnete er im September 1895 sein Haus als „judenfrei". Von 1896 an Mitglied des Deutschen Vereins, dessen Kassierer er in den Jahren 1897 und 1901—1903 war. Im November 1902 kandidierte er erfolglos für die Stadtverordnetenwahlen im 4. Bezirk. 1903 war LAASS Reichstagskandidat der Reformpartei für Frankfurt am Main. Vertrat den Deutschen Verein auf dem Parteitag der Reformpartei in Berlin im Oktober 1903. Von Ende 1903 bis 1910 war er Vorsitzender des Deutschen Vereins. Im November 1904 als Kandidat der Vereinigung für kommunale Wahlen im 4. Bezirk in die Stadtverordnetenversammlung gewählt, war er vom Beginn des Jahres 1905 an bis Ende 1910 Stadtverordneter. 1912 Beisitzer im Vorstand des Deutschen Vereins, den er im Jahre 1914 als Vorsitzender leitete. Bei Kriegsbeginn Ende Juli/Anfang August 1914 stellte LAASS seine antisemitische Propaganda ein. Von Mai 1924 bis Mai 1928 war er Stadtverordneter der DNVP, bis Dezember 1927 stellvertretender Vorsteher der Stadtverordnetenversammlung. 1931 trat er in die NSDAP ein, nach 1933 wurde er Senior der Frankfurter Ratsherren. LAASS starb am 30.11.1936 in Frankfurt.

LINDNER, WILHELM

Redakteur; evangelisch; geb. am 11.10.1884 in Iserlohn; seit 1907 in Frankfurt ansässig. LINDNER war seit 1908 Mitglied des Deutschen Vereins. Ebenfalls seit 1908 war er Redakteur der „Frankfurter Warte. Nationales Wochenblatt für soziale Reform. Organ der Freien evangelischen Volksvereinigung für Frankfurt am Main und Umgegend". Im Jahre 1913 zog er nach Berlin. Seit 1918 Mitglied

Abb. 18 Otto Hirschel im Jahre 1918

Abb. 19 Hermann Laaß, nach 1933

Abb. 20 Heinrich Sonntag, um 1910

Abb. 21 Pfarrer Julius Werner

der DNVP, war er 1924 für die Partei Abgeordneter im preußischen Landtag. Von Mai 1924 bis Dezember 1924 vertrat er den Wahlkreis Frankfurt/Oder im Reichstag. 1947 wurde er Landtagsabgeordneter der CDU in Nordrhein-Westfalen. LINDNER starb am 10.9.1956 in Herford.

METZNER, M. F.

Prokurist (Kaufmann). Er war spätestens seit 1900 Mitglied des Deutschen Vereins, außerdem 1905 zweiter Schriftführer der Frankfurter Mittelstandsvereinigung. 1906 war METZNER Kassierer des Deutschen Vereins.

MINOR, FRIEDRICH

Kalkfabrikant; evangelisch; geb. am 11.1.1841 in Grebenau/Hessen. MINOR war seit 1890 in der antisemitischen Bewegung aktiv. Bis zu seinem Tod Mitglied des Deutschen Vereins, dem er vielleicht schon bei der Gründung beitrat. MINOR starb am 12.2.1899 in Frankfurt.

PFANNKUCH, HEINRICH

Volksschullehrer; evangelisch; geb. am 3.2.1864 in Frankfurt. Seit 1886 unterrichtete er an der Karmeliterschule. Spätestens seit 1912 Mitglied des Deutschen Vereins, dessen Vorstand er als Beisitzer angehörte. Im Jahre 1923 wurde PFANNKUCH zum Konrektor der Karmeliterschule ernannt, 1925 pensioniert.

REINMUTH, JULIUS WILHELM

Postassistent; evangelisch; geb. am 24.2.1873 in Weitenau/Baden. 1901 meldete er sich von Offenburg kommend in Frankfurt an. Seit 1904 war er in der Frankfurter Mittelstandsvereinigung aktiv, deren zweiter Rechner er 1905 wurde. Im Jahre 1906 kandidierte er für die Freie evangelische Volksvereinigung bei den Stadtverordnetenwahlen. 1906 trat er dem Deutschen Verein bei. 1911 und 1913 besuchte er als Delegierter Frankfurts den Hessischen Parteitag der Deutschsozialen Partei. Von 1911 bis 1913 Vorsitzender des Deutschen Vereins. Im Juli 1919 verteilte REINMUTH Flugblätter des antisemitischen Deutschen Schutz- und Trutzbundes in Frankfurt. In den Jahren 1926-1928 wurde er wiederholt in Nervenheilanstalten eingewiesen.

SCHELLIN, JULIUS

Handlungsgehilfe, Angestellter (Geschäftsführer) des DHV; evangelisch; geb. am 12.3.1880 in Soest/Westfalen. 1907 zog er von Hamburg kommend nach Frankfurt. Seit April 1907 leitete er die Geschäftsstelle des DHV im Main-Weser-Gau. Von 1907 bis 1909 war er Vorsitzender der Frankfurter Ortsgruppe des DHV und spätestens seit 1911 Mitglied des Deutschen Vereins. In den Jahren 1919 bis 1925 war er Stadtverordneter der DNVP. 1925 zog SCHELLIN nach Hamburg.

SONNTAG, HEINRICH

Elementarlehrer, Chordirigent, Organist; evangelisch; am 31.12.1876 in Bad Wildungen geboren. Seit 1893 besuchte er das Lehrerseminar in Erfurt. 1896 legte er die 1. Lehrerprüfung ab. Im selben Jahr wurde er in Draschwitz b. Zeitz angestellt. Von 1896 an war er Mitglied der Deutschsozialen Reformpartei, seit 1900 der Deutschsozialen Partei, dann der Deutschvölkischen Partei. Für diese Parteien war er, wie er 1934 angab, als Redner „bei Wahlversammlungen, vaterländischen Festtagen, bei Parteitagungen“ tätig. 1903 zog SONNTAG nach Frankfurt, wo er Lehrer an der Karmeliterschule wurde. Von 1904 bis 1914 war er im Deutschen Verein aktiv. Seit 1904 leitete er den Knabenchor der St. Paulsgemeinde. Ab 1906 war er Dirigent des Frankfurter Männergesangvereins, dem u.a. als passive Mitglieder HERMANN LAASS und GEORG KÄMMER angehörten. Seit April 1911 war er Lehrer an der Bismarck-Mittelschule, seit April 1912 an der Viktoriaschule. Im Oktober 1912 besuchte er als Delegierter Frankfurts den Parteitag der Deutschsozialen Partei in Erfurt. Von 1918 bis 1933 war er Mitglied der DNVP, 1933 trat er der NSDAP bei. Von 1928 bis 1953 war er Organist am Südfriedhof. Sonntag starb am 5.5.1955 in Frankfurt.

Stöcker, Ernst

Prof. Dr. phil., Gymnasiallehrer; evangelisch; am 20.5.1866 in Arolsen geboren. Im März 1885 legte er das Abitur in Marburg ab. Von 1885 bis 1889 studierte er alte Sprachen und Geschichte in Marburg und Berlin, wo er u.a. auch bei Heinrich von Treitschke hörte. 1890 promovierte er in Marburg zum Dr. phil. mit einer Arbeit über den römischen Schriftsteller Claudianus. Im Sommer 1890 legte er die Staatsprüfung zum Oberlehrer in Marburg ab. 1890/91 war er als Einjährig-Freiwilliger im Kaiser Alexander Grenadier-Regiment in Berlin. 1891/92 absolvierte er sein pädagogisches Seminarjahr in Marburg, anschließend am Kaiser-Friedrich-Gymnasium in Frankfurt das Probejahr. Von 1893 bis 1899 unterrichtete er als Hauslehrer im Hause der Bankiers Karl von Grunelius. Spätestens seit 1895 Mitglied des Deutschen Vereins, zu dessen Schriftführer er 1895/96 gewählt wurde. 1896/97 war Stöcker zweiter Vorsitzender des Landesvereins der Deutschsozialen Reformpartei für Hessen und Umgegend. 1897 hatte er dieselbe Funktion im Deutschen Verein inne. Im Jahre 1897 veröffentlichte er anonym die antijüdische Broschüre „Geschichte der Judenschaft von Frankfurt am Main. Dargestellt von einem Deutschen". Im Oktober 1897 besuchte er als Delegierter Frankfurts den Parteitag der Deutschsozialen Reformpartei in Nordhausen. 1898 war er Kassierer des Deutschen Vereins und zweiter Kassierer des Landesvereins der Deutschsozialen Reformpartei. Veröffentlichte im Jahre 1898 unter Abkürzung seines Namens „Die Juden im römischen Reich". 1898/99 war Stöcker Obmann der Deutschsozialen Reformpartei für den Wahlkreis Wetzlar/Altenkirchen. 1899/1900 war er als Hilfslehrer am Königl. Gymnasium in Hanau angestellt, von 1900 bis 1903 Oberlehrer am Gymnasium von Myslowitz (Oberschlesien), ab 1903 am Matthias-Claudius-Gymnasium in Hamburg-Wandsbek. 1908 erhielt er den Professorentitel. Spätestens seit 1912 war er im Vorstand der Deutschen Vereinigung, die Geld für antisemitische Kandidaturen sammelte. 1933 zog er von Hamburg nach Marburg. Am 19./20. Juni 1937 sprach er auf einer Böckelfeier in der Nähe von Marburg. Stöcker starb am 21.10.1962 in Bremen.

Werner, Julius

Pfarrer; evangelisch; am 23.2.1860 in Bonn geboren. Werner besuchte das Gymnasium in Frankfurt und studierte Theologie in Heidelberg, Halle und Leipzig. Seit den 80er Jahren in der christlich-sozialen Bewegung des Hofpredigers Adolf Stoecker aktiv. 1885—1886 war er Hilfsprediger in Heiligenthal, dann von 1887 bis 1892 Pfarrer in Hohenthurn bei Halle a.S. und von 1892 bis 1898 in Beckendorf bei Oschersleben. Im November 1895 referierte er im Deutschkonservativen Verein für Frankfurt am Main und Umgegend über „Deutsch-konservativ und christlich-sozial". Anläßlich des 60. Geburtstages des Hofpredigers Adolf Stoecker im Dezember 1896 hielt er die Festrede. Von 1898 bis 1917 Pfarrer der St. Paulsgemeinde in Frankfurt. Seit 1905 engagierte sich Werner in der Frankfurter Mittelstandsvereinigung. Spätestens seit 1911 war er Mitglied des Deutschen Vereins. 1912 gründete er den Verein „Christlich-nationale Gruppe gegen die Frauenemanzipation". Im September 1917 trat er in den Ruhestand. Werner starb am 9.1.1924 in Frankfurt.

Wolff, Adolf

Leutnant a.D., Druckereibesitzer; evangelisch; geb. am 6.8.1849 in Königsberg; seit 1887 lebte er in Frankfurt. Seit 1895 war er Mitglied des Deutschen Vereins. In den Jahren 1897, 1898 und 1899 besuchte er als Delegierter Frankfurts die Parteitage der Deutschsozialen Reformpartei.Vorsitzender des Deutschen Vereins 1898/99 und 1898 zweiter Schriftführer des Landesverbandes der Deutschsozialen Reformpartei für das Großherzogtum Hessen und die angrenzenden Gebiete. 1898 gründete er zusammen mit OTTO HIRSCHEL die Hessische Druckerei und Verlagsanstalt, in der die „Frankfurter Post“ und die „Deutsche Volkswacht“ erschienen. Kandidierte für den Deutschen Verein bei den Stadtverordnetenwahlen 1898. Von April bis Dezember 1899 war er Redakteur der „Deutschen Worte“. 1904 bis 1907 wohnte er in Friedberg. Von Mai 1904 bis Februar 1906 war er verantwortlicher Redakteur der „Deutschen Volkswacht“. 1905 wurde WOLFF zum Schriftführer des neugegründeten Vereins „Vereinigte Landwirte Frankfurt am Main und Umgegend“ ernannt, dessen Geschäftsführer er seit Februar 1906 war. 1907 lebte er für kurze Zeit wieder in Frankfurt, zog jedoch im selben Jahr nach Heidelberg.

Quellen- und Literaturverzeichnis

1. Archivalische Quellen

Zentrales Staatsarchiv Merseburg

Bestand Reichstag, Rep. 169 A XXXIII, Nr. 31, Bd. 2

Zentrales Staatsarchiv Potsdam

60 Re 1, GSRP Drucksachen 1900 und GSRP vol. 3, Antisemitische Vereinigung

Hessisches Hauptstaatsarchiv Wiesbaden

Abt. 405: Regierung Wiesbaden
Nr. 3761 und Nr. 5825

Abt. 407: Polizeipräsidium Frankfurt am Main
Nr. 95 und Nr. 159

Abt. 461: Staatsanwaltschaft beim Landgericht Frankfurt am Main
Nr. 57

Staatsarchiv Hamburg

Personalakten Wandsbek IV St. 4

Hessisches Staatsarchiv Marburg

Bestand 340 Nachlaß Otto Böckel

Stadtarchiv Frankfurt am Main

Bestand Einwohnermeldekarten

Akten des Magistrats
R 151, R 1130 (Bd. VII-XI), T 54, T 58, T 1108, S 2673

Magistratsbeschluß Nr. 688 vom 7.7.1910

Akten der Stadtverordnetenversammlung 86

Senatssupplikation 561 (Nr. 6)

Personalakte 16.972
Personalakte 41.468
Personalakte III/2-81, Sign. 207.470
Personalakte 209.921

Sammlung S 2/2795, S 3/R 4935

Fotosammlung

Standesamt Frankfurt am Main/Mitte

I/551, III/170 (Hermann Laaß)

Stadtarchiv Offenbach

Verzeichnis der Steuerpflichtigen 1901—1908

Jüdisches Museum Frankfurt am Main

Fotosammlung

Archiv (nicht registriert: Fahrkarte und Postkarten des „Kölner Hofs")

2. Zeitungen und andere Periodika

Allgemeine Zeitung des Judentums (Leipzig/Berlin). 63. Jg. 1899, 64. Jg. 1900.
Der Antisemitenkalender 1898. Berlin 1898.
Antisemitisches Jahrbuch für 1898. Berlin 1898. Dasselbe für 1899. Berlin 1899.
Antisemitisches Volksblatt (früher: Reichsgeldmonopol) (Kassel). Jg. 1895.
Deutsche Handels-Wacht. Zeitschrift des Deutschnationalen Handlungsgehilfen-Verbandes (Hamburg). 2. Jg. 1895, 3. Jg. 1896, 9. Jg. 1902 — 16. Jg. 1909.
Deutsche Volkswacht (Offenbach, ab 1904: Friedberg). 1. Jg. 1894 — 13. Jg. 1906.
Deutsche Worte (Frankfurt am Main). 1. Jg. 1899, 2. Jg. 1900
Im Deutschen Reich. Zeitschrift des Central-Vereins deutscher Staatsbürger jüdischen Glaubens (Berlin). 4. Jg. 1898.
Deutsch-Soziale Blätter (Leipzig, ab 1904: Hamburg). 5. Jg. 1890 — 16. Jg. 1901; 19. Jg. 1904 — 23. Jg. 1908; 25. Jg. 1910 — 29. Jg. 1914.
Frankfurter Beobachter (Frankfurt am Main). Jgg. 1880—1883.
Frankfurter Blätter für Familiengeschichte (Frankfurt am Main). 3. Bd. 1910.
Frankfurter Generalanzeiger (Frankfurt am Main). Jgg. 1893, 1895, 1906, 1913.
Frankfurter Israelitisches Familienblatt (Frankfurt am Main). 4. Jg. 1906.
Frankfurter Journal (Frankfurt am Main). Jgg. 1880, 1881.
Frankfurter Kirchenkalender 1925 für die evangelischen Gemeinden des Konsistorialbezirkes Frankfurt am Main (Frankfurt am Main). 37. Jg. 1925.
Frankfurter Nachrichten (Frankfurt am Main). Jgg. 1913, 1927.
Frankfurter Post (Offenbach, ab 1900: Frankfurt am Main). 1. Jg. 1896 — 4. Jg. 1899, Nr. 11; 5. Jg. 1900, Nr. 1 u. 7; 9. Jg. 1904, Nr. 10.
Frankfurter Volksblatt (Frankfurt am Main). Jg. 1936.
Frankfurter Zeitung (Frankfurt am Main). Jgg. 1881, 1887, 1896—1914.

Der Israelit (Beilage: Der Frankfurter Israelit) (Mainz, Frankfurt). 23. Jg. 1882, 53. Jg. 1912.
Jahrbuch für Deutschnationale Handlungsgehilfen (Hamburg). 1. Jg. 1900.
Jüdische Presse (Berlin). 43. Jg. 1912.
Kehraus. Antisemitischer Volkskalender für das Jahr 1892. Marburg 1891.
Kleine Presse (Frankfurt am Main). Jgg. 1891—1914.
Der Kulturkämpfer. Zeitschrift für öffentliche Angelegenheiten (Berlin). 1. Jg. 1880.
Die Kunst (München). 29. Jg. 1914.
Mitteilungen der Freien literarischen Gesellschaft in Frankfurt am Main (Frankfurt am Main). 2. Jg., Nr. 3, Oktober 1909.
Mitteilungen des Vereins zur Abwehr des Antisemitismus (Berlin). 1. Jg. 1891 — 29. Jg. 1919.
Mittelstandszeitung (Frankfurt am Main). 1. Jg. 1905 — 4. Jg. 1908.
Populär-wissenschaftliche Monatsblätter zur Belehrung über das Judentum für Gebildete aller Confessionen (Frankfurt am Main). 15. Jg. 1895.
Reichsgeldmonopol. Organ für socialpolitische Reform. Hrsg. von Ludwig Werner (Kassel). Jgg. 1882—1886.
Der Reichsherold (Marburg). 1. Jg. 1887 — 6. Jg. 1892.
Die Römerkatze (Beilage: Der Römerkater). Hrsg. von Johann Heinrich Hettler (Frankfurt am Main). Jgg. 1901—1906, einzelne Nummern 1907, 1908 und 1911.
Zeitschrift für Demographie und Statistik der Juden (Berlin). 1. Jg. 1905, 2. Jg. 1906.

3. Amtliche Druckschriften, Protokolle und Nachschlagewerke

Adreßbuch von Frankfurt a.M. Hrsg. von (ab 1884: nach) Georg Friedrich Krug. (1898—1903: Mahlau's Frankfurter Adreßbuch; 1904: Neues Adreßbuch für Frankfurt a.M. und Umgebung; ab 1905: Adreßbuch für Frankfurt a.M. und Umgebung). Frankfurt am Main 1882—1916.
Adreßbuch der Stadt Offenbach am Main. Offenbach am Main 1897 und 1901.
Bericht über die Verhandlungen der Stadtverordnetenversammlung der Stadt Frankfurt am Main nach stenographischen Aufnahmen. Frankfurt am Main 41. Bd. 1908—45. Bd. 1912.
Das deutsche Führerlexikon 1934/35. Berlin 1934.
Encyclopaedia Judaica. Das Judentum in Geschichte und Gegenwart. 10 Bde A-L. Berlin 1928—1934.
Encyclopaedia Judaica. 16. Bde. Jerusalem 1971/72.
Gemeindeverfassungs-Gesetz für die Stadt Frankfurt am Main vom 25. März 1867. Frankfurt am Main 1867.
Gesamtverzeichnis des deutschsprachigen Schrifttums 1700—1910. 124. Bd. München/New York/London/Paris 1984.
Graphisch-statistischer Atlas von Frankfurt am Main. Serie 1. Frankfurt am Main 1903.
Jüdisches Lexikon. Ein enzyklopädisches Handbuch des jüdischen Wissens in vier Bänden. Hrsg. von Georg Herlitz und Bruno Kirschner. Königstein/Ts. 1982 (unveränderter Nachdruck der 1. Aufl. Berlin 1927—1930).
Kürschners deutscher Literaturkalender. Berlin u. Leipzig 39. Jg. 1917 — 47. Jg. 1934.
Lexikon des Judentums. 2. Aufl. Gütersloh/Berlin/München/Wien 1971.
Lexikon zur Geschichte der Parteien in Europa. Hrsg. von Frank Wende. Stuttgart 1981.
Mitglieder der Frankfurter Stadtverordnetenversammlung 1867 bis 1933. Zusammengestellt von Patricia Tratnik. Manuskript, Frankfurt am Main 1984.
Mittheilungen aus den Protokollen der Stadtverordnetenversammlung. Frankfurt am Main 32. Bd. 1899 — 40. Bd. 1907 (danach: Bericht . . .)
Schwarz, Max: MdR. Biographisches Handbuch der Reichstage. Hannover 1965.
Sigilla Veri. Lexikon der Juden, -Genossen und -Gegner aller Zeiten und Zonen, insbesondere Deutschlands, der Lehren, Gebräuche, Kunstgriffe und Statistiken der Juden sowie ihrer Gaunersprache, Trugnamen, Geheimbünde usw. 2. verm. Aufl. Hrsg. von E. Ekkehard. 4 Bde. Erfurt 1929—1931.
Statistisches Handbuch der Stadt Frankfurt am Main. Im Auftrage des Magistrats herausgegeben durch das Statistische Amt. 1. Ausg. Enthaltend die Statistik bis zum Jahre 1905/06. Frankfurt am Main 1907.
dasselbe, 2. Ausg. Enthaltend die Statistik der Jahre 1906/07 bis 1926/27. Frankfurt am Main 1928.

Stenographische Berichte über die Verhandlungen der durch die Allerhöchste Verordnung vom 23. Dezember 1895 zum 15. Januar 1896 einberufenen, am 20. Juni 1896 geschlossenen beiden Häuser des Landtags der Monarchie. Herrenhaus. 2 Bde. Berlin 1896.
Stenographische Berichte über die Verhandlungen des Hauses der Abgeordneten. 18. Legislaturperiode, III. Session 1896. Anlagen 3. Bd. Berlin 1896.
Stenographische Berichte über die Verhandlungen des Deutschen Reichstags. IX. Legislaturperiode, V. Session 1897/98. 3 Bde (Bd. 159-161) Berlin 1898.

4. Sonstige gedruckte Quellen und Sekundärliteratur

ADLER-RUDEL, S(HLOMO): Ostjuden in Deutschland 1880—1940. Tübingen 1959.
ANGRESS, WERNER T.: The Impact of the „Judenwahlen" of 1912 on the Jewish Question. A Synthesis, in: Year Book des Leo Baeck Instituts XXVIII (1983), S. 367-410.
Die Antisemiten im Reichstag. Berlin 1903.
ARENDT, HANNAH: Elemente und Ursprünge totaler Herrschaft. Frankfurt am Main 1962.
ARNSBERG, PAUL: Die Geschichte der Frankfurter Juden seit der Französischen Revolution. 3 Bde. Darmstadt 1983.
ders.: Heinrich Heine als links-intellektuelles „Anti"-Symbol. Ein Bildersturm im vorigen Jahrhundert, in: Tribüne 2 (1963), H.6, S. 643-657.
ders.: Stein des Anstoßes — Das Heinrich-Heine-Denkmal, in: ders., Bilder aus dem jüdischen Leben im alten Frankfurt. Frankfurt am Main 1970, S. 144-165.
BANGERT, WOLFGANG: Baupolitik und Stadtgestaltung in Frankfurt am Main. Ein Beitrag zur Entwicklungsgeschichte des deutschen Städtebaues in den letzten 100 Jahren. Würzburg 1937.
BARKAI, AVRAHAM: Sozialgeschichtliche Aspekte der deutschen Judenheit in der Zeit der Industrialisierung, in: Jahrbuch des Instituts für deutsche Geschichte 11 (1982), S. 237-260.
BARTELS, ADOLF: Heine-Genossen. Zur Charakteristik der deutschen Presse und der deutschen Parteien. Dresden u. Leipzig 1907.
ders.: Heinrich Heine. Auch ein Denkmal. Dresden u. Leipzig 1906.
BECKER, HARTMUT: Antisemitismus in der Deutschen Turnerschaft. Sankt Augustin 1980.
ders.: War Jahn „Antisemit"?, in: Stadion IV (1978), S. 121-135.
BEIN, ALEX: Die Judenfrage. Biographie eines Weltproblems. 2 Bde. Stuttgart 1980.
ders.: Der moderne Antisemitismus und seine Bedeutung für die Judenfrage, in: Vierteljahreshefte für Zeitgeschichte, 6. Jg. (1958), S. 340-360.
BENNATHAN, ESRA: Demographische und wirtschaftliche Struktur der Juden, in: Entscheidungsjahr 1932. Zur Judenfrage in der Endphase der Weimarer Republik. Hrsg. von WERNER E. MOSSE. Tübingen 1966, S. 87-131.
BERING, DIETZ: Der Name als Stigma. Antisemitismus im deutschen Alltag 1812—1933. Stuttgart 1987.
BERNETT, HAJO: Nationalsozialistische Leibeserziehung. Eine Dokumentation ihrer Theorie und Organisation. Schorndorf 1966.
BIEBER, HANS-JOACHIM: Anti-Semitism as a Reflection of Social, Economic and Political Tension in Germany 1880—1933, in: Jews and Germans from 1860 to 1933. The Problematic Symbiosis. Ed. by DAVID BRONSON. Heidelberg 1979, S. 33-77.
BIERMER, MAGNUS: Mittelstandsbewegung, in: Handwörterbuch der Staatswissenschaften, 6. Bd., 3. veränderte Aufl. Jena 1910, S. 734-762.
ders.: Warenhäuser und Warenhaussteuer, in: Handwörterbuch der Staatswissenschaften, 8. Bd., 3. veränderte Aufl. Jena 1911, S. 590-615.
BLACKBOURN, DAVID: Between Resignation and Volatility: the German Petite Bourgeoisie in the Nineteenth Century, in: GEOFFREY CROSSICK/HEINZ-GERHARD HAUPT, Shopkeepers and Master Artisans in Nineteenth-Century Europe. London/New York 1984, S. 35-61.
BLASIUS, DIRK: „Judenfrage" und Gesellschaftsgeschichte, in: Neue politische Literatur 23 (1978), S. 17-33.
BOEHLICH, WALTER (Hrsg.): Der Berliner Antisemitismus-Streit. Frankfurt am Main 1965.
BÖHME, HELMUT: Frankfurt und Hamburg. Frankfurt am Main 1968.
BORN, KARL ERICH: Von der Reichsgründung bis zum Ersten Weltkrieg (=GEBHARDT, Handbuch der deutschen Geschichte, 16. Bd.). München 1975.

BRAATZ, WERNER E.: Antisemitismus, Antimodernismus und Antiliberalismus im ausgehenden 19. Jahrhundert, in: Politische Studien 22 (1971), Nr. 195, S. 20-33.
BRAKELMANN, GÜNTER: Adolf Stoecker und die Sozialdemokratie, in: ders./MARTIN GRESCHAT/WERNER JOCHMANN, Protestantismus und Politik. Werk und Wirkung Adolf Stoeckers. Hamburg 1982, S. 84-122.
BROSZAT, MARTIN: Die antisemitische Bewegung im wilhelminischen Deutschland. Diss. Köln 1953 (maschinenschriftl.).
ders.: Die völkische Ideologie und der Nationalsozialismus, in: Deutsche Rundschau 84 (1958), S. 53-68.
BUCH, WILLI: 50 Jahre antisemitische Bewegung. Beiträge zu ihrer Geschichte. München 1937.
BUCHHEIM, KARL: Geschichte der christlichen Parteien in Deutschland. München 1953.
BÜRGER, CURT: Die politische Mittelstandsbewegung in Deutschland. Groß Lichterfelde 1912.
ders. (Hrsg.): Antisemiten-Spiegel. Die Antisemiten im Lichte des Christentums, des Rechtes und der Wissenschaft. Hrsg. im Auftrag des Vereins zur Abwehr des Antisemitismus. 3. veränd. Aufl. Berlin u. Frankfurt 1911.
BÜTSCHLI, AUGUST: Goetheplatz-Erinnerungen. Nachwort von Wolfgang Klötzer. Frankfurt am Main 1970.
BUSCH, MORITZ: Tagebuchblätter. 3. Bd.: Denkwürdigkeiten aus den Jahren 1880-1893. Leipzig 1899.
CHOTJEWITZ, PETER O./CHOTJEWITZ-HÄFNER, RENATE: Die mit Tränen säen. Israelisches Reise-Journal. München 1980.
CLASS, HEINRICH: Wider den Strom. Vom Werden und Wachsen der nationalen Opposition im alten Reich. Leipzig 1932.
CONZE, WERNER: Mittelstand, in: Geschichtliche Grundbegriffe. Hrsg. von OTTO BRUNNER, WERNER CONZE und REINHART KOSELLECK, 4. Bd., Stuttgart 1978, S. 49-92.
DELIUS, HANS: Deutsches Vereins- und Versammlungsrecht in privat- und öffentlichrechtlicher Beziehung unter besonderer Berücksichtigung des Preußischen Rechts. 4. Aufl. Berlin 1908.
DEMANDT, KARL E.: Leopold von Sacher-Masoch und sein Oberhessischer Volksbildungsverein zwischen Schwarzen, Roten und Antisemiten, in: Hessisches Jahrbuch für Landesgeschichte 18 (1968), S. 160-208.
DUBNOW, SIMON: Die neueste Geschichte des jüdischen Volkes. Bd. 10: Das Zeitalter der zweiten Reaktion (1880-1914). Nebst Epilog (1914-1928). Berlin 1929.
EICHLER, VOLKER: Sozialistische Arbeiterbewegung in Frankfurt am Main 1878—1895. Frankfurt am Main 1983.
ENGELMANN, HANS: Kirche am Abgrund. Adolf Stoecker und seine antijüdische Bewegung. Berlin 1984.
Entstehung und Bedeutung der deutschnationalen Handlungsgehilfen-Bewegung. Hamburg 1899.
ESSELBORN, KARL: Ministerpräsident Dr. Ferdinand Werner, in: Hessischer Landkalender 1934, Darmstadt 1933, S. 30-32.
EVANS, RICHARD J.: The Feminist Movement in Germany 1894—1933. London/Beverly Hills 1976.
FELDEN, KLEMENS: Die Übernahme des antisemitischen Stereotyps als soziale Norm durch die bürgerliche Gesellschaft Deutschlands (1875—1900). Diss. Heidelberg 1963 (maschinenschriftl.).
FRANK, WALTER: Hofprediger Adolf Stoecker und die christlichsoziale Bewegung. 2. durchgeseh. Aufl. Hamburg 1935.
Frankfurter Männergesangverein e.V. 1886—1911. 25.jährige Jubiläumsfeier 18. März 1911. Frankfurt am Main 1911.
FRICKE, DIETER: Antisemitische Parteien 1879—1894, in: Lexikon zur Parteiengeschichte. Die bürgerlichen Parteien und Verbände in Deutschland (1789—1945), 1. Bd., Köln 1983, S. 77-88.
ders.: Deutsche Reformpartei (DRP) 1900—1914 (1900—1903 Deutschsoziale Reformpartei), in: Lexikon zur Parteiengeschichte. Die bürgerlichen Parteien und Verbände in Deutschland (1789—1945), 2. Bd., Köln 1984, S. 63-66.
ders.: Deutschsoziale Partei (DSP) 1900—1914, in: Lexikon zur Parteiengeschichte. Die bürgerlichen Parteien und Verbände in Deutschland (1789—1945), 2. Bd., Köln 1984, S. 534-537.
ders.: Deutschsoziale Reformpartei (DSRP) 1894—1900, in: Lexikon zur Parteiengeschichte. Die bürgerlichen Parteien und Verbände in Deutschland (1789—1945), 2. Bd., Köln 1984, S. 540-546.
ders.: Die Organisation der antisemitischen Deutschsozialen Reformpartei 1894 bis 1900, in: Zeitschrift für Geschichtswissenschaften 29 (1981), H. 5, S. 427-442.
„Früher wohnten wir in Frankfurt...“ Frankfurt am Main und Anne Frank. Ausstellungskatalog Historisches Museum Frankfurt am Main 1985.

FRYMANN, DANIEL [d.i. HEINRICH CLASS]: Wenn ich der Kaiser wär' — Politische Wahrheiten und Notwendigkeiten. 5. erw. Aufl. Leipzig 1914.

GALL, LOTHAR: Bismarck. Der weiße Revolutionär. Frankfurt am Main/Berlin/Wien 1980.

GALLEY, EBERHARD: Heinrich Heine im Widerstreit der Meinungen 1825—1965. Düsseldorf 1967.

GALOS, ADAM/GENTZEN, FELIX HEINRICH/JAKÓBCZYK, WITOLD: Die Hakatisten. Der Deutsche Ostmarkenverein (1894—1934). Berlin 1966.

GAY, PETER: Freud, Juden und andere Deutsche. Herren und Opfer in der modernen Kultur. Hamburg 1986.

GEISER, ALFRED (Hrsg.): Deutsches Reich und Volk. Ein nationales Handbuch. 2. verm. Aufl. München 1910.

GELLATELY, ROBERT: The Politics of Economic Despair: Shopkeepers and German Politics 1890—1914. London/Beverly Hills 1974.

GERLACH, HANS CHRISTIAN: Agitation und parlamentarische Wirksamkeit der deutschen Antisemitenparteien 1873—1895. Diss. Kiel 1956 (maschinenschriftl.).

GERLACH, HELLMUT VON: Vom deutschen Antisemitismus, in: Patria. Jahrbuch der „Hilfe", 1904, S. 141-156.

GERMANICUS [d.i. EMIL RICHTER]: Die Frankfurter Juden und die Aufsaugung des Volkswohlstandes. 4. Aufl. Leipzig 1880.

ders.: Neuer Börsenschwindel. Leipzig 1880.

ders.: Der neueste Raub am Deutschen Nationalwohlstand. Frankfurt am Main 1881.

ders.: Die Rothschildgruppe und der „monumentale" Conversionsschwindel von 1881. Eine zweite Anklage wider die Agiotage. 2. Auflage Frankfurt am Main 1882.

ders.: Der zweite Pariser Krach. Frankfurt am Main 1883.

GERSTENHAUER, ROBERT: Der völkische Gedanke in Vergangenheit und Zukunft. Aus der Geschichte der völkischen Bewegung. Leipzig 1933.

GERTEIS, KLAUS: Leopold Sonnemann. Frankfurt am Main 1970.

GIESE, WILHELM: Die deutschsoziale Reformpartei und die Reichstagswahlen des Jahres 1898, in: Antisemitisches Jahrbuch für 1899, Berlin 1899, S. 199-234.

ders.: Die Herren Raab und v. Liebermann in der Deutsch-Sozialen Reformpartei. Berlin 1900.

GREBING, HELGA: Geschichte der deutschen Parteien. Wiesbaden 1962.

GREIVE, HERMANN: Geschichte des modernen Antisemitismus in Deutschland. Darmstadt 1983.

ders.: Der „umgekehrte" Talmud des völkischen Nationalismus, in: Judaica XXIII (1967), S. 1-27.

HALLGARTEN, CHARLES: Neues über den Antisemitismus. Vortrag gehalten in einer Versammlung am 14. Februar 1897. Frankfurt am Main 1897.

HAMEL, IRIS: Völkischer Verband und nationale Gewerkschaft. Der Deutschnationale Handlungsgehilfen-Verband 1893—1933. Frankfurt am Main 1967.

HANAUER, WILHELM: Zur Statistik der jüdischen Bevölkerung in Frankfurt am Main, in: Zeitschrift für Demographie und Statistik der Juden 6 (1910), Nr. 10, S. 137-145 und Nr. 11, S. 153-159.

HEIL, HEINRICH: Die Entwicklung der katholischen Presse in Frankfurt. Frankfurt am Main 1921.

HEINE, HEINRICH: Sämtliche Schriften. Hrsg. von KLAUS BRIEGLEB. Band 11: Schriften 1851—1855; Band 12: Kommentar zu Band 11. Frankfurt a.M./Berlin/Wien 1981.

HEINEN, ERNST: Antisemitische Strömungen im politischen Katholizismus während des Kulturkampfes, in: Geschichte in der Gegenwart. Festschrift für Kurt Kluxen zu seinem 60. Geburtstag. Hrsg. von ERNST HEINEN und HANS JULIUS SCHOEPS. Paderborn 1972, S. 259-299.

HERTZMAN, LEWIS: DNVP. Right-Wing Opposition in the Weimar Republic. 1918—1924. Lincoln 1963.

HOTZ, KARL (Hrsg.): Heinrich Heine. Wirkungsgeschichte als Wirkungskritik. Materialien zur Rezeptions- und Wirkungsgeschichte Heines. Stuttgart 1975.

Hundert Jahre St. Paulskirche. Jubiläumsschrift zum 9. Juni 1933. Frankfurt am Main 1933.

JAHN, FRIEDRICH LUDWIG/EISELEN, ERNST: Die Deutsche Turnkunst zur Einrichtung der Turnplätze. Dresden 1927 (Nachdruck der Originalausgabe von 1816).

JATHO, JÖRG-PETER: Dr. Ferdinand Werner. Eine biographische Skizze zur Verstrickung eines völkischen Antisemiten in den Nationalsozialismus, in: Wetterauer Geschichtsblätter, Bd. 34 (1985), S. 181-224.

JOCHMANN, WERNER: Stoecker als nationalkonservativer Politiker und antisemitischer Agitator, in: GÜNTER BRAKELMANN/MARTIN GRESCHAT/WERNER JOCHMANN, Protestantismus und Politik. Werk und Wirkung Adolf Stoeckers. Hamburg 1982, S. 123-198.

ders.: Struktur und Funktion des deutschen Antisemitismus, in: Juden im wilhelminischen Deutschland. 1890—1914. Ein Sammelband. Hrsg. von WERNER E. MOSSE unter Mitwirkung von ARNOLD PAUCKER. Tübingen 1976, S. 389-477.

ders.: Struktur und Funktion des deutschen Antisemitismus 1878—1914, in: Antisemitismus. Von der Judenfeindschaft zum Holocaust. Hrsg. von HERBERT A. STRAUSS und NORBERT KAMPE. Frankfurt am Main u. New York, S. 99-142.

JOHN, HANS-GEORG: Politik und Turnen. Die Deutsche Turnerschaft als nationale Bewegung im deutschen Kaiserreich von 1871 bis 1914. Ahrensburg bei Hamburg 1976.

KAEHLER, SIEGFRIED: Stöckers Versuch, eine christlich-soziale Arbeiterpartei in Berlin zu begründen (1878), in: Deutscher Staat und deutsche Parteien. Beiträge zur deutschen Partei- und Ideengeschichte. Hrsg. von PAUL WENTZCKE, München 1922, S. 227-265.

KAHLENBERG, FRIEDRICH P.: Jüdische Gemeinden am Mittelrhein, in: Zwischen Rhein und Mosel. Der Kreis St. Goar. Hrsg. von FRANZ JOSEF HEYEN. Boppard 1966, S. 359-372.

KAHN, ERNST: Die Bevölkerungsbewegung der Juden in Frankfurt am Main, in: Zeitschrift für Demographie und Statistik der Juden 9 (1913), H. 3, S. 33-36.

KAHN, ERNST: The Frankfurter Zeitung, in: Year Book des Leo Baeck Instituts II (1957), S. 228-235.

KAHN, RUDOLF: Der Kampf um das Heine-Denkmal. Ein Rückblick. Leipzig 1911.

KALBFLEISCH, GISELA: Der Mitteldeutsche Bauernverein in Hessen von 1890 bis 1893. Marburg 1962 (maschinenschriftl.).

KALLMORGEN, WILHELM: Siebenhundert Jahre Heilkunde in Frankfurt am Main. Frankfurt am Main 1936.

KAMPE, NORBERT: Studenten und „Judenfrage" im Deutschen Kaiserreich. Die Entstehung einer akademischen Trägerschicht des Antisemitismus. Göttingen 1988.

KAMPMANN, WANDA: Deutsche und Juden. Die Geschichte der Juden in Deutschland vom Mittelalter bis zum Beginn des Ersten Weltkrieges. Frankfurt am Main 1979.

dies.: Adolf Stoecker und die Berliner Bewegung, in: Geschichte in Wissenschaft und Unterricht 13 (1962), S. 558-579.

KANNGIESSER, OTTO: Frankfurts Gegenwart und nächste Zukunft. Eine Denkschrift. Frankfurt am Main 1892.

KARASEK, HORST: Der Fedtmilch-Aufstand oder: Wie die Frankfurter 1612/14 ihrem Rat einheizten. Berlin 1979.

KATER, MICHAEL H.: Zur Soziographie der frühen NSDAP, in: Vierteljahreshefte für Zeitgeschichte 19 (1971), S. 124-159.

KLAR, EMIL: Die Entwicklung des Wohnungswesens von 1870—1914, in: Das Wohnungswesen der Stadt Frankfurt am Main. Frankfurt am Main 1930, S. 55-91.

KLESSE, MAX: Vom alten zum neuen Israel. Ein Beitrag zur Genese der Judenfrage und des Antisemitismus. Frankfurt am Main 1965.

KLÖTZER, WOLFGANG: Franz Adickes, in: Männer der deutschen Verwaltung. Köln und Berlin 1963, S. 245-259.

ders.: „Wahrlich eine schöne und lebendige Stadt . . ." Kleine Schriften zur Frankfurter Kulturgeschichte. Frankfurt am Main 1985.

ders.: Das Wilhelminische Frankfurt, in: Archiv für Frankfurts Geschichte und Kunst, H. 53 (1973), S. 161-182.

KNAUSS, ERWIN: Der politische Antisemitismus vom ausgehenden 19. Jahrhundert bis zum Ende des Kaiserreichs unter besonderer Berücksichtigung des nord- und mittelhessischen Raumes, in: Juden in Kassel 1808—1933. Eine Dokumentation anläßlich des 100. Geburtstages von Franz Rosenzweig. Ausstellungskatalog. Kassel 1986, S. 15-31.

ders.: Der politische Antisemitismus im Kaiserreich (1871—1900) unter besonderer Berücksichtigung des mittelhessischen Raumes, in: Mitteilungen des oberhessischen Geschichtsvereins, N.F. 53/54 (1969), S. 43-68.

ders.: Die politischen Kräfte und das Wählerverhalten im Landkreis Gießen der letzten 60 Jahre (= Mitteilungen des oberhessischen Gesichtsvereins, N.F. 45) Gießen 1961.

KNOTT, A. J.: Die antisemitische Bewegung in Hildesheim bei den Wahlen zum Reichstag 1891 und 1893, in: Alt-Hildesheim 51 (1980), S. 61-67.

KOCH, RAINER: Grundlagen bürgerlicher Herrschaft. Wiesbaden 1983.

KÖHLER, BARBARA: Die Nationalsozialisten in der Frankfurter Stadtverordnetenversammlung 1929 bis 1933, in: Archiv für Frankfurts Geschichte und Kunst, H. 59 (1985), S. 439-482.

Koselleck, Reinhart: Vergangene Zukunft. Zur Semantik geschichtlicher Zeiten. Frankfurt am Main 1979.

Kracauer, Isidor: Geschichte der Juden in Frankfurt am Main (1150—1824). 2 Bde. Frankfurt am Main 1925 und 1927.

Krohn, Helga: Die Juden in Hamburg. Die politische, soziale und kulturelle Entwicklung einer jüdischen Großstadtgemeinde nach der Emanzipation 1848—1918. Hamburg 1974.

Kropat, Wolf Arno: Frankfurt zwischen Provinzialismus und Nationalismus. Die Eingliederung der „Freien Stadt" in den preußischen Staat (1866—1871). Frankfurt am Main 1971.

Küster, Rudolf: Wesen und Ziele des Deutschbundes. Magdeburg 1895.

Lauer, Georg: Die Ortsgruppe Frankfurt a. M. des D.H.V., in: Der deutsche Kaufmannsgehilfe in Beruf und Wirtschaft. Sondernummer der kaufmännischen Monatsschrift „Der D.H.V. im Main-Weser-Gau", 27. Jg., Nr. 11, 1.11.1926, S. 15.

Lerner, Franz: Wirtschafts- und Sozialgeschichte des Nassauer Raumes 1816—1924. Wiesbaden 1965.

Lestschinsky, Jakob: Das wirtschaftliche Schicksal des deutschen Judentums. Aufstieg — Wandlung — Krise — Ausblick. Berlin 1932.

Leuschen-Seppel, Rosemarie: Sozialdemokratie und Antisemitismus im Kaiserreich. Die Auseinandersetzungen der Partei mit den konservativen und völkischen Strömungen des Antisemitismus 1871—1914. Bonn 1978.

Levy, Richard S.: The Downfall of the Anti-Semitic Political Parties in Imperial Germany. New Haven/London 1975.

Liebe, Werner: Die Deutschnationale Volkspartei 1918—1924. Düsseldorf 1956.

Loening, Edgar: Vereins- und Versammlungsfreiheit, in: Handwörterbuch der Staatswissenschaften, 8. Bd., 3. Aufl. Jena 1911, S. 152-171.

Lohalm, Uwe: Völkischer Radikalismus. Die Geschichte des Deutschvölkischen Schutz- und Trutz-Bundes 1919—1923. Hamburg 1970.

Lowenstein, Steven M.: Jewish Residential Concentration in Post-Emancipation Germany, in: Year Book des Leo Baeck Instituts XXVIII (1983), S. 471-495.

Mack, Rüdiger: Otto Böckel und die antisemitische Bauernbewegung in Hessen 1887—1894, in: Neunhundert Jahre Geschichte der Juden in Hessen. Wiesbaden 1983, S. 377-410.

Mahler, Karl: Die Programme der politischen Parteien in Deutschland. Leipzig 1911.

Manifest an die Regierungen und Völker der durch das Judenthum gefährdeten christlichen Staaten, laut Beschluß des ersten Internationalen Antijüdischen Kongresses zu Dresden, am 11./12. September 1882. Chemnitz 1882.

Marr, Wilhelm: Der Sieg des Judenthums über das Germanenthum. Vom nicht confessionellen Standpunkt aus betrachtet. 9. veränderte Aufl. Bern 1879.

Martin, Rudolf (Hrsg.): Jahrbuch des Vermögens und Einkommens der Millionäre in Hessen-Nassau. Berlin 1913.

Massing, Paul W.: Vorgeschichte des politischen Antisemitismus. Frankfurt am Main 1986 (Nachdruck der Ausgabe Frankfurt 1959).

Menges, W./Toonen, W.: Deutsche Parteientwicklung und Wahlentscheidungen seit 1871, mit besonderer Berücksichtigung der Entstehung des politischen Bildes von Hessen, in: Sociaal Kampas 4 (Den Haag 1956), Nr. 2, S. 68-97.

Meyn, Matthias: Die Reichsstadt Frankfurt vor dem Bürgeraufstand von 1612 bis 1614. Struktur und Krise. Frankfurt am Main 1980.

Mommsen, Wilhelm (Hrsg.): Deutsche Parteiprogramme. 2. Aufl. München 1964.

Müffelmann, Leo: Die moderne Mittelstandsbewegung. Leipzig u. Berlin 1913.

Nipperdey, Thomas: Die Organisation der deutschen Parteien vor 1918. Düsseldorf 1961.

Oertzen, Dietrich von: Adolf Stoecker. Lebensbild und Zeitgeschichte. 2 Bde. Berlin 1910.

Peal, David: Anti-Semitism and Rural Transformation. The Rise and Fall of the Böckel Movement. Columbia University diss. New York 1985.

ders.: Antisemitism by Other Means? The Rural Cooperative Movement in Late Nineteenth-Century Germany, in: Year Book des Leo Baeck Instituts XXXII (1987), S. 135-153.

Plate, August: Handbuch für das preußische Abgeordnetenhaus. Ausgabe für die 20. Legislaturperiode. Berlin 1904.

PULZER, PETER: Die Entstehung des politischen Antisemitismus in Deutschland und Österreich 1867—1914. Gütersloh 1966.
ders.: Religious and Judical Appointments in Germany, 1869—1918, in: Year Book des Leo Baeck Instituts XXVIII (1983), S. 185-204.
(QUIDDE, LUDWIG): Die Antisemitenagitation und die deutsche Studentenschaft. Göttingen 1881.
REHM, HERMANN: Deutschlands politische Parteien. Ein Grundriß der Parteienlehre und Wahlsysteme. Jena 1912.
REICHMANN, EVA GABRIELE: Flucht in den Haß. Die Ursachen der deutschen Judenkatastrophe. Frankfurt am Main (1960).
RICHARZ, MONIKA (Hrsg.): Jüdisches Leben in Deutschland. Selbstzeugnisse zur Sozialgeschichte im Kaiserreich. Stuttgart 1979.
RIFF, MICHAEL ANTHONY: The Government of Baden against Antisemitsm. Political Expediency or Principle?, in: Year Book des Leo Baeck Instituts XXXII (1987), S. 119-134.
RIQUARTS, KURT-GERHARD: Der Antisemitismus als politische Partei in Schleswig-Holstein und Hamburg 1871—1914. Diss. Kiel 1975.
ROSENBERG, HANS: Große Depression und Bismarckzeit. Wirtschaftsablauf, Gesellschaft und Politik in Mitteleuropa. Berlin 1967.
ROTH, ALFRED: Aus der Kampfzeit des Deutschvölkischen Schutz- und Trutzbundes. Eine Erinnerungsschrift. Hamburg 1939.
RÜRUP, REINHARD: Emanzipation und Antisemitismus: Historische Verbindungslinien, in: Antisemitismus. Von der Judenfeindschaft zum Holocaust. Hrsg. von HERBERT A. STRAUSS und NORBERT KAMPE. Frankfurt am Main u. New York 1985, S. 88-98.
ders.: Zur Entwicklung der modernen Antisemitismusforschung, in: ders., Emanzipation und Antisemitismus. Göttingen 1975, S. 115-125.
ders. / NIPPERDEY, THOMAS: Antisemitismus — Entstehung, Funktion und Geschichte eines Begriffes, in: REINHARD RÜRUP, Emanzipation und Antisemitismus. Göttingen 1975, S. 95-114.
RUPPEL, HANS GEORG / GROSS, BIRGIT (Bearb.): Hessische Abgeordnete 1820—1938. Darmstadt 1980.
SCHACK, WILHELM: Wie und was wir geworden sind (1893—1903). Festschrift zum 2. September 1903. 3. Aufl. Berlin 1903.
SCHARFF-SCHARFFENSTEIN, HERMANN VON: Ein Blick in das gefährliche Treiben der Judensippschaft. Augsburg 1852.
ders.: Das geheime Treiben, der Einfluß und die Macht des Judenthums in Frankreich seit hundert Jahren. 2. Aufl. Wiesbaden 1872.
ders.: Die Juden in Frankfurt am Main (=1.Bd.: Das entlarvte Judenthum der Neuzeit). Zürich 1871.
SCHILLING, OTTO: Innere Stadterweiterung. Berlin 1921.
SCHIVELBUSCH, WOLFGANG: Eine wilhelminische Oper. Frankfurt am Main 1985.
SCHLOTZHAUER, INGE: Die bürgerliche Gleichstellung der Frankfurt Juden im Urteil der zeitgenössischen Schriften 1816/17, in: Hessisches Jahrbuch für Landesgeschichte 34 (1984), S. 129-161.
SCHMAHL, EUGEN: Die antisemitische Bauernbewegung in Hessen von der Böckelzeit bis zum Nationalsozialismus, in: Entwicklung der völkischen Bewegung. Mit einem Geleitwort von Gauleiter Jakob Sprenger. Gießen (1933/34), S. VII-132.
SCHMIDT-CLAUSING, FRITZ: Judengegnerische Strömungen im deutschen Katholizismus des 19. Jahrhunderts. Eine religionspolitische Untersuchung. Diss. Jena 1942 (maschinenschriftl.).
SCHMOLLER, GUSTAV: Was verstehen wir unter dem Mittelstand? Hat er im 19. Jahrhundert zu- oder abgenommen? Göttingen 1897.
SCHÖN, EBERHART: Die Entstehung des Nationalsozialismus in Hessen. Meisenheim 1972.
SCHÖN, MAX: Die Geschichte der Berliner Bewegung. Leipzig 1889.
SCHOEPS, JULIUS H.: Ritualmordbeschuldigung und Blutaberglaube, in: Köln und das rheinische Judentum. Festschrift Germania Judaica 1959—1984. Köln 1984, S. 286-299.
SCHULTHEISS, FR. GUNTRAM: Deutschnationales Vereinswesen. Ein Beitrag zur Geschichte des deutschen Nationalgefühls. München 1897.
SCHUON, HERMANN: Der Deutschnationale Handlungsgehilfen-Verband zu Hamburg. Sein Werdegang und seine Arbeit. Jena 1914.
SENGER, VALENTIN: Kaiserhofstraße. Darmstadt und Neuwied 1980.
SILBERGLEIT, HEINRICH: Die Bevölkerungs- und Berufsverhältnisse der Juden im Deutschen Reich. 1. Band: Freistaat Preußen. Berlin 1930.

Sozialdemokratie und Stadtverwaltung in Frankfurt am Main. Zugleich ein Rechenschaftsbericht der sozialdemokratischen Stadtverordneten-Fraktion 1905—06. Zu den Stadtverordnetenwahlen 1906 hrsg. vom Sozialdemokratischen Verein. Frankfurt am Main 1906.

Specht, Fritz / Schwabe, Paul: Die Reichstagswahlen von 1867 bis 1903. Eine Statistik der Reichstagswahlen nebst den Programmen der Parteien und einem Verzeichnis der gewählten Abgeordneten. 2. Aufl. Berlin 1904.

Spier, Selmar: Vor 1914. Erinnerungen an Frankfurt geschrieben in Israel. Frankfurt 1961.

Sterling, Eleonore: Judenhaß. Die Anfänge des politischen Antisemitismus in Deutschland (1815—1850). 2. überarb. Aufl. Frankfurt 1969.

Stern, Fritz: Gold und Eisen. Bismarck und sein Bankier Bleichröder. Frankfurt am Main und Berlin 1978.

ders.: Kulturpessimismus als politische Gefahr. Eine Analyse nationaler Ideologie in Deutschland. Berlin/Stuttgart/Wien 1963.

Stoecker, Adolf: Christlich-Sozial. Reden und Aufsätze. Berlin 1885.

ders.: 13 Jahre Hofprediger und Politiker. Berlin 1895.

Stöcker, Ernst: De Claudiani poetae veterum rerum Romanorum scientia quae sit et unde fluxerit. Marburg 1889.

(ders.): Geschichte der Judenschaft von Frankfurt am Main. Dargestellt von einem Deutschen. Berlin 1897.

Strauss, Herbert A. / Kampe, Norbert (Hrsg.): Antisemitismus. Von der Judenfeindschaft zum Holocaust. Frankfurt u. New York 1985.

Stübling, Rainer: Die Sozialdemokratie in Frankfurt am Main von 1891 bis 1910. Frankfurt am Main 1981.

Suchy, Barbara: Antisemitismus in den Jahren vor dem ersten Weltkrieg, in: Köln und das rheinische Judentum. Festschrift Germania Judaica 1959—1984. Köln 1984, S. 252-285.

dies.: The Verein zur Abwehr des Antisemitismus (II). From the First World War to its Dissolution in 1933, in: Year Book des Leo Baeck Instituts XXX (1985), S. 67-103.

dies.: Zwischen Geborgenheit und Gefährdung. Jüdisches Leben in hessischen Kleinstädten und Dörfern, in: Die Geschichte Hessens. Hrsg. von Uwe Schultz. Stuttgart 1983, S. 145-159.

Telschow, Jürgen / Reiter, Elisabeth: Die evangelischen Pfarrer von Frankfurt am Main. Frankfurt am Main 1980.

Volkov, Shulamit: The Rise of Popular Antimodernism in Germany. The Urban Master Artisans 1873—1896. Princeton 1978.

Waldegg, Egon [d.i. Alexander Pinkert]: Die Judenfrage gegenüber dem deutschen Handel und Gewerbe. Ein Manifest an die deutsche Nation. 2. Aufl. Dresden 1879.

Wassermann, Henry / Franz, Eckhart G.: „Kauft nicht bei Juden". Der politische Antisemitismus des späten 19. Jahrhunderts in Darmstadt, in: Juden als Darmstädter Bürger. Hrsg. von Eckhart G. Franz. Darmstadt 1984, S. 123-136.

Wawrzinek, Kurt: Die Entstehung der deutschen Antisemitenparteien 1873—1900. Vaduz 1965 (unveränderter Nachdruck der Ausgabe Berlin 1927).

Wehler, Hans-Ulrich: Das Deutsche Kaiserreich 1871—1918. 5. durchgeseh. Aufl. Göttingen 1983.

Wein, Josef: Die Verbandsbildung im Einzelhandel. Berlin 1968.

Werner, Ferdinand: Fort mit der Schmach eines öffentlichen Heinedenkmals. Ein letztes Mahnwort an den Hamburger Senat und Frankfurter Magistrat. Leipzig 1913.

ders.: Liebermann von Sonnenberg, in: Deutscher Aufstieg. Bilder aus der Vergangenheit und Gegenwart der rechtsstehenden Parteien. Hrsg. von Hans von Arnim und Georg von Below. Berlin/Leipzig/Wien/Bern 1925, S. 315-320.

Werner, Lothar: Der Alldeutsche Verband 1890—1918. Ein Beitrag zur Geschichte der öffentlichen Meinung in Deutschland in den Jahren vor und während des Weltkrieges. Berlin 1935.

Westphal, P.: Illustrierter Führer durch die antisemitische Literatur, unter Berücksichtigung beachtenswerter Erscheinungen. Mit einem Verzeichnis der antisemitischen Vereine und einer Tafel empfehlenswerter Lokale. Nossen (1893).

Winkler, Heinrich August: Mittelstand, Demokratie und Nationalsozialismus. Köln 1972.

ders.: Der rückversicherte Mittelstand. Die Interessenverbände von Handwerk und Kleinhandel im deutschen Kaiserreich, in: Zur soziologischen Theorie und Analyse des 19. Jahrhunderts. Hrsg. von Walter Rüegg und Otto Neuloh. Göttingen 1971, S. 163-179.

WIPPERMANN, WOLFGANG: Das Leben in Frankfurt zur NS-Zeit. 1. Bd.: Die nationalsozialistische Judenverfolgung. Frankfurt 1986.
WOHLFARTH, DR.: Bilder aus der antisemitischen Bewegung, in: Antisemitisches Jahrbuch für 1898, Berlin 1898, S. 42-89.
ZECHLIN, EGMONT: Die deutsche Politik und die Juden im ersten Weltkrieg. Göttingen 1969.
ZIMMERMANN, ALBERT: Der Deutschnationale Handlungsgehilfenverband. Sein Werden, Wirken und Wollen. Hamburg 1929.
ZIMMERMANN, MOSHE: Two Generations in the History of German Antisemitism. The Letters of Theodor Fritsch to Wilhelm Marr, in: Year Book des Leo Baeck Instituts XXIII (1978), S. 89-99.
ZMARZLIK, HANS-GÜNTER: Antisemitismus im Deutschen Kaiserreich 1871—1918, in: Die Juden als Minderheit in der Geschichte. Hrsg. von BERND MARTIN und ERNST SCHULIN. München 1981, S. 249-270.

Abkürzungsverzeichnis

AdB	Adreßbuch von Frankfurt am Main
DHV	Deutschnationaler Handlungsgehilfenverband
HStaA	Hauptstaatsarchiv
KP	Kleine Presse
MdR	Mitglied des Reichstags
MdVAA	Mitteilungen des Vereins zur Abwehr des Antisemitismus
StA	Stadtarchiv
StA Ffm.	Stadtarchiv Frankfurt am Main
StaA	Staatsarchiv
ZStaA	Zentrales Staatsarchiv

Abbildungsnachweis

Abb. 1 Hofprediger Adolf Stoecker (1835—1909). Aus: W. Frank, Hofprediger Adolf Stoecker und die christlichsoziale Bewegung, 2. Aufl. Hamburg (1935)

Abb. 2 Otto Böckel (1859—1923) im Jahre 1893. Aus: E. Schmahl, Die antisemitische Bauernbewegung in Hessen von der Böckelzeit bis zum Nationalsozialismus, in: Entwicklung der völkischen Bewegung, Gießen (1933/34), nach S. 32

Abb. 3 Reichstagsabgeordneter Max Liebermann von Sonnenberg (1848—1911). Aus: M. Liebermann von Sonnenberg, Aus der Glückszeit meines Lebens, München 1911

Abb. 4 Titelseite der „Frankfurter Post" vom 1.5.1898. Stadt- und Universitätsbibliothek Frankfurt am Main

Abb. 5 Anzeige des „Kölner Hofs", 1899. Aus: Frankfurter Post, 4. Jg., Nr. 9, 1.9.1899

Abb. 6 Ansichtskarte vom Restaurant des „Kölner Hofes" mit der Hinweistafel „Jüdischer Besuch verbeten", Poststempel 1908. Stadtarchiv Frankfurt am Main

Abb. 7/8 Postkarten des „Kölner Hofes" mit Poststempeln aus den Jahren 1897 und 1898. Stadtarchiv Frankfurt am Main

Abb. 9/10 Erste und dritte Folge aus einer Postkartenserie, die der „Kölner Hof" um 1900 herausgab. Stadtarchiv Frankfurt am Main

Abb. 11/12 Antisemitische Karikaturen auf Postkarten um 1900. Jüdisches Museum Frankfurt am Main

Abb. 13 Die Einteilung der Frankfurter Wahlbezirke bis 1904. Stadtarchiv Frankfurt am Main, Akten des Magistrats R 1130/IX, Bl. 13

Abb. 14 Dr. Ferdinand Werner, Aufnahme nach 1930. Aus: E. Schmahl, antisemitische Bauernbewegung, nach S. 128

Abb. 15 a/b Flugblatt des Deutschen Vereins gegen die Errichtung des Heine-Denkmals, August 1912. Stadtarchiv Frankfurt am Main, Akten des Magistrats S 2673

Abb. 16 Oberbürgermeister Voigt spricht zur Enthüllung des Heine-Denkmals, 13.12.1913. Historisches Museum, Graphische Sammlung Ph 4214

Abb. 17 Das Heine-Denkmal nach seiner Enthüllung am 13.12.1913. Historisches Museum, Graphische Sammlung C 20754

Abb. 18 Otto Hirschel im Jahre 1918. Aus: E. Schmahl, antisemitische Bauernbewegung, nach S. 112

Abb. 19 Hermann Laaß, nach 1933. Aus: Frankfurter Volksblatt, Nr. 329, 2.12.1936

Abb. 20 Heinrich Sonntag, um 1910. Aus: Frankfurter Männergesangverein e.V. 1886—1911.

Abb. 21 Pfarrer Julius Werner. Aus: Frankfurter Kirchenkalender 1925 für die evangelischen Gemeinden des Konsistorialbezirkes Frankfurt am Main, S. 13

Personenindex